La vida en las fábricas.
Trabajo, protesta y política en una comunidad obrera, Berisso (1904-1970)

Mirta Zaida Lobato

Segunda edición, 2004
© Mirta Zaida Lobato, 2001
© De esta edición, Entrepasados / Prometeo libros, 2001
Av. Corrientes 1916 (C1045AAO), Buenos Aires
Tel.: (54-11) 4952-4486/8923 - Fax: (54-11) 4953-1165
e-mail: info@prometeolibros.com
http.www.prometeolibros.com

ISBN: 950-9217-06-9
Hecho el depósito que marca la ley 11.723

Diseño de tapa y diagramación de interior: Carolina Di Nardo
Tapa: Usina (Detalle) C. 1914, Pío Collivadino (Buenos Aires, 1869-1945)

Impreso en Argentina por **CaRol-Go** Universo Gráfico
Tucumán 1484 5º D (C1050AAD), Buenos Aires - Argentina
Tel.: (54-11) 4372-2067 Fax: (54-11) 4371-6709
e-mail: carolgo@sinectis.com.ar

La vida en las fábricas.

Trabajo, protesta y política en una comunidad obrera, Berisso (1904-1970)

Mirta Zaida Lobato

Colección)ENTREPASADOS(libros
Dirigida por Juan Suriano

Índice

Seccion I: El escenario y sus protagonistas

Capítulo I
Fábrica y comunidad

Capítulo II
Las Catedrales del Corned Beef

A mi madre Zaida F. Gutiérrez
In memorian

Para Juan y Lisandro

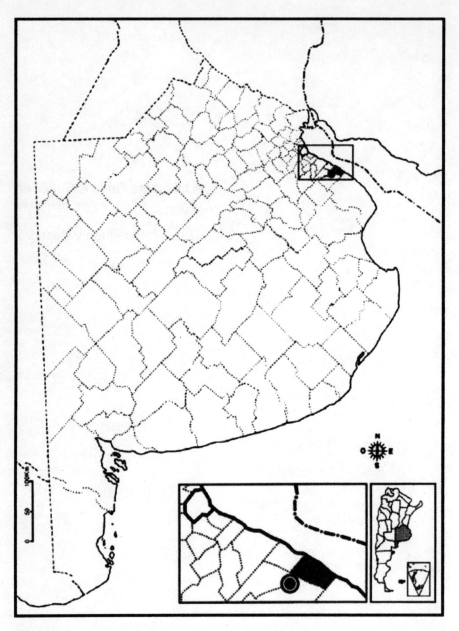

Mapa Nº 1

Ubicación de Berisso en la Provincia de Buenos Aires y en la República Argentina.

INTRODUCCIÓN

"El único criterio no debería ser si las acciones de los
hombres están o no justificadas a la luz de la evolución
posterior. Al fin y al cabo, nosotros mismos no estamos al
final de la evolución social. En algunas de las causas perdi-
das de la Revolución Industrial podemos descubrir percepciones de males sociales que tenemos todavía que sanar".

E. P. Thompson: *La formación de
la clase obrera en Inglaterra.*
Barcelona, Crítica, 1989, pág. XVII.

En 1985 llegué a Berisso para dar los primeros pasos de mi·investigación sobre
los obreros de los frigoríficos. Tomé el colectivo desde La Plata que se dirige a esa
localidad por la calle 60. Apenas cruzamos el bosque y la Facultad de Medicina, comencé
a divisar la destilería de YPF. A medida que me acercaba la distinguía mejor; no sólo por
su estructura de tanques y edificios, estaba también el canal, rodeado de escasa
vegetación, ennegrecido por el petróleo y, en la orilla opuesta, unas pocas casas
diseminadas. Más allá, en el centro de una plazoleta, sobre un arco deteriorado por el
tiempo pude leer "Berisso, Capital Provincial del Inmigrante". Luego, me encontré con
un conjunto de casas, algunas de chapas y otras de material y, al fin, con mi destino,
la esquina de las calles Montevideo y Río de Janeiro.

Berisso estaba casi desierta. Caminé en dirección al Swift, desde donde estaba
parada divisaba parte del edificio. Doblé por la calle Nueva York. Como había llovido el
día anterior, todavía había agua acumulada en algunas esquinas. Casas de chapas
flanqueaban la calle empedrada. Las puertas estaban abiertas e, indiscreta yo miraba
hacia adentro. Mis ojos recorrían los largos corredores con la línea de habitaciones en
uno de sus laterales, se detenían sobre algunos niños jugando o en un viejo sentado
mirando el vacío. No todas eran viviendas. Había muchas persianas bajas, en día labo-

rable, algunas fachadas de material y, entre ellas, una que se destacaba: la "Mansión Obrera". Más allá, hacia el fondo de la calle, se abría un descampado lleno de yuyos y escombros: eran los terrenos donde en otros tiempos se levantaba el frigorífico Armour.

Volví sobre mis pasos, doblé por la calle Montevideo y comencé a alejarme de los frigoríficos. En Montevideo y Río de Janeiro, en una de las esquinas, estaba el Banco de la Provincia de Buenos Aires. Sobre la calle Montevideo había algunos negocios abiertos y una escuela. Crucé el canal, otro banco, la hilandería y una plazoleta en los terrenos de los antiguos saladeros. Aunque la calle Montevideo se veía más activa, muchos negocios estaban cerrados.

Regresé otra vez a la calle Nueva York. Conversé con el peluquero, con un kiosquero, con un viejo que estaba sentado en la vereda y con otro con el que me crucé frente a la "Mansión Obrera". Cada uno de ellos habló sobre un Berisso del pasado. Sus narraciones me provocaban inquietud, curiosidad, perplejidad. Todos ellos hablaban de un ayer febril vinculado a los frigoríficos. "Los frigoríficos trabajaban sin parar", "el 17 de octubre Berisso quedó vacío", "en Berisso no hay nadie que no haya trabajado en los frigoríficos", "la Nueva York estaba llena de gente, de negocios", "las fondas se llenaban a la hora que salían los obreros de los frigoríficos". Algunos miraban hacia el Swift y decían: "esa mole tiene pasado, allí adentro mucha gente dejó su sangre y su sudor, muchas horas y años de trabajo", pero también "cuando esa mole funcionaba no había problemas, todos teníamos plata en los bolsillos porque teníamos trabajo".

¿Cómo había sido ese pasado en que los frigoríficos habían articulado la vida de la comunidad? ¿Cómo, cuándo y porqué los frigoríficos trabajaban sin parar? ¿Quiénes trabajaban en ellos? ¿De qué manera se habían entretejido las historias de las fábricas y de la localidad de tal modo que era imposible separar empleo de comunidad? ¿Cómo y por qué esta trama adquirió tal consistencia que el cierre de las plantas cárnicas no sólo provocó desocupación sino también puso fin a una forma de vida para los trabajadores y sus familias? ¿Cómo había sido esa forma de vida en el pasado?

Pero los interrogantes no terminaban aquí. Cuando comencé a trabajar con la memoria de la gente, advertí que existía en la localidad una práctica de recordación articulada alrededor de la situación laboral en el pasado y del cierre de los frigoríficos, y que ella constituía un elemento clave en el proceso de "construcción de la comunidad".

En las evocaciones (no importa si históricas o míticas), Berisso se había estructurado como comunidad a partir del trabajo y la lucha de una población que había parido al peronismo en la movilización del 17 de octubre de 1945, así como alrededor del esfuerzo de los inmigrantes que llegaron al lugar en las primeras décadas del siglo XX. En torno a esos ejes se desarrollaron las prácticas sociales de conmemoración que se organizaban en diferentes ámbitos físicos, impulsadas –en su mayoría– por diferentes partidos políticos y asociaciones culturales. Junto al paraíso perdido de los tiempos de Perón se tejió otra historia, en particular durante la última dictadura militar, que revitalizaba un antiguo tópico de la narrativa nacional: el esfuerzo de los inmigrantes. Ambas construcciones se enlazaban y enfrentaban operando simultáneamente sobre la población local.

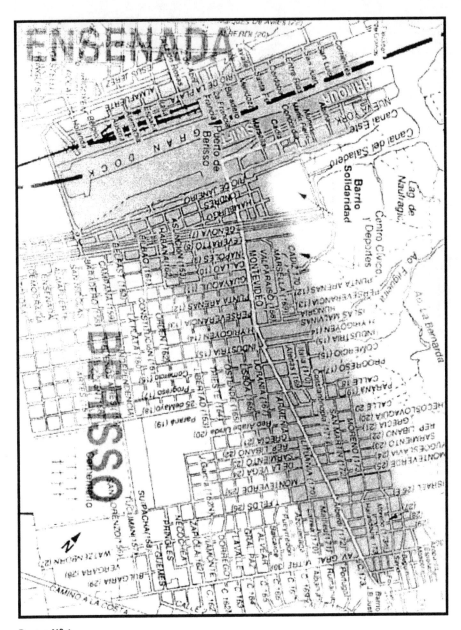

Plano Nº 1

Área céntrica de Berisso.

Foto Nº 1

Desde la esquina de las calles Nueva York y Marsella se divisa la estructura abandonada del Frigorífico Swift (*Gullari 1996*)

Foto Nº 2

Viviendas y comercios en la calle Nueva York (*Gullari, 1996*)

Foto N° 3
La Mansión obrera, 1920 (Cullari, 1996)

Foto Nº 4

El Frigorífico Swift abandonado (*Gullari, 1996*)

En los recuerdos comunitarios, Berisso había crecido por el esfuerzo de sus habitantes, y ese sacrificio había sido destruido por las empresas extranjeras que habían cerrado sus puertas dejando sin trabajo y sin futuro a la población. Había, entonces, un elemento que emergía con fuerza: existía un sentimiento difundido de que la colectividad local tenía una historia que estaba en estrecha relación con los trabajadores. Más específicamente, podría decirse que desde el cierre de los establecimientos había cierta *práctica social de conmemoración* entre sus habitantes, definida como una práctica intencional que otorgaba cierto significado a los acontecimientos. La gente recordaba, celebraba y hasta se apenaba frente a aquellos hechos que formaban parte de una identidad y una concepción cultural y generacional comunes reconocidas por todos.[1] La localidad evocaba su pasado del mismo modo que los grupos nacionales crearon su propia historia al recordar juntos un pasado reconstruido.[2] La comunidad se creaba a sí misma con un estilo peculiar.

No sólo el trabajo industrial era el eje articulador de esas narraciones. La *armonía* existente entre los miembros fue otro pilar para la construcción del relato, ya que permitió la transformación de la ciudad. La armonía ayudó a vencer las dificultades y, como decía un poema publicado en *La Voz de Berisso* en 1938: "Renegando del obstáculo del barro, el monte y el río [...] Berisso crece, se expande y va afirmando el Progreso".[3]

¿De qué modo fueron construyendo los trabajadores ese imaginario sobre la comunidad? ¿Cómo intervinieron otros actores: las instituciones, la prensa, los "intelectuales" en ese proceso? Estos nuevos interrogantes se sumaron a los primeros.

Para estudiar entonces a los obreros de los frigoríficos era necesario ubicarse en un escenario más amplio. La estructuración del espacio local, la evolución de la población, la emergencia de un entramado institucional estaban estrechamente asociados a la construcción de significados, de códigos, de símbolos que los habitantes de una comunidad construían no sólo oralmente sino a través de diferentes organizaciones o de la prensa.[4]

Para responder a los interrogantes planteados intento reconstruir en las páginas que siguen tanto la experiencia del trabajo de hombres y mujeres en las catedrales del *corned beef* como el escenario donde los protagonistas tejieron su historia. Pero no se trata de la tradicional historia de las organizaciones gremiales y de sus dirigentes ni presupone la experiencia de la fábrica sino que analiza la vida obrera como una compleja trama de relaciones entre trabajadores (varones y mujeres) y empresarios así como los vínculos que se establecen con las instituciones estatales y con los partidos políticos.

---

[1] David Middleton y Derek Edwards (compiladores): *Memoria compartida. La naturaleza social del recuerdo y del olvido*, Barcelona, Paidós, 1992, pág. 23.

[2] Véase Eric Hobsbawm: "Introduction: Inventing Tradition", en E. Hobsbawm y T. Ranger: *The Invention of Tradition*, Cambridge, Cambridge University Press, 1983.

[3] *La Voz de Berisso*, (Berisso), 2 de julio de 1938.

[4] Véase Robin Pearson: " Knowing One´s Place: Perceptions of Community in the Industrial Suburbs of Leeds, 1780-1890", en *Journal of Social History*, Vol. 27, N° 2, 1993. El tema de la comunidad aparece analizado desde una perspectiva histórica en E.P. Thompson: *La formación de la clase obrera en Inglaterra*, tomo I, Barcelona, Crítica, 1989, Cap. 12 y John Rule: *Clase obrera e industrialización. Historia social de la Revolución Industrial británica, 1750-1850*, Barcelona, Crítica, 1990.

Me ubico en las fábricas y tejo el entramado que en ellas tiene lugar. A partir de las fábricas busco recuperar al sujeto *trabajadores*, ya que ellos no están construidos como sujetos ni como objetos separados de los empresarios. Para mí, como para E. P. Thompson, "no podemos tener amor sin amantes" y como la relación histórica que está implícita en su noción de clase debe estar siempre "encarnada en gente real y en un contexto real" es importante entender las relaciones de producción y las tradiciones, sistemas de valores, ideas y formas institucionales que resultan de la experiencia en las fábricas.

La fábrica me permite delinear la historia de los trabajadores como una saga de la sociedad del trabajo y de su declinación en un espacio reducido como Berisso. Pero, posiblemente porque en buena medida la localidad fue una caja de resonancia de los problemas que afectaban a toda la nación, la historia de la conformación y declinación de esa sociedad del trabajo me permite también representar la de una parte más amplia de los trabajadores en la Argentina.

El trabajo fabril en Berisso estaba representado por los grandes frigoríficos (las catedrales del *corned beef*) de capital estadounidense que se instalaron en Argentina y Uruguay al comenzar el siglo XX. La producción de carnes para el mercado interno y externo fue una de las actividades más importantes en algunos países del cono sur. En Argentina, en Uruguay y en Brasil (Río Grande do Sul) la industria de la carne fue la base de la economía basada en la exportación de bienes primarios. Los grandes frigoríficos fueron los más importantes establecimientos fabriles en esos países pues, dejando de lado la cantidad de mataderos y fábricas regionales destinados a satisfacer el consumo interno, las grandes fábricas que faenaban ganado concentraban el mayor número de trabajadores y, además, aquellas que estaban controladas por capitales de origen extranjero, dominaban el mercado.

A fines del siglo XIX, en la Argentina, como en Uruguay, la producción de carne para la exportación y para satisfacer las necesidades del consumo ocupó el lugar que paulatinamente fueron dejando el cuero, el tasajo y la lana y, a principios del siglo XX, sustituyó las exportaciones de ganado en pié. A partir de ese momento se produjo una notable transformación de la actividad con la introducción del enfriado. Pero la gran expansión duró relativamente poco tiempo, en la década del veinte comenzaron a percibirse algunos síntomas de estancamiento y con la finalización de la Primera Guerra Mundial y el estallido de la crisis económica de 1929 se hicieron más evidentes los problemas que colocaban en una crítica situación a todos los actores económicos y sociales involucrados en la actividad. Tanto en Argentina como en Uruguay los acuerdos de Ottawa significaron un fuerte golpe para las exportaciones de carne en general y para las pecuarias en particular.[5] En la década del treinta, la difusión de un discurso nacionalista se unió a las dificultades de los productores nacionales y se buscó colocar límites al predominio de los trusts de la carne con la creación de los "frigoríficos nacionales".

---

[5] Véase Martín Buxedas: *La industria frigorífica en el Río de la Plata*, Buenos Aires, CLACSO, 1983. Véase también: Benjamín Nahum, Angel Cocchi, Ana Frega, Ivette Tronchon, *Historia Uruguaya, 1930-1958*, Montevideo, Ediciones de la Banda Oriental, 1991.

Con el estallido de la Segunda Guerra Mundial se reactivaron las actividades, pues las potencias en conflicto necesitaban alimentos para sus soldados. El fin de la guerra hizo retornar los problemas adormecidos y, desde la década del cincuenta, se probaron numerosos caminos para reestructurar la industria. Pero esos caminos fueron limitados y las grandes empresas tradicionales no sólo fueron perdiendo importancia relativa sino que también abandonaron el mercado.

La historia de la experiencia laboral en las grandes fábricas cárnicas es poco conocida. Se conoce, aun en los marcos de una limitada historia económica, el proceso que llevó a la quiebra de Swift y el cierre de Armour; existen atractivas interpretaciones sobre los vínculos entre las empresas frigoríficas y los invernadores; hay historias teñidas de negociados, actividades fraudulentas y hasta un asesinato en el Senado de la Nación en momentos en que se investigaba el negocio de las carnes y la firma del Tratado Roca Runciman. Pero poco y nada se sabe de los trabajadores.

Algunas pocas pinceladas dibujaron las grandes huelgas de 1915 y 1917 y, sobre todo, se elaboró un gran cuadro de la participación de los obreros de la carne en la jornada del 17 de octubre de 1945. "Los sucesos de Berisso" fue el título de la primera página de los periódicos en las ciudades de Buenos Aires y La Plata en diciembre de 1917. Ese día tomaba estado público el conflicto que sostenían los obreros de los frigoríficos con las grandes empresas oligopólicas de capital norteamericano Swift y Armour. Los trabajadores y sus condiciones de vida fueron el centro de todas las informaciones pero una vez que desaparecieron las manifestaciones de violencia volvieron a las sombras del anonimato. Casi treinta años después, en octubre de 1945, los obreros de Berisso se dirigieron a la ciudad de La Plata para reclamar la libertad del Coronel Perón; a su paso atacaron el edificio de la Universidad de La Plata, el del Jockey Club y el del diario El Día. Ese día se erigieron en la representación de las muchedumbres obreras que habían alumbrado a un nuevo movimiento político en la Argentina.

En este libro, entonces, intento describir y explicar la vida en las catedrales del *corned beef* entre 1907 y 1970 y los resultados que expongo son una expresión de los interrogantes que se formulan los historiadores del trabajo en nuestro propio tiempo. Deseo recomponer en esta historia los fragmentos de una experiencia de trabajo y de una tradición que comienza a constituirse en un interés arqueológico. Por eso, intento producir una lectura renovadora de una historia laboral que se había anquilosado alrededor del examen de las organizaciones sindicales, con un sesgo temporal y temático articulado alrededor del fenómeno del peronismo. Me propongo revisar críticamente los supuestos teóricos de los estudios más tradicionales sobre la clase obrera y, al mismo tiempo, trato de ser poco reverente de los nuevos paradigmas que el "giro lingüístico" propone para examinar la historia de las clases subalternas en otras latitudes, sin que ello signifique negar la importancia del lenguaje para examinar la experiencia fabril así como el proceso de formación de identidades

En este libro, la fábrica y la comunidad permiten ir y venir entre lo micro y lo macrohistórico, entre primeros planos de objetos y sujetos, y vistas más distantes y extensas; por eso, diferentes focos, distancias y problemas suponen a su vez una superposición de perspectivas teóricas y de elecciones metodológicas.

Los trabajadores y su historia: las claves de una historiografía

En 1890 el Congreso Internacional Obrero declaraba el 1 de mayo como el Día Internacional de los Trabajadores, siguiendo los pasos de la II Internacional. Por esa época la Argentina sufría un proceso de transformación vertiginoso. El trabajo y sus conflictos iban ocupando la escena en la nueva sociedad e impulsaban tanto la creciente organización de los trabajadores urbanos (en un país cuya economía se basaba en la producción de bienes primarios exportables) como la preocupación estatal por encauzar los conflictos que tomaban estado público con el aumento de la actividad huelguística.

Los problemas del trabajo, las condiciones en que se desarrollaba dicho trabajo y la conformación de las organizaciones obreras se incorporaban a la agenda política de los partidos, del Estado, de los intelectuales y artistas que descubrían la cuestión obrera como un problema crucial de la sociedad moderna. La vida obrera se revelaba en los informes de Juan Bialet Massé y de Pablo Storni, en la prensa, en folletos y propuestas del socialismo y el anarquismo, en las grandes empresas periodísticas como *La Prensa* y *La Nación*, en periódicos étnicos como *La Patria degli Italiani*, en las preocupaciones del catolicismo social, en la literatura que la miraba con la lente de la inmigración, en la pintura que descubría el dolor de vivir *sin pan y sin trabajo* o se asomaba a *la hora del reposo* tras la jornada de labor.[6]

Los trabajadores formaban parte de la transformación modernizadora de la Argentina y sus problemas fueron la más clara expresión de que ese proceso modernizador se había realizado. Los problemas acompañaban la industrialización en los países poderosos y desarrollados, como Inglaterra, y su presencia en nuestro país era un indicador más de que por fin la pampa bárbara había sido doblegada.

En efecto, el trabajo fue construido como un problema central en la vida individual y social por la modernidad y fue difundido por el industrialismo. Desde Europa se difundieron las imágenes de la producción fabril y sus actores, apoyadas en el concepto de *revolución industrial*. En relación con esto, dice André Gorz que el trabajo, el que se tiene, se busca o se ofrece, se caracteriza por ser una actividad pública reconocida como útil por otros y, como tal, remunerada. Es el trabajo lo que nos hace pertenecer a una esfera pública y por él se consigue una existencia y una identidad social. Por él nos insertamos en una red de relaciones e intercambios y se nos confieren derechos a cambio de nuestros deberes.[7]

Libertad y encadenamiento fueron conformándose así como nociones dicotómicas y ambivalentes que acompañaron la historia del trabajo desde que el maquinismo engendró una visión demiúrgica del hombre con respecto a la naturaleza. El agente directo de esa dominación de la naturaleza era una clase proletaria, al mismo tiempo, poderosa y oprimida.

---

[6] En la pintura se destacan, por ejemplo, "La sopa de los pobres" de Reinaldo Giudice (1884), "Sin pan y sin trabajo" de Ernesto de la Cárcova (1894), y "La hora del reposo" de Pio Collivadino (1903).

[7] André Gorz: *Metamorfosis del trabajo. Búsqueda del sentido. Crítica de la razón económica*, Madrid, Editorial Sistema, 1995, pág. 26.

En el pensamiento y en la práctica, los trabajadores ocuparon poco a poco la escena. Desde fines del siglo XIX, las miradas y las reflexiones de filósofos, economistas, sociólogos e historiadores se centraron en ellos, tanto en Europa como en América. Los trabajadores fueron convirtiéndose en una cuestión significativa toda vez que había que explicar el curso de una sociedad; pero ésto no se produjo en todos los países al mismo tiempo ni en la misma dirección.

En la Argentina, la creciente importancia social de los trabajadores no implicó necesariamente su inclusión inmediata en las inquietudes de los historiadores. Desde los momentos iniciales de la conformación de un discurso historiográfico en el último cuarto del siglo pasado, los investigadores buscaron explicar los orígenes de la nación Argentina y por eso, los debates se articularon alrededor de aquellos momentos relacionados con la conformación de un poder político independiente de la dominación española. Se buscó afanosamente dar forma al panteón de los héroes y contra héroes del pasado; la historia fue construida en base a personajes sin parangón y sobre acontecimientos espectaculares. Por largo tiempo las figuras anónimas permanecieron sin historia.

Parafraseando a Bertolt Brecht una pregunta quedaba siempre flotando: ¿quién construyó la Argentina de la "edad de oro"? ¿Quiénes levantaron los edificios? ¿Quiénes araron los campos? ¿En qué casas vivían los constructores, los peones del ferrocarril, los obreros de fábricas y talleres? "Un gran hombre cada diez años. ¿Quién pagó los costes?", se preguntaba Brecht.

Las respuestas a estas preguntas aparecieron por diversos caminos. Inicialmente fueron los propios trabajadores los que construyeron un lugar y un pasado para ellos en la historia nacional. Los militantes sindicales, los que protagonizaron las batallas por la organización gremial, los que discutían las vías más adecuadas para mejorar la situación material de los obreros y los caminos para edificar un mundo diferente: ellos fueron los que escribieron las primeras historias obreras.[8]

En los sindicatos se enfrentaban anarquistas y socialistas, socialistas y sindicalistas, sindicalistas y comunistas, comunistas y anarquistas. La historia de los trabajadores se confundía con la historia de sus organizaciones en un movimiento reconocible en diferentes lugares.[9] Dirimir la posición correcta, impugnar al otro eran elementos comunes en las historias producidas por los militantes-historiadores y los historiadores-militantes que, décadas más tarde, se preguntarían por las dificultades para construir un partido obrero autónomo capaz de conducir la revolución socialista o comunista, según quien escribiera.[10]

[8] Por ejemplo, Diego Abad de Santillán: *La FORA, ideología y trayectoria del movimiento obrero revolucionario en la Argentina*, Buenos Aires, Nervio, 1930; Jacinto Oddone: *El gremialismo proletario argentino*, Buenos Aires, La Vanguardia, 1949; Sebastián Marotta: *El movimiento sindical argentino: su génesis y desarrollo*, Buenos Aires, Lacio, 1960/61, (2 tomos) y Buenos Aires, Edit. Colomino, 1970; y Rubén Iscaro: *Origen y desarrollo del movimiento sindical argentino*, Buenos Aires, Anteo, 1958.

[9] Véase E. J. Hobsbawn: *Trabajadores: Estudios de historia de la clase obrera*, Barcelona, Crítica, 1979; Cornelius Castoriadis: *La experiencia del movimiento obrero*, vol. 1 y 2, Barcelona, Tusquet, 1979.

[10] Entre los historiadores militantes, encontramos a Alberto Belloni: *Del anarquismo al peronismo: historia del movimiento obrero argentino*, Buenos Aires, Peña Lillo, 1960; Julio Godio: *Historia del movi-*

En la producción de los historiadores-militantes, la constitución de un movimiento obrero organizado desde fines del siglo XIX fue el elemento clave que les permitió delinear el cuadro de la vida obrera. El rasgo más saliente de dicho movimiento fue su carácter radical y contestatario, expresado en las ideologías predominantes (socialismo y anarquismo) y en las jornadas conflictivas que acompañaron los festejos del Centenario de la Revolución de Mayo así como en la Semana Trágica de 1919, durante el gobierno de Hipólito Yrigoyen[11]. Paralelamente, la producción académica –aquella que se originó en los planes de investigación existentes en las universidades nacionales y extranjeras y en centros de estudios privados– encontró en el peronismo la puerta de entrada a los problemas del trabajo.[12]

En ninguna de esas historias había espacio para el cotidiano laboral y sólo atraían aquellos obreros que habían conformado sus organizaciones gremiales, las que –por otra parte– intervenían en los debates de sus instituciones más inclusivas, como la FORA, la CORA, la USA o la CGT. Los trabajadores constituían un sujeto homogéneo donde era difícil discernir las situaciones en las que los individuos se constituían como actores colectivos. Los estudios sobre el peronismo no rompieron con esta visión universalizadora de los trabajadores, aunque al tratar de explicar el apoyo de los mismos a Perón volvieron la vista sobre algunos grupos específicos como los obreros ferroviarios, los municipales o los trabajadores de la carne.[13]

El peronismo tuvo tanto poder de atracción sobre los historiadores que las rupturas con el pasado que la propia invención del peronismo proponía cobraron fuerza en muchos trabajos que lo tuvieron como objeto de estudio. Gino Germani, preocupado por el lugar que los trabajadores tendrían en la democracia que se aspiraba a construir luego del derrocamiento de Juan Domingo Perón, marcó –en un trabajo sin duda fundamental– los elementos de ruptura con el pasado. A partir de allí, una extensa literatura ha reflexionado sobre los trabajadores y ha dado lugar a un debate que se articuló alre-

---

miento obrero argentino, inmigrantes, asalariados y lucha de clases 1880-1910; Buenos Aires, Tiempo Contemporáneo, 1973; *El movimiento obrero argentino (1870-1910). Socialismo, anarquismo y sindicalismo*, Buenos Aires, Legasa, 1987; *El movimiento obrero argentino (1930-43). Socialismo, comunismo y nacionalismo obrero*, Buenos Aires, Legasa, 1989 y *La Semana Trágica de 1919*, Buenos Aires, Granica, 1972.

[11] Véase además Edgardo Bilsky: *La FORA y el movimiento obrero, 1900-1910*, Buenos Aires, CEAL, 1985 y *La Semana Trágica*, Buenos Aires, CEAL, 1984.

[12] Gino Germani: *Política y sociedad en una época de transición. De la sociedad tradicional a la sociedad de masas*, Buenos Aires, Paidós, 1968, "El surgimiento del peronismo: el rol de los obreros y de los migrantes externos", en *Desarrollo Económico*, Nº 51, octubre-diciembre de 1973; Hugo del Campo: *Sindicalismo y peronismo: los comienzos de un vínculo perdurable*, Buenos Aires, CLACSO, 1983; Hiroschi Matsushita: *Movimiento obrero argentino, 1930-45: sus proyecciones en los orígenes del peronismo*, Buenos Aires, Siglo Veinte, 1983; Miguel Murmis y Juan Carlos Portantiero: *Estudios sobre los orígenes del peronismo*, Buenos Aires, Siglo XXI, 1972; Juan Carlos Torre: *La vieja guardia sindical y Perón. Sobre los orígenes del peronismo*, Buenos Aires, Sudamericana - Instituto Torcuato Di Tella, 1990; Juan Carlos Torre (Compilador): *La formación del sindicalismo peronista*, Buenos Aires, Legasa, 1988 y Daniel James: *Resistencia e Integración: el peronismo y la clase trabajadora argentina, 1946-1976*, Buenos Aires, Sudamericana, 1990.

[13] Joel Horowitz: *Argentine Unions, The State & the Rise of Perón, 1930-1945*, Institute of International Studies, Berkeley, University of California, 1990 y Walter Little: "La tendencia peronista en el sindicalismo argentino: el caso de los obreros de la carne", *Aportes*, N° 19, enero de 1971.

dedor de pares organizados dicotómicamente: continuidad-ruptura, racionalidad-irracionalidad y autonomía-heteronomía. Estos pares organizaron la literatura socio histórica de la experiencia sindical y política obrera con el peronismo.

Los trabajadores ayudaban a delinear los argumentos de dicha "literatura". Así, los ferroviarios, que habían forjado una organización sindical poderosa, aparecieron ubicados en una tradición obrera dialoguista con el Estado que marcaba una continuidad con el período previo. Los trabajadores azucareros o los de la alimentación eran, en cambio, la viva expresión de los obreros nuevos, de los migrantes de las áreas rurales que se integraban en las estructuras sindicales de la mano del coronel Perón.

Entre los obreros nuevos, los que despertaban asombro y perplejidad eran los trabajadores de la industria de la carne. Mi primera constatación fue que pese a la centralidad que tenían en el sistema agroexportador, la atención de los historiadores había sido, además de escasa, insuficiente.[14] Aunque las exportaciones de carne constituían un porcentaje importante del flujo comercial de la Argentina y habían ocupado los primeros planos de la prensa a partir de su relación con la política, poco se sabía de las formas de trabajo, de las condiciones laborales, de la vida de hombres y mujeres que, con su esfuerzo, producían una parte de la riqueza del país.[15] Como en otros casos, sólo cuando apoyaron a Perón, cuando conducidos por Cipriano Reyes abandonaron las barriadas de Berisso o se encolumnaron rumbo a la Capital Federal para reclamar la libertad del coronel preso, encontraron un claro lugar en la Plaza de Mayo y, por consiguiente, en la historia.

El análisis de la identidad política peronista de los trabajadores, tanto desde una perspectiva general como desde situaciones específicas, generó un doble proceso. Por un lado, los estudios socio-históricos se multiplicaron alrededor de los sindicatos y Perón y, con menos peso, se volcaron sobre aquellas manifestaciones de ruptura con la hegemonía de ese modelo de acción sindical.[16] Por otro, el énfasis otorgado por los investigadores al peronismo obturó la reflexión sobre diversos aspectos de la vida obrera antes, durante y después de Perón.

---

[14] Véase Jorge Solomonoff: *Ideologías del movimiento obrero y conflicto social*, Buenos Aires, Proyección, 1971. Este autor señaló la escasez de estudios sobre los trabajadores de la carne. Mucho tiempo después, Charles Bergquist analizó el papel de los obreros de los frigoríficos partiendo de la idea de que son los trabajadores que elaboran productos para la exportación los que desempeñaron un papel importante en la historia moderna de las sociedades latinoamericanas: *Los trabajadores en la historia latinoamericana. Estudios comparativos de Chile, Argentina, Venezuela y Colombia*, Colombia, Siglo XXI, 1988.

[15] Esas relaciones se encuentran analizadas en Peter H. Smith: *Carne y política en la Argentina. Los conflictos entre los trust anglonorteamericanos y nuestra soberanía*, Buenos Aires, Paidós, 1983 y David Rock: *El radicalismo argentino, 1890-1930*, Buenos Aires, Amorrortu, 1977.

[16] Beba Balvé y otros: *Lucha de calles. Lucha de clases*, Buenos Aires, La Rosa Blindada, 1973; James Brennan: "El clasismo y los obreros. El contexto fabril del "sindicalismo de liberación" en la industria automotriz cordobesa, 1970-1975, en *Desarrollo Económico*, No. 125, vol. 32, abril-junio de 1992, El cordobazo. *Las guerras obreras en Córdoba 1955 1976*, Buenos Aires, Sudamericana, 1996 y Mónica Gordillo: "Los prolegómenos del cordobazo. Los sindicatos líderes en Córdoba dentro de la estructura de poder sindical", en *Desarrollo Económico*, No. 122, vol. 31, julio - septiembre de 1991.

La renovación historiográfica que se gestó en ámbitos alternativos a las instituciones oficiales durante la última dictadura militar, y desde las universidades nacionales durante la etapa de legalidad y construcción democrática posterior, se abrió en el análisis hacia un abanico más amplio de problemas que, a veces, incluyeron a los trabajadores.

Numerosas investigaciones abordaron las cuestiones relacionadas con la vida material, la cultura barrial, la marginalidad de los sectores populares en el mundo urbano.[17] Desde la nueva historiografía, la historia tradicional de la clase obrera fue acorralada y, encerrada en sí misma, siguió reproduciendo los antiguos modelos. La historia tradicional de los trabajadores, donde el conflicto y la organización constituían el foco, no desapareció; pero su producción fue cada vez más marginal.

Éste no fue el único problema. Las transformaciones en la estructura económica y social erosionaron el poder de las otrora poderosas organizaciones gremiales y la desocupación creciente socavó la fuerza de sus representaciones. La crisis del socialismo real agregó su cuota de desencanto. Los trabajadores, aquellos que a principios de siglo iniciaban su lucha por un mundo mejor, los que imaginaron que sus sueños serían realidad si seguían el ejemplo trazado por la Revolución Rusa, los portadores del cambio y la transformación de la sociedad, los que, en definitiva, construirían una nueva sociedad sobre las cenizas del capitalismo, caían también envueltos en una crisis más amplia que colocaba al trabajo mismo en una zona de debate y reflexión. La historia de los trabajadores ocupó, entonces, cada vez más, el margen de la producción historiográfica. Sin embargo, muchos interrogantes sobre los obreros, las formas de trabajo y la cultura que se formaba al calor de esa experiencia quedaron sin respuestas.

Reduciendo la escala:
las fábricas y sus tensiones internas

La historia de los trabajadores se construyó alrededor de un sujeto homogéneo detrás del cual era casi imposible discernir una multiplicidad de experiencias vinculadas con cuestiones relacionadas con la especificidad de distintas actividades industriales, ni las diferencias existentes entre trabajadores varones y mujeres, ni las cruzadas por las complejidades de la migración.

Un trabajo ciertamente estimulante de Leandro Gutiérrez señalaba, hace más de quince años, que las historias del movimiento obrero "no atendieron a ninguno de los aspectos menos sustantivos de los sectores populares: la vida material, las creencias, los aspectos demográficos, fueron territorios inexplorados". Gutiérrez llamaba la aten-

---

[17] Leandro Gutiérrez-Luis Alberto Romero: *Sectores Populares. Cultura y Política. Buenos Aires de la entreguerra*, Buenos Aires, Sudamericana, 1990; AA.VV. : *Sectores populares y vida urbana*, Buenos Aires, CLACSO, 1984; Diego Armus (Comp.): *Mundo urbano y cultura popular. Estudios de Historia Social Argentina*, Buenos Aires, Sudamericana, 1990; Hilda Sabato y Luis Alberto Romero: *Los trabajadores de Buenos Aires. La experiencia del mercado, 1850-1880*, Buenos Aires, Sudamericana, 1990.

ción sobre la importancia de la vida material de los sectores populares, cuando participó del debate historiográfico sobre el nivel o la calidad de vida de los trabajadores en Buenos Aires[18]; reclamaba también que se prestara atención sobre los "territorios no materiales". Para ello proponía un camino: desagregar con fines analíticos el campo correspondiente "al mundo del trabajo y el que agrupa los sucesos registrados fuera de él".[19]

Este libro plantea un recorrido inverso, aunque surgió bajo el influjo de esa propuesta. En primer término, se instala en el mundo del trabajo, en la *fábrica*. Porque las condiciones de trabajo y las de la vida material conforman una unidad en la experiencia de los trabajadores y a partir de ellas es posible señalar los rasgos de una identidad y una cultura obreras. En segundo lugar, dado que el trabajo es un tema de investigación muy amplio –puesto que es uno de los resortes de la vida social de las personas– este libro busca identificar las formas del trabajo industrial, sus expresiones y sus manifestaciones, sean ellas conflictivas o no. En tercer término, y como la experiencia del trabajo no está encerrada en los muros de la fábrica, se vincula dicha experiencia con el orden político y social en el cual tiene lugar.

En la fábrica se relacionan obreros y empresarios, y si los estudios sobre trabajadores en la Argentina no abordaron específicamente la experiencia que en estos espacios se gestaba, las investigaciones sobre la industria en general, las empresas y los empresarios industriales, tampoco examinaron los problemas vinculados al trabajo industrial. En el plano de los estudios históricos sobre empresas, el desenvolvimiento del complejo industrial Di Tella llamó la atención de Cochran y Reina, quienes realizaron un trabajo pionero cuando en la década del sesenta intentaron responder los interrogantes sobre las características del empresariado argentino.[20] Desde su publicación, la historia de empresas como disciplina académica no tuvo un gran desarrollo en la Argentina, aunque en los últimos diez años se difundieron algunas investigaciones que tienen como objeto a las empresas. Sin embargo, los resultados de estos trabajos son aún modestos frente a los que se exhiben en los Estados Unidos, Francia, Italia o Brasil.[21]

---

[18] Las interpretaciones sobre los resultados de la transformación capitalista fueron debatidas por José Panettieri: *Los trabajadores en tiempos de la inmigración masiva en Argentina, 1870-1910*, Universidad Nacional de La Plata, 1966; Roberto Cortés Conde: *El Progreso Argentino 1880-1914*, Buenos Aires, Sudamericana, 1979 y Leandro Gutiérrez: Op. cit. Sobre aspectos más puntuales como el tema de la vivienda: Oscar Yujnovsky: "Políticas de vivienda en la ciudad de Buenos Aires, 1880-1914", en *Desarrollo Económico*, Nº 54, julio-septiembre de 1974 y Francis Korn y Lidia de la Torre: "La vivienda en Buenos Aires, 1887-1914", en *Desarrollo Económico*, Nº 98, julio-septiembre de 1985 entre otros.

[19] Leandro Gutiérrez: "Condiciones de la vida material de los sectores populares en Buenos Aires. 1880-1914", en *Revista de Indias*, Nº 163-164, enero-junio de 1981, pág. 168.

[20] T. Cochran y R. Reina: *Espíritu de empresa en la Argentina*, Buenos Aires, Emecé, 1965.

[21] Véase Mirta Zaida Lobato y Fernando Rocchi: "El valor de los archivos de fábrica como fuente documental", en *Entrepasados*, Revista de historia Nº 1, 1991. Los estudios basados en archivos de empresas comenzaron a desarrollarse en los últimos años bajo el impulso de las investigaciones sobre la industria argentina; sin embargo, en algunos países latinoamericanos, como Brasil, y en los Estados Unidos y Europa se expandieron ya desde la década del setenta. Véase Roberto Cortés Conde: op. cit.; Mirta Zaida Lobato: "Una visión del mundo del trabajo. Obreros inmigrantes en la industria frigorífica, 1900-1930" y María Inés Barbero "Los obreros italianos de la Pirelli Argentina (1920-1930)" en F. Devoto y E.J. Míguez: *Asociacionismo,*

¿Qué temas abarcan esas historias de empresas? La cuestión dominante es el propio funcionamiento de las compañías y en este punto parece haberse trazado una línea divisoria entre quienes abordan el problema económico de las empresas y quiénes examinan la composición y situación de la fuerza de trabajo. Los estudios sobre la inmigración también se volcaron sobre algunas empresas pero por ahora sólo se ha logrado la reconstrucción de cadenas migratorias o de redes sociales sin integrarlas en una interpretación más global.[22]

El interrogante sobre las formas de la experiencia obrera en las fábricas tiene un punto de partida que constituye un desafío. E.P.Thompson señalaba en *La formación de la clase obrera en Inglaterra*: "la clase cobra existencia cuando algunos hombres, de resultas de sus experiencias comunes (heredadas o compartidas), sienten y articulan la identidad de sus intereses a la vez comunes a ellos mismos y frente a otros hombres cuyos intereses distintos (y habitualmente opuestos a los suyos). La experiencia de clase está ampliamente determinada por las relaciones de producción en las que los hombres nacen, o en las que entran en forma involuntaria. La conciencia de clase es la forma en que se expresan estas experiencias en términos culturales: encarnadas en tradiciones, sistemas de valores, ideas y formas institucionales".[23]

Intento analizar la experiencia de los trabajadores de Berisso de acuerdo a las tres cuestiones destacadas por el historiador inglés. Las relaciones de producción en la que nacen o entran los hombres y mujeres, el modo en que articulan sus intereses comunes y contrapuestos a los de otros y la forma en que expresan sus experiencias en términos culturales (incluida la dimensión de lo político).[24]

Utilizar el concepto de clase implica lidiar también con enormes dificultades, sobre todo porque en el contexto actual se encuentra en el cruce de múltiples tensiones: el anuncio de la muerte de la "clase" como categoría de análisis, la crisis del marxismo, el colapso de la Unión Soviética y del eurocomunismo, así como los interrogantes sobre la eficacia de la expresión "conflicto de clase" como fuerza histórica vital.

---

trabajo e identidad étnica. Los italianos en América Latina en una perspectiva comparada, Buenos Aires, CEMLA; CSER, IEHS, 1992; Leandro Gutiérrez y Juan Carlos Korol: "Historia de empresas y crecimiento industrial en la Argentina. El caso de la Fábrica Argentina de Alpargatas", en *Desarrollo Económico*, N° 111, vol. 28, octubre-diciembre de 1988 y James Brennan: op. cit. Para una puesta a punto de los debates actuales María Inés Barbero: *Historia de empresas. Aproximaciones historiográficas y problemas en debate*, Buenos Aires, CEAL, 1993 y Raúl García Heras: "La historiografía de empresas en la Argentina: estado del conocimiento", en Carlos Dávila L. de Guevara (compilador): *Empresa e Historia en América Latina. Un balance historiográfico*, Bogotá, T.M. Editores-Colciencias, 1986.

[22] Véase Mariela Ceva: "Las imágenes de las redes sociales de los inmigrantes desde los archivos de fábrica. Una comparación de dos casos: Flandria y Alpargatas", en María Berg y Hernán Otero (compiladores): *Inmigración y redes sociales en la Argentina moderna*, Buenos Aires, CEMLA-IEHS, 1995.

[23] E.P.Thompson: *La formación de la clase obrera en Inglaterra*, Barcelona, Crítica, tomo I, 1989, Prefacio, pág. XIV.

[24] Para los vínculos entre historia social y la política véase Geoff Eley: "Edward Thompson, Social History and Political Cultures: The Making of a Working-Class Public, 1780-1850", en Harvey J. Kaye and Keith Mc Clelland: *E. P. Thompson Critical Perspectives*, Temple University Press, 1990. Reeditado en *Entrepasados*, Revista de historia, N° 6, 1994.

En el contexto de este trabajo, el concepto de clase tiene una doble función: se lo emplea como categoría analítica y como un artefacto que puede ser contextualizado y criticado por lo que incluye y lo que omite.[25] Es un intento modesto y flexible a la vez: modesto, porque implica un reconocimiento de que las fronteras de las clases son inestables, que la experiencia es desigual y que es necesaria pero no suficiente en la constitución de las identidades colectivas; y flexible, porque constituye una tentativa de construir sobre esas limitaciones, buscando no sólo otros caminos sino también un sentido a la idea de Thompson de que la clase es algo que está sucediendo y no un cristalizado punto de partida.

Si la clase es algo que está sucediendo y su experiencia está "ampliamente determinada por las relaciones de producción", la noción de *proceso de trabajo* resulta importante para examinar la naturaleza y la experiencia del trabajo. Esta noción coloca la actividad básica de transformar las materias primas en productos a través del trabajo humano –con una tecnología determinada– dentro de la dinámica específica de un modo de producción y de los antagonismos de clases.[26] El concepto de *proceso de trabajo* se encuentra en el centro de los debates actuales sobre las transformaciones del trabajo industrial. Lo que era un antiguo enclave de interés sociológico se convirtió en un elemento fundamental en los debates sobre el pasaje del viejo a un nuevo paradigma industrial.

En efecto, la teoría de procesos de trabajo destaca el carácter conflictivo del trabajo, las ciencias y la tecnología, y sus relaciones y transformaciones por ser el resultado de una construcción histórica. Aunque una de las líneas originales de esta teoría se remonta a Marx, los debates contemporáneos se asocian a la obra de Harry Braverman, *Trabajo y capital monopolista.*[27] Braverman se concentra en el proceso de "descualificación" del trabajador artesano y el papel que éste jugaba en el proceso de acumulación. Pero el carácter innovador de su propuesta radica en que se trata de una lectura política de la experiencia de la fábrica.[28] Sostiene este autor que los cambios en los procesos de trabajo constituyen mucho más un arma política que una simple respuesta racional a las presiones de la competencia. En el pensamiento de Braverman, los trabajadores artesanos que poseían los conocimientos necesarios y controlaban la unidad del proceso de trabajo (concepción y ejecución) representaban, al mismo tiempo, un obstáculo y un desafío tanto a la eficiencia de la producción capitalista como al poder de los patrones. La implementación de la Organización Científica del Trabajo proveía una solución a este problema pues, al dividir al oficio en sus múltiples partes, el empresario fragmentaba, descalificaba, controlaba y pagaba menos al obrero.

[25] Para una revisión crítica de la literatura véase Waichee Dimock and Michael Gilmome: *Rethinking Class. Literary Studies and Social Formation*, New York, Columbia University Press, 1994.

[26] Un análisis detallado se encuentra en Paul Thompson: *An Introduction to Debates on the Labour Process*, London and Basingstoke, The Macmillan Press Ltd., 1983.

[27] Harry Braverman: *Trabajo y capital monopolista. La degradación del trabajo en el siglo XX*, México, Editorial Nuestro Tiempo, 1984.

[28] Cuestiones similares se plantean en Stephen Marglin: "Orígenes y funciones de la parcelación de tareas. ¿Para qué sirven los patronos?", en André Gorz: *Crítica de la división del trabajo*, Barcelona, Laia B, 1977.

Pero si el libro de Braverman constituyó la inspiración, los resultados del análisis histórico que realizo en este trabajo se alejan del sesgo determinista de su inspirador; mi análisis se ubica, en todo caso, entre quienes resaltan que la aplicación de la Organización Científica y su descualificación difieren no sólo de un país a otro sino también en distintas ramas industriales.

Del mismo modo, la crítica a la concepción de un control empresario no problemático que supone la tesis de Braverman así como la exclusión de los elementos subjetivos de la experiencia obrera planteados por Edwards y Burawoy abren un espacio para analizar los límites del control y la permanente interacción entre conflicto y consentimiento en las relaciones que se establecen entre trabajadores y patrones.[29]

Frente a la coacción y el control, la noción de consentimiento apunta a dibujar las formas que adquiere la negociación así como las distintas posibilidades de generación de consenso. En este sentido, el ensayo: *Americanismo y Fordismo* de Antonio Gramsci revela la posibilidad de pensar la "hegemonía que nace de las fábricas".[30] Aunque es cierto también que las críticas de Burawoy a Braverman se orientan en la misma dirección.

Desde mi perspectiva, el conflicto y el consentimiento en el mundo del trabajo son el resultado de la organización particular del trabajo y, a partir de dicha organización, hay que explicar porqué los trabajadores actúan de acuerdo con una serie de intereses inculcados (por ejemplo, en la escuela o la familia) y por qué intentan defender unos intereses distintos de aquellos.

La noción de *interés* se encuentra en la base de los argumentos que explican los conflictos en los espacios laborales como originados por la acción de un grupo en relación con otros a los que reconoce como opuestos. Pero, como muestra Thompson para el caso inglés, los argumentos de *ruptura*, *privación* e *interés* no se excluyen mutuamente cuando se trata de explicar el proceso de construcción de identidades. Según Thompson, en la acción colectiva de los trabajadores ingleses en los inicios del siglo XIX, las comunidades que no habían sido disueltas por la expansión del mercado insistían, ante las amenazas a su supervivencia, en su derecho al trabajo, al pan y a la tierra de acuerdo con la "economía moral" del siglo XVIII. Al mismo tiempo, crecía la conciencia de clase trabajadora y una acción basada en esa conciencia a partir del proceso de oposición a la presión de la clase capitalista.

Se podría decir que para Thompson el conflicto cobra existencia cuando se identifican los intereses comunes, pero al plantear la importancia de las discontinuidades que provoca la industrialización en la vida de las personas introduce el argumento de *ruptura*. Y, en la medida en que las peticiones, protestas y presiones ejercidas por los trabajadores derivan también de las miserias y restricciones que impone el capitalismo, se apoya en la noción de *privación* para explicar las resistencias colectivas. La distinción

---

[29] Richard C. Edwards: *Contested Terrain: The Transformation of the Work Place in the Twentieth Century*, New York, Basic Book, 1979 y Michael Burawoy: *El consentimiento en la producción: los cambios en el proceso productivo en el capitalismo monopolista*, Madrid, Ministerio de Trabajo y Seguridad Social, 1989.

[30] Antonio Gramsci: *Notas sobre Maquiavelo, sobre la política y sobre el Estado moderno*, Buenos Aires, Nueva Visión, 1984, cap. 4. Americanismo y fordismo, págs. 285-340.

de estos argumentos importa desde el punto de vista teórico pero en las acciones prácticas de los sujetos los límites entre uno y otro se confunden.[31]

El debate sobre los procesos de trabajo incluye también lo que Paul Thompson denomina "la otra división del trabajo". En este aspecto, la crítica feminista abrió una brecha en la aparente neutralidad de *género* con la que se analizaba habitualmente la relación entre capital y trabajo. Para examinar esa relación tomo la noción de género formulada por Joan Scott cuando dice que: "El género es un elemento constitutivo de las relaciones sociales basadas en las diferencias que distinguen los sexos [...] y es una forma primaria de relaciones significantes de poder [...] que comprende símbolos culturalmente disponibles, los cuales evocan representaciones múltiples y a veces contradictorias, y conceptos normativos que se expresan en doctrinas religiosas, educativas, científicas, legales y políticas, a través de los cuales se afirma el significado de varones y mujeres, de lo masculino y femenino".[32]

La experiencia del trabajo impacta diferencialmente sobre hombres y mujeres, y las relaciones que se establecen en las fábricas generan un proceso conflictivo de acentuación de las asimetrías. En el proceso de construcción social se conforma un conjunto de creencias, ideologías, valores, actitudes que diferencia a los hombres y las mujeres. Esas diferencias se expresan en las desigualdades de acceso a los bienes económicos y simbólicos por parte de las mujeres.

La "cultura de la fábrica" se conforma en un campo tensionado por múltiples factores y, en su espacio, se libran también batallas de significados donde ciertos discursos y prácticas otorgan legitimidad pública a las desigualdades y la discriminación. No son los únicos combates: la construcción de identidades sociales y políticas es el resultado de entrecruzamientos conflictivos que remiten, permanentemente, a otros enfrentamientos más vastos que abarcan a toda la nación. Desde mi perspectiva de análisis, la noción de proceso de trabajo incluye, además, las dimensiones relacionadas con la formación de una identidad nacional y de diversas identidades étnicas.

La cuestión étnica aparece como relevante para esta investigación porque muchos de los trabajadores de Berisso eran inmigrantes y, al mismo tiempo que construían las identidades de clase y género, daban forma a una identidad nacional (formada por un constructo complejo integrado por una serie de elementos interrelacionados de tipo cultural –mitos, recuerdos, tradiciones, símbolos–, económico, territorial y político-legal) y a múltiples identificaciones de carácter étnico.

---

[31] Para un análisis de los argumentos que vinculan la acción colectiva con la industrialización véase Edward Shorter y Charles Tilly: *Las huelgas en Francia 1830-1968*, España, Ministerio de Trabajo y Seguridad Social, 1985, págs. 28 a 32.

[32] Joan Scott: "El género una categoría útil para el análisis histórico", en James S. Amelang y Mary Nash: *Historia y Género: las mujeres en la Europa moderna y contemporánea*, Valencia, Ediciones Alfons El Magnánim, 1990. También Paul Thompson: op. cit. págs. 180 a 212, Anthony Giddens and David Held: *Classes, Power, and Conflict. Classical and contemporary debates*, London and Basingstoke, The Macmillan Press, 1983 y Martha Roldán: "La 'generización' del debate sobre procesos de trabajo y reestructuración industrial en los 90. ¿Hacia una nueva representación androcéntrica de las modalidades de acumulación contemporáneas?", *Estudios del Trabajo*, Nº 3, enero-junio de 1992.

Pero el uso del término "etnicidad" presenta tantas ventajas como problemas y requiere de algunas precisiones. Mi interés en este concepto radica en que permite analizar las interrelaciones existentes entre la formación de diversas identidades y los mecanismos de inclusión y exclusión que construyen los sujetos involucrados. Por detrás de la palabra "etnicidad" hay varias perspectivas teóricas que la explican. Algunas entienden la etnicidad como una cualidad primordial, que existe de forma natural y que por lo tanto es algo dado en la existencia humana. En el polo opuesto, la etnicidad es considerada como una "situación", ya que pertenecer a un grupo étnico está relacionado con actitudes, percepciones y sentimientos que son efímeros y mutables de acuerdo a las situaciones en las que se encuentra el sujeto. Entre ambas posiciones se sitúan los enfoques que destacan los atributos históricos, simbólicos y culturales de la identidad étnica. Fredrick Barth plantea, desde esta perspectiva, la importancia de pensar en qué momento se construyen las *fronteras étnicas*, en qué contextos se producen los movimientos de inclusión y exclusión y cuáles son los elementos simbólicos diferenciadores.[33] La identidad étnica –como las otras identidades (de clase, género y nacional)– no surgió de la noche a la mañana ni tampoco se conformó para siempre.

En busca de las respuestas: algunas observaciones sobre las fuentes documentales

Una historia de los trabajadores como ésta requiere de una ampliación de las fuentes tradicionalmente consultadas por los historiadores del movimiento obrero. Como diría Luis González, el autor de *Pueblo en vilo*: "cuando la estrechez geográfica contrasta con la amplitud cronológica [...] el ejercicio de la historiografía [...] tiene que echar mano de todos los recursos de la metodología histórica y de varias más". González agregaba además, en uno de los primeros libros donde se mencionaba la palabra "microhistoria", que "el historiador parroquial necesita madurez, lecturas amplias, mucha simpatía y piernas robustas".[34] Tales observaciones me acompañaron en la búsqueda, a veces kafkiana, de las fuentes para realizar este estudio.

Entre los materiales disponibles, la prensa, sea ella la de las empresas periodísticas, la de las ideologías vinculadas al movimiento obrero y la más estrictamente gremial, constituye un elemento importante para el análisis de los conflictos y de sus representaciones. Del mismo modo, las fuentes gubernamentales, en particular la producida por el Departamento Nacional del Trabajo, forman un fondo documental insoslayable. Pero el objetivo de esta investigación era hurgar en las fábricas y para ello dos son las fuentes más importantes: los archivos de empresas y los testimonios orales.

---

[33] Fredrick Barth: "Ethnic Group and Boundaries" en Werner Sollors: *Theories of Ethnicity*, New York, New York University Press, 1996 pág. 296.
[34] Luis González: *Pueblo en vilo. Microhistoria de San José de Gracia*, México, El Colegio de México, 1968, págs. 18 y 33.

Los archivos de empresas no son fáciles de obtener por múltiples razones. Como son patrimonio privado, su acceso depende del interés y la voluntad de las compañías para facilitar el material que conservan. En muchos casos, la reticencia se incrementa si se piensa que ello puede dar lugar a la intervención de los poderes públicos de fiscalización y control, sobre todo en el plano de las ganancias. Por otra parte, en muchas oportunidades el problema reside en la destrucción de importante documentación.

El uso de la información de fábrica tiene una finalidad bien específica: permite acercarnos a unos datos concretos y cuantificables sobre la población fabril en cuanto a su origen, sexo, edad, educación y recabar información sobre cuestiones vinculadas al desenvolvimiento del trabajo en cada una de las fábricas. La calidad de la información es variable, pero permite una aproximación al trabajo considerando aquellos aspectos que privilegian las compañías y lo que deciden declarar los propios trabajadores.

Presto también especial atención a los "monumentos industriales". Las fábricas, sus restos, sus planos, las fotografías. No intento transformarme en un arqueólogo industrial, pero buena parte de mi trabajo se desarrolló en el viejo edificio abandonado del frigorífico Swift, o mirando planos y fotografías del Armour. En este caso, el trabajo de campo consistió en analizar, clasificar e interpretar los espacios, trazados, estructuras de los edificios industriales, las máquinas y los instrumentos como contexto para una historia de los trabajadores.

Industrial Archaelogy in Britain de Buchanan me proporcionó una definición y una idea acerca de este tipo de trabajo de campo. Dice Buchanan que la arqueología industrial examina el proceso de industrialización a través de un estudio sistemático de monumentos y artefactos.[35] Los monumentos industriales de Berisso pueden ser utilizados como testigos de un pasado industrial, que posee significado para la historia social y tecnológica del país.

Otros aspectos del trabajo, como los relacionados con los imaginarios y las visiones que se tenían del trabajo y de la comunidad, se basan en testimonios orales recogidos por medio de entrevistas personales y en la conformación de grupos de recordación.[36]

---

[35] R. A. Buchanan: *Industrial Archaelogy in Britain*, England, Penguin Books, 1974, pág. 22. Véase también: Diane Newell: "Arqueología industrial y Ciencias Humanas", Carlo Bertelli: "Producción de la imagen y modo de producción industrial" y Ornella Selvafolta: "El espacio de trabajo (1750-1910) en *Debats*, Nº 13, septiembre de 1985; Keneth Frampton: "Volvo Case"; Robin Evans: "Ordine e Produzione. Regulation and Production" y Alberto Abriani: "Lingotto", en *Lotus 12*, settembre 1976 y M.J.T. Lewis: "Arqueología industrial" en Carlo M. Cipolla (Edit.): *Historia económica de Europa*, Barcelona, Ariel, 1982, vol. III.

[36] En la actualidad la bibliografía sobre el uso de documentos orales es muy extensa. Los trabajos que más influyeron en la orientación de este trabajo son: Luisa Passerini (a cura di storia orale): *Vida quotidiana e cultura materiale delle classi subalterne*, Torino, 1978, Rosenberg & Sellier; Luisa Passerini: "Work ideology and working class attitudes to Fascism" y Lutz Nielhammer: "Oral history as a channel of communication between workers and historian" en Paul Thompson (Ed.): *Our Common History. The transformation of Europe*, USA, Pluto Press, 1982; Alessando Portelli: "The Peculiarities of Oral History", en *History Workshop Journal of Socialist Historian*, Issue 12, Autumn,1981; Philippe Joutard: *Esas voces que nos llegan del pasado*, México, FCE, 1986, Paul Thompson: *La voz del pasado. Historia Oral*, Barcelona, Edic. Alfons El Magnánim, 1988.

Toda investigación es un proceso donde se formulan y reformulan las ideas y las técnicas de investigación. En el trabajo con los recuerdos de la gente la idea inicial era reconstruir las formas de trabajo y las protestas en las plantas cárnicas de capital americano para confrontarlas con las fuentes escritas en general y las empresarias (Swift, Armour) en particular. Aunque al principio se orientó el trabajo en el sentido de buscar información, el esquema fue modificado para dar lugar al análisis de las imágenes y representaciones existentes en toda producción discursiva.

Dado que la constitución de grupos de recordación implica un trabajo diferente al que se realiza en las entrevistas individuales, es necesario explicar las razones de la conformación de estos grupos, y algunas de las posibilidades de análisis que se abrieron a partir de esta experiencia. En primer lugar, hay que destacar que no se trata de un estudio experimental sobre la memoria. Mi interés radicaba en averiguar cómo y dónde realizaban sus tareas los trabajadores (hombres y mujeres), cómo se relacionaban con sus compañeros y con sus jefes, de qué manera eran tratados por éstos y cuáles eran las razones que tenían para protestar o permanecer callados. Quería una información que permitiera llenar los vacíos de las fuentes escritas y, a veces, verificar algunos indicios que aparecían en ellas. Inicialmente estaba buscando una información que podía pensarse como estandarizada y el grupo de recordación me permitiría llegar a ella más rápidamente y de un modo adecuado.

Claro que una vez iniciado el trabajo encontré otras razones para mantener la idea de los grupos de recordación. Una vez conformados los equipos, la gente evocaba sus recuerdos casi del mismo modo en que lo hace en una reunión familiar, alrededor de un objeto o de una fotografía, y los recuerdos que surgían se convertían en la base de futuras recordaciones. Parecía que el encuentro con otros trabajadores, con viejos amigos, hacía revivir el pasado de una manera que la gente no encontraba en las evocaciones solitarias.

La experiencia de recoger esos testimonios comenzaba a transformarse y, si bien es cierto que no estaba realizando un estudio experimental, los análisis de la memoria social –desde una perspectiva que atendiera justamente la dinámica social y relacional del proceso de *recordar juntos*– constituyeron una base importante para orientar el trabajo. En principio, el análisis de Ecléa Bosi sobre la memoria colectiva se constituyó en una referencia obligada en el diseño del proceso de recoger testimonios. Me propuse pensar el papel de un *grupo* como *soporte de la memoria* entendiendo que las experiencias, hábitos y convenciones iban a trabajar la materia de la memoria, y que la fuerza de la evocación podría depender del grado de interacción que envolviera a los miembros de una generación. Y aún más, pensaba que los recuerdos ganarían en consistencia si permanentemente estuvieran siendo confrontados, comunicados y recibiendo impresiones de aquellos que compartieran una experiencia común. De modo que lo que surgiría –hipotetizaba– de esos talleres, sería una expresión de la memoria de sus miembros que se acrecentaría, unificaría, diferenciaría y corregiría en su permanente interacción.[37]

[37] Ecléa Bosi: *Memória e sociedade. Lembranças de velhos,* São Paulo, T.A. Queiroz Editor, 1983, págs. 331 a 340.

En la misma dirección señalan Middleton y Edwards que "mediante el proceso de evocar distintas experiencias compartidas, la gente reinterpreta y descubre rasgos del pasado que devienen contexto y contenido de lo que recordarán y conmemorarán juntos en ocasiones futuras. Esta actividad cognitiva distribuida es también observable allí donde algún grupo, trabajando o no, intenta reconstruir y redescubrir conjuntamente cómo alcanzar algún fin que ninguno de sus miembros es capaz de conseguir independientemente. Reconstruyen colectivamente algo que la cultura "ya conoce" como parte de su evolución socio histórica y que es potencialmente recuperable dentro de las posibilidades que ofrecen los artefactos y las costumbres culturales".[38]

Aunque intentaba concentrarme en la memoria como discurso, el trabajo con "la gente común" me planteaba algunos inconvenientes. Las personas con las que trabajé estaban dispuestas a contar pero no todas eran demasiado locuaces y hasta podría decirse que me encontraba a veces con grupos donde la economía de palabras era la característica dominante. Para estimular el recuerdo y la conversación, comencé a pedirles que llevaran fotografías u objetos relacionados con su paso por la fábrica. Así aparecieron revistas, recortes de diarios, fotos, un baldosón de metal, algunos planos. Eran artefactos, algunos contemporáneos a su trabajo en las fábricas y otros que habían conservado luego del cierre y demolición del frigorífico Armour. La intención era utilizar esos objetos como "disparadores" del recuerdo de ciertos hechos o experiencias vividas.[39]

Dialogando alrededor de ciertos temas, los trabajadores (varones y mujeres) articulaban un discurso que se podía analizar, incluso para apreciar las discrepancias y emplearlas para hacer inferencias sobre las representaciones o imágenes que intervenían en la recordación. Pero hay algo más, las conversaciones se constituían en un medio ambiente significativo en el que se formulaban los pensamientos, se justificaban y se socializaban de acuerdo a cómo se expresaran los otros hablantes. Esta situación me obligaba, cada vez más, a prestar atención a ciertos *síntomas* que aparecían en la narración. Algunos de esos síntomas se orientaban a las tensiones entre los discursos que competían en la localidad y que remitían al nivel de lo político y excedían el espacio físico de la fábrica.

Utilizar los testimonios orales de esta forma le otorgaba un valor diferente al que le había asignado inicialmente. Las potencialidades de la historia oral se revelaban como un camino que iba más allá de suplir el silencio de las fuentes escritas o del deseo de otorgarle voz a los sin voz, lo que además de soberbio anula el trabajo del historiador. El intento de leer los síntomas que aparecían en la narración, los descuidos o las

---

[38] David Middleton y Derek Edwards (compiladores): *Memoria compartida. La naturaleza social del recuerdo y del olvido*, Barcelona, Paidós, 1992, Introducción, pág. 23.

[39] Esta es una forma parcial de considerar el rol de los artefactos en los recuerdos pues coincido con Radley cuando dice que " los objetos, aparentemente, se presentan a sí mismos de modo inesperado y "evocan recuerdos", pero también son parte de un mundo material ordenado de forma que mantenga ciertos mitos e ideologías acerca de la gente como individuos y de ciertas culturas concretas", Alan Radley: "Artefactos, memoria y sentido del pasado", en D. Middleton y D. Edwards (comp.): ob. cit. pág. 68.

percepciones se revelaron como una meta más rica y matizada, sobre todo porque permitía establecer la relación de los trabajadores con una cosmovisión y un campo cultural en el cual hombres y mujeres vivían su historia.

Los fragmentos de una narración

El relato está ordenado en varias secciones que van delineando las partes de un todo incompleto. Las ilustraciones, en particular las fotografías, junto con los textos, ayudan a dibujar una imagen visual del trabajo y la vida en la localidad.

En la primera sección presento al escenario y los actores. Respecto a la localidad, sostengo que Berisso se construye como una *comunidad obrera* donde no es necesario separar los conceptos de "comunidad" y "clase" ya que se trata de dos facetas relacionadas por la experiencia de los trabajadores. En Berisso, los frigoríficos tuvieron un papel decisivo en la construcción de la comunidad si entendemos por ella no sólo los límites físicos de un pueblo o la ligazón que genera el hecho de vivir desde el nacimiento en un lugar determinado y estar atado a él en distintos momentos de una vida, sino también los vínculos derivados del trabajo. Empleo y comunidad están entrelazados y es el hecho de compartir intereses de trabajo lo que la transforma en diferente a las experiencias barriales de la ciudad de Buenos Aires, donde se subraya una base local de carácter "popular" más que de clase.[40]

En el capítulo destinado a la comunidad, no solamente diseño las bases materiales (tamaño de la población, estructura, entramado institucional) sino también explico como se construyen unos significados compartidos que conforman los rasgos distintivos de esa localidad. En el referido a las fábricas me concentro en ellas no sólo como sede del proceso productivo, sino como una forma de organización social, como producto de una ideología determinada y como símbolo de una "cultura de la industrialización". En la presentación de los trabajadores examino la documentación fabril para establecer la estructura de la población obrera. Es un capítulo donde predomina la información cuantitativa sobre orígenes, sexo, edades, estado civil, experiencias laborales previas y nivel de instrucción de los asalariados.

En la segunda sección, analizo la experiencia del trabajo en distintos momentos históricos (hasta 1930, entre 1930 y 1945, durante el peronismo y entre 1955 y el cierre de las plantas de Swift y Armour), concentrándome en las características de las labores en los frigoríficos: la contratación, el aprendizaje, calificaciones, la disciplina industrial y la vigilancia y control en las fábricas. También analizo las formas de protesta y de organización en el período expansivo de la producción de carnes. Examino el proceso de construcción de identidades, sean de clase o de género pero sin olvidar el aspecto político que subyace en dicho proceso. Establezco también la vinculación existente con

[40] Me refiero en particular a los trabajos sobre la cultura barrial realizados por Leandro Gutiérrez y Luis Alberto Romero.

los interrogantes que se plantean en el nivel nacional ¿cuál fue el papel de los trabajadores en la construcción de las fuerzas políticas? ¿cómo delinearon el reconocimiento de sus derechos? ¿estaban dispuestos a levantar cimientos duraderos asociados con la democracia? ¿de qué manera respondían a las interpelaciones políticas de las fuerzas de izquierda, de las conservadoras y del radicalismo? En las conclusiones retomo brevemente los aspectos distintivos para caracterizar la cultura del trabajo que se formó en las fábricas.

Agradecimientos

En la realización de este libro, como en todo trabajo, colaboraron muchas personas. Aunque sea un lugar común, quisiera decirles que les estoy agradecida. Leandro Gutiérrez, hasta su muerte, e Hilda Sabato, quienes orientaron la tesis de la que este libro es una parte, me impulsaron con sus comentarios poco complacientes pero estimulantes. He discutido diversos aspectos en los seminarios del PEHESA (Programa de Historia Económica y Social) y del Grupo de Trabajo sobre el Movimiento Obrero y los Sectores Populares, ambos con sede en el Instituto de Investigaciones de Historia Argentina y Americana Dr. Emilio Ravignani de la Facultad de Filosofía y Letras de la Universidad de Buenos Aires y en el HISA (Programa de Historia Social Argentina) de la Universidad Nacional de Mar del Plata. Quiero agradecer a Dora Barrancos, Ricardo Falcón, Mónica Gordillo, Enrique Mases, Ofelia Pianetto, Agustina Prieto, Fernando Rocchi, Luis Alberto Romero, Beatriz Ruibal y Juan Suriano las sugerencias y críticas. Héctor Palomino, Dora Schwarzstein, María del Carmen Feijóo y Catalina Wainermann comentaron aspectos específicos del trabajo y Juan Carlos Torre realizó críticas sugerentes como jurado de tesis. Diego Armus y Ricardo González me alentaron cuando yo sentía que la desazón me ganaba. Con Daniel James hemos compartido nuestro interés por la gente de Berisso en un diálogo que tiene sus aristas intelectuales y afectivas, pues he ganado dos amigos: él y Lynn Di Pietro. Es imposible nombrarlos a todos, agregaré que Daniel Reynoso, Diego Bussola, Marcela Ginestet, Horacio García Bossio y Lisandro Suriano colaboraron de diferentes modos y en distintos momentos.

Algunas instituciones me apoyaron en el desarrollo de la investigación. Entre 1987 y 1989 tuve una beca de perfeccionamiento del CONICET (Consejo Nacional de Investigaciones Científicas y Técnicas); en el período 1990-1991 una beca del Programa de Formación e Investigación sobre la Mujer de CLACSO (Consejo Latinoamericano de Ciencias Sociales) me permitió completar la información referida al trabajo femenino. Durante el período 1994-1997, un subsidio de investigación de la Secretaría de Ciencia y Técnica de la Universidad de Buenos Aires me ayudó a investigar sobre aspectos parciales relacionados con el tema. Los departamentos de Historia de las Facultades de Filosofía y Letras (Universidad de Buenos Aires) y de la Facultad de Humanidades (Universidad Nacional de Mar del Plata) durante las gestiones de los Dres. Gastón Burucúa, Enrique Tandeter y Eduardo Míguez también aportaron lo suyo. En la Universidad de Duke disfruté del clima intelectual y de la tranquilidad necesaria para redactar la tesis de doctorado en la que se basa este libro.

El trabajo del historiador se realiza en buena medida entre las paredes de las bibliotecas y de los archivos nacionales, provinciales y municipales. Allí contribuyeron con mi trabajo todos los que respondieron pacientemente a mis requerimientos. Por otra parte, la investigación no hubiera sido posible sin la colaboración de las empresas Swift-Armour, que me permitieron consultar sus archivos, de las autoridades locales, la de las asociaciones con las que he trabajado y la de los partidos políticos. Pero sobre todo me interesa destacar la contribución de quienes me confiaron sus recuerdos.

Aunque no puedo mencionar a todos los que de alguna manera colaboraron con este libro, ellos conocen cada una de las circunstancias en que me ayudaron. Para terminar, quiero agradecer a mi familia que me ayuda y soporta cotidianamente. Con Juan Suriano estamos compartiendo una vida y Lisandro creció en medio de mis papeles. Ellos son mi principal apoyo.

BERISSO

Por Amanda

Cortado en el atajo
por el canal del oeste
y trabado en el bajo
por el barro y monte agreste,
a la inercia siendo reacio,
Berisso, pueblo fabril,
escapa, buscando espacio
hacia el campo, febril;
extendiendo sus tentáculos
para sembrar caserío,
renegando del obstáculo
del barro, del monte y el río.
Que si el oeste lo limita
y el bajo quiere ahogarlo,
al sur, la tierra infinita
no acaba de conquistarlo;
pues, si el campo es grande,
no se amilana por eso
Berisso; crece, se expande
y va afirmando el progreso.

Publicado en *La Voz de Berisso*, 2 de julio de 1938.

Capítulo I
Fábrica y Comunidad

"*Nació de la nada* y ahora es una ciudad grande, populosa y laboriosa; la base y el principio fueron difíciles, pero el esfuerzo sacrificado de los primeros inmigrantes lo cimentaron con sus pocos recursos, su voluntad. *Trabajando,* construyeron sus hogares y elaboraron su porvenir".

Demetrio Glicas: *Berisso. Trabajos Literarios*, Berisso, 1972.

Demetrio Glicas, Agustín Luckas, Teresa Blasko, María Brestovanska, Juan Mincheff, Zacarías Santillán, Juan Petcoff, Juana de Medelinska son apenas unos pocos nombres de quienes recuerdan a Berisso como un páramo dominado por las fábricas, que fue creciendo al calor del trabajo. Como en otras barriadas populares, la imagen más frecuente es la de un espacio que se conforma con el esfuerzo colectivo de sus miembros.

Sin embargo, Berisso no nació de la nada, aunque el trabajo de sus habitantes lo fue definiendo como centro industrial. Sus orígenes son antiguos y se remontan a los años setenta del siglo XIX, cuando una pequeña población se apiñó alrededor de los saladeros de quienes le darían el nombre a la localidad. Así, en la extensión de la pampa ganadera surgió un villorio, de apenas unos cuantos ranchos, que se vincularía a la producción industrial más importante de la historia económica argentina por varias décadas.

En oposición a los pueblos pequeños y medianos que crecieron en el país al ritmo de la expansión agropecuaria, y las necesidades del comercio y transporte de bienes primarios, Berisso fue una excepción a ese modelo de expansión urbana. Su historia está asociada a la instalación de establecimientos fabriles que, a lo largo del tiempo, delinearon los rasgos más característicos de la comunidad.

De villorio a comunidad obrera: la delimitación del espacio local

Hacia 1871 se instalaron en la zona los saladeros de Juan Berisso. El lugar era apropiado para una actividad que comenzaba a tener dificultades en las grandes ciudades como Buenos Aires. La naturaleza de la actividad, con sus desechos animales, restos de sangre y malos olores la convertía en un peligro para cualquier población. Cuando las epidemias asolaron a los habitantes porteños, muchos establecimientos se trasladaron fuera del área céntrica. Los Berisso decidieron trasladarse un poco más lejos que la aceptada frontera del Riachuelo. Se instalaron en las adyacencias de los pagos de Ensenada, cerca del río, y dieron origen a un caserío disperso. Pronto aparecieron nuevas dificultades. Paulatina y sostenidamente el tasajo era desalojado del mercado de exportación como bien principal por las carnes congeladas. Fue entonces cuando el primer frigorífico se instaló en Berisso.

El frigorífico La Plata Cold Storage se estableció sobre los cimientos de los viejos saladeros, que fueron transformados por el consorcio anglo sudafricano cuando abrió sus puertas en 1904. En 1907, el frigorífico Swift compró las instalaciones del Cold e inició sus actividades en el país. Modificó los viejos edificios, amplió su capacidad de matanza y convocó a un número mayor de trabajadores. Unos años mas tarde, otro coloso de la industria de la carne construía una nueva planta industrial. En 1915, Armour inauguraba su fabrica, muy cerca del Swift.

La apertura de los nuevos establecimientos fabriles impulsó el crecimiento del número de habitantes del poblado. A partir de la instalación de las grandes fábricas, los trabajadores se afincaron en la localidad, construyeron un sinnúmero de instituciones y dieron forma a una comunidad con una clara identidad proletaria.

Berisso surgió, entonces, al lado de un establecimiento industrial, y se desarrolló con la radicación de dos grandes frigoríficos: Swift y Armour. La construcción del puerto de La Plata hacia fines del siglo XIX y la implantación de la destilería de YPF en 1924 o de la hilandería de Patent Knitting Company en 1925 no alcanzaron para diluir la estrecha vinculación que fue estableciéndose entre pueblo y fábrica. La localidad fue extendiendo sus límites y en la actualidad el municipio, ubicado aproximadamente a 8 kilómetros de la ciudad de La Plata, capital del distrito provincial, tiene alrededor de 14.000 hectáreas y unos 75.000 habitantes.

A lo largo de su historia se fueron delineando en el partido tres áreas bien definidas:

1. *Zona urbana;* limitada por la zona portuaria y la calle Montevideo hasta la calle 66, esta zona se completa con dos núcleos alejados: Villa El Carmen y Argüello, en los límites con la ciudad de La Plata. Era un espacio amplio donde en el área céntrica se encontraban los frigoríficos Swift y Armour, la hilandería de Patent Knitting, el centro comercial – uno sobre la calle Montevideo y otro sobre la calle Nueva York – las sedes de las asociaciones étnico nacionales y los clubes deportivos y, casi en los límites con la ciudad de La Plata, se hallaba la destilería de YPF.

2. *Zona de quintas;* franja paralela al Río de la Plata hasta el límite con Magdalena. En esta zona se encontraba La Balandra, que constituía el paseo veraniego de los pobladores.

3. *Zona ganadera;* tierras que se extendían hacia la actual ruta 11. En ellas se concentraba la cría de ganado y se instalaron algunos tambos.[1]

La *zona urbana* estaba (y está) estructurada en torno de dos ejes: las calles Nueva York y Montevideo. La Nueva York corría al lado de los frigoríficos. Allí se levantaban viviendas y negocios, proliferaban boliches y fondas. Era la zona más definidamente proletaria; mientras que a lo largo de la calle Montevideo se multiplicaban las viviendas de los trabajadores mas acomodados, de algunos profesionales que abrían sus consultorios y "bufetes", y los comercios que atraían a los compradores con mercaderías y vidrieras más vistosas.

Paralelamente, fueron delineándose los barrios, en un largo proceso que fue acercando los límites de Berisso a los de la capital provincial. La delimitación del espacio local estaba también estrechamente vinculada con el negocio inmobiliario. Los loteos iban dando forma a la estructura espacial de las áreas mas específicamente urbanas. Así, en 1887, se produjeron las primeras subdivisiones de tierras que dieron origen a la Villa Banco Constructor. En 1909, la firma Barros y Compañía subastó los terrenos pertenecientes a Juan Berisso. El plano levantado en esa ocasión mostraba que no existía ningún trazado, las viviendas estaban donde mejor les parecía a sus ocupantes y, al realizarse el amanzanamiento, las casas quedaron en medio de las calles. La anarquía inicial de la traza urbana sólo fue reordenada con los sucesivos loteos.

Hacia 1914, se reanimó la plaza inmobiliaria con una nueva etapa de fraccionamientos y remates. Por esa época surgió Villa Independencia que en 1946 se transformó en Barrio Obrero. En 1916 se dividieron las tierras de Domingo Etcheverry que dieron origen a la Villa San Carlos. En los años veinte, las empresas comercializadoras de tierras intensificaron la propaganda en los periódicos locales ofreciendo lotes en ochenta mensualidades. "Las tierras del porvenir" eran publicitadas por su cercanía a los potenciales lugares de empleo: los frigoríficos primero, y la destilería o la hilandería después.[2]

Entre 1920 y 1922 se formaron Villa Nueva, Villa la Primera y Nueva España. En 1924, Villa Porteña alrededor de la destilería. En 1930, Villa Zula y Villa Argüello. Esta última se distingue de las otras por constituir el centro residencial de Berisso, seguramente por su cercanía a las puertas de la ciudad de La Plata, ya que limita con el paseo del Bosque. Hacia fines de la década del treinta se conformaron Villa Paula y, como último núcleo, Villa El Carmen. (Plano Nº 2)

Los pobladores

Los indicios relativos al crecimiento de la población están asociados también con las actividades industriales. El escaso número de habitantes existentes hacia fines del

[1] Lía E. M. Sanucci: *Berisso. Un reflejo de la evolución argentina,* Municipalidad de Berisso, La Plata, Provincia de Buenos Aires, 1983, pág. 51.

[2] Véase en particular los avisos del diario platense *El Día.* Como ejemplo se pueden consultar los correspondientes a los días 20 de enero, 3 de febrero y 8 de julio de 1924, los avisos de Antonio Santamaría y Cía, Espeche & Rocca Gómez, Bravo Barros y Cía. y Pedro Haramboure.

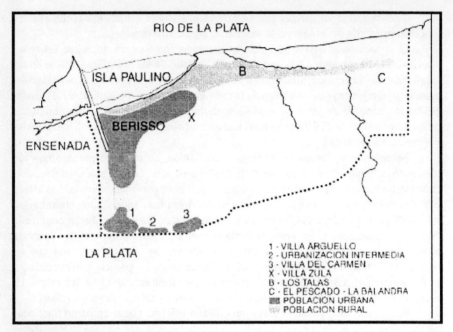

RIO DE LA PLATA

ISLA PAULINO

BERISSO

ENSENADA

B

C

X

1   2   3

LA PLATA

1 - VILLA ARGUELLO
2 - URBANIZACION INTERMEDIA
3 - VILLA DEL CARMEN
X - VILLA ZULA
B - LOS TALAS
C - EL PESCADO - LA BALANDRA
▓▓ POBLACION URBANA
▒▒ POBLACION RURAL

PLANO Nº 2

Núcleos poblacionales de Berisso.

siglo XIX alcanzó al finalizar la primera década del siglo XX la cifra de 8.800 personas y casi al terminar los años cuarenta a 33.900 (Cuadro Nº 1). El rápido poblamiento inicial se detuvo desde la segunda mitad del siglo XX y, al terminar el mismo, comenzó un proceso inverso de expulsión de población.

La pequeña población inicial concentrada alrededor de los saladeros se incrementó luego de la construcción del puerto de La Plata, pero el mayor aumento se advierte entre 1909 y 1914 coincidiendo con la instalación de los frigoríficos. El diario platense *El Día* señalaba en 1911: "hace tres años se componía de un reducido núcleo de casas y sus habitantes, por consiguiente sumaban un corto número pero a partir de 1909 comenzó a cobrar impulso con la radicación de nuevos vecinos".[3] Y afirmaba cuatro años más tarde: "el rápido crecimiento de la población de Berisso es la prueba evidente de la importancia adquirida por esa localidad. Tal crecimiento ha sido determinado por el desarrollo de la industria frigorífica que tiene allí uno de los más grandes establecimientos de Sud américa. Dentro de breve, comenzará a funcionar otro nuevo frigorífico que necesitará el concurso de miles de obreros, los que se radicarán con sus familias aumentándose con tal motivo la población".[4]

[3] *El Día* (La Plata), 20 de abril de 1911.
[4] *El Día*, 11 de junio de 1915.

Cuadro Nº 1

Población de Berisso por sexo, origen y totales según registros censales y tasas de crecimiento intercensales

Años	Arg. masc.	Ext. masc.	Arg. fem.	Ext. fem.	Arg. total	Ext. total	Total	Tasa de crecim. anual(%)
1884 (*)							1.800	
1909	764	686	735	368	1.499	1.054	2.553	1,4
1914	1.868	3.984	1.736	1.259	3.604	5.243	8.847	28,2
1924 (*)							10.470	1,7
1947	12.911	5.950	11.206	3.903	24.107	9.853	33.970	5,2
1960	16.814	4.104	16.661	3.404	33.475	7.508	40.983	1,4
1970	29.749		29.084		51.977	6.856(**)	58.833	3,7
1980 (*)							66.152	1,2

Fuentes

•*Anuario Estadístico de la Provincia de Buenos Aires,* director Emilio Coni, Año cuarto, Buenos Aires, 1885, pág. 72. El dato que se consigna es aproximado, ya que se refiere a la zona del puerto de La Plata. En ese sentido, la división del municipio de la capital de la provincia se compone, a los fines del registro estadístico, de cuatro zonas: 1) ciudad, 2) parque, 3) hornos y 4) puerto. La comparación con el plano municipal sugiere que esos 1.800 varones estaban en la zona de Berisso, pero llama la atención la ausencia de mujeres. Unas pocas familias se habían establecido en la zona.

•*Censo general de la Ciudad de La Plata,* capital de la provincia, Población, propiedad raíz, comercio e industrias, Levantado en días 22 al 30 de mayo de 1909, La Plata, Talleres "La Popular",1910, pág. 3.

•*Tercer Censo nacional,* República Argentina, Levantado el 1 de junio de 1914.

•*Anuario Estadístico de la Provincia de Buenos Aires* para el año 1924, I Territorio y Población a cargo del Sr. Arturo C. Figueroa, Jefe de la 2ª División, Imprenta A. Baiocco y Cía, 1926, pág. 34.

•*IV Censo general de la Nación* Presidencia de la Nación, Ministerio de Asuntos Técnicos, Censo de Población, 1947.

•*Censo nacional de población,* República Argentina, Poder Ejecutivo Nacional, Secretaría de Estado de Hacienda, 1960.

•*Censo nacional de población, familias y viviendas,* Instituto Nacional de Estadísticas y Censos, 1970.

•*Censo nacional de población y vvienda 1980,* Serie B, provincia de Buenos Aires, Presidente del Comité del Censo 1980: Dr. Guillermo Cándido Bravo, pág. XXI. Los datos del censo de 1980 son contradictorios en cuanto al número de habitantes de Berisso. En la pág. XXI figuran 66.152 personas, en la pág. XXVII 64.255 y estos números difieren de los publicados en Censo nacional de población y vivienda, 1980, Provincia de Buenos Aires. Población y vivienda de localidades y asentamientos urbanos clasificados por partidos, 66.506. De modo que a los fines de mostrar una tendencia en el movimiento de la población he optado arbitrariamente por una de esas cifras.

(*) No están discrimados por nacionalidad ni sexo.

(**) Corresponde a total de extranjeros sin discriminar por sexo.

Una parte importante de los nuevos habitantes de Berisso eran extranjeros procedentes de toda Europa, aunque se advierten algunas naciones o regiones como dominantes. La información aportada por los censos no es demasiado específica en cuanto a los grupos nacionales representados. El censo de 1914 discrimina por nacionalidad al conjunto de la población extranjera del partido de La Plata, al que pertenece Berisso. Española, italiana, griega, otomana, montenegrina, búlgara, rumana, rusa junto a portuguesa, brasileña o estadounidenses constituyen algunas de las nacionalidades mencionadas.

Las narraciones orales refuerzan la información censal y refieren tanto a la diversidad de origen como a los lazos familiares o regionales/nacionales que facilitaron la llegada a la localidad o la ubicación en las fábricas. Por eso, hay un diálogo que se repite con frecuencia en las narraciones orales de personas pertenecientes a los más diversos grupos nacionales:

P: *¿Por qué decidió venir para acá?*

Pedro: *Porque todos los paisanos de mi pueblo venían a Berisso, porque tenían gente conocida, uno es un pariente mío. Ahora los que vinieron conmigo se vinieron todos a Berisso, entonces digo voy a Berisso, tomé el tren [...].*

P: *¿Ud. tenía idea de dónde quedaba Berisso?*

Pedro: *No, yo vine acá, en ese tiempo había tranvía, llegué a La Plata y pregunté: ¿Berisso? ¿Berisso?, y me dijeron el 25, entonces tomé el tranvía 25, digo hasta el fondo, después me bajé y llegué. Alexis, tenía fonda, Cádiz (se refiere a la calle), entro allá y encuentro a Nicola Peteff, se conocíamos de Bulgaria, después estaba mi tío, Josefo, Ivalino, todos.*[5]

Pedro o Juan pueden representar una figura metonímica del trabajador inmigrante. Ellos dejaban sus tierras con alguna vaga idea sobre el lugar adonde irían, a veces sobre cómo llegar allí, y sobre las posibilidades de empleo. Otras veces, trabajo y vivienda estaban asegurados a través de redes familiares o de amistad:

P: *¿Dónde vivía?*

Juan: *Él (se refiere al amigo que lo alojó cuando llegó a Berisso) alquilaba pieza y cocina. En aquel tiempo todo el mundo alquilaba pieza y cocina, en esa pieza vivían de dos, de tres, de a cuatro, según... yo le digo a él, Nico ... vos me preparás la cama pero sabe que yo tengo piojos, entonces prendió un calentador, puso una lata de querosén llena, la calentó, calentó otra, me llevó al baño, colocó lata arriba, me dio ropa, yo no tenía, me dio ropa de abajo solo, me bañé, me lavé bien y me acosté a dormir. A la mañana me llama –levántate, me dice– me levanté a las 6, a las 7 me llevó a la puerta del frigorífico.*[6]

En las dos primeras décadas del siglo XX predominaba en Berisso la población de origen inmigratorio, pero esto no puede ocultar que la localidad también atrajo población nativa. Llegaron trabajadores de otros pueblos de la provincia de Buenos Aires así como de Santiago del Estero, Tucumán, Catamarca y Corrientes.

---

[5] Taller de historia oral Sociedad Búlgara Iván Vasov, Berisso, 22 de septiembre de 1986.
[6] Ibídem

Este proceso de migración interna se acentuó en los años treinta, y se mantuvo en los años posteriores. Santiagueños, correntinos, tucumanos, catamarqueños "armaban su valijita" y "se aventuraban en busca de trabajo". Como en el caso de los inmigrantes ultramarinos, los lazos familiares o las amistades fueron los agentes más activos para su integración al trabajo fabril. Un obrero del Armour decía:

> Yo vine el año 41, tengo casi 77 años, yo como los demás compañeros acostumbraba ir a trabajar tanto en la provincia de Buenos Aires, Santa Fe, Tucumán, por todos lados. Casualmente el último año que yo vine a la provincia de Buenos Aires, al sur, en Tres Arroyos, hice la cosecha y me vine, yo tenía un hermano acá en Berisso, digo me voy a quedar un día o dos y me voy [...] Vine me quedé esa noche en la casa de mi hermano y al tercer día me iba a ir y me dice: '¿por qué no se queda a trabajar en el frigorífico? Él trabajaba en la base naval y a veces trabajaba de changas en el frigorífico, bueno, un día fui y me tomaron.[7]

Con la instalación de las fábricas y la llegada de los nuevos pobladores, la trama social se hizo más compleja. Un síntoma de esa complejidad fue la formación de instituciones asociativas. En la primera década del siglo XX se constituyeron aquellas instituciones de carácter nacional o regional, que cumplían varias funciones: ayudaban a la integración de los recién llegados en la nueva sociedad, cooperaban con la búsqueda de un empleo, brindaban asistencia médica o colaboraban económicamente para el ritual de la muerte. Las asociaciones eran también un ámbito de sociabilidad y un camino para el ascenso social así como una arena donde podían dirimirse cuestiones políticas e ideológicas e incluso ayudaban a delimitar múltiples identidades étnicas.

En 1910 se creó una de las primeras asociaciones conformadas por extranjeros.[8] Luego del arribo de unos inmigrantes provenientes de la isla de Chíos a la zona de Ensenada, se creó la Confraternidad Quitense Adamantías Koraís.[9] Las primeras organizaciones polacas datan del año 1913 y en 1917 habían adquirido edificio propio en las cercanías de los frigoríficos. También formaron un grupo teatral y abrieron una bibliote-

---

[7] Zacarías, obrero de los frigoríficos, nació en Loreto, en la provincia de Santiago del Estero. Taller de historia oral Centro de Residentes Santiagueños, Berisso, 4 de noviembre de 1986.

[8] La información sobre colectividades es fragmentaria. Para reconstruir aspectos parciales de esas historias he consultado *El Mundo de Berisso*, (Berisso), 2 de enero de 1986, dedicado a las colectividades. También en los testimonios orales recogidos, las *Actas* del Centro de Fomento Cultural y Deportivo Zona Nacional, 1944-1952, del Centro de Residentes Santiagueños, 1944-1955 y la información aparecida en el diario *El Día*. Un estudio más amplio sobre grupos nacionales y la construcción de las fronteras étnicas permitiría ampliar la información sobre las siguientes sociedades: Helénica Platón (1908-1910), Sociedad Lituana Nemunas (1909), Unión Polaca (1913), Sociedad Italiana (1918), Hogar Arabe Argentino (1917), Sociedad Ucraniana Prosvita (1924), Sociedad Lituana Mindaugas (1931), Sociedad Ucraniana Renacimiento (1939-1940), Club Eslovaco Argentino (1956), Sociedad Búlgara Ivan Vazov, Inmigrantes Albaneses, Club Armenio, Sociedad Española (1978). Sobre la Sociedad Cultural Rusa y la Sociedad Juventud Alanita Islámica hay una pequeña referencia en *La Voz de Berisso*, 11 de enero y 12 de abril de 1931.

[9] Demetrio Glicas, op. cit. pág. 20. *El Mundo de Berisso*, 2 de enero de 1986. Véase también *El Día*, 14 de agosto de 1937 "Ensenada y Berisso visitó un periodista griego", "El viajero se ha mostrado gratamente impresionado por la obra realizada por la colectividad griega en las localidades mencionadas, que cuenta con una iglesia, escuela, salón de fiestas y un amplio y cómodo local social". *El Día*, 22 de octubre de 1944, "La colectividad griega de Berisso celebró la liberación de Atenas": "conforme estaba anunciado en el

ca.[10] En la primera década del siglo XX polacos y ucranianos actuaban juntos pero en 1924 los ucranianos formaron un Centro Juvenil que luego denominaron Asociación de Cultura Prosvita. Formaron un grupo filodramático y en 1932 crearon una escuela que pertenecía a la organización educativa llamada Zidna Szkola (Escuela de la Patria). Según un informe de la Legación de la República de Polonia en Buenos Aires, al promediar los años treinta alrededor de 30.000 ucranianos se hallaban diseminados por Buenos Aires y sus suburbios, en La Plata y "Berisso con sus grandes frigoríficos" y en Rosario, Santa Fe.[11]

También los árabes estuvieron representados por varias sociedades: la Sociedad Islámica de Socorros Mutuos, La Sociedad Juventud Islámica Amelita y la Sociedad Juventud Islámica. En 1932 aparecieron informaciones sobre la Sociedad Mutual Unión Islámica [12] y el 10 de septiembre de 1945 se creó el Círculo Cultural Arabe, que se fusionó más tarde con la Sociedad Islámica de Beneficiencia y dio paso al Hogar Arabe Argentino.

Los italianos crearon a fines de 1918 una asociación de socorros mutuos que se constituyó bajo el nombre de Societá Operaia Italiana. Entre sus fundadores, se distinguían algunos propietarios de comercio, como Domingo Leveratto, quien fue su presidente entre 1918 y 1924. Los albaneses, que llegaron hacia principios de siglo, formaron la colectividad Liria que agrupaba a los residentes en Berisso, Ensenada y La Plata. La sociedad además de dar "ayuda moral", auxiliaba a sus miembros para encontrar trabajo en el frigorífico, en el puerto de La Plata, en la compañía de tranvías Tetamanti. Los lituanos fundaron inicialmente la Sociedad "Nemunas" y, hacia 1931, la Sociedad Lituana Católica Cultural y de Socorros Mutuos "Mindaugas" (primer rey católico lituano). Los armenios crearon su sociedad en 1924: el Centro Armenio Hai Gutreon, que, como otras asociaciones, instaló una escuela. En los primeros años de la década del veinte se creó la Sociedad Obrero Búlgaro Macedónica quien posteriormente cambió su nombre por Sociedad Cultural Búlgaro Macedónica. En 1954 se conformó la Sociedad Búlgara Ivan Vasov. De las 32 personas recordadas como miembros del grupo fundador, 18 eran obreros de los frigoríficos, un número más pequeño trabajaba en YPF y los restantes realizaban actividades por cuenta propia: sastre, panadero, carbonero. Como las otras entidades, la Sociedad Búlgara tenía un grupo filodramático y, durante algunos años, una escuela para sus asociados.[13] Cuando la llegada de inmigrantes disminuyó aparecieron

---

salón Helénico de Berisso se llevó a cabo anoche el acto que había organizado la colectividad griega de la zona para celebrar la reconquista de Atenas".

[10] *El Día*, 18 de abril de 1933, "Festejará el XX aniversario de su fundación la sociedad polaca".

[11] Los informes de la Legación de la República de Polonia en Buenos, Ministerio de Relaciones Exteriores, Carpeta 10340, págs. 17-43 y Carpeta 3426, págs. 510-552 fueron encontrados durante una investigación de la Sección de Historia de América Latina y Africa del Instituto de Historia de la Academia de Ciencias de Polonia, Ver el Informe de Stemplowski en Polska Akademia Navk Instytut Historii, *Estudios Latinoamericanos*, 3, 1976, págs. 289 a 307.

[12] *El Día*, 25 de abril de 1932.

[13] *El Día*, 27 de enero de 1937, "Inauguróse la escuela búlgara de Berisso". En el diario aparece una foto con la siguiente nota: "una parte del público que concurrió a la ceremonia frente al edificio de la escuela ubicada en la calle Nueva York 4899. Es este el primer establecimiento educacional de esa nacionalidad que se inaugura en nuestro país".

nuevos agrupamientos como, por ejemplo, el Club Vostok en el que se reunían descendientes de eslavos ucranianos y argentinos.

Los pobladores nativos afincados en Berisso se sumaron a la creación de instituciones. En el año 1944, correntinos y santiagueños conformaron las suyas, pero el Centro de Residentes Santiagueños, fundado el 8 de abril de 1944 por un grupo de migrantes de Santiago del Estero (en su mayoría del pueblo de Loreto y parajes vecinos) es el que ha logrado permanecer a través del tiempo.

Esta activa formación de asociaciones por parte de una población heterogénea se hizo sentir también en la constitución de sociedades vecinales y centros de fomento. Algunas sociedades de vecinos que se formaron en los años veinte son frecuentemente mencionadas por la prensa cuando informan sobre mejoras en la infraestructura del vecindario. Por ejemplo, en 1911 se formó una sociedad de vecinos "propietarios", lo que marcaba las diferencias entre la población afincada y aquellos trashumantes que llegaban a Berisso en busca de trabajo. Un año más tarde la denominación "propietarios" desapareció. La sociedad de vecinos reclamó al poder municipal varias mejoras como la provisión de aguas corrientes, mejoramiento de calles, alumbrado público, servicios de transporte y, en varias ocasiones, los vecinos realizaron personalmente las mejoras que se proponían. En la década del cuarenta se constituyeron nuevos centros vecinales, como por ejemplo el Centro de Fomento Cultural y Deportivo Zona Nacional, fundado el 3 de febrero de 1944[14] y con la formación de nuevas barriadas se conformó en los años sesenta la Sociedad de Fomento Dardo Rocha.[15]

Junto a estas instituciones se formaron también asociaciones que tenían identidades ideológicas precisas. Datos fragmentarios refieren a la presencia de los ácratas en Berisso, a la formación de la Sociedad de Obreros Rusos, que tenía una biblioteca, una escuela y un coro[16] así como sobre las actividades de los centros socialistas y comunistas, desde la década del veinte.

Este conjunto de instituciones asociativas estaba estrechamente ligado a los trabajadores. Estos eran el motor para su formación así como constituían la masa de afiliados. La existencia de cada una de estas instituciones dependía del cobro de las cuotas y éste de que hubiera trabajo en los frigoríficos.[17]

---

[14] Centro de Fomento Cultural y Deportivo Zona Nacional, Actas, 1944-1952.

[15] La Sociedad de Fomento Dardo Rocha se conformó, formalmente, el 27 de septiembre de 1965 en la casa de un vecino. El relato es de un miembro de la Comisión Directiva que participó en los Talleres de historia oral, Sociedad de Fomento Dardo Rocha, Berisso 11 de octubre de 1986.

[16] Dora Barrancos: *Anarquismo, Educación y Costumbres en la Argentina de principios de siglo*, Buenos Aires, Contrapunto, 1990, Agradezco a la autora que me facilitara el testimonio de Miguel Mussa donde se relata la experiencia del anarquismo en Berisso. Las referencias a los ácratas de Berisso aparecen también en entrevistas realizadas al Profesor Lunnazzi en la ciudad de La Plata. Iaacov Oved: *El anarquismo y el movimiento obrero en Argentina*, Siglo XXI, 1978, pág. 425 y Juan Suriano: *Anarquistas. Cultura y política libertaria en Buenos Aires, 1890-1910*, Tesis doctoral, Facultad de Filosofía y Letras, Universidad de Buenos Aires, 1998.

[17] Se pueden consultar las actas de la Sociedad Búlgara Iván Vasov, las del Club Eslovaco Argentino de Berisso y las del Centro de Residentes Santiagueños. En ellas se consigna que cuando disminuía el trabajo en los frigoríficos o se producía un conflicto prolongado, los debates de las comisiones directivas giraban sobre el estado de las cuentas de la sociedad y sobre la necesidad de no cobrar las cuotas atrasadas a los obreros de las plantas cárnicas.

Instantáneas de la localidad

Con el aumento de la población, la expansión de los barrios y la formación de instituciones, Berisso se fue constituyendo como un escenario multifacético, donde los planos se construían de manera concéntrica alrededor de los frigoríficos. El espacio de la localidad estaba conformado no sólo por su materialidad (viviendas, comercios, calles, medios de transporte) sino también por las experiencias vividas en ella y por las formas de pensar y actuar de sus habitantes. En ese montaje de planos, situaciones y gestos, el centro lo ocupaban las fábricas ("imponentes", "majestuosas"). No había plazas alrededor de las cuales se organizara la vida.[18] En las inmediaciones de los frigoríficos se concentraban las viviendas. Casas individuales o conventillos de chapa y madera. Unas pocas viviendas cuyo frente era de material y las habitaciones de chapa.

Los comercios florecían cuando había trabajo en las frigoríficos y languidecían en los períodos de desocupación. Fondas, boliches y todo tipo de negocios (verdulerías, almacenes, tiendas, casas de fotos, peluquerías, panaderías) proliferaban en una especie de aventura cotidiana que los unía a la suerte de los trabajadores.[19]

La vida cotidiana en el pueblo se armaba sobre la precariedad y la improvisación. El alquiler de una pieza de conventillo era un paso a una vivienda más amplia, ya sea en alquiler o en propiedad. El mobiliario en las viviendas colectivas era el absolutamente necesario: una o varias camas, un ropero (a veces un clavo para colgar la ropa) y un brasero. Con el tiempo, se agregó un calentador: el "primus", que la mayoría recuerda resoplando al comenzar el día. Cuando la casita de chapa, madera y zinc se levantaba en terreno propio, venían los muebles del comedor y el dormitorio y una cocina a *kerossene*, que los comerciantes berissenses ofrecían en cómodas cuotas mensuales.

Fondas y boliches, bares y restaurantes eran los lugares de la sociabilidad obrera. Algunos historiadores los definen como "lugares de palabras"[20], pero los cuerpos y

---

[18] Las diferencias son notables al comparar Berisso con otros pueblos y ciudades de la Argentina y Latinoamérica. Esas ciudades, que según José Luis Romero, "[...] muchos viajeros –transmutados en escritores y pintores– observaron cuidadosamente y [...] fijaban en su memoria, o en el dibujo, la perdurable imagen del conjunto urbanístico y arquitectónico: las iglesias, las rejas y balcones de las viejas casonas, el macizo conjunto que circundaba la plaza mayor", en *Latinoamérica: las ciudades y las ideas*, Buenos Aires, Siglo XXI, 1976, pág. 218

[19] En *El Orden*, *La Voz de Berisso* o la revista cultural *Berisso*, aparecidos entre 1915 y 1918, en las décadas de 1930 y 1940 y entre 1926 y 1928 respectivamente no faltan los avisos de tiendas, mercerías, ferreterías, almacenes, bares y restaurantes, algunos de ellos frecuentemente mencionados en las historias locales. Sólo para señalar algunos: las esquinas de las calles Montevideo y Río de Janeiro eran compartidas por "La Bola de Oro" (almacén, ferretería y pinturería) de José Francesena, la farmacia "Cestino", el café y bar "Nelson", con orquesta típica todas las noches, según dice su aviso. En Montevideo esquina Nápoles estaba "La Fama Argentina", la tienda y mercería de M. Jamulis, al 554 de Montevideo la casa de fotos y taller de marcos "Missen" y unos pasos más allá la tienda y mercería "La Familia" de Pedro Posik. Sobre la calle Nueva York dos son los avisos que aparecen frecuentemente: el restaurant "El Aguila" de Dallachiesa y Cía, en la esquina con Valparaíso, y la cervecería y restaurante de José Riera. En la esquina de Montevideo y Nueva York el corralón de maderas y aserradero mecánico de Pedro Berardenelli ofrecía la construcción de chalet y casillas de madera que vendía en cuotas.

[20] A. Prost: "Fronteras y espacios de lo privado", en P. Aries y G. Duby: *Historia de la vida privada*, tomo 8, Madrid, Taurus, 1991.

gestos, en este caso, contenían las voces. Allí llegaban parroquianos que contorneaban sus figuras con el cuchillo a la cintura. Hombres circunspectos y silenciosos que se acomodaban en el mostrador. Mujeres que paseaban sus cuerpos antes de ubicarse en una mesa.

Viviendas, fondas y negocios se alternaban con algunos sitios baldíos, y éstos eran los lugares apropiados para el encuentro entre amigos, una cita furtiva, para los juegos prohibidos. Con el tiempo, el foco urbano se fue ampliando y extendiendo así como se fueron recortando otros espacios: el cine, las sedes de algunas sociedades nacionales, un club de fútbol, las escuelas, un banco y otra fábrica (la hilandería) y, camino a la ciudad de La Plata, la destilería. Hacia el lado opuesto, el río y sus playas.

Para terminar de dibujar este escenario necesitamos otras imágenes. Selecciono dos: una, la de las "actividades indeseables", como el prostíbulo (uno cerca y otro lejos de las fábricas) y los lugares para el juego clandestino; la otra, la de las aventuras asociadas a las producciones culturales. Un periódico o una revista y sus editores. Esta representación es necesaria porque desde épocas tempranas proliferaron periódicos y diarios locales tales como *El Orden*, *La Voz del Pueblo*, *Clarín*, *La Voz de Berisso* o la revista literaria *Berisso*.[21]

La construcción de la comunidad

Las bases materiales (población, vivienda, instituciones) son sólo un aspecto del desarrollo de la comunidad; para poder definirla como tal es necesario analizar el proceso mediante el cual sus habitantes fueron dotando a esa comunidad de un significado. La identidad obrera de Berisso fue construida activamente por los propios trabajadores, por las instituciones que éstos fueron conformando –nacionales o regionales, vecinales y sindicales– y por la administración estatal local, así como por la prensa y la literatura (o los "intelectuales" que se expresaban a través de ellas). Se trata de un complejo proceso que reconoce diferentes momentos y niveles, y puede rastrearse tanto en las fuentes orales como en las escritas.

El proceso de construcción de una narrativa local tiene elementos comunes a la formación de las narrativas nacionales. Como señala Benedict Anderson, una comunidad es imaginada ("en la mente de cada uno vive la imagen de su comunión"), es limitada ("tiene fronteras finitas, aunque elásticas") y se construye como comunidad ("porque, independientemente de la desigualdad y la explotación [...] se concibe como un compañerismo profundo, horizontal).[22]

---

[21] Es interesante remarcar que desde épocas tempranas se verifica la conformación de un "campo de lectura" que incluye la proliferación de diarios, revistas y folletos. Un análisis de la conformación de ese campo se encuentra en el atractivo trabajo de Adolfo Prieto: *El discurso criollista en la formación de la Argentina moderna*, Buenos Aires, Sudamericana, 1988.

[22] Benedict Anderson: *Comunidades imaginadas. Reflexiones sobre el origen y la difusión del nacionalismo*, México, FCE, 1993, págs. 22 a 25. Sólo el proceso es similar. Un análisis específico de las narrativas

La imagen de la comunidad se basa principalmente en tres figuras: el trabajo, la inmigración y el esfuerzo. Berisso fue armándose pedazo por pedazo como dice el poema publicado en *La Voz de Berisso*, y los trabajadores que llegaron atraídos por las posibilidades laborales que ofrecían los frigoríficos fueron agentes activos en la construcción de la representación de la comunidad. Un obrero búlgaro decía:

Juan: Berisso era la calle Nueva York, hasta el puente, para acá donde está el correo y el campo del saladero todo era quintas, y después cada año se agrandaba, las casas están hechas pedazo por pedazo.

P: Si el centro era la calle Nueva York, ¿cómo la recuerda?

Juan: la calle Nueva York era empedrada, a los costados había barro, las calles que la cruzaban Valparaíso, Marsella, Cádiz, Concordia, todo era barro, la única era ésta (se refiere a Montevideo) empedrada y así nomás. No me acuerdo que año empezó a entrar tranvía porque el tranvía venía hasta el Banco Provincia [...]

Juan: [...] después del 26, 27 se hizo empedrado hasta el puente, después del 30 se hizo hasta el Salón Lituano y después del 35, 36 hasta aquí, (estamos en Montevideo 1700). Después empezó a poblarse, primero se hacía la calle, después compraban el terreno y después se hacían la casa... La iluminación se hacía por pedazos. Cuando yo llegué era hasta el puente... para acá era oscuro... Agua no había, y se hacía por pedazos también el agua corriente...[23]

El descampado, el barro, el empedrado, la luz, la vivienda materializan la imagen de la localidad y ésta se amplía, en éstos y en otros recuerdos, a los espacios públicos y privados (la casa, la calle, los transportes, el cine, la fábrica y los comercios) y sus mutaciones. Los recuerdos se pueblan de sonidos (vendedores ambulantes, el ganado camino al frigorífico, los perros en la calle) y de olores (el nauseabundo que emana de la fábrica).[24] El pueblo en su materialidad, en lo que permanece, sustenta la memoria. Como dice Ecléa Bosi, parafraseando a Proust, al sentir las irregularidades del empedrado se recupera el tiempo perdido y se compara el presente con el pasado.[25]

En los relatos se articulan múltiples experiencias y se superponen diferentes discursos. Por un lado, la vida cotidiana de cada uno organiza los recuerdos. Por otro, aparecen las marcas que diferencian los géneros, pues la memoria se organiza: entre las mujeres, alrededor del matrimonio, los hijos, los quehaceres del hogar, las amigas y, a veces, el trabajo extradoméstico; entre los hombres, en torno del trabajo en la fábrica, los amigos, los juegos, las mujeres, a veces el sindicato o las discusiones

---

nacionales y locales muestra las tensiones y contradicciones entre ambas. Si, como señala Jeffrey Gould para el caso nicaragüense, no todas las narrativas locales pueden incorporarse en los grandes relatos nacionales en diferentes momentos históricos, queda el camino abierto para esa exploración. Jeffrey Gould: "Memorias del mestizaje en el movimiento campesino nicaragüense", en *Entrepasados*, Revista de historia Nº 9, 1995, pág. 85 a 95.

[23] Taller de historia oral Sociedad Búlgara Iván Vasov, 22 de septiembre de 1986.

[24] Hay una reiteración de estos temas en todas las entrevistas realizadas en los talleres de historia oral que ya fueron mencionados.

[25] Ecléa Bosi: op. cit., págs. 362 a 365.

políticas. Pero por detrás de esta primera lectura en donde el cotidiano personal, familiar o laboral parece el protagonista de los relatos, se advierten numerosas tensiones en la construcción de ese pasado. Se establece una estrecha relación entre lo individual, lo familiar y lo histórico y aparecen los antagonismos derivados de la vida política.[26]

Como se ha dicho, la historia de Berisso está fuertemente asociada a la presencia de los frigoríficos, a la inmigración y a la existencia de una comunidad armónica, pero también aparecen otros motivos: de manera explícita, el peronismo; elusivamente o con silencios, los conflictos y las tensiones entre los pobladores, las oposiciones políticas, las ideologías. Los motivos que conforman esas narraciones son diversos y múltiples los agentes formadores (relatos orales, prensa, literatura, instituciones y partidos políticos).

La constitución de una identidad obrera/trabajadora en la prensa y la literatura

Una comunidad se construye activamente con la creación de significados compartidos. Un aspecto importante de la formación de un sentido de comunidad lo constituyen los relatos orales pero, como señala Pearson, también participan en ese proceso la prensa, las instituciones y las organizaciones.[27] La prensa de Berisso fue un agente activo en la construcción de la comunidad, en estrecha asociación con el motivo *trabajo*. Desde mediados de la década del diez, aparecieron en la localidad varios periódicos: *El Orden* vio la luz entre agosto de 1915 y diciembre de 1918; durante 1915 apareció *La Voz del Pueblo*; hacia 1925, *Clarín*; en la misma década del veinte *La Voz de Berisso*; y desde fines del siglo XIX, editado en la ciudad de La Plata, el diario *El Día*.[28] Ésta era la prensa local, donde incluyo al diario platense. *El Día*, contribuyó con sus notas, sus informaciones, sus menciones, a cohesionar a los habitantes; articuló las quejas locales; y buscó difundir una imagen de trabajador levantada sobre la respetabilidad o el orden. En este sentido, la prensa que circulaba en el paraje de Berisso y en la ciudad de La Plata se

---

[26] Para un análisis de las relaciones entre "tiempo individual", "tiempo familiar" y "tiempo histórico" véase Tamara Hareven: *Family Time & Industrial Time. The Relationship Between the Family and Work in a New England Industrial Community*, Cambridge, London, New York, Cambridge University Press, 1984, pág. 7.

[27] Robin Pearson: op. cit. El papel de la lengua impresa para la creación de una comunidad es señalado también por Benedict Anderson: op.cit.

[28] Carlos Adam: "Berisso y el Ayer", *Quirón*, Vol. 14, No. 41, enero-marzo de 1983. A la lista de periódicos que se editaban en Berisso hay que agregar el diario *El Día* que apareció el 2 de marzo de 1884. Se trata de una empresa periodística de la Capital de la Provincia de Buenos Aires. A pesar de que no contamos con un estudio sobre el mismo, podemos asociar su aparición a la expansión de la prensa y su transformación como empresa alejada de la lucha de facciones, de su dependencia a determinados hombres de la política y del estado nacional. La información sobre la localidad que durante muchos años fue un cuartel de la capital provincial era abundante en las primeras dos décadas de este siglo. Las denuncias sobre la situación de los trabajadores de Berisso estaban siempre asociadas a la impugnación política de los gobiernos provincial o nacional en manos de los liberales conservadores. Un examen detallado del diario excede los marcos de este trabajo.

transformó en vocero de los vecinos al reclamar obras de saneamiento, la instalación de una sala de primeros auxilios que atendiera a las personas de escasos recursos o que se accidentaban, el establecimiento de una escuela, la extensión del alumbrado, entre otras cosas.[29] Y, por ese camino, contribuía a dar coherencia e identidad a un conglomerado heterogéneo de hombres y mujeres que habitaban en la localidad.

Veamos más específicamente las representaciones construidas por esa prensa local. Ya se señaló que la historia de Berisso estaba fuertemente asociada a la presencia de los frigoríficos. Mientras hubo trabajo en las fábricas, los conflictos entre obreros y patrones en los establecimientos cárnicos fueron presentados como factor de progreso. Sin embargo, esta imagen común a principios del siglo XX mudó rápidamente cuando brotaron unos pocos conflictos laborales: 1915 y 1917 fueron años claves.

Cuando en 1917 estalló la huelga que por primera vez abarcó a los dos establecimientos (Swift y Armour) *El Orden*, "Bisemanario independiente defensor de los intereses locales", recordaba el movimiento de 1915 del siguiente modo: "un número compacto de trabajadores del Swift, cansado de pugnar en vano por mejores condiciones de trabajo y por una mejor remuneración fue a la huelga [...] Hubo provocaciones, subterfugios contra los trabajadores. Estos se habían entregado por primera vez a una acción tan arriesgada y difícil. Todos recordamos aquellas tristes horas; después de inútiles esfuerzos, nada se consiguió y la huelga, que se hizo famosa, fue derrota para los obreros".[30]

Ante un nuevo movimiento huelguístico (1917) el periódico enfatizaba: "las *empresas extranjeras que vienen a mediar* (sic por medrar) *inicuamente a costa de los trabajadores*, tendrán motivos una vez más así de comprender, también en Berisso, que *una nueva era ha comenzado para la clase trabajadora en la República Argentina*".[31]

Periódicos como *El Orden* y *El Día* asociaban la nueva era con la organización de los trabajadores y no ocultaban sus simpatías hacia ellos. En *El Orden,* las notas periodísticas y las crónicas definían al trabajador y contribuían a delinear su identidad colocándola como opuesta a la de los patrones. Irradiaban, además, ciertas representaciones vinculadas a los trabajadores y a las empresas cárnicas: los obreros no tenían que entregarse a la "taberna" (un motivo clásico de la literatura moralizadora en cualquiera de sus vertientes: socialista, anarquista o católica), ni caer en las provocaciones de la policía. Debían ser personas respetables y protestar sin alterar el orden, porque de ese modo sus esfuerzos y sacrificios serían reconocidos y, en consecuencia, recompensados.

El periodismo local defendía a los trabajadores y denunciaba a las empresas que –en opinión de los cronistas– abusaban de la debilidad de los obreros y los sometían a innumerables vejaciones. El maltrato permanente de los obreros era un síntoma claro

---

[29] He consultado *El Orden* de los años 1915, 1917 y 1918. Fue un periódico de corta vida, probablemente filosocialista de acuerdo a sus notas en donde defiende al trabajador, a la democracia parlamentaria y difunde preceptos morales para los obreros. De *La Voz de Berisso*, he examinado varios números correspondientes al período 1934-1941, que me fueran facilitados por los señores Raúl Filgueira y Luis Guruciaga a quienes agradezco profundamente. El diario *El Día* fue analizado para todo el período que aquí se estudia.

[30] *El Orden*, (Berisso), 20 de noviembre de 1917.

[31] Ibídem. El destacado es mío.

de que las compañías no tenían en cuenta al trabajador, que daba "en ese antro de aniquilamiento su sangre y los mejores años de su vida a costa de un jornal que nunca alcanzó a cubrir las deudas que le impusieran sus apremiantes necesidades".

Al colocarse del lado de los obreros, la prensa se definía también en un campo más vasto: el de la oposición al capital extranjero. Así, decía: "después se dirá que nosotros tenemos una terrible fobia contra los yanquis icómo si no hubiera motivos para no tenerla!". Y terminaba enfatizando: "Reaccionen de una vez de sus procedimientos los *pulpos yankees* de nuestra población, si quieren hacerse acreedores a la consideración de la opinión pública que hoy tanto les vitupera".[32]

Los párrafos de *El Orden* –que pueden representar a otros– expresaban motivos que tendrían una larga permanencia en las representaciones de la localidad. Los obreros de los frigoríficos constituían una masa de trabajadores explotados por las empresas yanquis y sus esfuerzos para mejorar sus condiciones de vida y de trabajo fueron frustrados, ya sea por las empresas o por la fuerza de la represión. En las páginas de este diario, se designaba a la "clase obrera" como opuesta al "pulpo" norteamericano y explotada por él. *El Orden* no era una publicación realizada por los trabajadores en un sentido estricto, pero sus palabras alimentaban la idea de que era necesario unificar los intereses de los obreros berissenses. Para ello, el periódico colocaba la experiencia en la fábrica, los movimientos de protestas y el avance de la organización gremial en el centro de sus reflexiones.

La "clase" o el "pueblo" aparecían como los polos de una permanente contradicción con el capital o las empresas. Fueron categorías tomadas también por la literatura. "Hoy, *todo Berisso comprende que vive o muere según lo imponga el capital*. No será la pólvora solamente; *serán* los caprichos; mejor todavía, *las conveniencias de esos señores capitalistas, lo que amenazará al pueblo o le borrará del mapa cuando la especulación así lo requiera*"[33] escribía Ismael Moreno en *El Matadero* en 1921, luego de la gran huelga de diciembre de 1917.

La literatura se apoyaba en el motivo *trabajo* y retomaba, en los límites locales, lo que en la época recibió el nombre de "cuestión social" y que aludía a un conjunto de "males" o desajustes provocados por la generalización de las relaciones capitalistas. Algunos escritores, entre ellos Moreno, tomaron la vivienda, las barriadas obreras, el trabajo y las protestas como temas centrales de sus narrativas, y crearon personajes y situaciones arquetípicos. Uno de esos personajes era Judi, el inmigrante árabe que protagonizaba junto a otros actores el cuadro de las peripecias del trabajo en los frigoríficos y de la huelga de 1917.[34]

[32] *El Orden*, 6 de enero de 1918. El artículo se titula "Procedimientos yanquis".
[33] Ismael Moreno: op.cit., pág. 159.
[34] Lafforgue y Rivera señalan: "El tono de Moreno es marcadamente panfletario y militante, pero el documentalismo naturalista en que se apoya se yuxtapone a veces con recursos expresionistas, lo que contribuye a crear un clima fantasmagórico, exasperado, lindero muchas veces con la categoría del "esperpento". Estilo indirecto, personificaciones, rasgos vanguardistas en la descripción de seres y cosas, confieren un sabor peculiar a esta parábola incisiva de un doloroso episodio de nuestras luchas sociales", Jorge Lafforgue y Jorge B. Rivera: "Manuel Gálvez y la tradición realista", en *Historia de la literatura argentina*, vol. 3, Las primeras décadas del siglo, Buenos Aires, Ceal, 1980/1986, pág. 200.

Las representaciones de la prensa y la literatura sobre Berisso tienen una realidad específica que reside en su misma existencia pero no podemos olvidar que también son producto de la imaginación. Como señala Baczko, las sociedades realizan una invención permanente de sus propias representaciones, de las ideas e imágenes a través de las cuales se dan una identidad, legitiman su poder o elaboran modelos formadores como "militante comprometido", "buen ciudadano" [35], a los que podríamos agregar "trabajador honesto", "comunidad armoniosa". Comunidad obrera, pulpos yanquis, trabajador explotado y lucha, organización y derrota aparecen como las claves de un campo de representaciones que serán reelaboradas permanentemente, transformadas, abandonadas y suplantadas por otras.

Las imágenes de una comunidad trabajadora en constante lucha por sus derechos, el reconocimiento de la presencia conflictiva de la fábrica y de las demandas de los vecinos para mejorar sus condiciones generales de vida adquirirán nuevos tonos y significaciones durante el período en que el peronismo se convertirá en la identidad política y social de los trabajadores, tanto en el plano local como en el nacional.

La redefinición de la comunidad obrera y la construcción de la comunidad armónica en los relatos de los trabajadores

Un punto compartido en los relatos de trabajadores –hombres y mujeres– es la observación de un antes marcado por la fuerza de la explotación de las empresas, un después de respeto y dignidad obtenido durante el peronismo y el incierto presente producto de la ausencia de trabajo con el cierre de los frigoríficos. Esta es la imagen expresada por María, una obrera del frigorífico: *Berisso en la época de Perón era una hermosura, había esas palomas blancas, esas mujeres de blanco comprando por los negocios, comprando cosas con sus hijos de la mano, casi todas mujeres jóvenes [...] contentas con su quincena, se compraba enterito un corderito [...] se podía traer carne del frigorífico, para los obreros había carne más barata*. Una representación que sepulta su propia experiencia como mujer y como obrera en un espacio que poco tenía de armónico y que obliga al historiador a hurgar en los vericuetos de la memoria, en sus fallos, en sus síntomas.

Otro motivo es el construido alrededor de la solidaridad, el respeto y el aprecio por una comunidad a la que arribaron hombres y mujeres de diferentes nacionalidades. Expresado de diferentes maneras, este motivo no alcanza para acallar las experiencias anteriores cruzadas por las múltiples divergencias entre los inmigrantes provenientes de diferentes naciones, entre nativos e inmigrantes y hasta entre argentinos de diferentes provincias.

---

[35] Bronislaw Baczko: *Los imaginarios sociales. Memorias y esperanzas colectivas*, Buenos Aires, Nueva Visión, 1991 págs.7 a 53.

Por algo ésta es la ciudad de emigrante, por algo es, no ha sido un capricho del destino, es porque el inmigrante lo levantó a Berisso, lo levantó y lo va a seguir levantando porque el inmigrante –se morirán los viejos– pero quedan los hijos, de eso tenga la plena seguridad porque son muy agradecidos los extranjeros, yo los quiero mucho a los extranjeros, gente muy buena [36], decía una mujer trabajadora de origen nativo. El contraste con lo expresado por otro obrero que también enfatizaba el respeto y la solidaridad entre los miembros de la comunidad es significativo: *No nos hemos dejado doblegàr [...] y ese cabecita negra con el correr del tiempo nos hemos hecho populares, hemos doblegado a todas las colectividades y hoy ellos son los que nos aprecian, los que nos respetan en todo aspecto y quiere decir que nosotros no nos hemos dejado dominar bajo ningún punto de vista.*[37]

La tensión entre los relatos adquiere nuevos sentidos si atendemos a lo que no se dijo, a los silencios que acompañaron las conversaciones sobre la experiencia sindical, la política o las diferencias existentes en el asociacionismo producto de distintas preferencias políticas o religiosas. Son silencios, síntomas de tensiones, incomodidades que surgen de la estructura social de las entrevistas en las que, como señala Grele, intervienen de manera activa los entrevistados y el entrevistador y en las que cada uno de ellos establece una conversación "con las tradiciones culturales o históricas más amplias a las cuales y a través de las cuales hablan".[38] En la narración conversacional, los trabajadores (varones y mujeres) articulaban un discurso en el que se podían apreciar las discrepancias existentes en su relato y emplearlas para hacer inferencias sobre las representaciones que intervenían en la recordación. Las conversaciones se constituían en un medio significativo en el que se formulaban los pensamientos, se justificaban y socializaban. En el relato aparecían los síntomas de un campo de tensiones cruzado por discursos e ideologías que habían sido tejidos conflictivamente en el pasado y que cobraban fuerza en el momento de la recordación.

Uno de esos síntomas surgía de la oposición entre una comunidad en la que convivían sin tensión diferentes grupos inmigratorios y la representación de una comunidad dividida por las diferencias nacionales y regionales, por la adhesión de sus miembros a ideas monárquicas, republicanas o nacionalistas; por la fidelidad al catolicismo o al islamismo; y hasta por las rivalidades entre personas provenientes de diferentes provincias argentinas, como en aquellos tiempos del proceso de constitución del Estado nacional donde primaban las identidades regionales o provinciales frente a la idea de nación.

Que la comunidad de inmigrantes estaba dividida surge de la cantidad de asociaciones que se conformaron. No se trata aquí de señalar solamente las constituidas sobre diferentes bases nacionales (griega, polaca, checoslovaca, búlgara) sino también de mencionar las que estaban cruzadas por diferencias religiosas (católicas, ortodoxas,

---

[36] María, obrera de los frigoríficos, entrevista realizada en agosto de 1987.
[37] Taller de historia oral Centro de Residentes Santiagueños, sesión del 4 de noviembre de 1986.
[38] Ronald Grele: "La historia y sus lenguajes en la entrevista de historia oral: ¿quién contesta a las preguntas de quién y por qué?", *Historia y Fuente Oral*, N° 5, 1991, pág. 112.

musulmanas), políticas (monárquicas, republicanas) o regionales (croatas, servios, ucra-nianos). Son retazos de diferentes identidades que no sólo hablan de la heterogeneidad de los protagonistas de la experiencia trabajadora en Berisso y de los procesos de diferenciación que se producían en el seno de los grupos inmigrantes, sino que constituyen un elemento importante a la hora de analizar el proceso de formación de la clase obrera argentina y el de la constitución de diversas identidades (de clase, política e incluso de género). Algunas de estas cuestiones son meramente anunciadas en este punto y serán retomadas en capítulos posteriores.

Un ejemplo de las tensiones que podían suscitarse alrededor de la definición de identidades políticas se encuentra en este testimonio:

P: ¿Se acuerda de la existencia de alguna sociedad obrera?

Pedro: No, no había.

P: ¿Sociedades checoslovacas?

Pedro: Tampoco había, había una sociedad eslovaca en el año 33.

P: ¿Ud. participaba?

Pedro: Y... después cuando se empezaba la piedra fundamental de esta sociedad, era en noviembre del 33.

José: Pero ya existía el Hogar Checoslovaco.

Pedro: Pero yo ahí no participaba.

P: ¿Tiene idea de cuándo se forma?

José: No me acuerdo.

Bartolomé: Yo vine en el año 27 y él ya funcionaba, no en grandes dimensiones como se dice pero había un grupo de socios, yo participé pero cuando yo llegué ya estaba.

P: ¿Qué actividades hacían en el Hogar Checoslovaco?

Bartolomé: Por aquel tiempo unos libros para leer, reuniones así, entre los hombres, charlábamos.

P: ¿ Se reunían hombres y mujeres?

Bartolomé: Unicamente los hombres, leíamos libros que algunos trajeron de Checoslovaquia y los pidieron cuando ya estaban aquí y tenían algunos amigos y se los pedían. Nos prestábamos unos a otros.

P: ¿ Qué pasó con el Hogar?

Bartolomé: Desapareció, desapareció y acá en este lugar formamos la sociedad cultural eslovaca.

José: No, porque el Hogar Checoslovaco siguió existiendo.

Bartolomé: Se fundó otro pero no es el mismo.

José: El Hogar Checoslovaco existía de antes que éste pero un grupo de eslovacos hace una sociedad cultural eslovaca Stefanik que era un prócer eslovaco, el Hogar sigue funcionando.

P: ¿Por qué se formaron dos sociedades?

Bartolomé: Porque eran prácticamente regionales. La República Checoslovaca se compone de checos, eslovacos y de Moravia, así que no pertenecemos a Eslovaquia, así que era distinto.

P: ¿En qué eran distintos? ¿En las costumbres?

Bartolomé: No, costumbres casi igual, idioma casi igual, porque nosotros nos entendíamos prácticamente en todo...

José: El hecho viene que la República Checoslovaca se forma después de la guerra de 1918 porque el eslovaco no reconoce el checo porque se lo impusieron, de ahí emigran no sé cuantos eslovacos ¡millones! emigran al exterior. En estos momentos hay dos millones afuera que conservan sus tradiciones. Los eslovacos tienen mil años de existencia pero estaban sojuzgados, el Imperio Húngaro dominó Eslovaquia, el eslovaco siempre estuvo dominado por alguien y cuando se forma la república dominan los checos. En ese entonces estaba el nacionalismo eslovaco.[39]

La cita es larga pero el discurso refleja los conflictos que se producían en el nuevo país cuando crearon las instituciones (nacionales/regionales) que les daban contención, ayuda y protección a los inmigrantes. Por otra parte, es similar a lo que sucedía con servios, croatas, ucranianos. La unidad a la que fueron sometidas diversas regiones en el proceso que Hobsbawn ha denominado la "fábrica de naciones" estallaba en el país de emigración, levantando fronteras, a veces rígidas, otras flexibles, según las épocas. En los recuerdos de Bartolomé y José resulta difícil mantener el carácter inclusivo del Hogar Checoslovaco y la diferenciación aparece como inevitable con la presencia de discursos que exaltan el nacionalismo eslovaco. Al demarcar las fronteras, Bartolomé y José establecían quiénes estaban incluidos o excluidos en esa identidad cultural y este proceso se reproducía entre otros grupos nacionales. La cuestión no es un problema menor, porque muchas de esas regiones estaban sometidas a guerras, hambrunas y sangrías políticas, eran ignoradas o negadas por los poderes políticos de sus respectivas naciones, y sufrían las modificaciones de las fronteras nacionales que implicaban renovados conflictos alrededor de las identidades nacionales o regionales.

Sin embargo, las diferencias que se expresaban en estas formas de asociacionismo tenían algunas dificultades en el nuevo país. Los inmigrantes de las naciones centroeuropeas eran pocos numéricamente, estaban sometidos a una experiencia común de desarraigo y generación de nuevos lazos en la comunidad receptora, los acercaba la vivencia compartida de la vida cotidiana y del trabajo. De modo que en la medida que competían por un público pequeño iban dejando de lado los primeros motivos de rencillas y se agrupaban en entidades más inclusivas, aunque en algunos casos predominara un grupo sobre otro.

Por cierto que como elementos residuales había quienes se apasionaban por las antiguas diferencias. José, uno de nuestros personajes de la sociedad eslovaco argentina, bien puede ser uno de ellos. Pero ya no se trata solamente de los ecos de los excluidos de los procesos de construcción de naciones en Europa o Asia, sino que expresa la superposición de discursos y prácticas que conforman la experiencia en el

[39] Taller de historia oral Club Eslovaco Argentino de Berisso, sesión del 21 de octubre de 1986. El estudio de las migraciones del centro y este europeas es escaso y fragmentario. Aunque no incluye los grupos étnicos de Berisso, se puede consultar a Josph Velikonja:" Las comunidades eslovenas en el Gran Buenos Aires", en *Estudios migratorios latinoamericanos*, N° 1, diciembre de 1985.

país receptor. En efecto, José es argentino, hijo de obreros de los frigoríficos. Su padre trabajó en el Armour y en las horas que no estaba en la fábrica arreglaba zapatos. Su mamá trabajó en la misma compañía y él ingresó a la base naval de Río Santiago al terminar la década del cuarenta, poco tiempo después abrió una carpintería. Asistió a la escuela eslovaca que desde 1937 funcionaba en la sociedad. Su historia individual se dibuja con el tiempo histórico de los años cuarenta en Berisso. Por un lado, la oposición comunismo anticomunismo que separó y enfrentó a una parte de los eslavos de argentina; por otro, la política de Perón respecto a otras fuerzas y partidos políticos.

La oposición comunismo anticomunismo fue expresada también por otro participante del grupo de recordación: *Yo en la unión eslava era delegado, en cada reunión había espías, vino uno que anotaba y a uno lo pusieron en el libro negro porque era comunista, era peligro para Perón. Había traición entre los eslavos*.[40] Y reafirmada, en la misma conversación que tuvo lugar en el Club eslovaco argentino, por otro miembro del grupo: *Ahora aquí hay adhesión a Reyes* (líder del Sindicato Autónomo de la Carne de Berisso creado en oposición al sindicato comunista) *porque la mayoría de la gente le ha disparado al comunismo"*.[41]

A fines de la década del treinta y comienzos de la del cuarenta se manifestaban en la localidad diversas líneas de tensión. La de las diferencias regionales y políticas es una de las más amplias. Sin embargo, los obreros inmigrantes entrevistados le otorgaban un fuerte significado a la comunidad armónica. ¿Es posible ensayar alguna explicación para esto? Aunque las respuestas requieren una investigación más profunda, se puede decir que ante la amenaza de la pérdida de las respectivas personerías jurídicas, los miembros de las distintas asociaciones decidieron amortiguar las disputas y los conflictos internos. Además, las controversias se referían a situaciones pasadas o lejanas espacialmente y, con el tiempo y la distancia, se fueron desvaneciendo. A esta situación, hay que agregarle el temor, sobre todo de las intervenciones policiales, que alejaba a los asociados. Ese alejamiento podía implicar la muerte de la asociación.

En el *tiempo histórico* de la Argentina peronista, los conflictos internos en las sociedades eslavas (importantes en Berisso) condujeron al cierre de las mismas.[42] Esto tuvo varias consecuencias para los miembros más destacados de la sociedad y para la masa

[40] Ibídem.
[41] Ibídem.
[42] En 1949 la Policía Federal disolvió el Tercer Congreso Paneslavo y hubo numerosos detenidos. La interpretación de las fuerzas policiales era que el desorden se debía al enfrentamiento entre titoístas y antititoístas; sin embargo, la Sección Especial de Represión al Comunismo no estaba al margen pues eran ellos quienes incentivaban las tensiones. Los presos fueron en su mayoría rusos y ucranianos procedentes de la Unión Soviética, yugoslavos y polacos. En abril de ese año el Poder Ejecutivo dispuso la disolución de la Unión Eslava y pidió para dirigentes y adherentes la aplicación de la Ley 4144 de expulsión de extranjeros. Simultáneamente creció la represión contra los militantes del Partido Comunista Argentino. Estas situaciones aparecen también en Isidoro Gilbert: *El oro de Moscú. La historia secreta de las relaciones argentino soviéticas*, Buenos Aires, Planeta, 1994, pág. 145 y Vladimir Nalevka: "Los Congresos Eslavos de Buenos Aires y Montevideo en la Segunda Guerra Mundial", en *Ibero-Americana Pragensia*, año IX, 1975, págs. 107 a 121.

de asociados. Sin la sociedad no era posible establecer esa relación dialéctica entre representantes y representados que implica la existencia misma de una institución y que marca también los derroteros individuales hacia el reconocimiento social. En la nueva etapa de las sociedades *estaba prohibido terminantemente* (hablar de) *política y religión"*.

Paralelamente se habían producido también otros cambios. Las funciones que otrora cumplían las asociaciones nacionales/regionales tales como asistencia a los que recién llegaban, protección ante la salud o la muerte, las cumplían con creces el Estado y las organizaciones sindicales. Su propia razón de ser parecía diluirse. La unidad armónica de sus miembros alrededor de la cultura y las tradiciones del lugar de origen evitaron su total desaparición y fueron parcialmente revitalizadas cuando durante el último gobierno militar, la administración local estableció el Día del Inmigrante como punto de encuentro fraternal entre los pobladores de Berisso.

La historia de la localidad centrada sobre su pasado inmigratorio soslayó la presencia de la población nativa y de las relaciones, a veces conflictivas, con los nuevos y heterogéneos habitantes de la ciudad. Si en 1914 casi el 60 % de la población de Berisso era extranjera, en 1947 la relación nativo extranjero se había invertido a favor de los primeros. El 70 % de los habitantes había nacido en el país. Disminución de los flujos inmigratorios, nacionalización de la población con el aumento de los nacidos en el país de padres extranjeros, movimientos internos de población explican este proceso.

Berisso encarnaba en las décadas del veinte y del treinta el cuadro diseñado para el Buenos Aires del último cuarto de siglo XIX por Fray Mocho en "Bienvenida". La población nativa migrante experimentaba el sentimiento de pérdida que aparecía en el cuento mencionado y que condensaba la palabra "reculando" en el párrafo que decía: "¿Y decir, amigo, que *nosotros los criollos que nos creemos tan vivos y tan civilizados no vamos sino reculando, no?".*[43] Veamos los síntomas de esas vivencias y cómo emergen en los recuerdos:

P: *¿Vivían hombres solos?*

Miguel: *Bueno, de todo, en la pieza vivíamos juntos los que éramos familiares, no había tampoco donde irse, nada, entonces teníamos que estar forzosamente ahí, como la vizcacha. Si Ud. me permite decir una cosita yo estaba muy marcado porque había una diferencia de clase tremenda.*

P. *¿Qué quiere decir con diferencia de clase?*

Miguel: *Diferencias de clase; por ejemplo, al obrero lo miraban distinto.*

P: *¿Quiénes lo miraban distinto?.*

Miguel: *Y, los que tenían simplemente un almacén, ya había una diferencia grande hacia el obrero, era difícil que alguien pudiera hacerse novio de la chica del almacenero por ejemplo, le hacían la guerra, aparte de eso al provinciano ya cuando llegamos nosotros no nos podían ver la gente de acá, los nativos.*

P: *¿Los nativos, los que vivían en Berisso?*

Miguel: *Los que vivían, porque la mayoría eran extranjeros, acá por ejemplo había un solo salón popular, se llamaba Rivadavia, después eran todos turcos, eslavos, de distintas colectividades extranjeras.*

---

[43] Fray Mocho: *Cuentos*, Buenos Aires, Librería del Colegio, 1966, en "Bienvenida", pág. 282.

P: Ya que Ud. trajo el tema, ¿había rivalidades con los extranjeros?

Miguel: Bueno directamente no, pero en los bailes, así, se hacía notar muchísimo.

P: ¿En el trabajo?

Miguel: De entrada sí, yo me acuerdo que en una oportunidad yo trabajaba en la conserva y había en esa sección, alrededor de treinta y pico que estábamos trabajando, estábamos cocinando carne, éramos dos criollos sólo, después eran todos extranjeros, entonces había rivalidad nos tiraban carne.

P: Los extranjeros dicen lo mismo de los nativos.

Miguel: Bueno, nosotros en aquel tiempo, bueno, cuando nosotros vinimos acá eran mayoría. Ud. tiene que pensar que en cada sección éramos tres o cuatro criollos, ahora cuando después pasa ya el tiempo lógicamente ya éramos mayoría nosotros.

P: Y entonces empezaron a tratarlos mal a ellos. (se ríen).

Miguel: Y claro, ése era el problema.[44]

Los obreros que habían sido "golondrinas" –trabajaban en las cosechas en Santa Fe o Buenos Aires, en la zafra azucarera en Tucumán, en la algodonera en el Chaco– y se quedaron en Berisso percibían que no eran aceptados por quienes habían arribado al país unos pocos años antes, o por los hijos de inmigrantes que buscaban construirse un lugar respetable. Las diferencias se sentían en la comunidad y se expresaban en los ámbitos de sociabilidad, pero no adquirieron importantes niveles de violencia. Mayor intensidad tuvieron las tensiones producidas por la adhesión a un partido político. Mientras radicales y conservadores primero, y radicales y peronistas después convivían en la comunidad, las líneas de tensión pasaban por la impugnación al comunismo. En este punto se pueden relacionar los discursos con la memoria política e intentar ver, además, como la gente utiliza la ideología para pensar y discutir sobre el mundo social del cual forma parte.

En el siguiente párrafo –puede ser representativo de otros– aparece, por detrás de las conversaciones sobre el cotidiano del trabajo, la superposición de discursos ideológicos.

P: ¿Se hacían reuniones sindicales?

Teresa: Sí

P: ¿Participaban las mujeres?

Teresa: Sí, también.

P: ¿Asistía a esas reuniones?

Teresa: Fui algunas veces.

P: ¿Se acuerda qué discutían?

Teresa: Siempre sobre salarios y mejoras, que teníamos que hacer trabajos como los hombres, trabajos pesados.

P. ¿Cuál era la reacción de su esposo cuando Ud. asistía a las reuniones del sindicato?.

---

[44] Taller de historia oral Centro de Residentes Santiagueños, sesión del 4 de noviembre de 1986.

Teresa: Y ... nada... (hace señas de que no le gustaba mucho), una vez casi nos lleva la policía porque en el sindicato estaba Cipriano Reyes y se había formado otro sindicato. También entonces vinieron y a algunos compañeros de mi trabajos los llevaron presos. Nosotros íbamos al de Reyes no al otro, le pedíamos al de Reyes las mejoras.

P ¿Por qué a éste y no al otro?

Teresa: Porque está reconocido, era más, no sé como explicarlo...

Voz: Más del pueblo.

Teresa: Más reconocido acá.

Voz: Porque era un hombre de Berisso.

P: ¿Los del otro sindicato no?

Voz: Eran de Berisso pero tenían otras ideas.

P: ¿Qué ideas tenían?

Voz: ¡Pero eso ya es política!

Teresa: Cipriano Reyes era obrero del frigorífico Armour, era trabajador y los otros no sé.

P: ¿Cuáles eran las ideas de unos y otros?

Voz: El otro era Peter.

Pedro: Yo, mirá, no soy muy sindicalista, nada, yo quién hace bien lo respeto, quien hace mal lo odio, porque uno habla así y otro habla así, uno piensa diferente pero habla bien y cuando llega el momento desaparece la charla.[45]

Sin soslayar el modo en que construyen las representaciones hombres y mujeres, me importa destacar en esta oportunidad aquellas palabras que no pueden ocultar las oposiciones o conflictos que se originaban en los ámbitos laborales y en la comunidad a partir de prácticas políticas confrontadas.

Durante el período 1943–1955 las confrontaciones políticas y sociales tuvieron gran intensidad en Berisso. Para muchas personas de la localidad la experiencia peronista significó, entre otras cosas, una gran división en sus historias personales y colectivas, y el oscurecimiento de los liderazgos, de las prácticas y de los resultados de las luchas emprendidas bajo el ala de las viejas y fragmentadas tradiciones del movimiento obrero. En la nueva tradición que se construía alrededor de la ideología peronista, este movimiento político representaba para los trabajadores, tanto para los de Berisso como para el conjunto de los asalariados, un antes que había que sepultar con el presente de justicia social, de respeto por el pueblo y de dignidad, que era el resultado de la confluencia histórica de los sectores obreros con Perón.

En la tradición inaugurada por el discurso oficial del peronismo, los trabajadores nativos portadores de la nacionalidad eran los que ocupaban un lugar privilegiado en el nuevo campo de representaciones simbólicas. En Berisso, el discurso peronista confrontaba con el comunista por la apropiación de las significaciones en torno de la nación o la patria, desde el momento en que comenzó a constituirse la alianza que llevaría a Perón a la presidencia de la República. De allí derivaba la oposición Reyes (peronista-

---

[45] Taller de historia oral Club Eslovaco Argentino de Berisso, sesión del 13 de octubre de 1986.

laborista) Peter (comunista) y la repetición de relatos que señalaba que el sindicato de Reyes era "más del pueblo" o cierta tensión que se advertía cuando había que identificar políticamente a Peter.

En el relato que estoy analizando, la voz que remarca la pertenencia de Reyes al "pueblo", a "Berisso" y que caracteriza a Peter como portador de "otras ideas" corresponde a un participante de los grupos de recordación que es nacido en el país, aunque sus padres son inmigrantes eslovacos. Teresa, en cambio es checa y parece resistirse a marcar la extranjería de Peter, aunque ella hubiera adherido al Sindicato Autónomo de la Carne constituido alrededor de la figura de Reyes. Una impugnación global a lo extranjero la colocaría fuera del nosotros local, por eso enfatiza que Peter no pertenecía a la comunidad laboral. En efecto, Peter era un dirigente de la carne afincado en la zona del frigorífico Anglo en el Dock Sud.

La conversación que dio lugar a la emergencia de la memoria política permite señalar las diferencias con los modos de recordar la vida cotidiana o familiar. En la memoria política, los juicios de valor intervienen con más insistencia. No hay un relato "neutro". Se quiere juzgar, a veces de manera elusiva y otras marcando bien el enfoque ideológico que se tenía en ese momento; en ocasiones reafirmando la propia posición, y en otras matizándola. "A quien hace bien lo respeto, a quien hace mal lo odio", decía Pedro.

La intensidad de los conflictos se advierte más directamente con la palabra "comunista".

Zacarías: Yo voy a decir lo que me acuerdo. El sindicato no existía aquí en Berisso en el año 41 pero había gente que afiliaba por ejemplo, así, a escondidas, que no sepa nadie. Tenía que esconderse para (a)filiarse y después cuando vino la elección de Perón entonces sí abiertamente buscaba la gente afiliar.

P: ¿Ud. se afilió al sindicato cuando no era abierto?

Zacarías: Sí, a escondidas.

P: ¿Por qué había que hacerlo a escondidas?

Zacarías: Y... porque a la persona que estaba afiliada capaz que la echaban.

P: ¿Tenía alguna idea especial el sindicato?

Zacarías: El que se afiliaba podía tener o no, el que lo afiliaba sí, en una palabra era comunista el que lo afiliaba y después cuando ese hombre se luchó con el otro, vino Reyes y lo suplantó a ese hombre.

P: ¿Quién era ese hombre?

Zacarías: Era dirigente de Buenos Aires, Peter se llamaba, él era el que afiliaba así a escondidas. La gente se afiliaba a escondidas porque había dificultades para trabajar abiertamente.

Voz: Sí, sí, claro.[46]

La persona que recuerda es un obrero de los frigoríficos proveniente de la localidad de Loreto (Santiago del Estero). En este caso la expresión "en una palabra era comunista" siguió a otros diálogos donde tanto él como otros participantes se referían

[46] Taller de historia oral Centro de Residentes Santiagueños. Sesión del 4 de noviembre de 1986.

a Peter como "ese hombre". Otra vez el relato da cuenta de los temas conflictivos que los discursos oficiales no podían acallar. No sólo porque formaban parte de la experiencia en las fábricas cuando las prácticas de los trabajadores estaban orientadas a la conformación de sus entidades representativas (o, en un plano más general, relacionadas con la actividad política local), sino porque el testimonio oral deja al descubierto las contradicciones que los documentos escritos muchas veces ocultan.

Las contradicciones formaban parte de la complejidad de la vida cotidiana de los vecinos trabajadores. El relato revela que los recuerdos están impregnados del discurso político y las tensiones que se generan a su alrededor. Que esas tensiones se expresen de manera elusiva es un síntoma de las dificultades que surgen cuando entran en competencia la experiencia vivida con los discursos oficiales y las prácticas institucionales.

En el Berisso de la década del cuarenta, el lenguaje político del peronismo fue convirtiéndose en el organizador de la experiencia de los obreros de la carne y de la comunidad. Según Daniel James, el éxito de ese lenguaje radicó en su capacidad para dar expresión pública a lo que entonces sólo había sido vivido como experiencia privada. Su poder radicaba en que pronunciado desde el Estado legitimaba lo que hasta entonces se había construido en los márgenes. Hablaba e interpelaba al pobre, al descamisado, al trabajador.[47] Pero también es cierto que construía una versión intencionalmente selectiva del pasado y, en ese proceso, ciertos significados y prácticas eran seleccionados y acentuados y otros rechazados o excluidos.[48]

La asociación de comunismo con "extraño" y "antinacional" adquirió una poderosa connotación negativa y tiñó las prácticas políticas y gremiales. Esta triple asociación derivaba de un largo proceso en el que confluían las experiencias laborales con los discursos pronunciados desde diferentes ámbitos. Con palabras y en la práctica se encerraban las diferencias políticas en una sola palabra –comunista– que se configuraba como representación demoníaca y encarnación del mal. Ese mal provenía del extranjero y era antinacional.

El ideal de armonía difundido por el peronismo se apoyaba en una violencia simbólica y real ejercida contra militantes políticos-gremiales que eran refractarios a incorporarse a sus filas. Ese ideal excluía un pasado que para los trabajadores y la militancia de las otras corrientes ideológicas había implicado "combate y sufrimiento" y tensiones y conflictos por motivos tan diversos como las diferencias nacionales o político ideológicas. El pasado encarnaba concepciones de vida y lecturas del mundo diferentes que confrontaban permanentemente. Los motivos acuñados bajo la experiencia del peronismo sepultaban esas tensiones y quienes no pensaban del mismo modo eran execrados por comunistas o "gorilas". Claro que esta última palabra abarcaba un arco más vasto de la sociedad. La fuerza de las palabras aparece con vigor en aquellos momentos donde se niega la existencia de la disidencia política, o se la reconoce pero no se la nombra o, finalmente, se la nombra pero se la considera ajena.

---

[47] Daniel James: *Resistencia e Integración. El peronismo y la clase trabajadora argentina, 1946-1976*, Buenos Aires, Sudamericana, 1990.
[48] Utilizo aquí la noción de "tradición selectiva" señalada por Raymond Williams en *Marxismo y Literatura*, Barcelona, Ediciones Península, pág. 137.

Recordemos nuevamente el párrafo de María, obrera del Swift, donde presenta su experiencia pasada con un tono absolutamente despojado de sus aristas más conflictivas. En un aspecto, María toma las palabras de Cipriano Reyes, uno de los más importantes dirigentes obreros en la conflictiva etapa de 1943-1946. Decía Reyes en sus memorias publicadas en los años setenta: "[...] Berisso tenía una fisonomía distinta a las de los demás lugares de trabajadores del país. Era heterogéneo, universal en su concepción humana, puesto que su estructura familiar y social estaba conformada por hombres y mujeres de distintas razas y países del mundo y distintas regiones nacionales: polacos, ucranianos, árabes, italianos, judíos, españoles, portugueses, griegos y compatriotas del norte, llegados hasta aquí atraídos por las enormes estructuras de los frigoríficos y levantando con sacrificio propio, sobre el fangal de esta tierra, frente a la chimenea de ambos establecimientos un pueblo lleno de vida y de esperanzas con sus colectividades comunitarias, formaron sus hogares, mezclándose en nuestras familias, asimilando sus usos y costumbres, sin reparar en el color de la piel, en el credo de su religión, en la dificultad del idioma, en la sangre de la raza ni en las barreras ideológicas".[49]

El texto de Reyes dibuja también una fuerte imagen de *armonía* como rasgo distintivo de la comunidad. Esta armonía es acorde con la ideología oficial del peronismo y en este punto no hay disonancias con las narrativas de la comunidad. Sin embargo, su importancia como construcción discursiva radica tanto en relación con las formas simbólicas edificadas en el pasado (comunidad obrera), como con las de ese presente (comunidad armónica) y las futuras (comunidad inmigrante armónica).

Según Castoriadis, las representaciones se forman en intersticios donde convergen diferentes grados de libertad e imposición.[50] La sociedad no constituye su propio simbolismo en total libertad, lo busca en el pasado o lo toma de aquellas representaciones que considera naturales. Se establecen relaciones con los viejos significados y se construyen otros nuevos sobre esos viejos cimientos. La comunidad de Berisso encontraba en el pasado ese carácter obrero, su identidad proletaria, y fabricaba, entre la libertad y la imposición, la imagen de armonía articulada alrededor de la experiencia peronista; imagen que adquirió nuevos significados con la dictadura militar que asaltó el poder en 1976. Entre 1955 y 1976, el movimiento peronista habría de padecer también marginaciones y exclusiones, alimentadas por el deseo de instaurar la armonía sobre criterios únicos.

[49] Cipriano Reyes: *Yo hice el 17 de octubre*, Buenos Aires, Memorias GS, 1973. Reyes organizó el Sindicato Autónomo de la Carne de Berisso, fue uno de los fundadores del Partido Laborista y la figura que se opuso permanentemente a la de José Peter, militante comunista que organizó la Federación Obreros de la Industria de la Carne.

[50] Cornélius Castoriadis: "La institución imaginaria de la sociedad", en Eduardo Colombo: *El Imaginario Social*, Montevideo, Tupac y Nordan-Comunidad, 1989, pág. 41.

La redefinición de la comunidad armónica: "Berisso Capital Provincial del Inmigrante"

Durante la ultima dictadura militar, se reavivó la reconstrucción del pasado de la localidad retomando el "espíritu del inmigrante" y se legitimó esta reconstrucción, cuando en el año 1978 se estableció, por decreto del gobernador militar de la provincia, que Berisso fuera la Capital Provincial del Inmigrante.[51] Los historiadores locales, los poetas, los artistas plásticos retrataron la nueva capital. "Berisso –escribió un ex intendente– respira el espíritu del inmigrante. Su realidad comienza a ser leyenda".[52] En esa leyenda, en un remoto tiempo pasado, "el cielo berissense, cobijó a católicos, protestantes, ortodoxos, musulmanes y budistas, sin que la religión o la nacionalidad, marcaran diferencias fundamentales" y la localidad creció por el esfuerzo de los inmigrantes, tal como lo expresaba el poeta Raúl Filgueira, obrero de los frigoríficos y comisionado municipal entre 1957 y 1958, cuando decía:

"¡Nunca pueblo escribió para la Patria
tanta gloria en silencio,
con rechinar de dientes
y el brazo distendido en el esfuerzo!".[53]

La tríada *inmigrante, trabajo, armonía* se reavivaba despojada de algunas aristas conflictivas; se omitía al nativo porque estaba estrechamente relacionado con el peronismo y se rescataba la armonía por que ella había contribuido a construir el progreso de la ciudad.

La identidad local se construía dotando de nuevos significados al pasado de la comunidad y los agentes formadores se superponían. Los gobernantes locales de la última dictadura militar retomaron las viejas visiones de la comunidad referidas al esfuerzo inmigrante, pero acentuaron las facetas de armonía que suponían existentes en su seno. Al mismo tiempo, ante el cierre del frigorífico Armour en 1969 y su demolición, así como ante las dificultades existentes en el frigorífico Swift, que anunciaban su muerte en un futuro cercano (cerró sus puertas en 1980), los habitantes de Berisso generaron una *práctica social de conmemoración* en la que participaban todos los miembros de la comunidad para buscar una solución a las incertidumbres del presente. Las asociaciones étnicas se unían para festejar el "Día del Inmigrante". Los miembros de las instituciones

---

[51] Decreto Nº 438/78.

[52] Horacio Alberto Urbañski: "Berisso y el desarrollo del partido de La Plata", sin datos, p. 653. Berisso fue establecida como comuna autónoma en 1957, el Dr. Urbañski fue intendente entre 1972 y el 25 de mayo de 1973, cuando el Gral. Lanusse fue sucedido por Héctor J. Cámpora, elegido por el sufragio de los ciudadanos.

[53] Ibídem, pág. 653. El poema pertenece a Raúl Filgueira: *Desde Berisso, canto*, Edición del Autor, 1978, reeditado en Programa 3a. Fiesta Provincial del Inmigrante, 1980. Entre 1986 y 1991 cuando efectué la parte más importante de mi investigación todavía estaban en preparación *El polen sagrado* de Manuel López Ares, *El libro de mi pueblo* de Ricardo de Santis y *Berisso o la fortaleza del barro*, de Horacio Alberto Urbañski.

asociativas se vestían con los trajes típicos regionales o nacionales, bailaban, cantaban canciones de sus tierras, preparaban las comidas que los identificaban. Todas estas experiencias se superponían en un contexto fuertemente represivo que afectó la vida cotidiana de la fábrica y de la localidad.[54] La Fiesta del Inmigrante ayudó a crear una imagen de la realidad armónica y a olvidar los conflictos del pasado.

* * * * *

Edificada sobre la base de su estructura espacial y material así como sobre las imágenes conformadas a su alrededor, la comunidad obrera de Berisso es el escenario donde los actores de este relato –los trabajadores (hombres y mujeres), las empresas, los partidos políticos, el gobierno local y el Estado nacional– tejieron la trama de la historia.

---

[54] Véase también Daniel James: "Historias contadas en los márgenes. La vida de doña María: historia oral y problemática de géneros", *Entrepasados*, Revista de historia, N° 3, 1992.

CAPÍTULO II
Las catedrales del Corned Beef

"La fábrica.
Vedla cual si quisiera retar a duelo a la muchedumbre hambrienta y
necesitada; como se alza majestuosa y altiva lanzando espirales de humo, que su
colosal chimenea arroja al espacio".
La Protesta Humana, 28 de marzo de 1903.

"Esa mole tiene pasado, allí dentro mucha gente dejó su sangre y su
sudor, muchas horas y años de trabajo"
Eduardo, obrero de los frigoríficos, 1987.

Cuando en 1987 Eduardo me dijo mirando el envejecido y vacío edificio del frigorífico: "esa mole tiene pasado", no sólo estaba señalando a la fábrica como un ícono y como un símbolo de la sociedad del trabajo; también estaba expresando el sentimiento de una población que, desde el cierre y demolición del frigorífico Armour, venía elaborando a través de reuniones colectivas, representaciones teatrales, muestras fotográficas, pinturas murales, la muerte de las catedrales del *corned beef* y, con ella, la desaparición del espacio que había hecho posible la existencia y la formación de una identidad social de los trabajadores.

Las fábricas fueron el escenario específico del proceso de formación de una cultura del trabajo. Los edificios, las máquinas, los materiales, constituyeron la base sobre la que se estableció un sistema de producción y se forjaron las ideas de orden, responsabilidad, eficiencia, cooperación y resistencia. Edificios y máquinas eran los esqueletos donde se insertaba la experiencia humana del trabajo y los trabajadores se formaron como tales dentro de los límites de sus muros. Por eso examinaré en este capítulo ese escenario más específico, pequeño y recortado, constituido por las fábricas.

Imágenes fabriles:
el frigorífico como espacio de explotación

Cuando se instalaron los primeros frigoríficos en la Argentina, el desarrollo fabril era bastante modesto. Luego de la crisis económica de 1890, unas pocas fábricas se transformaron en importantes, en particular en el espacio de la gran ciudad de Buenos Aires.[1] Las grandes estructuras que demandaba la matanza y el procesamiento de ganado dominaban fuera de la gran metrópoli, en la barriada de Avellaneda y en localidades más pequeñas, como Zárate, Berisso y Bahía Blanca. Al finalizar el siglo XIX, los frigoríficos eran junto a las fábricas de fósforos, de cigarrillos y de alpargatas, y los molinos harineros las actividades industriales destacadas de la economía argentina.

Aunque los espacios de producción industrial invadieron el paisaje urbano, sólo a comienzos del siglo XX el trabajo en fábricas y talleres se convirtió en un tema de reflexión para intelectuales, políticos, gobernantes y burócratas estatales. Las *fábricas* fueron tomadas como el escenario de las máquinas estremecedoras, de sonidos e imágenes del futuro y como el teatro de las lacras humanas o de las batallas contra la explotación. Podría decirse, siguiendo a Jameson, que el gusto por la máquina hace perceptibles las "energías mecánicas" de los momentos tempranos de la modernización[2] y que las fábricas se convierten en metáforas de la vida proletaria. En este nivel metafórico, la fábrica es un espacio donde hierros, ruidos y metales se amalgaman con la carne humana tal como aparecen en el poema "Fábricas" de Eduardo González Lanuza.[3] Dice este autor:

"Tus muros descarnados de ladrillos
son una misma con la carne humana"

González Lanuza, atraído por este ícono de la técnica y de la industria, lo condensa bajo la máxima abstracción de la maquinaria en los sonidos de la mecanización:

"Los gritos encadenan   trajín apretujado
un instante con todos los
instantes   mil prisas se penetran".

Pero el edificio industrial se convirtió también en un escenario definido de producción y de resistencias obreras en otros relatos como los de Ismael Moreno, Bernardo González Arrilli, Luis Horacio Velázquez o Raúl Larra, o bien se constituyó en la arena donde se desenvolvían los dramas de la sociedad, en novelas como las de Manuel Gálvez.

[1] Fernando Rocchi: "La armonía de los opuestos: industria, importaciones y la construcción urbana de Buenos Aires en el período 1880-1920", en *Entrepasados*, Revista de historia, N° 7, 1994, pág. 60. Para la evolución industrial argentina el libro clásico es Adolfo Dorfman: *Historia de la industria argentina*, Buenos Aires, Solar/Hachette, 1983. Más recientemente, Jorge Schvarzer: *Las industrias que supimos conseguir. Una historia política-social de la industria argentina*, Buenos Aires, Planeta, 1996.

[2] Frederic Jameson: *Ensayos sobre el posmodernismo*, Buenos Aires, Ediciones Imago Mundi, 1991. En particular véase la "Apoteosis del capitalismo", págs. 60-62.

[3] Eduardo González Lanuza: *Prismas*, Buenos Aires, Samet, 1924.

Estos artistas trataban de reapropiarse del especial alborozo que producía el desarrollo tecnológico y buscaron construir una determinada representación de este espacio social. Pero para los escritores mencionados no se trataba de cualquier fábrica; el frigorífico se convirtió en el escenario fabril por excelencia para un conjunto de narradores que no sólo no formaban parte de las vanguardias (posiblemente podrían catalogarse como narradores sin gusto o marginales) sino que privilegiaban un relato que retrataba a los pobres de la ciudad; denunciaban las causas de los males sociales en pares dicotómicos que asociaban la explotación al capital, la represión al estado, la insensibilidad a la oligarquía.

También se podría decir que el escenario del trabajo fabril condensaba las relaciones económicas, sociales y políticas y que la utopía democratizadora de la industria comenzó a ocupar el papel que hasta entonces había tenido la utopía agraria en la narrativa nacional. Envueltas en la noción de realismo, las representaciones construidas en estas novelas eran tanto el resultado de convenciones como de una retórica de la "ficción real" que servía a propósitos reformistas.

La *fábrica y el frigorífico* condensaban, entonces, un modelo de trabajo productivo que era leído desde diferentes concepciones ideológicas y estéticas. Así, Gálvez, un escritor cerrado en la defensa del "espíritu" frente al "materialismo" del ambiente positivista, denunciaba desde el catolicismo las lacras del mundo que lo rodeaba. Su novela *Historia de arrabal* (1922) permite confrontar su propuesta narrativa e ideológica en el escenario del frigorífico. Para él no importa de qué manera se trabaja, cuál es la experiencia de hombres y mujeres aprisionados por el ritmo febril de las máquinas, las vicisitudes de las protestas y la organización. Para él, el frigorífico es el teatro de un drama moral sin solución para los estratos populares. Allí trabaja Rosalinda Corrales; para la mujer la fábrica es una alternativa a la prostitución, pero de ninguna manera un ámbito menos peligroso que le evitará caer en las redes de la maldad y el sexo. Entendido como teatro del drama, el primer acto es presentarlo:

"Era un sábado, a las cinco de la tarde. Las paredes y los techos del frigorífico, *cuyos edificios monumentales se extendían junto al Riachuelo como una inmensa, altísima y compacta masa blanca*, habían adquirido en aquel atardecer de mayo, suaves tonalidades azulinas. Por la corta callejuela de la entrada, de pavimento de adoquines y flanqueada a ambos lados por encalados y gigantescos muros, iban saliendo los obreros. Se detenían un instante en el portón de hierro, atravesaban ya fuera del edificio un pequeño espacio al aire libre cuyo sueldo negreaba de carbón, y se aglomeraban pocos pasos más allá en el muelle del puente, esperando el transbordador que habría de conducirles a la otra orilla".[4]

Su estructura monumental (los edificios, los muros, la callejuela de entrada) es la única referencia a la fábrica y al trabajo. Un lugar:

"donde diariamente carneábanse tantas víctimas como en los mataderos de una gran ciudad; donde las rojas entrañas de los animales, empapadas y tibias, se

---

[4] Manuel Gálvez: *Historia de arrabal*, Buenos Aires, CEAL, 1980, pág. 7. El destacado es mío.

amontonaban a cada paso, donde la sangre chorreaba de dos mil reses colgadas, se coagulaba en gruesas alfombras de color de fuego y brillantez de esmalte, tapizaba el suelo, teñía salvajemente a mil hombres desnudos y convertía a los caminos y a las canaletas de la fábrica en hondos ríos trágicos".[5]

La tragedia es lo que importa. La mujer (Rosalinda) es la víctima que, atrapada, como los animales, cae bajo la violencia, rodeada de sangre, acosada y violada por el varón. No importa si es el jefe o el "cafishio" quien la explota, ella está alejada de toda posibilidad de salvación. En Gálvez, los "hondos ríos trágicos" de la novela hacen desaparecer otro drama, más cotidiano, más monótono: el del trabajo.

No sucede lo mismo con las obras de Moreno, González Arrilli, Veláquez o Larra. En sus textos, la fábrica aparece como escenario y protagonista de una confrontación. El frigorífico se constituye en el centro de la escena y lo que sucede en su interior es tan importante como lo que pasa en los alrededores: el drama es el trabajo.

En *El matadero* (1921) de Ismael Moreno, cuyo contorno más amplio es Berisso, la fábrica cobra vida con el ajetreo incesante de los trabajadores que se preparan para iniciar la jornada de labor.

"*La calle Nueva York*, cuan larga era, *se había poblado de una multitud que trotaba en dirección a los frigoríficos. Entre la niebla se alcanzaba a distinguir el resplandor de las tres fábricas enormes.* Cada una de las cuales abarcaban varias manzanas con sus edificios, alineados sobre la orilla del canal. Primero el Swift, amplio y largo, achatado, detrás de la fila de casas parecía una fosforescencia submarina diluida en la llovizna. Más allá el Bovinus, alto, altísimo: *un enrejado rectangular; una jaula recamada de cristal, brillando como una luciérnaga gigantesca*; y más lejos, envuelto en la claridad lechosa de la neblina, el Armour, con un resplandor desvanecido".[6]

En la representación construida por Moreno, los imaginarios del socialismo constituyen la trama sobre la que se teje su historia. La fábrica, ese monstruo burgués, devora a los trabajadores y los lanza extenuados (fatigados) a una vida que no alcanza para recuperar lo perdido. La solución sólo llegará cuando dejen de ser "un inconsciente brazo de acero" y asociados "a los trabajadores del mundo" empiecen por pedir "como una fórmula transitoria, más salario y menos horas de trabajo".

En *Pobres habrá siempre* (1944) de Luis Horacio Velázquez, la narración se concentra mucho más en los engranajes de la producción industrial.[7] La protesta está

---

[5] Ibídem, pág. 15.

[6] Ismael Moreno: op. cit., págs. 7 y 8.

[7] La novela de Luis Horacio Velázquez, *Pobres habrá siempre*, obtuvo el tercer premio en el concurso literario que organizó el diario *Noticias Gráficas* en 1942 y fue publicada por la editorial Claridad en 1944. Se inserta en una línea narrativa erigida alrededor de la condición humilde y/o proletaria de los propios escritores, que confrontan así con los escritores "oligárquicos", denuncian la explotación imperialista y edifican una línea de continuidad de los "movimientos populares" de este siglo (en esa época, el yrigoyenismo). No encontré análisis para este tipo de literatura pero sí algunas referencias en Ernesto Goldar: "La literatura peronista", en Gonzalo Cárdenas, Angel Cairo, Pedro Gelman, Ernesto Goldar: *El peronismo*, Buenos Aires, Ediciones Cepe, 1973. La novela de Velázquez fue reeditada durante el gobierno

presente. Sublevación, sangre y bandera son los ejes de una parte del relato, pero ello es consecuencia del destino del pobre, en particular el nativo que es empujado a la fábrica. Ella es descubierta cuando uno llega luego de una vida nómade:

"– ¿Ves aquellas luces, a la derecha?

– Sí

– Eso es Avellaneda ¿Y aquellas más altas y brillantes?

– ¿Qué es?

Las fábricas".[8]

Velázquez se interna en las entrañas de la fábrica. En "Tiempo dormido" es el tiempo imperturbable de la noria y el sistema estándar que clava un solo "deseo obsesionante":

"Que venga un gancho vacío[...] Que se detenga la noria [...] Que se descompongan las máquinas de la usina [...] que toque la sirena [...] Que el tiempo pase más veloz que la noria arrebatada [...] ¡Cualquier cosa! [...]".[9]

El fantasma de Taylor, el creador de un nuevo paradigma de la organización del trabajo industrial en Estados Unidos, se levantaba amenazando a "criaturas débiles, ingenuas y simples". En "El invierno infinito", la muerte llega a las cámaras frías pobladas de trabajadores extranjeros. Y, sobre todo, la insensibilidad del "capital extranjero" o los "sirvientes del extranjero" son quienes no se preocupan de cuidar el capital humano:

"[...] olvidándose de la máxima de Taylor: 'La racionalización debe ser aceptada por los obreros, por su convencimiento que es útil a sus intereses y jamás impuesta por el patrón'".[10]

El trabajo fabril – su organización y sus condiciones– es el protagonista y por medio de él es posible denunciar la incapacidad de los que gobiernan; el parasitismo de una nación extranjera; y pregonar la unión de los que combaten "la opresión y la explotación inhumana del trabajo". La ciencia, pero mucho más la voz de Jesús, se confunden con los estudiantes, el ejército y el comercio cobijados por la:

"*bandera* (azul y blanca) *inmarcesible*, flotando lejos del rencor y las pasiones de los hombres, no era tan sólo el *símbolo de la primera república espiritual del continente* [...] Era también la *esperanza de los desheredados de la tierra*, la clase de sus sueños viejos, el signo enigmático de una *raza nueva gestándose laboriosa y callada* [...]".[11]

Desde otra perspectiva, pero también concentrándose en el espacio de la producción, Raúl Larra escribe su novela S*in tregua*, dedicada a José Peter, quien desde la militancia comunista organizó la Federación Obreros de la Industria de la Carne.[12] Esta

---

del general Perón –su autor ya había abandonado las filas del comunismo para adherir a la nueva fuerza política–, también fue llevada al cine con un crédito oficial.

[8] Luis Horacio Velázquez: *Pobres habrá siempre*, Buenos Aires, Edic. Claridad, 1944, pág. 19.

[9] Ibídem, pág. 45.

[10] Ibídem, pág. 138.

[11] Ibídem, págs. 200 y 201.

[12] José Larra: *Sin tregua*, Buenos Aires, Editorial Boedo, 1975. La primera edición es de Hemisferio, 1953.

novela forma parte de la permanente confrontación entre diferentes concepciones ideológicas por apropiarse de la simbología del lugar de trabajo como un campo más vasto
de las luchas contra la explotación. En ella, como en la de Luis Horacio Velázquez, la
fábrica con su organización inhumana es la que permitirá la redención de los hombres.
Pero ahora será el escenario para "obreros conscientes" de que la lucha es "sin tregua
para derrotar al capital imperialista" e instaurar un mundo mejor. Para Larra (como para
Peter en sus memorias) la fábrica es un descubrimiento y una esperanza:

"A través de la ventanilla absorbió Pablo la *imponencia del frigorífico* y la muchedumbre arracimada ante su entrada. *Nunca había visto tantos obreros juntos,*
centenares y centenares que *desaparecían por esos portones semejantes a las*
fauces de un monstruo. Cuando el tren se fue acercando alcanzó a ver el nombre
de la fábrica y enseguida a oír el zumbido de sus potentes máquinas. En su ánimo
lucharon dos contradictorias sensaciones: *un sobrecogimiento y una atracción*
poderosa que lo impelía a arrojarse del vagón para ir al encuentro del coloso. A
medida que el tren se alejaba hacia la estación, íbase perfilando en su espíritu
la certeza de que él también llegaría a ser obrero de los frigoríficos".[13]

En la fábrica se concentran los obreros, y ellos son los portadores de una esencia
transformadora de la realidad. Allí, Pablo, el protagonista de la novela de Larra, conocería
a militantes del partido Comunista quienes le "abrirían los ojos". Ese momento sería
fundacional en la construcción de un nuevo hombre. A partir de su vinculación con un
"partido proletario", el obrero, en este caso un trabajador nativo proveniente de la
provincia de Entre Ríos, no sólo abandonaría el alcohol y su sumisión al patrón, sino que
iniciaría una experiencia de trabajo que, bajo el signo de "organización", "racionalización",
"estandarización", le daría todos los argumentos necesarios para librar sus batallas
contra la explotación. Larra ha trabajado de cerca con las memorias de Peter, un obrero
de los frigoríficos de Zárate y Avellaneda, y toma de ellas la materia prima para capítulos
como "El hechizo de la playa de matanza", "La noria con los nueve puntos" y "Abajo
el standard", donde construye una descripción realista del trabajo en las "empresas
imperialistas".

De modo que las catedrales del *corned beef* fueron tomadas por la literatura
como el símbolo del trabajo industrial en la Argentina, en la arena donde se cruzaban
múltiples discursos: anticapitalismo, antiimperialismo, obrerismo y populismo; y también
otros más precisos en el plano ideológico y político: catolicismo, socialismo, comunismo
y conservadurismo. En las fábricas se producía la vida obrera y ellas eran leídas bajo las
imágenes de la racionalidad productiva, de la explotación y dominación del capital, de
las resistencias y su transformación. Socialistas, comunistas y católicos aparecen en las
novelas citadas como portadores de un idealismo que encuentra en los trabajadores a
los interlocutores (y ejecutores) para sus sueños de transformación. Y por la orientación
de esos sueños, trabajadores, militantes e intelectuales libraron una larga batalla.

---

[13] Ibídem, pág. 26.

La empresa moderna:
organización, racionalización, eficiencia y progreso

Los frigoríficos Swift y Armour entrelazaron sus historias con la de Berisso por casi 75 años. Así como la comunidad fue constituyendo su pasado en estrecha relación con el de ellos y con la explotación de los trabajadores, y la literatura los colocó en el centro de sus ficciones, las compañías dieron forma a un conjunto de imágenes contrapuestas y complementarias de los relatos testimoniales y de la literatura. Por otra parte, las imágenes empresarias se conformaron en oposición al clima de cuestionamiento a la presencia y dominio del capital extranjero que se acentuó en la década del treinta del siglo xx.

Las imágenes elaboradas por las empresas afloran con fuerza en los avisos publicitarios que colocaban en diarios y revistas cuya circulación probablemente excedía los marcos de las grandes ciudades como Buenos Aires y Rosario. Para Swift y Armour, el papel de las propagandas era conocido, pues fue uno de los pilares de la emergencia de la corporación moderna para ganar porciones importantes del mercado consumidor. Sin embargo, esas propagandas no sólo estimulaban las ventas de sus bienes, también ayudaban a dar forma a las aspiraciones y a la imaginación de las propias corporaciones e incluso a las de sus consumidores. Desde esta perspectiva, se puede decir que la difusión de la publicidad permite construir discursos y representaciones hegemónicas y excede de ese modo las nociones más elementales asociadas a la manipulación. Las propagandas eran (y son) tan poderosas para crear una demanda (paté, *corned beef*, viandada y otros productos), deseos de placer y de utilidad (la mesa bien servida de la mujer moderna) como para difundir valores (modernidad, eficiencia, productividad, ciencia, racionalización).

La serie publicitaria de ambas empresas aparecida en *La Res*, revista ilustrada de las carnes argentinas, resulta atractiva para analizar cómo la propaganda convirtió a las catedrales del *corned beef* en misioneras de la modernidad. A través de dicha serie, la Compañía Swift expresaba su deseo de "historiar los progresos de nuestras carnes" y difundir diferentes nociones sobre la ganadería y la producción frigorífica no sólo para el público en general sino también en las escuelas del territorio. La empresa le asignaba a la propaganda el valor de lecciones que permitirían advertir el papel que habían tenido los frigoríficos en la transformación y modernización del país, sobre todo porque aparecieron en un contexto de poderosos cuestionamientos sobre su papel.[14]

El culto a la modernidad fue el punto común de estos avisos con los publicados en diarios como *La Prensa* y *La Nación* o en revistas como *El Hogar*. Pero mientras los avisos publicitarios en diarios y revistas colocaban en primer plano la calidad y el precio de los productos, los avisos de *La Res* exaltaban el papel civilizador de las compañías.

---

[14] *La Res*, revista ilustrada de las carnes argentinas, febrero de 1934. El objetivo de la empresa de llegar a las escuelas se lograría con la suscripción a la revista del Consejo Nacional de Educación para distribuirla entre los maestros.

Se señalaba que en el pasado la Argentina había producido ganado criollo poco apropiado para satisfacer las demandas de los consumidores europeos. En la publicidad titulada "Lo que va de ayer a hoy...", que daba inicio a la serie, se destacaba el papel de la industria en la transformación del "arisco e indomesticado ganado colonial a los toros campeones de hoy día ... *del rudo romance de la época del gaucho al romance más civilizado, más emocionante aún, de la ciencia aplicada a los laboratorios del frigorífico*". La empresa hundía sus raíces en el "rudo romance del gaucho"[15], pero no tomaba los motivos criollistas y nativistas como esencias de un pasado poco conflictivo, sino que enfatizaba la mutación que habían producido la ciencia y la civilización de las que eran portadoras. Un país moderno sólo era posible con el crecimiento de las actividades industriales, por eso la empresa asociaba su historia a la de la nación cuando señalaba que ella era "la historia [...] del desenvolvimiento mismo de la Argentina industrial, de la conquista de la tierra y de la lucha por la grandeza del país". En este aspecto, la compañía era la misionera de la modernidad pues había sido: "uno de los 'pioneers', uno de los que marchan a la vanguardia de la industria frigorífica en la Argentina [...] que ha *hecho* historia, que ha dado aliento y vida a la industria".[16]

Las propagandas constituyen un discurso de repetición y las compañías lo reiteraron a lo largo de toda la serie. En "Charque algo que ya ha desaparecido", además de destacar la desaparición de este producto como un rubro de las exportaciones argentinas, enfatizaban que: "embarcar la carne y venderla en el extranjero, es siempre un *complicado y arriesgado negocio*, pero los frigoríficos cargaron con esa responsabilidad. Y allí está el progreso floreciente de nuestra ganadería y de las industrias afines, como un significativo testimonio de su eficiencia. *Gracias a la inventiva y a la eficiencia, los ganaderos argentinos terminaron por exportar sus productos*, que en el mercado internacional estaban casi excluidos".[17]

En los otros avisos titulados "Una industria tan grande como su misión", "El porqué de las grandes organizaciones", "En los cinco continentes", "Desconocidos que nos conocen" y "Karachi ... Talok Betong ..." se destacaba el papel que las organizaciones de carácter mundial, bien montadas, capaces de trabajar con rapidez y eficiencia en la producción y en la venta de artículos, tenían para colocar los productos argentinos en regiones tan remotas de las que Karachi o Talog Betong sólo eran un ejemplo.[18]

Swift se situaba entonces como el símbolo y la representación de las grandes organizaciones que habían nacido en los Estados Unidos y que colocaban todos sus conocimientos y experiencia al servicio del progreso económico de la Argentina. El Swift no estaba solo en esta campaña modernizadora. El frigorífico Armour de La Plata realizaba la suya bajo el lema "Modernización y Progreso" y remarcaba que: " Al iniciar sus

---

[15] El uso de los motivos gauchescos abarca un arco más amplio de empresas. Recordemos que entre 1931-1936 1940-1945 se editaron los almanaques de la fábrica Alpargatas ilustrados por el pintor Florencio Molina Campos.

[16] *La Res*, diciembre de 1933.

[17] *La Res*, febrero de 1934.

[18] *La Res*, agosto a diciembre de 1934.

actividades en 1915 [...] implantó en su establecimiento los *métodos más modernos* que se conocían por aquel entonces y no se ha apartado de esta norma un solo instante. Esto ha sido un factor de incalculable y decisiva importancia en el progreso colectivo de la industria frigorífica y afines [...] Corresponde, pues, al frigorífico Armour un puesto de vanguardia entre los que con mayor ahínco han luchado para crear y mantener incólume el prestigio del producto frigorífico argentino, fruto de una de las industrias de mayor importancia con que cuenta el país".[19]

Ciencia e inventiva eran representaciones asociadas a valores como organización, eficiencia, conocimientos y racionalización, y ayudaban a difundir nociones de progreso y modernización.

El espacio fabril:
un lugar de la memoria del trabajo

Las representaciones de las fábricas en la literatura y las imágenes que las empresas construían cobran vida en los relatos de los trabajadores. Las personas entrevistadas entre 1985 y 1991 recuerdan, a veces con detalles, lo que hacían, los espacios, las formas y la intensidad de las labores. Sus descripciones se refieren a una serie de movimientos corporales; a sus habilidades y destrezas; a su fortaleza y resistencia.

El animal venía de allá, lo mataban [...] caía,[...] levantaban [...], colgaban [...], degollaban [...], cuereaban [...], abrían [...] y en cada garrón se le ponía una roldana [...] yo lo enganchaba con una roldana [...] tiraba el guinche y el animal quedaba parado [...] así que mire si era rápido [...] era terrible,[20] decía un obrero que había entrado a los frigoríficos al comenzar la década del cuarenta. Hay una descripción de las tareas y el movimiento que realizan hombres y animales. Esos movimientos eran precisos y rítmicos. Era una coreografía monótona y repetitiva.

El trabajo era acción y ésta se reflejaba en los cuerpos sudorosos. *¿Qué hacía allí?*, le pregunté a otro obrero. Me contestó: *sudaba, transpiraba ¿sabe que trabajo me dieron allá ila noria! [...] era bravo, pesado, ligero, porque la noria no paraba, tenía que dar noria y cuando se le escapó uno ya tenía que parar la noria".*[21] En este caso, el movimiento del cuerpo tiene otra significación. Implica la inserción obligatoria del individuo en un sistema de relaciones laborales donde máquinas y hombres se acoplan necesariamente. Sus movimientos se relacionan con otros movimientos y cualquier falla produce un caos sancionable por el capataz, que es la encarnación más inmediata del poder de la compañía.

Las imágenes físicas juegan un rol clave en los recuerdos y emergen como un factor decisivo en la formación del lenguaje simbólico de la cultura de los trabajadores.

---

[19] *La Res*, abril de 1934.
[20] Taller de historia oral Sociedad de Fomento Dardo Rocha, sesión del 4 de octubre de 1986.
[21] Taller de historia oral Club Eslovaco Argentino, sesión del 25 de noviembre de 1986.

Grande, pequeño, fuerte, débil, hábil, torpe no constituyen meros atributos de una descripción, sino que indican la posibilidad individual y los límites de ésta en la formación de su rol social como trabajadores. Dicha posibilidad se diferencia, a su vez, entre hombres y mujeres. La fortaleza y la habilidad son masculinas, la habilidad, femenina. Una obrera recuerda que: *la tripería parece una cosa sucia y fea, pero es importante y muy delicada y tienen que ser manos de mujer que lo manejen.*[22]

La fortaleza era un signo positivo de virilidad y por muchas razones los frigoríficos eran considerados un espacio masculino ("de machos"). En cambio, las mujeres sufrían una permanente desvalorización que se asociaba sobre todo a su cuerpo. El trabajo podía significar la pérdida de la identidad corporal femenina: *era una ropa que te desfiguraba tu presencia de mujer*[23] y hasta provocar el rechazo de los hombres. *Ay [...] pobrecita, cuando salía del frigorífico tenía un olor que apestaba*[24], decía un obrero refiriéndose a su mujer y a las marcas que le quedaban tras una jornada de labor.

El trabajo no era sólo acción, era lugar de acción. Los trabajadores describen las secciones ruidosas, los ambiente fétidos y sanguinolentos, los lugares más tranquilos, los espacios donde intentan escapar a la vigilancia: los baños, un recodo en la fábrica, una casilla detrás de la cual pueden sentarse a fumar un cigarrillo.

En los recuerdos se pasa de las tareas al ambiente y de éste a las consecuencias no deseadas del trabajo. Los espacios malolientes, llenos de agua y sangre, el polvo o los materiales que se usan los llevan a hablar de las enfermedades o accidentes. Cortes, amputaciones, infecciones, llagas, dolores de piernas y brazos remiten nuevamente a los cuerpos, pero ya no se trata de aquellos que realizaban enérgicos movimientos sino de los alterados por el trabajo fabril.

Las enfermedades y los accidentes conducen a la cuestión de la "desprotección" que existía en las fábricas antes de Perón. La intervención estatal se materializa en las leyes y ellas son las que organizan el relato acerca del nuevo orden (jubilaciones y pensiones, vacaciones, aguinaldo y garantía horaria).

El espacio de la fábrica era también el lugar desde donde se ejercía el poder, o el territorio de la "vigilancia". Florentino, un obrero del interior empobrecido, oriundo de Santiago del Estero, decía que los *gerentes están en sus respectivos lugares, en sus oficinas, ellos supervisan todo*[25] Todas las voces coincidieron en señalar que la "vigilancia" se realizaba en el conjunto del espacio fabril, que era "estricta" y sólo unos pocos se jactaban de su capacidad para eludirla.

Los recuerdos abarcan un campo asociativo completo, pues reúnen la dimensión espacial, corporal, social y política del trabajo. El espacio de la fábrica se constituye en un soporte que permite articular las múltiples dimensiones de una vida laboral.

---

[22] Taller de historia oral Club Eslovaco Argentino, sesión del 25 de noviembre de 1986.
[23] Obrera del frigorífico Swift, entrevista realizada en Berisso, abril de 1991.
[24] Entrevista personal a un dirigente gremial cuya esposa trabajaba en los frigoríficos, Berisso, noviembre de 1990.
[25] Taller de historia oral Centro de Residentes Santiagueños, sesión del 28 de octubre de 1986.

"Esa mole tiene pasado": los espacios de producción industrial

Los frigoríficos fueron el emblema de la industrialización en la Argentina y todas las imágenes aluden a su majestuosidad. "Inmensa, altísima y compacta masa blanca", "alto, altísimo enrejado rectangular", "jaula recamada de cristal brillando como una luciérnaga gigantesca" refieren a la majestuosidad de los establecimientos. Pero ¿cómo eran esos espacios?, ¿cuáles los principios que regían la distribución de animales, materiales y cuerpos humanos?, ¿cómo se ubicaban y sentían su localización los trabajadores?

La evolución de la industria frigorífica en la Argentina es bastante conocida: una serie de factores –internos y externos– permitieron un crecimiento de envergadura en la producción y comercio de carnes a tal punto que se transformó en uno de los principales productos de exportación. Entre los factores internos se encontraban la transformación de los planteles ganaderos (refinamiento) y las dificultades del comercio argentino de ganado en pie con Gran Bretaña por un brote de aftosa; entre los factores externos se hallaban, además del descubrimiento técnico que posibilitó la aplicación del frío a la conservación de carnes, la crisis del mercado lanero francés, la guerra Boer, el creciente consumo interno estadounidense y la disminución de sus saldos exportables así como las huelgas de Chicago, que redujeron los envíos de EE.UU. al exterior.[26]

La producción y el comercio de carnes se desarrollaron de manera trustificada desde sus orígenes. La necesidad de grandes dosis de capital fue una de las explicaciones más corrientes de este carácter. Para establecer una planta frigorífica se requería una inversión inicial de envergadura y, una vez en marcha las operaciones, los costos de mantenimiento resultaban muy altos. Los primeros establecimientos se instalaron al comenzar la década del ochenta del siglo XIX; inicialmente las compañías inglesas y argentinas se repartieron los beneficios, aunque las británicas se aseguraron el control del negocio hasta que las grandes empresas norteamericanas alteraron el ordenamiento logrado. Las pujas por el control del mercado llevaron a las guerras de carnes que culminaron con el reparto de cuotas de exportación. Esto generó una disminución de la participación del capital nacional.[27]

El establecimiento de un frigorífico necesitaba de grandes espacios para la ubicación de los corrales y los edificios, y de cursos de agua para la construcción del embarcadero y para la obtención del agua necesaria para el proceso productivo. También era fundamental la cercanía de un puerto de embarque para abaratar los costos del transporte y acelerar el traslado de los productos a los centros consumidores. Por eso, las fábricas se localizaron cerca de los cursos de agua, a orillas del Río de la Plata, o

---

[26] Ricardo M. Ortiz: *Historia económica argentina*, Buenos Aires, Plus Ultra, 1978
[27] Se pueden consultar entre otros Ricardo M. Ortiz: *Historia económica argentina*, Buenos Aires, Plus Ultra, 1978; David Watson: *Los criollos y los gringos: escombros acumulados al levantar la estructura frigorífica, 1991-1940*, Buenos Aires, 1941; Peter Smith: *Carne y política en la Argentina*, Buenos Aires, Paidós, 1983.

de sus afluentes, y del Paraná. Así, en Avellaneda, sobre el Riachuelo, se ubicaron alrededor de cinco establecimientos; en Zárate y Campana sobre el Paraná otros cinco; en Berisso, a la orilla del Río Santiago, dos y en Bahía Blanca, uno.

Los establecimientos tenían, además de la fábrica principal, distintas dependencias en diferentes puntos del país y algunos poseían hasta tierras para pastoreo. Los datos de las superficies ocupadas dan cuenta de esta situación. El Swift de Berisso ocupaba, con todas sus dependencias, 91.000 m2, el Armour 124.952 m2, el Sansinena de Avellaneda, 57.000 m2, el Smithfield de Zárate, 82.700 m2 y Cuatreros (Sansinena) de Bahía Blanca 250.000 m2.[28]

Las primeras fábricas del sector fueron adaptaciones de viejos saladeros, como el realizado por Eugenio Terrason en su establecimiento de San Nicolás de los Arroyos allá por el año 1883; o de graserías, como la de la familia Sansinena que en 1885 se transformó en Compañía de Carnes Congeladas. Las primeras construcciones fueron las de los frigoríficos Smithfield de Zárate, The La Plata Cold Storage de Berisso –que fue transformado por la empresa Swift cuando lo adquirió en 1907– y, finalizando el período de construcción de grandes establecimientos, Anglo de Dock Sud, en los límites mismos de la ciudad de Buenos Aires.

La compañía Swift transformó el primitivo The La Plata Cold Storage, que había sido construido por la firma Coxon y Cuthbert (Sidney, Australia), en una sólida construcción de varios pisos, de acuerdo con los principios constructivos aplicados en la planta de Chicago. Esa sólida construcción fue variando a lo largo del tiempo de acuerdo con las necesidades productivas o a las variaciones en las técnicas constructivas.

Las grandes moles no fueron siempre iguales. Al inicio de la producción de carnes, la mayoría de los frigoríficos era de madera, salvo las cámaras frías y algunos departamentos que se realizaban de mampostería. En realidad, las primitivas instalaciones fueron dando paso a otras de hierro, cal y ladrillos capaces de resistir una edificación de varios pisos. Las construcciones debían levantarse de acuerdo con las normas establecidas por el Reglamento para frigoríficos, saladeros y fábricas de carnes conservadas, que establecía que las secciones debían estar separadas unas de otras por paredes y que las salas debían ser amplias, ventiladas y luminosas; los muros interiores impermeables; y las mesadas y recipientes, de hierro galvanizado.[29] La intervención estatal en el establecimiento de normas para el procesamiento de ganado derivaba de la importancia del producto para el comercio de exportación. Ampliaciones y remodelaciones relacionadas con las condiciones de fabricación de los productos emergen de los planos conser-

---

[28] República Argentina, Ministerio de Agricultura, Dirección de Ganadería, Juan E. Richelet: *Descripción de los frigoríficos y saladeros argentinos. Nómina de los productos elaborados y los métodos empleados en cada uno*, Buenos Aires, 1912, págs. 3 a 59; República Argentina, Ministerio de Agricultura, *V Congreso Internacional del Frío*, Roma, 1928, págs. 53 a 122 y Comité Ejecutivo del *VI Congreso Internacional del Frío*, Buenos Aires, 1932, págs. 39 y 50.

[29] República Argentina, Ministerio de Agricultura, Dirección de Ganadería, Juan E. Richelet: op. cit., Congrees International des Industries Frigorifiques, *IIéme Congress des Industries Frigorifiques*, 6 al 11 de octubre de 1910, Vienne, 1910, págs. 70 a 78. Véase Mirta Zaida Lobato: "Arqueología industrial. Los espacios de trabajo en la industria frigorífica en la primera mitad del siglo XX", en *Anuario 13*, Universidad Nacional de Rosario, Rosario, 1988.

vados por los dos establecimientos de Berisso.

El conjunto edilicio de Swift y Armour no se destacaba por su calidad estética ("enrejado rectangular", "jaula recamada de cristal"), sino por su funcionalidad. Para el conjunto de las plantas cárnicas existía un modelo que se repetía. Alrededor del edificio donde se encontraba la playa de matanza se distribuían los cuerpos para las otras dependencias y oficinas separadas por largas calles internas y unidas por puentes aéreos que permitían el tránsito de obreros y materiales. Internamente la fábrica se asemejaba a una ciudad: las calles podían tener direcciones obligatorias, había determinadas velocidades permitidas, carteles que señalaban las prohibiciones.

La gran ciudad albergaba también al campo en su interior. Los corrales para los diferentes tipos de ganado, los bebederos, e incluso la rampa de subida hasta la playa de matanza favorecían la asociación de espacios y tareas a la vida rural.[30]

Desde el punto de vista constructivo (Croquis N° 1 y 2), los diferentes cuerpos edilicios estaban constituidos por varios pisos en cada uno de los cuales se cumplía una fase del proceso productivo. Mediante canaletas y tuberías, se lograba que los materiales se desplazaran entre los diferentes pisos por medio de la gravedad. Por eso las playas de matanza eran ubicadas en los pisos superiores, en los intermedios se realizaban procesos que requerían un tratamiento posterior, mientras que la planta baja se destinaba preferentemente a los últimos pasos del proceso de industrialización.

Swift y Armour sentaron algunos precedentes en la organización espacial de los lugares de trabajo. Desde fines del siglo pasado, usaban la gravedad para el desplazamiento de sus productos pues se consideraba que el animal debía subir a las playas por sus propios medios y bajar por su propio peso, según una expresión muy común en los primeros años del desarrollo de la industria. Este principio se difundió a otras actividades, como la automotriz, cuando, en función de las exigencias de la producción en masa, la fábrica Ford de Detroit aplicó en la construcción de su planta el aprovechamiento de la ley de gravedad, con una distribución similar a la de los frigoríficos: el material bruto era almacenado en el último piso, del que descendía en forma gradual para transformarse –sucesivamente– en las partes de un automóvil.[31]

Esta organización se relacionaba con la necesidad de *racionalizar* los tiempos de elaboración por medio de un sistema de conexión que disminuyera los recorridos y facilitara un ciclo de elaboración continuo al eliminar los tiempos muertos. En la industria frigorífica esto tiene particular importancia porque el esfuerzo humano no puede ser totalmente sustituido por máquinas. De este modo, tripales, mondongos, cabezas, cue-

---

[30] Si bien es cierto que en Berisso la fábrica domina el pueblo, éste se diferencia notablemente, tanto en el plano constructivo como en las relaciones que se establecen con la comunidad obrera, de algunas villas industriales europeas. Para el caso italiano se puede consultar AA.VV.: *Villaggi operai en Italia. La Val Padana e Crespi d'Adda*, Torino, Giulio Einaudi Editore, 1981. Para un panorama general sobre Europa occidental véase Ornella Selvafolta: "El espacio del trabajo (1750-1910)", en *Debats*, Nº 13, septiembre de 1985.

[31] Las observaciones sobre el paso de la tecnología de los frigoríficos a las empresas automotrices en los EE.UU. en: George Friedmann: *La crisis del progreso*, Barcelona, Laia B, 1977, págs. 150-155, Ornella Selvafolta: op.cit., pág. 64 , Benjamín Coriat: *El Taller y el Cronómetro. Ensayo sobre el taylorismo, el fordismo y la producción en masa*, Madrid, Siglo XXI, 1982.

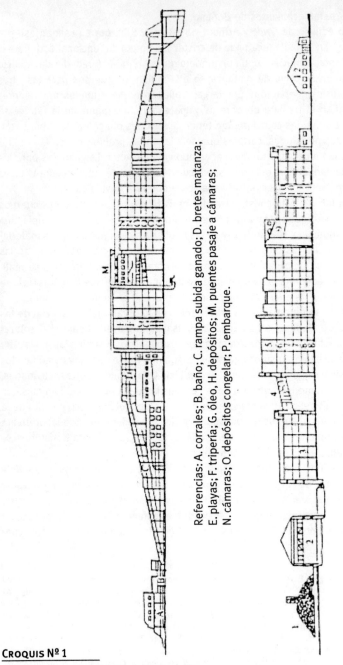

Referencias: A. corrales; B. baño; C. rampa subida ganado; D. bretes matanza; E. playas; F. tripería; G. óleo; H. depósitos; M. puentes pasaje a cámaras; N. cámaras; O. depósitos congelar; P. embarque.

1, carboneras; 2, sala máquinas; 3, digeridores; 4, pasaje a tripería; 5, playas; 6, tripería; 7, óleo; depósitos; 9, pasaje a cámaras; 10, cámaras congelar; 11, depósito congelar; 12, administración.

CROQUIS Nº 1

Secciones de un establecimiento frigorífico.

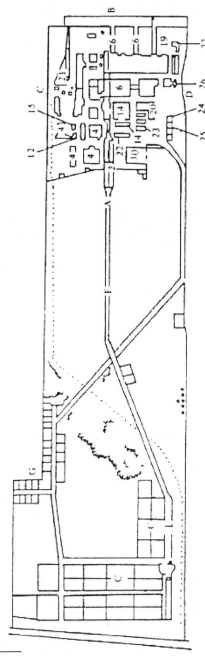

Referencias: 1-2, corrales; 3, manga; 4, playas; 5, cámaras; 6, puentes embarque; 7, digeridores; 8, conserva; 9, extracto; 10, calderas; 11, sala máquinas; 12, tanques de agua; 13, hojalatería; 14, taller mecánico; 15, ingenieros; 16, carpintería; 17, curtiembre lanares; 18, tonelerías; 19, depósitos; 20, almacenes; 21, bomberos; 22, roperos; 23, lavadero; 24, oficina química; 25, enfermería; 26, administración; 27, chalet; 28, oficina veterinaria; 29, carboneras; 30, restaurant; 31, sala necropsias. A, desembarcadero; B, balanza; C, corrales bovino y ovino; D, brete manga; E, corrales aislamiento; F, manga conducción hacienda a fábrica; G, casas empleados

CROQUIS Nº 2

Secciones de un establecimiento frigorífico.

ros, lenguas –según el establecimiento– se desplazaban por efecto de la gravedad desde las playas de matanza hasta la sección correspondiente, fenómeno que se repetía en otros departamentos, como el de conserva. Cuando este mecanismo no podía emplearse, los productos se trasladaban en zorras accionadas por medios mecánicos o directamente por la fuerza humana. Si las secciones estaban ubicadas en otros cuerpos del conjunto de la fábrica, los pasillos aéreos evitaban las pérdidas de tiempo que significaba el subir o bajar escaleras.

Los planos conservados por las empresas Swift y Armour, las fotografías y las descripciones de inspectores sanitarios y trabajadores sostienen también esta imagen de organización espacial que se refuerza con las imágenes fotográficas difundidas por las empresas en tanto dichas imágenes servían como un sustituto empírico del objeto que podía ser admirado por un público más amplio.

Cuando Swift adquirió la planta de Berisso a sus antiguos dueños, inició una serie de reformas en las que puso en práctica mucha de la experiencia acumulada desde hacía medio siglo en los mataderos de Chicago. El resultado fue la transformación del viejo The La Plata Cold Storage en uno de los más modernos establecimientos argentinos. En los planos están claramente diferenciados los espacios. Departamentos destinados a la producción y almacenamiento de las materias procesadas, sectores para oficinas donde se ubican aquellas de planeamiento y control (oficina técnica y de tiempo), superintendencia, protección y relaciones industriales, así como la enfermería, que se transforma en 1936 en "servicio médico". La existencia de estas oficinas desde épocas tempranas (en 1910 se habilita el departamento de planeamiento y control; en 1912, la oficina de tiempo; en 1913, la oficina técnica) habla también de una administración compleja, donde cobran importancia las tareas de "pensar" realizadas por un puñado de personas.

Los planos dan cuenta de que había además otros fines: por ejemplo, dotar de amplitud y luminosidad a las secciones o mejorar las condiciones de higiene en la fabricación de los productos. Para lograr esas condiciones se construían pisos adecuados para el rápido desagote de la sangre y el agua, que cubrían la mayor parte de los departamentos –tales como los destinados a la matanza o al lavado y acondicionamiento de las menudencias– o se revestían algunas paredes de azulejos para facilitar la limpieza. Se buscaba también una distribución de máquinas, mesadas, canaletas, tuberías que facilitara y acelerara el trabajo de las personas y el movimiento de las zorras, así como la vigilancia de los trabajadores. Con la vigilancia se evitaba el hurto y el consumo de los productos que se fabricaban; se facilitaba la individualización de los obreros, la clasificación por su habilidad y rapidez, el control de su presencia y aplicación, la verificación de la calidad de sus tareas y el tiempo empleado, y, exacerbando la función de control, se limitaban las posibilidades de comunicación entre los trabajadores, lo que buscaba dificultar su organización. La materialización de esas funciones de control, que se ejercían en todo el recinto de la fábrica, eran las casillas de los serenos.

La organización del espacio fabril admite también una lectura relacionada con la evolución de la tecnología mecánica y su impacto sobre los trabajadores y las condiciones de trabajo. El perfeccionamiento de las máquinas y herramientas (sistema de trolley,

Vista del Frigorifico Swift en 1917.

Foto N° 5
Vista del Frigorifico Swift en 1917

Foto Nº 6

Frigorífico Swift: Corrales de porcinos (C. Boser, fotógrafo industrial, s.f.)

Foto Nº 7

Frigorífico Swift: Plaza de matanza (*Circa, 1950*)

FOTO Nº 8

Frigorífico Swift: Inspeccionando reses vacunas (*C. Boser, fotógrafo industrial s.f.*)

Foto Nº 9

Frigorífico Swift: Laboratorio (*Circa, 1950*)

Foto Nº 10

Frigorífico Armour: Carnes y conservas con destino a Europa (*Circa, 1940*)

Foto Nº 11

Obreras de la sección óleo del Frigorífico Swift, 1924 (*Archivo Sr. Guruciaga*)

Foto Nº 12

Pic-nic de la sección chanchería del Frigorífico Swift, 1921 (*Archivo Sr. Duymovich*)

Foto Nº 13

Frigorífico Swift: Fiesta de navidad, 1945 (*Foto Alerta, Victoria 494, Buenos Aires*)

CLUB SOCIAL Y DEPORTIVO "Armour"
1ER. FESTIVAL ARTÍSTICO

En el CINE TEATRO VICTORIA
EL DIA 10 DE AGOSTO DE 1940
A LAS 20.45 HS.

Se realizará el primer festival artístico patrocinado por esta entidad, en honor de sus Asociados y con la cooperación del CONJUNTO ARTÍSTICO de la Institución.

PROGRAMA
1RA. PARTE

1°.—CANCIONES de actualidad por la Srta. NELLY CESARONI, acompañada al piano por la señorita ANGELA UMILE.

2°.—RECITADOS a cargo de la Srta. LEONOR MARTINEZ ROBLES.

3°.—La niña CLIDE ISABEL VIDAL recitará varias poesías.

Con el concurso del Conjunto Artístico del C. S. y D. ARMOUR que dirige el Sr. R. I Loriago, se pondrá en escena la comedia en 3 actos del celebrado autor argentino don Julio Sánchez Gardel, titulada:

Los Mirasoles

4°.—PRIMER ACTO.

I N T E R V A L O

2DA. PARTE

5°.—Segundo acto de LOS MIRASOLES.

6°.—Tercer acto de LOS MIRASOLES.

REPARTO

AZUCENA	Srta. A. Umile	EL ABUELO	Sr. R. Loriago
MÓNICA	" M. Fontanila	SOFANOR	" D. Daylio
ELIBERTA	" R. Picslak	MAMERTO	" J. Fontanila
LUCILA	" O. Stupi	CANDIDO	" H. García
REGINA	" M. De Natale	BALDOMERO.	" J. Rodriguez
Dr. CENTENO	Sr. V. R. Di Génova	MUCHACHO	" J. Jaidar

APUNTADOR : SANTILLI

ENTRADA SOCIOS $ 0.40   NO SOCIOS $ 0.60
PLATEAS BAJAS NUMERADAS

Imp. "Gutenberg", Colón 474, Ensenada

FOTO Nº 14

Programa del festival artístico del conjunto teatral del Club Social y Deportivo Armour, 1940

algunos instrumentos de trabajo como sierras y cuchillos, mesadas y cintas mecánicas) se realizaba en el ámbito de la empresa transformándola en un centro de experimentación. Las oficinas técnica e industrial se convertían en los espacios físicos para la experimentación e investigación. Esto permitía adaptar máquinas, circuitos de elaboración, mejorar las herramientas, elaborar programas de trabajo cada vez más complicados. Esa actividad afectaba directamente a los trabajadores, pues el diseño de un nuevo instrumento de trabajo provocaba cambios en los movimientos necesarios para realizar esa tarea, en las calificaciones y en la conformación de los grupos de trabajo. Un claro ejemplo lo constituye el paso de la sierra manual a la eléctrica. El diseño de la sierra mecánica satisfizo una necesidad de la producción (realizar el corte del hueso sin producir tanto aserrín) pero provocó también una modificación en la calificación de la tarea. El serrucho manual exigía fuerza y destreza para realizar el corte, mientras que con la sierra eléctrica se valoraba el uso adecuado de una máquina.[32]

Las herramientas, los circuitos de producción y la adaptación de algunas máquinas eran diseñados por las oficinas técnicas; y los planos y diseños eran sus productos. Su preparación exigía la existencia de técnicos, dibujantes, diseñadores industriales, ingenieros, los que se constituyeron como parte de un campo de especialización relacionado con la producción industrial.[33]

Otro aspecto de la organización del espacio fabril se relacionaba con las cualidades ambientales del edificio industrial y ellas estaban estrechamente asociadas con las condiciones de labor. El trabajo en los frigoríficos era desagradable: humedad, cambios bruscos de temperatura, polvo y suciedad fueron los rasgos distintivos que derivaban de una actividad por naturaleza sucia, con pisos cubiertos de sangre y agua, con sectores donde se acumulaban restos de animales, de los cuales emanaban olores nauseabundos. Estos factores agredían a los trabajadores y a la comunidad y, por iniciativa o por presión, las empresas se vieron obligadas a resolver algunos de los problemas a lo largo de un extenso proceso donde muchas veces intervenían los poderes públicos o la prensa.

Las cualidades ambientales del espacio industrial se completaban con la instalación de servicios higiénicos, enfermerías, comedores o ámbitos destinados al tiempo libre que comenzaron a generalizarse hacia la década del treinta. Por esa época, Swift y Armour realizaron algunas mejoras (baños, comedores, guarderías, clubes) buscando generar una ambiente de trabajo más agradable para estimular el rendimiento de la fuerza de trabajo, y para ir desactivando también la carga subversiva que las malas condiciones de trabajo depositaban en las manifestaciones del conflicto laboral. Estas políticas de las compañías ayudaron a diseñar los elementos básicos de lo que puede

---

[32] La difusión de la sierra eléctrica es sólo un ejemplo de la evolución técnica. Las empresas cárnicas desarrollaron ganchos móviles que permitían la manipulación de los materiales, utilizaban guinches a vapor y eléctricos, sierras para cortar metales y maderas comparables a las que se empleaban en los más modernos establecimientos madereros y metalúrgicos, equipos de soldadura eléctrica.

[33] Véase Mirta Zaida Lobato: "'La Ingeniería': Industria y organización del trabajo en la Argentina de entreguerra" en *Estudios del Trabajo*, Nº 16, segundo semestre de 1998.

llamarse la introducción del "estado de bienestar" en la industria, y se exhibían también como símbolo de eficiencia y confort de una empresa moderna.[34]

Mejorar los ambientes laborales fue también una demanda de los trabajadores y formó parte de los reclamos obreros a lo largo de toda esta historia. Apenas iniciadas las operaciones en el frigorífico Swift, los trabajadores reclamaron "mayor higiene en las secciones" y la instalación de "aparatos antisépticos para beber agua".[35] A esos reclamos se sumaron otros relacionados con la habilitación de baños, vestuarios y jardines maternales. Nuevamente planos y fotografías dan cuenta de la evolución de esas construcciones. Baños y vestuarios para hombres y mujeres se construyeron, ampliaron y reformaron en diferentes departamentos en 1910, 1912, 1914, 1920, 1933 y 1937. La enfermería se habilitó en 1912 y un nuevo servicio médico se acondicionó en 1936; el comedor se inauguró –parcialmente– en la década del veinte y se reformó al comenzar la década del cuarenta; el jardín maternal fue habilitado en 1941 y en 1952 se instalaron tinglados para bicicletas.

Tanto en los espacios sociales como en los productivos las jerarquías estaban bien delimitadas. El comedor era esencialmente para los "jerárquicos", como la guardería infantil y sólo en la década del cuarenta estos espacios se habilitaron para todos los trabajadores. En la década del treinta, Swift y Armour organizaron también sus clubes sociales y deportivos. Con los deportes (fútbol en primer lugar y basquet en segundo término) se favorecía la socialización de los trabajadores. Los obreros se identificaban como parte de un nosotros. La competencia deportiva ayudaba a crear la idea de una comunidad, de una familia, de unión entre las compañías y sus asalariados. Además, como el club era el lugar de algunas fiestas (los trabajadores, hombres y mujeres, se reunían en los días festivos, con motivo de un baile o una kermesse), éstas se constituyeron en un medio importante para la integración de los obreros y la de sus familiares. El espacio de la fábrica se ampliaba. Ya no era solamente el lugar de la producción sino que se extendía fuera de ella y se proyectaba en otras actividades. Swift y Armour podían demostrar que no sólo estaban interesadas en la fuerza, celeridad y eficiencia con las que producían sus obreros.[36]

De manera que "los gigantescos cubos de siete pisos, agujereados por ventanales y respiraderos (que) se levantaban blanquísimos y silenciosos, cruzados por las víboras y lianas negras de los caños y tuberías"[37] se diseñaron de acuerdo con criterios basados en las nociones de eficiencia, racionalización y organización desde la primera década de este siglo. Esos criterios nutrían también la organización del trabajo a partir de la cual se relacionaban lugares, personas y máquinas.

[34] Las "visitas" constituían aquellos momentos en que se podían exhibir la modernidad, organización y eficiencia de una empresa. Swift y Armour recibían visitas frecuentes de políticos, especialistas nacionales y extranjeros, de ingenieros y empresarios. Las impresiones de los visitantes se encuentran en obras como la de Uberto Ferretti: op.cit. en las páginas de la revista *La Ingeniería*, del Centro Argentino de Ingenieros y en periódicos como *La Prensa, La Nación* o *El Día*. También la revista *Swiftlandia* publicaba notas y fotografías de las actividades que se desarrollaban en el club social y deportivo, de las características y comodidades del jardín maternal o del comedor, vol. I a VII, junio de 1941 a febrero de 1945.

[35] *El Día*, 10 de noviembre de 1904; José Peter: *Historias y luchas de los obreros de la carne*, Buenos Aires, Anteo, 1947, págs. 13-14.

[36] Las compañías de Berisso no fueron las únicas que desarrollaron una política empresaria de este tipo. En algunas grandes fábricas se organizaron en el tramo final de la década del treinta los clubes para

"¡Esto sí que es la supresión de los tiempos perdidos!"

En 1930, un estudioso italiano de la conservación de carnes escribía sobre los frigoríficos Swift y Armour:

"...*se diferencia(n)* de aquellos de Buenos Aires no sólo por el diverso modo de disponer los edificios sino también por sus requisitos funcionales... Los frigoríficos Armour, Swift Rosario y Swift La Plata representaban junto al Anglo un grupo que se destaca de los otros frigoríficos –ingleses, americanos y argentinos– *porque trabajando casi del mismo modo y siguiendo las mismas direcciones se siente una diferencia sustancial en la conducción de los establecimientos*. Se siente en suma que ellos son americanos y mi impresión personal es que se pueden juzgar sus plantas con los más grandes conceptos. *En todo el ejercicio del detalle ellos son verdaderamente perfectos*".[38]

Los frigoríficos de capital norteamericano en la Argentina concretaban los sueños de orden, centralización y control que desde la Primera Guerra Mundial atraían a las naciones que querían seguir los pasos de los Estados Unidos, a la que veían como la más productiva de las naciones del mundo. El *americanismo,* que años más tarde sería identificado como la suma de taylorismo y fordismo, era percibido como un camino que se abría para el futuro de las naciones. La americanización hipnotizaba a empresarios, políticos, ingenieros, gerentes.[39] Esa atracción es la que traducen las palabras de Ferretti.

Sin embargo, no sólo era puro entusiasmo. Lo que el *americanismo* revelaba era la posibilidad de incrementar los beneficios basándose en una compleja organización del trabajo, donde efectivamente se cuidaban todos los detalles. El principio básico de esa organización era la separación de los procesos físicos de producción de los de planeamiento y control. Dicho de otra manera: era la división del trabajo en sus fases de concepción y ejecución acompañada por un desmenuzamiento tal de las labores en diferentes operaciones elementales que podían ser medidas y registradas.[40]

---

el personal. La empresa textil Grafa del grupo Bunge y Born tenía su campo de deportes en la Av. de los Constituyentes 6030 en la Capital Federal. En el club se desarrollaba una intensa actividad deportiva y social, y se editaba, incluso, una revista. Otra importante compañía, Ducilo S.A., autorizó al Consejo de Trabajo a fundar una agrupación deportiva. La compañía cedió un terreno del perímetro de la fábrica y una vieja casa se transformó en la sede social del Club hasta que en 1949 inauguró una nueva sobre unas cinco hectáreas cercanas a la fábrica. Véase *Club Grafa*, revista oficial, 1940-1944 y *Ducilo, 1937-67. Crónica de una industria para industrias*, libro conmemorativo del trigésimo aniversario de Ducilo, Cap. XIX.

[37] Luis Horacio Veláquez: op.cit., pág. 155.

[38] Uberto Ferretti: *L' industria delle carni in Argentina. Note ed impressioni di un viaggio di studio*, Roma, Fano tipográfica Sonciciano, 1930, pág. 117.

[39] El énfasis sobre la invención, el desarrollo y la construcción de sistemas tecnológicos importantes para pensar los valores de una cultura industrial, y considerar la tecnología como socialmente construida se encuentra en Thomas P. Hugues: *American Genesis. A century of Invention and Technological Enthusiasm*, New York, Penguin Book, 1990.

[40] Frederick Winslow Taylor: *Management Científico*, Biblioteca de la empresa, Madrid, Hyspamérica, 1984 (la primera edición es de 1911).

Este principio básico general se asociaba en los frigoríficos al objetivo de obtener el máximo de rendimiento tanto de los animales como de los trabajadores. El proceso de trabajo en las grandes corporaciones estaba dividido en cuatro etapas para el ciclo productivo[41], además de las fases de programación y control de las actividades:

1) *Antes de la matanza*: incluía las operaciones que afectaban a los corrales hasta la llegada de los animales a las playas de matanza. En este sector, trabajadores varones entraban y sacaban hacienda, le suministraban agua y alimento a ésta, la pesaban y embretaban hacia el "corral de los baños". Prácticamente no tenían contacto con los obreros propiamente dichos y sus tareas se emparentaban con las que realizaban en el campo.[42] Un hombre podía tener a su cargo la atención de varios caballos que servían para arrear el ganado o el cuidado de determinados corrales.

2) *Matanza y distribución de la faena*: incluía las tareas de los diferentes sectores destinados a la faena de vacunos, ovinos y porcinos. En esta etapa mataban los animales, los desollaban y los separaban en partes que se transferían a otras secciones por medio de tubos, canaletas o en zorras cuando se trataba de departamentos alejados.

Las playas de matanza alojaban a los obreros más especializados (matambreros, serruchadores), quienes eran percibidos como un sector especial por la destreza y precisión en el manejo del cuchillo, y porque los ritmos estaban dados por la velocidad de la noria.

3) *Después de la distribución de la faena*: incluía la fabricación de conservas, fiambres, harinas industriales, sebo comestible e industrial y las cámaras frías. La diversidad era grande: en las cámaras frías sólo trabajaban hombres que debían soportar el peso de los materiales que manipulaban y las bajas temperaturas; en las secciones conservas y tripería, hombres y mujeres realizaban la limpieza de las menudencias (tripas, hígados, vejigas), el corte, picado y cocción de las carnes y el envasado, soldado y etiquetado de los tarros.

---

[41] Arthur H. Carver del Departamento de Relaciones Insdustriales de la firma Swift en Estados Unidos divide el trabajo en las plantas cárnicas de la siguiente manera: 1) beef operations, incluye todas las operaciones de matanza y procesamiento de las diferentes partes del ganado vacuno, 2) pork operations, 3) shepp and lamb operations, 4) manufacturing y 5) service departament (mechanical service, engineering service, loading and shipping, industrial relations); *Personnel and Labor Problems in the Packing Industry*, The University of Chicago Press, Illinois, 1928, págs. 27 a 29. Otras clasificaciones se encuentran en Franco Osvaldo Amiar: *Contribución al estudio de los costos de las empresas industrializadoras de carne de la República Argentina*, Facultad de Ciencias Económicas, Universidad de Buenos Aires, Tesis, 1959. He realizado una simplificación del proceso para evitar la dispersión.

[42] Es difícil resistir la tentación de las asociaciones. Si la fábrica era una ciudad, los trabajadores de los corrales representaban la intromisión del campo en su organización y en sus actividades. Sin embargo, no hay en esta afirmación el deseo de establecer montajes paralelos entre campo y ciudad, entre mundo urbano y rural, entre una experiencia natural y otra artificial, entre una representación bucólica de la vida campesina frente a las tensiones de la vida urbana. Se orienta más bien a destacar la complejidad de la experiencia obrera, que se integra, por otra parte, con la suma de diferentes retazos. Los trabajadores de los corrales, como los de otros departamentos, se desenvolvían en un mundo nuevo que construían simultáneamente con imágenes de su pasado, con los *paisajes de memoria*: la pampa (siembras, cosechas, cuidado de animales), las tierras áridas de algunas provincias del interior argentino (la recolección de caña de azúcar, el cuidado de las cabras), y también las tierras búlgaras, las llanuras ucranianas, las heladas regiones lituanas. Imágenes, hábitos, costumbres, sonidos se recortaban y tomaban forma en el espacio de la fábrica.

La separación de la carne de los huesos y la selección y preparación de las carnes desosadas se efectuaba en los marcos de una separación genérica de las tareas. El trabajo especializado (separar el hueso de la carne) estaba en manos masculinas, mientras que las mujeres la trozaban para la preparación de las conservas o acondicionaban menudencias para el envío a las cámaras frías.

4) *Auxiliares*: en esta etapa, en los departamentos de cajonería, tonelería, costura, y taller mecánico se fabricaban los envases necesarios para embalar los productos, las bolsas y camisas para envolver carne y otros subproductos, y se realizaban aquellas actividades destinadas al mantenimiento de maquinarias, construcciones y refacciones de la infraestructura edilicia.

5) *Programación y control*: este trabajo era cumplido por jefes y gerentes; en las oficinas técnicas, de tiempo y estándar.

El *americanismo* y la perfección del trabajo en los frigoríficos alcanzaban su máxima expresión en los ritmos de producción, la variedad de procesos, la dispersión de los trabajadores en grandes unidades que ocupaban varias hectáreas y la contratación de miles de asalariados. La división de las tareas y el ritmo de la noria cobra vida en los relatos de los trabajadores, en los informes técnicos, en la literatura. En 1921, Ismael Moreno describía la playa de matanza del siguiente modo:

"*Otra vez el chirrido de hierros, la compuerta se abre* y otras dos víctimas rodando por la playa [...] los playeros abrían el garrón y ponían el gancho, la res subía lenta y larga [...] Los cadáveres salían colgantes, tajados y sanguinolentos [...] *El playero destrababa el engranaje con su percha y descendían las cadenas, como un brazo mecánico*, depositando los cuerpos blandos vientre arriba sobre el suelo, donde caía el chorro de la manguera, cuyo extremo llevaba el matambrero al hombro, con esguinces de culebra. *Los desolladores, con aires de cirujanos*, llevando gorras blancas y los brazos remangados, *se inclinaban metiendo las hoces relucientes; un tajo al medio, un tajo suave a la derecha, otro a la izquierda, unos pases de magia* y la manta pelosa caía a ambos lados [...] *otros gorros blancos se inclinaban sobre la presa*. Sacaban las pezuñas, las garras. Tocaban con la hoz y caían las articulaciones de las patas como si fueran juguetitos de desarme. El playero movía su percha; *el brazo mecánico se encogía* y el cadáver blanco [...] iba al carril con su capa al revés [...] se alejaba para dar el sitio a otro [...] al volver la fila caía la cabeza, la sierra sin fin se llenaba de cuernos y el cráneo mefistofélico bajo la cuchilla mecánica quedaba partido en dos [...] *No hay voces de mando la máquina gobierna; es una noria gigantesca que anda serpenteando, y da a cada uno el tiempo que necesita para mover su hoz*; es un desfile continuo frente a los hombres [...] *un descuido* es bastante para que la res pase sin la operación del distraído, y entonces el *orden se conturba, la máquina debe detenerse, todos protestan y gesticulan [...] Admirable ingenio mecánico para que no se derroche un segundo y los hombres se vuelvan pieza de máquina*, dando y dando acompasadamente. La noria anda; los cadáveres cuelgan, los canjilones humanos, con las gorras blancas, moviéndose isócronos, vierten su fuerza ".[43]

[43] Ismael Moreno: op. cit, págs. 50 y 51. El destacado es mío.

Engranajes, brazos mecánicos, gobierno de la máquina, ingenio mecánico, noria gigantesca son metáforas que aluden a tres elementos clásicos de las formas taylorizadas de organización del trabajo: desmenuzamiento de las tareas, imposición mecánica de los ritmos de labor y estudio de los movimientos que realiza el trabajador. El estudio de los movimientos adquiere contornos más específicos en los relatos de Velázquez y Larra. Dice Veláquez:

"Por la puerta que comunica con la crujía de las cocinas entran y salen desde hace rato inspectores, mayordomos, superintendentes. Vienen a constatar la nueva capacidad de trabajo que ha empujado a todo el establecimiento más adelante. El técnico del standard admirado susurra: *¡Esto sí que es la supresión de los tiempos perdidos!*" rememorando una frase leída en el manual de Taylor y viendo retorcerse, entre la sangre, las cuatro filas de playeros como las innumerables y agitadas patas de una escolopendra monstruosa".[44]

Estudiar los movimientos realizados por los trabajadores, acelerar el tiempo de ejecución de las tareas, aumentar la capacidad de trabajo, y con ello los beneficios, suprimir las pérdidas de tiempo son los ejes de un modelo de organización productiva que permitía incrementar las ganancias de las empresas industriales. Pero en el texto de Larra, el tiempo no está asociado solamente a la producción. Refiere también al momento en que sobrevendrá la transformación de la sociedad. Así escribía Larra:

"*El tiempo. ¿Qué es el tiempo?. La aguja del reloj se mueve sin moverse.* En su estatismo la manecilla parece adherida al cuadrante. Pero si se la observa fijamente puede advertirse la levedad de su latido [...] El martillo resonaba sobre el testuz de las reses bramantes, el riel corría velozmente con su carga, los cuchilleros se aprestaban a la faena. *El ritmo del standard imprimía a los gestos el estilo mecánico de los robots. Pero en lo profundo de la acción latía un tono balbuciente*, tal si el engranaje fuese a estallar, un eslabón a partirse, y la cadena estuviese pronta a destrozarse con estrépito *¿Por dónde iba a deshacerse el nudo?*".[45]

Para el autor, dos son los tiempos que se viven en la fábrica. El del reloj es el que pasa lentamente, el que se asocia con el ritmo de trabajo que transforma a los hombres en máquinas. Una imagen que adquiere fuerza representativa en *Tiempos Modernos* de Chaplin. El proletario pobre (Carlitos), ciego y alienado, que está a merced de sus patrones como lo estaban los obreros de los frigoríficos. Pero Larra vislumbra otro tiempo cuando se pregunta por dónde se desanudará el engranaje. ¿Cuándo y de qué manera se eliminará "el maldito standard [...] el nombre fatídico del sistema criminal?" Y su respuesta es la luz revolucionaria que transforma al obrero alienado en un trabajador preparado para el combate. La causa es la lucha contra la explotación (como en Velázquez), el medio es el partido político revolucionario.

[44] Luis Horacio Velázquez: op. cit., pág 51. El destacado es mío.
[45] Raúl Larra: op. cit., pág. 117.

El tiempo dominaba la división del trabajo imperante en los frigoríficos así como la imposición mecánica del ritmo de trabajo y ambas se vinculaban con los procesos de continuidad y discontinuidad en las tareas. En las playas de matanza o en la conserva el proceso era continuo en tanto los dispositivos mecánicos, las tuberías y las canaletas distribuían los materiales a cada departamento donde los trabajadores (hombres y mujeres) estaban organizados técnica y socialmente de acuerdo con las formas de cooperación que se establecían entre ellos y con las máquinas. La realización de otros procesos, no todos paralelos y sincronizados, generaba discontinuidades que daban cuenta, a su vez, de la multiplicidad de engranajes (humanos, mecánico–técnicos) que convivían en una sola unidad de producción.

Continuidad y sincronización eran cuestiones que en otras actividades industriales podían resolverse por medio de la mecanización. Pero la industria frigorífica no admitía una maquinaria compleja que sustituyera el esfuerzo humano en todos sus departamentos. Por ejemplo, el desprendimiento del cuero a los vacunos no podía realizarse mecánicamente, porque no todos los animales eran iguales. Se requería entonces de la destreza del matambrero para evitar los desgarramientos o cortes producto de un desprendimiento inadecuado.

A pesar de ello, Swift y Armour habían acumulado una larga experiencia con la mecanización en los Estados Unidos, donde desde la década de 1870-1880 habían probado lo que ahora ponían en práctica: la utilización de medios mecánicos en algunas secciones. Recordemos las descripciones/imágenes que señalaban la existencia del sistema de trolley que permitía el desplazamiento de las reses; los guinches, a vapor primero y eléctricos más tarde, que elevaban y trasladaban las reses. Estos mecanismos le daban continuidad al proceso: los hombres permanecían en sus puestos y los materiales se desplazaban para la ejecución de las tareas.

Los mecanismos eran accionados por medio de la electricidad. Ella otorgaba a los "brazos mecánicos" mayor celeridad. [46] Justamente, la mayor automatización se vinculaba, entre otras cosas, con la electricidad y el ritmo de trabajo regulado mecánicamente. La introducción del transportador mecánico (en la década del treinta) en algunas secciones, como conserva, aceleró la intensidad del trabajo y cumplió la misma función que el trolley: hacer circular los materiales a procesar y acelerar el ritmo del trabajo.

La cadencia de la noria y el ritmo del transportador mecánico se generalizó hacia los años treinta en casi todos los departamentos y en todos los frigoríficos, fueran éstos de capital norteamericano o no. La mayor automatización que se produjo por esos años aumentó la producción de la oficina de diseño y técnica. La renovación de motores eléctricos y de algunas máquinas destinadas a la elaboración de diferentes productos, que adquirió magnitud en la entreguerra, fue acompañada por una revisión de las tareas. Se buscaba tanto establecer nuevos ritmos y cuotas de producción como imprimir mayor

---

[46] Francisco Liernur-Graciela Silvestri: *El umbral de las metrópolis. Transformaciones técnicas y cultura en la modernización de Buenos Aires (1870-1930)*, Buenos Aires, Sudamericana, 1993, en particular "El torbellino en la electrificación, Buenos Aires, 1880-1930".

intensidad al trabajo. La presencia de cronometristas y el establecimiento de nuevos estándares de producción fueron ampliamente denunciados por los trabajadores, pero sobre estas cuestiones volveré más adelante.

El desmenuzamiento de las tareas y el tiempo necesario alcanzó también a los empleados. De la década del cuarenta se conservan estudios de tiempo donde se establecían cada uno de los pasos a seguir por los empleados de oficina. Tiempo para tomar los formularios, tiempo para colocarlos en la máquina de escribir, tiempo para escribirlos, todos ellos estaban pautados por la oficina correspondiente. Es un indicio más de una concepción de organización laboral que imaginaban sin fronteras para lograr la eficiencia productiva.[47]

La programación y la evaluación de las tareas también fueron registrando algunos cambios en todo el período, pero fue hacia fines de los años cincuenta y principios de los sesenta que se establecieron programas de entrenamiento para el personal de diferentes departamentos. Desde la sección ingeniería industrial se buscaba aplicar una nueva organización en cuanto a los métodos de control de costos de las empresas. El programa contenía las pautas para definir y clasificar la mano de obra y los gastos por función y responsabilidad. Se establecieron nuevas formas de control y se mecanizaron los sistemas contables.[48]

Según los especialistas, el programa de control de costos:

"Proveerá a todos los niveles de la dirección los elementos de trabajo para controlar los costos en su origen. Exige el establecimiento de estándares de trabajo medido o presupuestado, donde la performance de cada actividad de la compañía pueda ser medida. Además el mismo dato usado para controlar costos será utilizado para proveer a Gerencia con costos de productos adecuados y correctos, para precios de venta y determinación de utilidades".[49]

Viejos métodos remozados en el nuevo sistema administrativo dieron paso a la elaboración de informes de diferentes tipos (diarios, quincenales) de capataces, supervisores y cualquier personal de gerencia sobre la producción y el tiempo utilizado en ésta. Horas trabajadas, horas ganadas, pérdidas en horas o deficiencias, porcentajes de eficiencia de cada grupo o individuo, eran los puntos básicos del control ejercido sobre la mano de obra directa e indirectamente.

Las compañías pensaban que el nuevo sistema ayudaría a resolver los problemas con los que se enfrentaban, pero las dificultades derivaban de cambios en los mercados consumidores y de la tecnología aplicada y requerían decisiones importantes en el plano

---

[47] Frigorífico Swift, Estudios de Tiempo, años 1942, 1947 y otros con fecha ilegible y Notas Varias de Oficina Standard. Frigorífico Armour, Notas de la Oficina Standard referidas al personal.

[48] He consultado el *Manual Programa de Control de Costos*, Buenos Aires, noviembre de 1960, rescatado de un conjunto de papeles de lo que fue la Sección Ingeniería Industrial de la compañía Swift. Coincide con lo señalado por Raúl Oscar Sarraillet quien participó en el diseño y ejecución de los cursos de capacitación con capataces. Cabe destacar que este especialista estaba relacionado con el Centro de la Productividad que funcionaba en la calle San José al 200 de la Capital Federal. La entrevista fue realizada en La Plata, el 12 de agosto de 1987.

[49] Ibídem, pág. 2.

de la inversión de capital.[50] Sin embargo, el acento se ponía en los mecanismos de control de costos y producción y pese a la aplicación del nuevo sistema, las dificultades continuaron. Posiblemente porque la clave no estaba en el costo de la fuerza de trabajo ni en los mecanismos de administración y control. Había otra historia paralela: las maniobras económico-financieras de Swift y Armour –por esa época controlada por Deltec Internacional– tomaron estado público con la quiebra decretada por el juez Lozada en 1971. Las actividades del pool, su vinculación con los grupos dominantes y gobernantes, fueron denunciadas por numerosas publicaciones y permitieron advertir una malla más compleja donde el problema central no residía en la productividad, eficiencia y celeridad con las que los trabajadores realizaban sus tareas.

Un ejército de empleados: la ampliación del campo ocupacional

La organización de la producción en los frigoríficos bajo los principios de racionalización, eficiencia y productividad significó también una notable ampliación del campo ocupacional. Era necesario contar con un cuerpo bastante numeroso de empleados en las tareas de planeamiento y control, lo que produjo en este segmento una parcelación de las tareas que revelaba, por otra parte, una división jerárquica bien marcada. Intendentes, superintendentes, mayordomos y jefes eran asistidos por una cantidad nada desdeñable de empleados (entre el 15 y el 20 % del total de la fuerza de trabajo ocupada en promedio), quienes también realizaban tareas rutinarias. Creció también el personal dedicado a establecer cuál era la tarea a realizar y de qué modo hacerla y el vinculado con la ejecución del trabajo: capataces, jefes de vigilancia, serenos, toma tiempo y asistentes.

Según Chandler, esta compleja estructura administrativa y de producción es un rasgo de la empresa moderna que hizo su aparición, al menos en los Estados Unidos, entre aquellas industrias en que la producción y distribución en gran escala se hallaban integradas con el objetivo de obtener mayores beneficios.[51] Las grandes fábricas norteamericanas introdujeron en la Argentina esa experiencia y tejieron una extensa red para realizar las compras de ganado, contar con los depósitos y los transportes adecuados y la organización administrativa para garantizar la llegada de los productos a todo el país y al exterior.

Las compañías instaladas en la Argentina, como en el modelo original, contaban con grandes oficinas centralizadas (en la Capital Federal) y grandes plantas fabriles donde se faenaba todo tipo de ganado (Berisso, Rosario) o se realizaba exclusivamente la matanza de ovinos (Río Gallegos, San Julián). La diversificación de la producción y la expansión abarcaba distintas provincias y regiones. En Cuyo (San Rafael, Mendoza) levantaron una fábrica para envasar frutas y verduras; en la provincia de Buenos Aires

[50] Martín Buxedas: *La industria frigorífica en el Río de la Plata*, Buenos Aires, CLACSO, 1982.
[51] Alfred Chandler: *La mano visible. La revolución en la dirección de la empresa norteamericana*, España, Ministerio de Trabajo y Seguridad Social, 1987, pág. 517.

(Lincoln) instalaron una fábrica de manteca y una playa de matanza de pollos; en la provincia de Entre Ríos (Concepción del Uruguay) abrieron otra planta para la industrialización de pollos; y, en diferentes zonas del país, se instalaron otras trece cremerías y fábricas de queso.[52] La diversificación hacía realidad el lema de la empresa: "siempre adelante con calidad y servicio", que se materializaba, a su vez, con la expansión del consumo interno, que se hizo más palpable cuando, al finalizar los años cincuenta, el mercado interno estaba inundado de sus productos y hasta en los más lejanos lugares se consumía un picadillo de carne o una viandada.[53]

Cada expansión significaba nuevos establecimientos y suborganizaciones para evaluar, coordinar y planificar las actividades. Se abrían también inéditas oportunidades para aquellos individuos que habían recibido educación formalizada en las escuelas y universidades. Jóvenes con estudios secundarios, abogados, veterinarios, ingenieros, contadores ocupaban los cargos que la estructura jerárquica de la administración requería.

---

[52] La información en Pepe Treviño: *La carne podrida. El caso Swif Deltec*, Buenos Aires, A. Peña Lillo Editor, 1972, *Ganadería Argentina. Desarrollo e industrialización*, Compañía Swift de La Plata S.A., Texto de Manuel Romero Aguirre, ilustrado por Manuel Pinto Rosas, Buenos Aires, editado por la Cía. Swift de La Plata S.A., 1958, pág. 24.

[53] La publicidad es una vía de entrada para pensar la cuestión del consumo. En los años 1934 y 1935, en *El Hogar* los avisos estaban destinados a "los comerciantes progresistas", "los paladares exquisitos", " a la consciente ama de casa"; la publicidad que aparecía en periódicos como *La Prensa* o *La Nación* difundía los productos y los acompañaban con recetas. Pero hay uno que quiero destacar: se llama "Poder Adquisitivo" y fue publicado en *El Liberal* (Santiago del Estero). Allí enfatizaban la contribución -en este caso del frigorífico Armour- a "elevar el poder adquisitivo de miles de hogares, al producir en gran escala productos alimenticios que antes, por su precio, eran prohibitivos". La imagen de un niño sonriente y con cara de satisfacción ofreciendo un caramelo a una niña ruborizada por el halago se potenciaba con las siguientes palabras: "Es posible que la moneda que gasta el pibe en la golosina para su amiguita, sea el producto directo de la economía que Armour ha permitido practicar en su hogar". Se puede ver en *El Liberal* (Santiago del Estero), 12 de octubre de 1945.

CAPÍTULO III
Los Trabajadores

"Nubes de bicicletas
iban como bandadas,
la boca de la fábrica
las tragaba.
Entre todas,
mi viejo pedaleaba".
Walter Elenco Vasiloff, en Felipe Protzucov,
Vivencias Berissenses, 1995, pág. 8.

"Aquí en Berisso no hay nadie que no haya trabajado en los frigoríficos" es una frase frecuentemente repetida por los habitantes de la localidad. Las posibilidades de encontrar empleo eran tales que es frecuente escuchar historias referidas a la presencia en el pasado de trabajadores como el Mariscal Josip Broz, llamado Tito, constructor de la unidad yugoslava después de finalizada la Segunda Guerra Mundial o como el magnate griego Onassis. ¿Son sólo relatos fantásticos? ¿Quiénes fueron los obreros de los frigoríficos? ¿Acaso Tito y Onassis representan a los inmigrantes yugoslavos y griegos? ¿O son sólo expresiones para aludir a los miles de inmigrantes que ingresaron a las fábricas?

A los frigoríficos llegaban hombres y mujeres procedentes de tierras remotas. Sus experiencias de vida se habían moldeado al calor de múltiples y singulares situaciones. Desde un punto de vista general, todas similares: hambre, pobreza, guerras y persecuciones; pero, al mismo tiempo, esas vivencias eran absolutamente singulares y personales. Ante la imagen de ese conglomerado humano uno puede preguntarse: ¿qué sintieron Boris, Alí, Florentino, María, Anastasia cuando recién llegados de una aldea de los Balcanes, del Líbano, de Lituania, de un pueblo de la provincia de Buenos Aires o de un paraje de Santiago del Estero ingresaron a las fábricas?. Y también: ¿Cómo vivían? ¿Qué hacían en el trabajo? ¿Cuándo, cómo y porqué protestaban?

Todos ellos fueron los trabajadores, pero bajo esa palabra se homogeneizan las experiencias de un grupo cuyo rasgo dominante es la heterogeneidad. Para identificar esos rostros difusos encarnados en la palabra trabajadores, intentaré precisar en este capítulo las edades, el sexo, la nacionalidad, las experiencias previas y el nivel educativo de los hombres y mujeres que se convirtieron en obreros de los frigoríficos.

Personal empleado

Cuando en 1907 Swift inició sus actividades, contaba con alrededor de 3.000 trabajadores, número que se repetía en el frigorífico Armour cuando abrió sus puertas en 1915. El trabajo oscilaba en ambas compañías entre períodos donde se registraban aumentos importantes en el número de personas contratadas, entre aproximadamente 10.000 y 15.000 asalariados, y otros donde la cantidad de personas contratadas se reducía a unas 5.000 personas.[1] Esta gran concentración de trabajadores fluctuaba diariamente. Aunque no tenemos los datos oficiales de las empresas sobre el número de personas contratadas, la información que las propias compañías brindaban a la prensa local permite reconstruir –aunque fragmentariamente– las variaciones en el número de personas ocupadas. Por ejemplo, durante un mes del año 1915 tomado al azar, el frigorífico Swift contrató 4.070 trabajadores en su punto máximo y 3.190 en el más bajo.[2] En un período posterior, entre 1949 y 1958, se pudo verificar la continuidad de esas fluctuaciones y la precariedad de las contrataciones a partir de la separación entre obreros fijos y transitorios. Los datos del frigorífico Armour, aunque corresponden a todas las dependencias que la compañía tenía en la Argentina, también muestran que la contratación temporaria era un rasgo distintivo del trabajo en los frigoríficos (Cuadros Nº 2 y 3).

Como se observa en los cuadros Nº 2 y 3, las fluctuaciones en el número de obreros y empleados eran amplias. Cuando se incrementaba la demanda se producía la incorporación temporaria de población activa en condiciones precarias y, al revés, la disminución de la demanda generaba desocupación. Las variaciones en el número de personas contratadas se traducían en motivo de malestar para los propios trabajadores, e indirectamente para toda la comunidad, que en buena medida dependía de los salarios percibidos en las fábricas.

---

[1] La información sobre el número de trabajadores contratados por las empresas está dispersa en numerosas fuentes. En las publicaciones existentes en el Archivo y Museo Histórico Dardo Rocha de La Plata se menciona que entre las industrias de La Plata están los dos frigoríficos más grandes de Sudamérica con 8.000 personas trabajando y que en un año, 1938, el Armour tenía 4.530 trabajadores entre obreros y empleados y el Swift 6.000. Algunos de esos materiales son atractivos para comparar el distrito industrial con la ciudad capital de la provincia de Buenos Aires, definida como la "ciudad del espíritu" *La Plata a su fundador*, Ediciones de la Municipalidad, 1939; Municipalidad de La Plata: *Album de la ciudad de La Plata, 1882-1934*, La Plata, noviembre de 1934. *La Plata a través de cincuenta años 1882-1932*, la Plata, 1932; *Album de fotografías* (Fotos Kohlmann).

[2] Las cifras máximas y mínimas corresponden a los días 6 y 2 de enero de 1915 respectivamente; los datos fueron tomados de *El Día*, 1 al 31 de enero de 1915.

Cuadro N° 2

Frigorífico Swift de Berisso. Personal empleado, obreros fijos, obreros transitorios y totales, 1949-1958.

Años	Empleados	Obreros fijos	Obreros transitorios	Total
1949	1.300	5.200	70	6.570
1950	1.280	4.890	590	6.760
1951	1.290	4.620	570	6.480
1952	1.290	4.110	560·	5.960
1953	1.350	3.880	500	5.730
1954	1.200	3.690	920	5.810
1955	1.230	3.480	3.150	7.860
1956	1.360	3.440	3.030	7.830
1957	1.420	2.710	3.280	7.410
1958	1.420	4.040	2.090	7.550

Fuente

Municipalidad de Berisso, *Plan Regulador*, 2, Expediente urbano. Bases y puntos de partida. Arq. José M. Pastor e Ing. José Bonilla, expertos en planeamiento, pág. 142.

Cuadro N° 3

Compañía Armour S.A. Personal empleado: empleados, obreros y totales, 1949-1958.

Años	Empleados	Obreros	Total
1949	870	4.760	5.630
1950	840	4.680	5.520
1951	810	4.250	5.060
1952	860	3.800	4.660
1953	830	3.600	4.430
1954	790	3.320	4.110
1955	760	3.890	4.650
1956	890	4.870	5.760
1957	900	4.850	5.750
1958	830	3.810	4.640

Fuente

Municipalidad de Berisso, *Plan Regulador*, 2, Expediente urbano. Bases y puntos de partida. Arq. José M. Pastor e Ing. José Bonilla, expertos en planeamiento, pág. 142.

El lugar de residencia del personal ocupado permite inferir el impacto que los ciclos de ocupación-desocupación tenían en la comunidad y sus alrededores. La inmensa mayoría vivía en el cuartel de Berisso, al que seguían en orden descendente La Plata y Ensenada. Los porcentajes de las empleadas y obreras que vivían en Berisso eran levemente superiores a los de los empleados y obreros, posiblemente porque de ese modo podían organizar mejor trabajo doméstico y extradoméstico.[3]

La concentración de trabajadores en las unidades productivas de Berisso fue importante y su magnitud resalta aún más cuando se la compara con el personal ocupado en el sector industrial de la provincia de Buenos Aires y con el de la producción de carnes en particular. Alrededor del 30 % de la mano de obra ocupada en la industria frigorífica de la provincia de Buenos Aires se concentraba en los frigoríficos de Berisso. Sólo dos unidades de producción (Swift y Armour) reunían miles de trabajadores frente a la dispersión de unas pocas personas en un abanico de pequeñas fábricas y talleres existentes en toda la provincia (Cuadro N° 4)

CUADRO N° 4

Establecimientos industriales y frigorificos de la provincia de Buenos Aires y frigoríficos de Berisso: cantidad de establecimientos y personal ocupado, según información censal.

	1914	1914	1935	1935	1947	1947
	Número de estableci-mientos	Personal ocupado	Número de estableci-mientos	Personal ocupado	Número de estableci-mientos	Personal ocupado
Establecimientos industriales de la provincia de Buenos Aires	14.848	98.937	10.385	128.278	23.745	284.358
Frigoríficos de la provincia de Buenos Aires	8	10.460	10	20.690	9	37.985
Frigoríficos de Berisso	1	3.000/4.000	2	6.500	2	11.500

FUENTES

Tercer Censo Nacional 1914, Levantado el 1 de junio de 1914, Tomo VII, Censo de las Industrias, Buenos Aires, 1917; *Censo Industrial de 1935*, págs. 57 y 201, *IV Censo Nacional*, 1947, págs. 67 y 206.

[3] Mirta Zaida Lobato: *La vida en las fábricas. trabajo, protesta y política en una comunidad obrera, Berisso 1907-1970*, tesis de doctorado, Facultad de Filosofía y Letras, Universidad de Buenos Aires, Julio de 1998, pág. 148 y Apéndice Estadístico.

Los orígenes

Berisso era –como se ha señalado– el barrio industrial y cosmopolita de la ciudad de La Plata. Según la información censal, la proporción de extranjeros sobre la población total de la localidad era significativamente más alta que la correspondiente al total del país. (Gráfico Nº 1).

Los gráficos Nº 1 y 2 son elocuentes: en la localidad de Berisso los porcentajes de extranjeros alcanzan cifras muy superiores a las que corresponden al total del país y ello se verifica también en cada una de las fábricas, sobre todo en las tres primeras décadas del siglo XX. En el período que se inicia con la apertura de las empresas y que se extiende hasta la crisis de 1930, la mayoría de los trabajadores proviene de algún punto de Europa o Asia Menor; durante la década del treinta y los comienzos de la década del cuarenta la cantidad de extranjeros comienza a declinar pero la nacionalización de los trabajadores sólo es visible al promediar el siglo xx.

La cantidad de grupos nacionales representados en las fábricas puede observarse en el Cuadro Nº 5. La heterogeneidad de origen, acorde con los registros de personal conservados en el frigorífico Armour, se repite para el Swift. Los grupos migratorios predominantes son los italianos y españoles como en el resto del país, pero es llamativo el alto porcentaje de aquellos que provienen de diferentes regiones del centro este europeo, de la península balcánica y de las áreas bajo dominación otomana. Rusos, polacos, checos, búlgaros, griegos, lituanos, servios, sirios y libaneses se mezclan en las fábricas convirtiéndolas en una babel.[4] En pocos casos los registros consignan el pueblo o la aldea de origen, pero hay algunos que se repiten con mayor frecuencia: Kiev, Minsk, Odessa dentro de los que aparecen con la denominación de rusos; Campobasso, Acquila, Chietti para los italianos, Quíos cuando se trata de griegos.

Si se vinculan los datos sobre el origen de los trabajadores obtenidos en las empresas con los referidos a la conformación de asociaciones nacionales y sus divisiones, se conforma un complejo cuadro donde aparece una población marcada por las divisiones religiosas (católicos, musulmanes, ortodoxos), por las luchas políticas (monárquicos y republicanos) así como por los enfrentamientos nacionales (servios, croatas, montenegrinos).

---

[4] La evolución de la población y los cambios en su composición en Zulma Recchini de Lattes y Alfredo Lattes: *La población de Argentina*, Instituto Nacional de Estadística y Censos, Indec, Serie investigaciones demográficas 1, Buenos Aires, 1975. Sobre la inmigración italiana es interesante Pedro V. Capdevila: *Ensayo de una biografía del inmigrante*, Buenos Aires, editado por el autor, 1966. Se refiere a la vida de Carlos Anselmo, un italiano que llegó al país en 1922. Luego de una primera actuación en Arias como cocinero de una cuadrilla trilladora, trabajó como boyero y en la recolección del maíz y otras tareas de campo. Fue a Berisso invitado por su hermano Luciano donde trabajó en un peladero de pavos del frigorífico Swift, págs. 75 y 76. En 1915, *El Día* señalaba: "En el frigorífico de La Plata (se refiere al Swift) [...] se ven diariamente centenares de hombres esperando frente a sus puertas obtener algún trabajo, son turcos, tártaros, armenios, montenegrinos, checos", *El Día*, 23 de enero de 1915 y *La Patria degli Italiani*, de la misma fecha.

Gráfico N° 1

Porcentajes de extranjeros sobre la población total del país y de Berisso.
Fechas censales: 1914, 1947, 1960 y 1970.

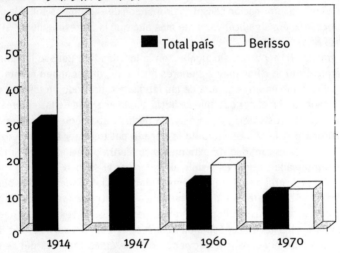

Fuente

Zulma Recchini de Lattes y Alfredo Lattes: *La población de Argentina*, Instituto Nacional de Estadística y Censos (Indec), Serie investigaciones demográficas I, Buenos Aires, 1975, pág. 65.
Los porcentajes están calculados sobre la base del cuadro N°1.

Gráfico N° 2

Frigoríficos Armour y Swift: Porcentajes de extranjeros y nativos en intervalos temporales
definidos.

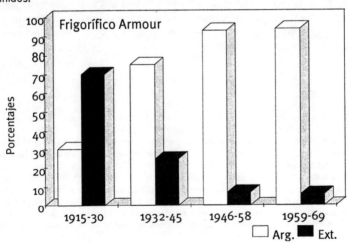

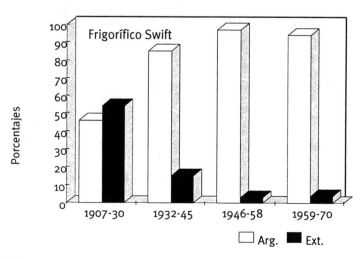

FUENTE

Registros de personal

Los trabajadores habían sido arrojados fuera de sus países por conflictos de diversa índole: no sólo por el hambre sino también por las inseguridades políticas, la "opresión nacional" y los temores de enfrentamientos armados. El grueso de la población había salido de sus respectivos países en momentos históricos donde se habían conformado algunos estados nacionales, pero persistían las diferencias existentes en el pasado basadas en las diferencias culturales. En el país receptor, tal el caso de la Argentina, la identificación de la nacionalidad se realizaba conforme la unidad estatal de acuerdo con los documentos que exhibía cada inmigrante; pero los registros de las empresas consignaban la nacionalidad siguiendo, a veces, las declaraciones de los trabajadores y allí se producía la aparición de su identidad regional.

El mayor movimiento de personas procedentes del centro este europeo y de los Balcanes se registró en la primera posguerra, en particular a partir de la introducción del sistema de cuotas en los Estados Unidos, en los años 1923–1924. Esto implicó una reorientación de la inmigración de ese origen hacia América Latina, en particular hacia la Argentina y el Brasil.[5] Parte de esa experiencia migratoria aparece en los recuerdos de Agustín, quien arribó a la Argentina en 1928 e ingresó, recién llegado, al Swift. Su relato entrecruza la experiencia personal con las políticas inmigratorias de los países receptores. Así recordaba las razones de su partida:

[5] Josef Opatrny: "Algunos problemas del estudio de la emigración checa a América Latina", en *Estudios Migratorios Latinoamericanos*, Nº 27, 1994, págs. 283-5; Rumen L. Avramon: "La emigración búlgara en Argentina (1900-1940)", en *Estudios Latinoamericanos*, 13, 1990, págs. 225-255. Es un análisis de las fuentes búlgara y argentina y en el artículo se destaca la importancia de la Argentina como país receptor de este grupo nacional desde 1921.

Yo no quería esperar otra guerra [...] en la primera guerra yo era chico y tenía que trabajar en lugar de hombre [...] nosotros éramos campesinos, teníamos más o menos una hectárea, después de la guerra repartían tierras, (se las) sacaban al conde [...] (en el) año '23 la gente comenzó a salir. Los muchachos vienen del frente, se casan, no hay trabajo ¿y adónde van a trabajar? Antes de la guerra iban a Norteamérica pero ya no le daban pasaje, entonces Argentina se abrió a la inmigración y se venían acá.[6]

Los "turcos" también encontraron abrigo bajo los tentáculos de acero de las empresas en la primera etapa de su historia. Hambre, pobreza y temores eran motivos comunes a diferentes grupos nacionales y razones de peso para emigrar. En sucesivas oleadas los "turcos" que llegaron a la Argentina lo hicieron desde la medialuna del "creciente fértil": de Siria, Palestina, Líbano y Jordania, cuatro regiones dominadas por los turcos desde el siglo XVI y que formaron parte del Imperio Otomano hasta la Primera Guerra Mundial.

La diáspora podía iniciarse en una aldea cercana a Beirut y se desparramaba en la ciudad de Buenos Aires, en sus alrededores, en el noroeste argentino (Salta, Santiago del Estero), en los territorios patagónicos (Neuquén).[7] Es conocida la historia de sirio–libaneses que, como vendedores ambulantes, "mercachifles", recorrían los pueblos pequeños y medianos en toda la extensión del territorio nacional. La pujanza comercial de los "turcos" y su rápida integración y asimilación es destacada toda vez que se los localiza entre las familias políticas más importantes de la actualidad. Los Sapag en Neuquén, los Salim y Miguel en Santiago del Estero, los Saadi en Catamarca son los nombres más conocidos de "familias tradicionales" construidas, algunas de ellas, no más allá de la década del treinta. Son el modelo de integración y ascenso social que una Argentina abierta posibilitaba.

Los "turcos" de Berisso, al menos en esta historia, no sólo se encuentran detrás de algunas de las máximas autoridades municipales que ostentan apellidos árabes, sino también están representados por aquellos cuyas historias son menos exitosas. En el análisis de la experiencia laboral importan las situaciones vividas por protagonistas anónimos como Judi, quién arribó en la década del diez, vivió y murió hacinado en una pieza de chapa y trabajó en casi todas las secciones de los dos frigoríficos. Importa la historia de Alí, que entre 1920 y 1925 trabajó, con períodos de desocupación, en las cámaras frías y cuyo rastro se pierde luego de ser despedido. La de un miembro de la Sociedad Islámica que en 1986 todavía vivía en una casa derruida de la calle Londres, y que durante "toda su vida" trabajó en la sección cueros. Se trata de la "gente común" y pensar sus experiencias resulta necesario para reflexionar sobre la Argentina "abierta a la aventura del ascenso social", sobre sus costos sociales y las alegrías y los sinsabores de una vida de trabajo.

[6] Taller de historia oral Club Eslovaco Argentino de Berisso, sesión del 7 de octubre de 1986.
[7] Santiago M. Peralta: *La acción del pueblo árabe en la Argentina. Apuntes sobre inmigración*, Buenos Aires, 1946. Sobre la localización espacial del grupo en el Noroeste argentino véanse los trabajos de Gladys Jozami: "Aspectos demográficos y comportamiento espacial de los inmigrantes árabes en el NOA", en *Estudios Migratorios Latinoamericanos*, Nº 5 abril de 1987 y Alberto Tasso: *Aventura, Trabajo y Poder. Sirios y Libaneses en Santiago del Estero (1880-1980)*, Indice, Buenos Aires, 1989; y para el territorio de Neuquén, Enrique Masés, Alina Frapiccini, Gabriel Rafart y Daniel Lvovich: *El mundo del trabajo: Neuquén 1884-1930*, Neuquén, G.E.Hi.So, 1994.

Cuadro Nº 5

Frigorífico Armour: Personal empleado según país de origen, en intervalos temporales definidos entre 1915 y 1969.

Origen	1915-1930	1931-1945	1946-1958	1959-1969
Albanos	22	1		
Alemanes	20	2	1	1
Árabes	237	12	1	
Armenios	39	2		
Austríacos	20	4		
Belgas	1			
Bolivianos		1		14
Brasileños	7	2	1	
Búlgaros	82	18	3	1
Checoslovacos	65	25		
Chilenos	2	3		1
Cubanos	1	1		
Dálmatas	1			
Dinamarqueses	7			
Eslavos	42			
Españoles	166	30	7	7
Estadounidenses	8			
Franceses	11	1		
Griegos	51	2		2
Húngaros	8	2		1
Indios	2			
Ingleses	7	1		
Irlandeses	7			
Israelíes	8			
Italianos	386	49	31	20
Japoneses	23			
Lituanos	65	63		1
Malteses	1			
Montenegrinos	2			
Paraguayos	1	5	2	3
Persas	1			
Peruanos			10	22
Polacos	176	110	9	5
Portugueses	20	3		
Rumanos	10	7	2	
Rusos	309	10	2	
Servios	18			
Sudafricanos				1
Turcos	6			
Ucranianos	8	2		
Uruguayos	44	12	2	
Yugoslavos	33	17	3	
Totales	1.917	385	74	79

Fuente

Elaboración propia según registros de personal.

Alrededor de la experiencia de los inmigrantes en el mundo de la fábrica volveré en otros capítulos integrando sus costumbres laborales con las de los grupos nativos que crecen numéricamente desde la década del treinta. En efecto, por esa época comienza a verificarse una disminución en la participación de los trabajadores varones extranjeros, aunque hasta la caída del gobierno peronista los grupos mas representados siguen siendo lituanos, árabes e italianos así como checos y búlgaros. Como en la ciudad de Buenos Aires y sus alrededores, los migrantes de países limítrofes también llegaron a la localidad. Perú, Paraguay y Uruguay fueron los países sudamericanos que aportaron mano de obra.

En el caso del personal femenino, el movimiento fue similar al de los varones en el período expansivo de la producción. Italianas y españolas compartían con polacas, lituanas, checas y rusas los mayores porcentajes de participación. La presencia de mujeres migrantes (externa e interna) en las fábricas en períodos tempranos pone en cuestión un estereotipo que emerge de los estudios migratorios: los migrantes son hombres y las mujeres acompañan como esposas o madres el movimiento de población. Además, son económicamente inactivas. Las fábricas de Berisso colocan en primer plano la migración femenina, informan sobre sus lugares de procedencia (las áreas de origen implican el traslado desde zonas distantes) y las incorporan al trabajo productivo.[8]

Respecto a los trabajadores nativos, los cuadros N° 6 y 7 muestran su procedencia y evolución. La población obrera nativa pasa a constituirse en mayoría sólo durante los años treinta por dos motivos convergentes: la nacionalización progresiva de la población y una mayor presencia de personas nacidas en otras provincias (Gráfico N° 2). Inicialmente, la mayoría se movilizaba a Berisso desde diferentes puntos de la propia provincia de Buenos Aires, pero ya en los años treinta se advierte una mayor proporción de trabajadores procedentes de Santiago del Estero, Tucumán, Catamarca y de las provincias nordestinas, entre las que se destacaba Corrientes.

Al promediar el siglo los registros de las empresas no consignaban el lugar de procedencia de los trabajadores nativos pero en muchos casos se establecía el domicilio de los padres. Aún cuando se considerara que la información es fragmentaria, se verifica la tendencia anunciada en el periodo previo sobre los porcentajes de participación de los migrantes provenientes de las provincias del noroeste y nordeste. La información fabril es relevante porque coincide con las tasas de migración. En efecto, Catamarca, La Rioja, Corrientes, Santiago del Estero y Entre Ríos tienen tasas de migración neta de signo negativo en todos los períodos intercensales, mientras que Chaco, Formosa y Misiones lo tienen a partir del intervalo 1914–1947.[9]

---

[8] Los estudios sobre migraciones femeninas se refieren a las etapas recientes de la historia argentina, en particular a la década del setenta. Se puede consultar Zulma Recchini de Lattes: *Las mujeres en las migraciones internas e internacionales, con especial referencia a América Latina*, Buenos Aires, Cuaderno del CENEP N° 40, 1988 y Ruth Sautu: *Oportunidades ocupacionales diferenciales por sexo en la República Argentina*, Buenos Aires, CENEP, 1979.

[9] Las tasas medias anuales de migración neta total y migración neta de nativos, por provincias en los períodos intercensales 1869-1960 en, Zulma Recchini de Lattes y Alfredo E. Lattes: *Ob. Cit.*, págs. 104 y 105. Del interior empobrecido hay una provincia que se destaca: Santiago del Estero. La mayoría de los

Cuadro N° 6

Frigorífico Armour: personal empleado según provincia de procedencia, en intervalos temporales definidos entre 1915 y 1969.

	1915-1930	1931-1945	1946-1958	1959-1969
Argentinos sin especificar provincia de origen	227	127	870	968
Argentinos naturalizados	8	2	1	4
Región pampeana				
Capital Federal	63	41	3	3
Buenos Aires	467	755	55	91
Córdoba	8	18	4	8
Entre Ríos	17	30	2	6
Santa Fe	3	47	5	7
La Pampa	3	12	2	
Subtotal	561	903	71	116
Región Nordeste				
Corrientes	5	27	3	7
Chaco		2	1	12
Formosa	3			1
Misiones		1		2
Subtotal	8	30	4	22
Región Noroeste				
Catamarca	2	2	1	1
Jujuy		1		
La Rioja	4	7		
Salta	1		1	
Sgo.del Estero	1	46	14	15
Tucumán	2	6	2	3
Subtotal	10	62	18	19
Región de Cuyo				
Mendoza	3	4		
San Juan	2	5		
San Luis	1	5		3
Subtotal	6	14		3
Región Patagónica				
Chubut	1	4		2
Neuquén	1	1		
Río Negro		1		
Santa Cruz		1		
Tierra de Fuego				
Subtotal	2	7		2
Desconocido		2		
Totales	822	1.147	964	1.134

Fuente

Registros de personal

Cuadro N° 7

Frigorífico swift: personal empleado según provincia de procedencia, en intervalos temporales definidos entre 1907 y 1970.

	1907-1930	1931-1945	1946-1958	1959-1969
Argentinos sin especificar provincia de origen	270	777	87	8
Argentinos naturalizados	7	4	2	
Región pampeana				
Capital Federal			1	5
Buenos Aires		10	31	90
Córdoba		1		7
Entre Ríos			1	7
Santa Fe				6
La Pampa				4
Subtotal		11	33	119
Región Nordeste				
Corrientes			5	13
Chaco				4
Formosa				
Misiones			1	5
Subtotal			6	22
Región Noroeste				
Catamarca				4
Jujuy				1
La Rioja				
Salta				
Santiago del Estero			5	10
Tucumán				9
Subtotal			5	24
Región de Cuyo				
Mendoza				
San Juan				
San Luis		1		1
Subtotal		1		1
Región Patagónica				
Subtotal				
Desconocido		2		
Totales	277	805	177	339

Fuente

Registro de Personal

---

santiagueños de Berisso provenían del Departamento Loreto y de parajes muy pequeños, como Diente del Arado, La Noria, Tío Pozo, Ayuncha, entre otros. La descripción de uno de esos parajes es muy simple: un rancho, en ocasiones unas vacas y algunos caballos y el corral de las cabras. Un algarrobo o un mistol con su sombra y, a veces, un tunal. Cuando el paraje era más grande incluía unas pocas viviendas diseminadas. Ocasionalmente podía encontrarse en ellos una escuela.

La mayor presencia de trabajadores extranjeros (hombres y mujeres) en las tres primeras décadas del siglo XX y la creciente integración de nativos de ambos sexos procedentes de otras provincias pueden ser relacionadas tanto con la conformación de los equipos de trabajo como con las diferentes formas de vida, experiencias culturales que se mezclan y procesan en múltiples direcciones en las fábricas.

El origen de la población obrera de los frigoríficos se encuentra en el centro de algunas interpretaciones sobre su organización gremial y su relación con la política. David Rock señala en su investigación sobre el radicalismo, que la presencia de inmigrantes provenientes de los países de Europa central o de los Balcanes hizo que el gobierno radical, al que sólo le interesaba establecer relaciones clientelísticas con los trabajadores, no interviniera en sus conflictos, en particular durante la gran huelga de 1917. Eran extranjeros, no estaban nacionalizados y por tanto no eran ciudadanos con derechos electorales.[10]

Charles Bergquist, deteniéndose un poco más en los espacios de trabajo, expresa que las empresas cárnicas estimulaban la división de los obreros por el origen y el tipo de tarea, del mismo modo que las firmas norteamericanas operaban en Estados Unidos. Bergquist interpreta que las dificultades de los trabajadores para organizarse se deben a una rígida localización espacial y laboral, a lo que añade la presencia de mujeres.[11]

Las interpretaciones de Gino Germani sobre el papel de los migrantes internos en los orígenes del peronismo han dado lugar a una abundante literatura, donde los trabajadores de Berisso están siempre presentes.[12] En esa literatura sobre el peronismo se menciona a Berisso como el lugar desde donde salieron las nutridas columnas de los obreros de los frigoríficos que, conducidos por Cipriano Reyes, rescataron a Perón y dieron origen a un nuevo movimiento político nacional.

Las formas de organización de los trabajadores, su participación en el movimiento obrero y su relación con las fuerzas políticas son temas importantes en todo estudio sobre trabajadores. Pero hasta aquí, y con los datos de los registros de personal, lo que queda claramente establecido es la existencia de un arco de nacionalidades que puede asociarse con idiomas distintos, con formas de vida igualmente diversas. Se puede inferir

---

[10] David Rock: *El radicalismo argentino, 1890-1930*, Buenos Aires, Amorrortu, 1977, en particular págs. 162 a 166.

[11] Charles Bergquist: *Los trabajadores en la historia latinoamericana. Estudios comparativos de Chile, Argentina, Venezuela y Colombia*, Colombia, Siglo XXI, 1988, capítulo II, Argentina.

[12] Gino Germani: *Política y sociedad en una época de transición. De la sociedad tradicional a la sociedad de masas*, Buenos Aires, Paidós, 1968. El debate se estructuró alrededor del comportamiento electoral y los trabajos más importantes publicados en distintas revistas se encuentran reunidos en Manuel Mora y Araujo e Ignacio Llorente (compiladores): *El voto peronista. Ensayos de sociología electoral argentina*, Buenos Aires, Sudamericana, 1980. Sobre los trabajadores, los sindicatos y el 17 de octubre se vertebró otra discusión. También en este caso la literatura dispersa está reunida en Juan Carlos Torre (compilador): *La formación del sindicalismo peronista*, Buenos Aires, Legasa, 1988 y *El 17 de octubre de 1945*, Buenos Aires, Ariel, 1995. Véase también Hugo del Campo: *Sindicalismo y peronismo. Los comienzos de un vínculo perdurable*, Buenos Aires, CLACSO, 1983 y Juan Carlos Torre: *La vieja guardia sindical y Perón. Sobre los orígenes del peronismo*, Buenos Aires, Sudamericana, 1990.

también –de acuerdo con los domicilios de los padres del trabajador y por sus empleos anteriores– que se trataba de personas que habían pasado breves estadías en las ciudades más cercanas a sus aldeas de origen, o que tenían alguna experiencia urbana previa en la Argentina, así como que provenían de las áreas rurales de la Europa central y oriental, de Asia Menor o de los más tradicionales países de emigración como España e Italia o del campo argentino. Modos de vida, expectativas o aspiraciones diferentes coloca las cuestiones vinculadas a las relaciones existentes entre trabajo y movimientos migratorios en la formación de la clase obrera como relevantes y volveré sobre este aspecto en los capítulos donde se analizan las condiciones de trabajo, formas de protestas y organización.

El sexo/género

Trabajadores, hombres y mujeres, compartían el cotidiano laboral en los frigoríficos Swift y Armour. Las empresas empleaban entre 3.000 y 5.000 trabajadores, de los cuales un 30% eran mujeres. Alrededor de 1000 a 1500 mujeres, en diferentes turnos laborales, producían bienes para el mercado y, en sus hogares, se encargaban de la reproducción de la fuerza de trabajo. Al incorporarse al trabajo extradoméstico, las obreras vivían una experiencia singular: la doble jornada laboral. Sin embargo, no fue éste un rasgo específico de la experiencia obrera femenina en la Argentina, sino una característica común del trabajo femenino verificable en otros países tanto americanos como europeos.[13]

Las historias sobre el movimiento obrero y los sectores populares en la Argentina soslayan los problemas asociados a la participación de las mujeres en el mercado de trabajo. Hablan de trabajadores presuponiendo que son varones, o subsumen la experiencia de las mujeres en la de sus compañeros. Sin embargo, la integración de hombres y mujeres al trabajo fabril generaba situaciones, comportamientos, relaciones y representaciones diferenciadas que analizaré en los otros capítulos. En este punto sólo se muestra la evolución la población empleada de acuerdo con el género de los trabajadores.

El gráfico Nº 3 da cuenta de las variaciones que se produjeron en la participación femenina a lo largo de la historia de las empresas. En los tramos iniciales de la vida de las compañías los porcentajes oscilaban entre un 15% y un 25%. Este porcentaje aumentó a un 35% por ciento en la década del treinta y declinó durante el período peronista para aumentar nuevamente desde fines de la década del cincuenta. Otras fuentes empresarias consignan que, en términos generales, el 30% de los trabajadores eran mujeres. Las variaciones en los porcentajes de participación femenina pueden explicarse

---

[13] La bibliografía es extensa y sólo a título indicativo se mencionan los siguientes textos: Tamara Hareven: op. cit. John French and Daniel James (ed.): op. cit.; Linda Briskin & Linda Yanz: *Unión Sisters. Women in the Labour Movement*, Toronto, The Women Press, 1985; Pat Armstrong-Hugh Armstrong: *The Double Ghetto. Canadian Women and their Segregated Work*, McClelland and Stewart, Toronto, 1984; Jennifer Penney: *Hard Earned Wages. Women Fighting for Better Work*, Toronto, The Women Press, 1983; Eva Alterman: *Trabalho Domesticado: A mulher na Indústria Paulista*, São Paulo, Editora Atica, 1978.

Frigoríficos Swift y Armour: Porcentajes de población empleada según sexo, en intervalos temporales definidos entre 1907-1970 y 1915-1969.

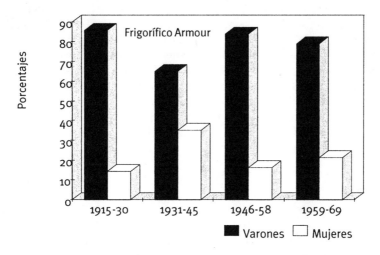

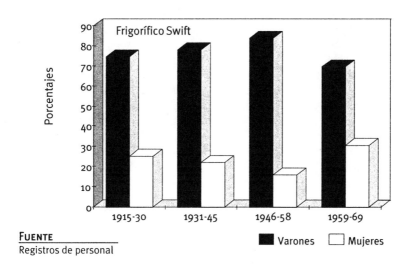

FUENTE
Registros de personal

de diferentes maneras. Por un lado, es posible que el ordenamiento del fichero del personal y el azar hayan favorecido una "sobre representación" de los trabajadores varones, que constituían el grueso de la población fija y temporaria de los establecimientos. Por otra parte, es posible también que en el momento inicial de la producción de carnes la mayor parte de la población que llegaba a Berisso fuera masculina y luego, a medida que las posibilidades de conseguir trabajo se difundieron, llegaran no sólo nuevos trabajadores varones sino también mujeres solas y grupos familiares.

En las grandes empresas de la industria de la carne, como Swift y Armour, y en las pertenecientes a otras ramas industriales, como Alpargatas o Bagley, la dimensión cotidiana del trabajo se articulaba alrededor de hombres y mujeres. Esta tendencia a la existencia de una alta concentración de capital y de mujeres en la industria de Buenos Aires se verifica desde fines del siglo XIX y matiza la visión corriente sobre la ausencia de las mujeres en la industria.[14]

Las edades

La integración a la escena fabril de hombres y mujeres de diferentes edades constituye un complejo de problemas relacionado con lo que sucede en las unidades de producción (diferencias ocupacionales y salariales para hombres y mujeres de edades diversas), así como fuera de ellas en las actividades de mantenimiento y reproducción de la población.[15]

Los cuadros Nº 8 y 9 muestran la participación en el trabajo fabril en las distintas franjas etarias de hombres y mujeres, nativos y extranjeros. El predominio de las franjas de los 18 a los 27 años y de los 28 a los 37 años es claro e indiscutible, así como la escasa importancia del trabajo infantil.

Al considerarse las edades de los trabajadores, cobran importancia las diferencias relacionadas con su sexo/género. El ingreso a las fábricas de mujeres en las edades más activamente vinculadas con la reproducción biológica replantea un problema que, aunque viejo y asentado firmemente en el *sentido común*, no ha sido resuelto. Los roles asignados a hombres y mujeres, tanto en la familia como en el mercado de trabajo, son asimétricos y ellos operan conflictivamente cuando las prioridades socialmente construidas son alteradas. Desde fines del siglo XIX, en la sociedad argentina, la familia, el hogar y el trabajo doméstico correspondían a las mujeres y el trabajo remunerado en el mercado, a los varones.

---

[14] Fernando Rocchi: *Concentrations of Women and Capital: Early Industrializations in Buenos Aires*, ponencia presentada en: XVIII International Conference of the Latin American Studies Association (LASA), Atlanta, 1994.

[15] Utilizo aquí el término reproducción en sus tres dimensiones o niveles: 1) la reproducción biológica (familiar y social), 2) la reproducción cotidiana (mantenimiento de la población existente a través de las tareas domésticas de subsistencia) y 3) la reproducción social (todas las tareas extra-domésticas destinadas al mantenimiento del sistema social). Tomo aquí la síntesis realizada por Elizabeth Jelin: *Familia y unidad doméstica: mundo privado y vida pública*, Buenos Aires, Cedes, 1984, pág. 10.

Cuadro N° 8

Frigorífico Armour: Personal masculino y femenino por grupos de edad y origen, 1915-1969. (En porcentajes)

Edad	Arg. varones	Ext. varones	S/d varones	Total varones	Arg. mujeres	Ext. mujeres	Total mujeres
- de 14					0,1	0,2	0,1
14-17	5,6	2,1	16,6	4,2	9,2	3,6	8,0
18-27	65,9	45,4	50,0	57,8	61,9	51,7	58,7
28-37	22,2	38,6	16,6	28,7	23,6	35,7	27,1
38-47	5,2	11,7		7,8	2,5	6,5	3,7
48-57	0,2	1,3		0,7			
58-67	0,1	0,2		0,1	0,1	0,2	0,1
68-77							
Sin datos	0,5	0,3	16,6	0,4	1,9	1,7	2,0
Total	100,0	100,0	100,0	100,0	100,0	100,0	100,0

Fuente

Mirta Zaida Lobato: *La vida en las fábricas...* op. cit., cuadros N° 13 y 14, pág. 169.

Cuadro N° 9

Frigorífico Swift. Personal masculino y femenino por grupos de edad y origen, 1907-1970. (En porcentajes)

Edad	Arg. varones	Ext. varones	S/d	Total varones	Arg. mujeres	Ext. mujeres	Total mujeres
- de 14	0,6	0,5		0,6	1,6	0,1	1,8
14-17	17,0	11,0		5,7	19,5	19,8	19,6
18-27	60,0	53,7		60,6	57,7	59,4	58,1
28-37	19,0	20,2		19,3	18,9	18,8	18,9
38-47	2,7	3,5		2,9			
48-57	0,3			0,2	0,1		1,6
58-67							
68-77							
sin datos	0,1	0,8		0,3			
Total	100,0	100,0		100,0		100,0	100,0

Fuente

Mirta Zaida Lobato: *La vida en las fábricas ...* op. cit., cuadros N° 15 y 16, pág. 170.

En realidad, se reconocía que las mujeres, en particular las de los sectores populares, podían y debían (si era necesario) trabajar en el mercado; pero este derecho y deber estaba subordinado a su obligación primordial: la dedicación al hogar, a los hijos, al marido. Si sólo en caso de *necesidad* las mujeres podían ser consideradas como productoras, la fábrica era un lugar de paso, pues su realización estaba en el hogar y en la maternidad. El varón, en cambio, estaba obligado a obtener un empleo remunerado para dar de comer a su familia y las obligaciones familiares de otro tipo pasaban a un plano secundario. La asociación mujer–madre se fue edificando en un largo proceso, de manera paralela a la del *bread winner* masculino.[16]

La conformación de este contexto cultural con roles, funciones, valoraciones diferentes para hombres y mujeres era una parte constitutiva de las situaciones vividas en la familia, en la escuela y en el trabajo. Ahora bien, como se desprende de los cuadros precedentes el grueso del personal femenino inicia su vida laboral en la franja etaria de los 18–27 años, tanto entre las nativas como entre las extranjeras. Esos diez años eran significativos en la vida de una mujer. Generalmente se entraba al matrimonio, posiblemente las mujeres se convertían en madres. Era un período de la vida donde el doble trabajo constituía la nota destacada. Las mujeres realizaban las tareas del hogar y aportaban al sostenimiento del grupo familiar con el salario obtenido en las actividades extradomésticas. La relación entre trabajo fabril y doméstico adquiere mayor complejidad cuando se profundiza el examen de las obligaciones domésticas asociadas al comportamiento reproductivo (número de hijos) de las mujeres.

Sin embargo, y antes de avanzar en la búsqueda de algunas respuestas, es necesario realizar un breve comentario sobre la presencia femenina en la industria de la carne. El alto porcentaje de participación de mujeres en los frigoríficos –un sector que se nos presenta como dinámico y moderno dentro de la industria en la Argentina– matiza, cierto que parcialmente, las conclusiones sobre participación femenina en las actividades económicas en el largo plazo. En estos estudios sobre el empleo femenino se sostiene que la participación de las mujeres en el mercado laboral en los inicios del "proceso de desarrollo" es elevada porque no hay ruptura entre las funciones domésticas y las económicas, pero que con las transformaciones en el campo, las migraciones rural–urbanas y la destrucción de las formas artesanales de producción, las tasas de participación femenina decrecen bruscamente, para elevarse cuando se completa la

---

[16] Algunas de estas ideas en Mirta Zaida Lobato: "Mujeres obreras, protesta y acción gremial en la Argentina: los casos de la industria frigorífica y textil en Berisso", en Dora Barrancos (comp.): *Historia y Género*, Buenos Aires, CEAL, 1993, pág. 70 a 76 y en "Women Workers in the 'Cathedral of Corned Beef': Structure and Subjectivity in the Argentine Meat Packing Industry", en John French-Daniel James (ed.): op. cit. También Catalina H. Wainerman y Marysa Navarro: *El trabajo de la mujer en la Argentina: un análisis preliminar de las ideas dominantes en las primeras décadas del siglo XX*, Buenos Aires, Cuadernos del Cenep Nº 7, 1979 y Marcela Nari: *La mujer obrera: entre la maternidad y el trabajo. Reproducción biológica, familia y trabajo en la vida de las mujeres de clase obrera de la ciudad de Buenos Aires entre 1890 y 1930*, Informe de investigación, Facultad de Filosofía y Letras, UBA, 1995-1996.

diversificación económica.[17] Esto explicaría, por ejemplo, la caída en las tasas de participación hacia fines del siglo XIX y su tendencia a la recuperación que se hizo evidente en los años sesenta.

Sin embargo, los cambios en la economía argentina –particularmente en el litoral pampeano, con su crecimiento relativo de las industrias destinadas a la exportación (frigoríficos) como a la satisfacción de las necesidades de la demanda interna, producto del crecimiento de la población– generaron un campo para la participación económica de las mujeres de los sectores populares, en el mismo momento en que se verificaría su declinación. Esas mujeres se concentraban en fábricas con una estructura organizativa moderna que requería trabajadores sin calificación, que pudieran adaptarse rápidamente a diferentes tareas. Trabajaban en grandes unidades productivas y no estaban diseminadas como las amasadoras, domésticas o costureras y tejedoras que algunos autores rescatan del olvido.

Menos problemática resulta la presencia de menores. Los datos de las empresas borran la imagen de niños que caen devorados por las inmensas fauces de las fábricas, imagen que los estudios sobre la Revolución Industrial inglesa ayudaron a difundir.[18] Los porcentajes de participación de los niños obreros en ambos establecimientos eran muy pequeños y también poco significativos, más allá de la importancia que tienen para un examen de la infancia como un problema más amplio.

Sin embargo el frigorífico Swift contaba con un porcentaje de menores un poco mayor en las tres primeras décadas del siglo XX, y el segmento de los 14-17 años superaba el 15% de la población obrera de ese establecimiento. La desaparición posterior de los registros fabriles se relaciona, posiblemente, con la legislación protectora del trabajo de los menores (la ley es de 1907) y con la presencia que tiene el Estado en el mundo del trabajo.

Dentro de los escasos porcentajes que indican la débil presencia de *niños obreros,* los datos empresarios dan cuenta también de las diferencias que separaban a los niños de las niñas obreras. Las empresas contrataban más varones nativos que niñas, necesarias por otra parte para los menesteres del hogar, cuando el padre y la madre trabajaban en alguno de los establecimientos fabriles.

---

[17] Se trata de la denominada curva en U utilizada por numerosos autores. Véase Zulma Recchini de Lattes y Catalina Wainerman: "Empleo femenino y desarrollo económico: algunas evidencias", en *Desarrollo Económico*, vol 17, Nº 66, julio-septiembre de 1977; Ernesto Kritz: *La formación de la fuerza de trabajo en la Argentina: 1869-1914*, Cuaderno del Cenep Nº 30, Buenos Aires, 1985, y el trabajo pionero de Ester Boserup: *La mujer y el desarrollo económico*, España, Minerva, 1993.

[18] Juan Suriano ha señalado en uno de los primeros trabajos sobre el tema que los problemas vinculados con el trabajo infantil están relacionados con el llamado empleo informal en "Niños trabajadores. Una aproximación al trabajo infantil en la industria porteña de comienzos de siglo", Diego Armus (compilador): *Mundo urbano y cultura popular. Estudios de historias social argentina*, Buenos Aires, Sudamericana, 1990.

El estado civil

El estado civil es un indicador de las mayores o menores responsabilidades que puede tener la persona que trabaja para satisfacer sus necesidades y la de su familia. Alrededor del 70% de los obreros eran solteros y, probablemente, esto implicaba que sus responsabilidades estaban limitadas a su manutención. También las mujeres solteras tenían altos porcentajes de participación en los dos establecimientos, en particular las trabajadoras nativas (alrededor del 60%). Sin embargo, entre las mujeres extranjeras de Armour el 46% había entrado al matrimonio en la primera mitad del siglo XX, y ese porcentaje se incrementaría en alrededor de diez puntos en la mitad siguiente. Por otra parte, en el frigorífico Swift más de la mitad de las obreras eran solteras.

CUADRO Nº 10

Frigoríficos Armour y Swift. Personal masculino y femenino: Estado civil en intervalos temporales definidos, 1915-1969 y 1907-1970. (En porcentajes)

	Armour varones	Armour mujeres	Swift varones	Swift mujeres
Solteros	64,0	49,6	77,4	58,7
Casados	34,8	45,8	21,8	39,7
Viudos	0,3	1,9	0,2	1,4
Separados		0,5		
Sin datos	0,6	2,0	0,5	0,4
Total	100,0	100,0	100,0	100,0

FUENTE

Mirta Zaida Lobato: *La vida en las fábricas...* op. cit. Cuadros 17 a 21, págs. 175 a 178.

El alto porcentaje de mujeres extranjeras casadas y en edades donde se tenían mayores cargas laborales domésticas estaba en estrecha relación con su condición de inmigrantes que buscaban mejorar su situación económica (eran mujeres que habían salido de sus países de origen en edades adultas). Ese porcentaje es también un dato revelador de las alternativas laborales con que contaban amplias capas de la población que se incorporaban al mercado de trabajo sin una especialización determinada.

El estado civil declarado por las mujeres en el momento de confeccionar la ficha de ingreso a las fábricas es sólo un indicador, pues en muchos casos las familias de los sectores populares eran el resultado de uniones de hecho y en otros tantos las mujeres eran madres solteras. Las dificultades alrededor del estado civil (solteras con hijos, uniones de hecho, separadas que se dicen solteras) se presentan también en los análisis sobre información censal y forman parte de los problemas inherentes a las fuentes de información. [19]

[19] Edith Alejandra Pantelides: *Las mujeres de alta fecundidad en la Argentina. Pasado y futuro*, Cuaderno N° 22, Buenos Aires, Cenep, 1982, pág. 2.

La presencia de mujeres–madres–solteras surge cuando se mira el renglón referido a los hijos; allí aparece, aunque parcial y fragmentariamente, las edades y el sexo de los pequeños. Respecto al número de hijos hay una pequeña diferencia en el comportamiento reproductivo de las mujeres nativas y extranjeras. Mientras las últimas no llegaban a los dos niños en promedio, las nativas alcanzaron los 2,5 en promedio. Desde un punto de vista general, las mujeres obreras aquí estudiadas limitaron el número de nacimientos, acorde con la evolución general de la tasa de natalidad que registró descensos significativos desde principios de siglo.[20]

La mayor cantidad de frecuencias en el renglón del número de hijos declarados por las obreras del frigorífico Armour se ubica en las franjas etarias de los 3-6 años, 6-9 años y 0-3 años, en ese orden. ¿Qué inferencias podríamos realizar? Si encontramos un predominio de los niños cuyas edades oscilan entre 3 y 9 años es posible suponer que éstos necesitaban el control y la vigilancia de un adulto, probablemente una vecina o un familiar; o simplemente quedaban a cargo de niños mayores. Los más chiquitos (0-3 años) obligaban a la realización de otros arreglos familiares o requerían de una ayuda institucional (jardines maternales) que permitiera a la mujer realizar una tarea remunerada de carácter extradoméstico. Como se ha señalado en el capítulo anterior, las fábricas no contaron con esos espacios sociales inicialmente; sólo al comenzar la década del cuarenta se instalaron guarderías a las que pudieron acceder los niños de las madres obreras.[21] Sin embargo, la existencia de jardines maternales no resolvía el problema totalmente: los jardines no podían albergar a todos los niños y cuando éstos entraban en edad escolar no eran admitidos en las guarderías; además quedaba pendiente cómo afrontar su costo pues éste constituía un gasto adicional que debía sumarse al presupuesto familiar.[22]

---

[20] Compárese con la tasa media y mediana de la paridez en Argentina, tomada de Edith Alejandra Pantelides: *Las mujeres de alta fecundidad en la Argentina. Pasado y futuro*, Cenep, Buenos Aires, 1982, pág. 6.
Total del país. Media (X) y mediana (Md) de la distribución de las mujeres no solteras según paridez. Fechas censales disponibles.

Fecha	X	Md
1895	4,7	3,4
1914	4,6	3,4
1947	3,4	2,0
1970	2,9	1,7

[21] Como ya he señalado, las empresas construyeron sus jardines maternales en la década del cuarenta; pero para esa época el más antiguo de los establecimientos, Swift, tenía 34 años de antigüedad, tantos como el problema de las "madres que trabajan" En 1941 inauguraron el jardín maternal y una beba de once meses fue "la primera pensionista" La compañía utilizó el poder de la fotografía para destacar esta novedad. En la tapa de la revista *Swiftlandia* y bajo el título "Mientras las madres trabajan", una foto mostraba una vista parcial de la sala maternal con la siguiente leyenda ".. los pequeños descansan o juegan ... se puede apreciar las comodidades que gozan los hijos del personal. Mientras las madres cumplen sus tareas en el establecimiento, los pequeños están bajo la vigilancia del personal competente quienes se encargan del cuidado general de ellos durante el tiempo que se encuentran en la sala." En la contratapa colocaron otra foto bajo el título "Fue la primera". Era Noemí Marconi, de 11 meses de edad, la primera niña que ingresó a la sala; su mamá trabajaba en la sección vegetales. *Swiftlandia*, abril de 1941.
[22] Los vínculos entre trabajo y obligaciones familiares planteaban un serio problema a las obreras-madres. En este aspecto, a la fría cuantificación del número de hijos promedio puede agregarse un

Experiencias laborales previas

¿Cómo había sido el mundo de estos trabajadores antes de su ingreso a las fábricas?, ¿de qué manera fueron armando sus experiencias de trabajo? La ocupación anterior consignada en los registros laborales ayuda a encontrar unas pocas respuestas. Se puede confeccionar una larga lista con nombres de los lugares declarados, pero no sabemos que hacían exactamente en esos lugares. Sin embargo, las empresas no sólo preguntaban la ocupación anterior sino también la "profesión". La mayoría declaraba ser jornalero cuando entraba a las fábricas por primera vez. Los jornaleros son tanto aquellos que trabajan por un jornal diario como los que no tienen un lugar fijo en el mercado laboral, alternando ocupaciones rurales y urbanas o diferentes tareas en la ciudad. La ocupación de "jornalero" nos permite inferir que las empresas demandaban asalariados sin especialización, de manera estacional y temporal.

Por otra parte, los obreros de Berisso eran en su mayoría recién llegados (del exterior o de otras provincias) y sólo querían encontrar un lugar en el mercado laboral. En este caso, sus saberes o el oficio importaban menos. Para un puesto de "peón raso" bastaba la fortaleza aparente y, ya en la fábrica, la "predisposición" para el trabajo. Para un recién llegado, ser "peón" podía constituirse en el primer escalón en su vida de obrero industrial.

Dicho esto, analicemos nuevamente los empleos anteriores declarados por el personal. Algunos obreros varones decían haber trabajado en el puerto de La Plata, tanto en su construcción como en los elevadores de granos; otros, en diferentes empresas de construcción de Buenos Aires o de La Plata; algunos, en el ferrocarril o en estancias de la provincia de Buenos Aires. No pocos ingresaban al mundo fabril en alguno de los dos frigoríficos de Berisso, en La Negra de Avellaneda, el Smithfield o el Anglo de Zarate.

Los que tenían algún oficio obtenían puestos con mejores salarios, pero no más estables. Así, un mecánico de alguno de los establecimientos había sido foguista de máquinas trilladoras en la provincia de Buenos Aires o en Santa Fe, y un tonelero podía haberse desempeñado en la cervecería Quilmes o en un aserradero.

---

fragmento narrativo que se repite con escasas variaciones entre las obreras entrevistadas:

P: Cuando Ud. iba a trabajar ¿quién le cuidaba las niñas?

Stana: Le encargaba a la patrona de dónde yo vivía, le encargaba, le pedía por favor que me mirara la chica, que no se escape, que no vayan a la calle, que no le pase nada, se criaban solas.

Violeta: Solas, tal es así que una vez nos caímos al río, las dos.

P: ¿Qué edad tenías?

Violeta: Y... tendríamos unos ocho años; porque crecía el río y superaba la orilla que tenía pasto, árboles y después venía lo que era el río, entonces crecía y cubría esa parte; ellos no estaban (se refiere a los padres MZL), trabajaban, entonces nosotros nos fuimos con todos los chicos del barrio a la hora de la siesta, nos metíamos y yo me hundí y mi hermana creyó que me había arrodillado y me fue a dar la mano y se cayó ella también, entonces el río nos llevaba, los chicos se pusieron a gritar y una señora que estaba en la casa que era de dos pisos vio desde el balcón y bajó corriendo y nos alcanzó a agarrar.

Stana: Porque ella tenía lancha, a la mayor la agarró del pelo.

Violeta: Y nos alcanzó a salvar por un pelito, son esos recuerdos que quedan muy grabados, era una hora en la que no había gente mayor, estábamos ahí solos. Taller de historia oral Sociedad Búlgara Iván Vasov, sesión del 28 de octubre de 1986.

Figuran también unos pocos vendedores ambulantes en Buenos Aires y La Plata y un vendedor de bolsas (¿para la cosecha?). Completando este cuadro, un sinúmero de trabajadores declaraban haber trabajado en barracas, almacenes, panaderías y talleres de Buenos Aires, tanto en la jurisdicción de la Capital Federal como de la provincia.

Las mujeres tenían un panorama laboral más limitado. Los datos consignados por el frigorífico Swift son escasos, pero confirman la tendencia marcada por el Armour donde el 70% de la población femenina nativa no declaraba profesión alguna; el 24% se decía obrera-jornalera y, con porcentajes muy pequeños, había algunas mujeres que decían ser modistas, costureras, bordadoras, pantaloneras y planchadoras, o dedicarse a los quehaceres domésticos; todas estas actividades estaban asociadas a tareas femeninas desde los períodos tempranos de la transformación capitalista en Argentina.[23]

Entre las obreras extranjeras el 50% no declaró profesión alguna, el 48% se decía obrera-jornalera y en orden decreciente: modistas, pantaloneras, costureras y planchadoras. Comparando los porcentajes por origen (nativo-extranjero) se observa que las inmigrantes que se asumían como obrera-jornalera casi duplicaban a las nativas, lo que podría estar indicando el predominio, dentro del grupo, del trabajo extradoméstico. Modistas, pantaloneras y costureras satisfacían un mercado local extremadamente limitado. Las planchadoras, en cambio, estaban asociadas con el crecimiento de la población masculina. Los hombres solos que se trasladaban a la localidad debían haber demandado, cierto que con intermitencias, este servicio.

La nómina de los empleos anteriores es tan limitada que se puede inferir que muchas de estas mujeres ingresaban por primera vez al trabajo industrial y que su experiencia previa estaba más "orientada al quehacer". Al estudiar la sociedad preindustrial inglesa, E.P. Thompson señaló que el trabajo doméstico de las mujeres compartía con el trabajo preindustrial los límites difusos entre trabajar y pasar el tiempo. Más específicamente este autor señalaba que en las tareas hogareñas de la mujer no todos los ritmos de trabajo estaban adaptados a las medidas del reloj. "La madre de niños pequeños tiene un sentido imperfecto del tiempo y observa otras mareas humanas".[24]

Si el trabajo doméstico no había salido aún de las convenciones preindustriales, y la mayor parte de las mujeres que se incorporaban a las fábricas las tenían como un dato relevante de su experiencia previa, será necesario examinar de qué manera el tiempo de la fábrica acentuaba, o no, el sentido del tiempo y el ritmo de las tareas en la fábrica y en el hogar. No obstante, que el grueso de las mujeres adquiriera su experiencia laboral en el hogar no quiere decir que algunas de ellas no hubieran salido del mundo doméstico. Entre aquellas que consignan empleos anteriores, la mayoría se había incorporado previamente a alguno de los frigoríficos de Berisso (un escalón de la vida laboral compartido por hombres y mujeres), otro tanto se había incorporado, a partir

[23] Hilda Sabato: "La formación del mercado de trabajo en Buenos Aires, 1850-1880", en *Desarrollo Económico*, vol. 24, Nº 96, enero-marzo de 1985, Ernesto Kritz: *La formación de la fuerza de trabajo en la Argentina*, Buenos Aires, Cenep, 1985

[24] E. P. Thompson: "Tiempo, disciplina de trabajo y capitalismo industrial", en *Tradición, revuelta y conciencia de clase. Estudios sobre la crisis de la sociedad pre-industrial*, Barcelona, Crítica, 1984, pág. 270.

de la década del veinte, a la industria textil (The Patent Knitting, desde mediados de los años veinte y, más tarde, Alpargatas de Gutierrez) y fábricas menores del rubro alimentación. Desde los años cuarenta el empleo público cobró importancia en la ciudad de La Plata y, a lo largo de todo el período que aquí se estudia, el servicio doméstico en la misma ciudad.

Nivel de instrucción

El nivel de escolaridad alcanzado por los trabajadores permite establecer algunas relaciones entre educación y ocupación, la consideración social de determinados empleos y las oportunidades diferenciales por género. Aunque la mayoría de los asalariados (hombres y mujeres) declaró que sabía leer y escribir, hay indicios de un alto porcentaje de analfabetos en los frigoríficos. La letra de la solicitud de empleo y las firmas difieren en sus rasgos. El trazo elemental y tembloroso de las últimas sugieren que la mayoría apenas había aprendido a realizarlas.

Según la información existente en los registros de personal, una parte importante de los trabajadores del frigorífico Armour sabía leer y escribir, habilidades que se lograban en los primeros grados de la escolaridad primaria. Para el Swift, el dato más concluyente sobre alfabetización lo aporta el censo realizado en 1970: sobre un total de 2.566 trabajadores censados ninguno había completado la escolaridad primaria; la habían abandonado en el mayor número de casos, en cuarto grado entre los varones y en tercero para las mujeres.[25] De acuerdo con esta información, los varones fueron quienes accedieron a los grados superiores de la escuela elemental, aunque desde la década del cuarenta un porcentaje mayor de mujeres permaneció más tiempo en la escuela.

Los datos sobre escolaridad de los trabajadores varones del frigorífico Armour dan cuenta de su ventaja relativa . Esto coincide con lo que sostiene Ruth Sautu a partir de información censal.[26] Dice esta autora que la situación de relativa ventaja masculina en el nivel de escolaridad se observa en todos los grupos de edades pero se advierten variaciones que implican una disminución de las diferencias desde mediados de este siglo y que, entre 1949 y 1955, se incrementa la tasa de inscripción en las escuelas de nivel primario, debido a la creación de escuelas en áreas marginales y a las migraciones internas desde áreas de menores recursos a las áreas centrales con mayor disponibilidad de medios educativos. Recordemos en este punto la importancia de la migración de provincias como Santiago del Estero o Corrientes.

---

[25] El Censo fue confeccionado por los docentes del Centro Educativo "Sindicato de la Carne de Berisso" El material y diversas informaciones me fueron proporcionados por la Coordinadora del Centro de Educación y Capacitación de Adultos Yolanda M. de Dalto, a quien quiero expresar mi agradecimiento.

[26] Ruth Sautu: *Oportunidades ocupacionales diferenciales por sexo en la República Argentina*, Cuaderno N° 10, Buenos Aires, Cenep, 1979, en particular págs. 9 a 14.

Respecto a la escuela media, el número de personas que acceden a ella es poco significativo entre los obreros y obreras de los frigoríficos, aunque es cierto que hacia el final de la época algunos de ellos completan ese ciclo. La información más llamativa, respecto a los niveles educativos, que se obtiene de los registros de personal, está constituida por la aparición de algunos universitarios varones, muchos de los cuales son de origen peruano. La explicación más verosímil se vincula con la importancia que tiene la población estudiantil universitaria en la ciudad de La Plata. Desde que Joaquín V. González crea la Universidad Nacional de La Plata llegan hasta allí jóvenes procedentes de otras provincias y de países como Perú y Bolivia. Muchos de estos estudiantes sufren estrecheces económicas y una manera de obtener dinero es ingresar a los frigoríficos. La demanda de trabajadores temporarios por parte de las empresas cárnicas facilita la obtención de un empleo temporal a los estudiantes.

La información de las empresas sobre los escasos logros educacionales del personal es clara. Los bajos niveles de escolaridad alcanzados por la población obrera de ambos sexos llevaron a la creación, impulsada por la organización gremial, de un Centro de Educación Común en el Sindicato de la Carne (funcionó desde 1968) y a la capacitación profesional de los trabajadores y sus familiares. Por un lado, se buscaba que los trabajadores completaran los estudios primarios y por otro, se les ofrecían "cursos de capacitación". Entre ellos se pueden mencionar: Electricidad, Peluquería y Cosmetología, Radio y Televisión, Corte y Confección, Dactilografía y Conocimientos Generales de Oficina. En este caso, la capacitación estaba destinada al dominio de ciertos conocimientos que les permitieran abandonar la fábrica o facilitar la realización de actividades paralelas al trabajo fabril como un modo de satisfacer las necesidades elementales en un contexto de reestructuración de la empresa.

La presencia de hombres y mujeres analfabetos o semianalfabetos en los frigoríficos está revelando que el trabajo era poco sofisticado en cuanto a exigencias de habilitación formal. Indica el predominio de trabajadores sin calificación a lo largo de todo el período, lo que coloca a la educación formal en un lugar irrelevante para obtener un lugar en la fábrica, aunque fuera importante en el orden social.

La masa de trabajadores era analfabeta o semianalfabeta y se diferenciaba de los empleados de oficina, para los cuales el dominio de la lectoescritura y de las operaciones matemáticas era importante, y del reducido número de profesionales (veterinarios, ingenieros y médicos) que se encontraban en relación de dependencia.

Capítulo IV
La fábrica: un mundo fragmentado (1904-1930)

"**E**ntrar a la fábrica era salvarse" decía una obrera que había iniciado su experiencia laboral apenas comenzaba la década del treinta. Es que ingresar al mundo del trabajo tenía varias consecuencias en la vida de una persona. No sólo era el medio por el cual se aseguraba la subsistencia personal o familiar; era también un ámbito de sociabilidad y un espacio donde se conformaban identidades, donde crecían, se desarrollaban y se afianzaban modos de pensar y de actuar.

Las relaciones que se gestaban en las fábricas estaban envueltas no sólo por la monotonía y la repetición del trabajo parcelario,[1] sino también por alegrías y desencuentros; por tensiones y conflictos. En las fábricas, los trabajadores buscaban definir y construir sus intereses diferenciados y confrontados con los de sus patrones, de acuerdo con las situaciones vividas en su ámbito. Las formas de pensar y actuar que se gestaban en los lugares de trabajo a veces coincidían y, otras, eran opuestas a las inculcadas en otros espacios como la escuela, la familia o la vecindad. Las expresiones de descontento y oposición, así como la aceptación y participación en el diseño de las condiciones de su propia explotación, formaban parte de las múltiples relaciones que establecían los miembros de una fábrica. En los espacios de trabajo, conflicto y consentimiento se entrelazaban permanentemente, porque los trabajadores actuaban de acuerdo a las circunstancias en las que estaban inmersos.

---

[1] La idea de la monotonía, de la ausencia de imaginación y libertad que caracteriza el trabajo forma parte de los relatos ficcionales locales y de los análisis más globales basados en la utopía marxista; en especial, cuando se sostiene que la transformación radical de la sociedad provocará el hundimiento de la producción basada en el valor de cambio y liberará el desarrollo de las individualidades. André Gorz resume esta idea cuando señala que para Marx "La liberación *en* el trabajo es la condición previa e indispensable de la liberación *del* trabajo". (Destacado en el original), André Gorz: *Metamorfosis del trabajo*, Madrid, Editorial Sistema, 1991. En la literatura local Ismael Moreno señala que la vida de los trabajadores de los frigoríficos es "una monotonía infinita ... así era la vida. Una monotonía infinita ... Hoy lo de ayer, mañana lo de hoy", Ismael Moreno: op. cit. pág. 47.

Entendida la fábrica no sólo como el lugar que hace posible la subsistencia de las personas sino también como un ámbito de sociabilidad y como un espacio donde se conforman identidades, se abre un abanico de interrogantes sobre cómo se relacionaban los trabajadores entre sí y con las empresas, y cuáles eran las razones para protestar o permanecer callado.

La experiencia del trabajo

Algunas historias laborales ejemplifican la aventura del trabajo. Antonio Galimsky ingresó al Swift el 7 de julio de 1917; hacía poco tiempo que había llegado de Polonia, su tierra natal. Fue enviado a la sección conserva, dos años más tarde pasó a cuadrilla general, y siete meses después fue transferido a lanas. Allí permaneció seis meses hasta que fue trasladado a tripería y, dos años después, a salchichería. Fue despedido por demorarse en el W.C. (baño). Dos meses más tarde regresó a tripería, para terminar en carnes congeladas. En 1929 estuvo ausente más de un mes (¿tal vez enfermo?), y regresó al mismo departamento en el que permaneció hasta su jubilación en 1951.

Tomasa Arcemis nació en el pago de Magdalena el 9 de julio de 1886 e ingresó al Swift en 1914. Durante veintiocho años trabajó en la sección limpieza y en protección. En mayo de 1942 se retiró pensionada. Para esa época sus tres hijos eran adultos, tenía cuatro nietos y uno de ellos se desempeñaba en el frigorífico como mensajero de la sección controles.

Heráclito Petrucceli nació el 5 de noviembre de 1877 en un pueblito de Italia, llegó al país muy joven y, en 1917, ingresó al Swift en la sección cocina; en noviembre de 1918 fue transferido a protección, donde desempeñó funciones de sereno hasta junio de 1923; en esa fecha fue designado capataz de la cuadrilla de limpieza, tarea que cumplió hasta su retiro en 1943.

Pedro nació el 21 de abril de 1900 en Grdysk, un pueblito de Polonia. En enero de 1925 llegó a la Argentina y el 7 de febrero de 1925 entró al Armour, en las camaritas. Entre 1925 y 1944, fecha en que se jubiló, trabajó en playa de novillos, mondongos, cámaras frías, picada, cámaras calientes, salchichería, hojalatería y chanchería. En cuatro oportunidades tuvo que dejar la fábrica por "falta de trabajo". Durante su vida laboral se casó, tuvo tres hijos, dos varones y una mujer, y compartió el ámbito de trabajo con un hermano, su cuñada y un primo.

Teresa era checa, jornalera de profesión, soltera, de 18 años de edad. En mayo de 1925 ingresó a la sección pintura del Armour. De acuerdo con su registro personal no sabemos cuándo ni por qué se fue; sus recuerdos hablan del nacimiento de un hijo y la necesidad de abandonar la fábrica porque no tenía quién lo cuidara.

Angela también vino de Checoslovaquia; tenía 27 años y era casada. Ingresó el 24 de noviembre de 1932 a picada, se fue por enfermedad un año más tarde. En agosto de 1933 trabajó en jabonería y se retiró por su voluntad en julio de 1935.

Gregorio era argentino y fue a la escuela hasta quinto grado. El 5 de septiembre de 1932, tenía 19 años, ingresó al frigorífico Swift en el departamento de lanas; dos meses mas tarde fue despedido por falta de trabajo; además no daba el 60 B.[2] Doce semanas después fue de nuevo al portón, lo contrataron para picada y su suerte fue nuevamente esquiva: a los treinta días se terminó el trabajo. Dos meses anduvo de un lado a otro pero en el mes de marzo del año siguiente ingresó a lanas ¡por un día!. En abril entró a la chanchería para cortar carne, trabajó dos años y lo despidieron por correr sin necesidad. En octubre de 1935 volvió a la sección lanas. Con numerosas entradas y salidas trabajó en la chanchería, cámaras frías, estiba, hasta que en 1948 fue ascendido a auxiliar de movimiento.

Si siguiéramos los recorridos realizados por éstos y otros trabajadores saltaríamos de un departamento a otro, de una experiencia a otra. Multiplicidad de orígenes, diversidad de tareas y espacios laborales, heterogeneidad de condiciones de trabajo adquieren textura propia en cada época. La experiencia de los trabajadores de la carne se dividía en innumerables fragmentos. En la fábrica confluían hombres y mujeres que hablaban lenguas diferentes, tenían costumbres diversas y experiencias laborales múltiples. La mayoría eran trabajadores sin especialización y su vida estaba amenazada, permanentemente, por la desocupación.[3]

La clase obrera en formación se nutría de los continuos y renovados contingentes de inmigrantes que llegaron al país desde fines del siglo pasado. No eran aquellos inmigrantes que educarían a la nueva sociedad, tal como lo imaginaron, más allá de sus diferencias, Sarmiento y Alberdi. Eran parte de la "turba". Eran los que de un modo u otro, obligaron a reflexionar a intelectuales y hombres públicos sobre la Argentina que se estaba construyendo. Eran la expresión de la modernidad en su faceta conflictiva.

Los trabajadores de los frigoríficos, tal vez como muchos otros, formaban parte de una legión de trashumantes que comenzaban su historia migratoria en la ciudad más cercana a la aldea de origen. Llegados a la Argentina, alternaban actividades urbanas y rurales. Eran trabajadores agrícolas, obreros de la construcción, del ferrocarril. Unos pocos, los que tenían alguna experiencia laboral, o un oficio, se emplearon en talleres o fábricas de Buenos Aires o Rosario. Entre ellos estaban también algunos fracasados de la "utopía" agraria, que las condiciones de tenencia de la tierra y las vicisitudes del trabajo agrícola expulsaban a la ciudad. No eran sólo hombres. Había muchas mujeres. La mayoría con una experiencia laboral adquirida en el trabajo hogareño, el servicio doméstico o el trabajo a domicilio; unas pocas empleadas en una que otra fábrica del rubro alimentación. El trabajo servía –a hombres y mujeres– para vivir y, a veces, acumular algunos ahorros que les permitieran la materialización de sus expectativas y las del grupo familiar: ascender socialmente, abandonar su condición de pobres.

[2] Se refiere a la forma de medir la relación producción-esfuerzo realizado por el obrero.
[3] Véase Ofelia Pianetto: "Mercado de trabajo y acción sindical en la Argentina (1890-1922)", en *Desarrollo Económico*, vol. 24, Nº 94, Julio-septiembre de 1984; Roberto Cortés Conde: *El Progreso Argentino*, Buenos Aires, Sudamericana, 1979; Leandro Gutiérrez: "Condiciones de vida material de los sectores populares en Buenos Aires, 1880-1914", en *Revista de Indias*, Nº 163/164 y José Panettieri: *Los trabajadores*, Buenos Aires, CEAL, 1982.

Muchos trabajadores eran recién llegados. No es difícil imaginar las dificultades para compaginar una nueva vida. Encontrar una vivienda, trabajo, aprender los códigos de la nueva sociedad, comunicarse, romper el aislamiento y la soledad. Para muchos el idioma era una barrera importante en el establecimiento de nuevos lazos. A veces, se podía pedir ayuda sólo a través de gestos. La base de las comunicaciones era el español y se necesitaba tiempo para aprenderlo.

Las vivencias de los recién llegados eran múltiples y contradictorias. Asombro, temor. Ruptura con el pasado, revalorización de experiencias de otros tiempos, nuevas tensiones, intentos de asimilación y resistencias. Y para colmo, en una sociedad nueva que se transformaba permanentemente. El trabajo no escapaba a esas líneas de tensión. Las nuevas experiencias generaban reacciones de aceptación y rechazo, cuya explicación se relacionaba con las vividas previamente. Eric Hobsbawn señalaba, en uno de sus primeros trabajos, que los inmigrantes miraban tanto para atrás como para adelante en su ingreso al trabajo industrial.[4] Mirar hacia atrás significaba buscar en sus costumbres y tradiciones un punto de apoyo para su nueva vida. El campesino de la Italia meridional, el pastor de los Balcanes, el pastor o caravanero árabe usaban las herramientas del pasado para integrarse tanto en la nueva sociedad como en el trabajo fabril.

En el período expansivo de la producción de carnes, los trabajadores inmigrantes encontraban en la fábrica un ámbito donde comenzaban a forjar solidaridades, y un espacio donde se generaban tensiones. El temor, la incertidumbre, la ignorancia obligaban al ejercicio de una solidaridad permanente. No era el único camino posible, pero la necesidad empujaba. Desde que alguien llegaba a la localidad , la ayuda se materializaba tanto brindándole vivienda y comida como realizando el gesto de acompañarlo al portón de entrada de la fábrica, donde se realizaba la contratación. Ya en su interior, colaboraban para que un trabajador saliera de un "atascamiento", de un "empacho", les enseñaban algunos "secretitos" en la realización de una tarea, a engañar a la compañía, a meter la "mula". Era una manera de sobrevivir.

Buscando trabajo

Ingresar a los frigoríficos era relativamente fácil. Dependía de la *suerte* o de la *estrella que lo guíe*, según las expresiones más corrientes entre los trabajadores. El "jefe" realizaba la selección cuando los aspirantes se acercaban al portón de entrada, de acuerdo con la fortaleza y juventud que exhibían. Según una obrera: *salía a la puerta el jefe de personal y seleccionaba como si estuviera seleccionando animales, venga Ud., Ud. ....*[5] A veces no se tenía suerte y había que esperar.

[4] Me refiero a E.J. Hobsbawn: *Rebeldes Primitivos*, Barcelona, Ariel, 1974.

[5] Esta forma de selección del personal de producción es común a todos los establecimientos cárnicos y se mantiene durante todo el período estudiado. Testimonios como éste se repiten entre los participantes del taller de historia oral Club Eslovaco Argentino de Berisso, sesión del 13 de octubre de 1986, las memorias de José Peter: op. cit. y Cipriano Reyes: op. cit. y en el testimonio de María, obrera del frigorífico

No era difícil enterarse de cómo conseguir trabajo. Los amigos, los paisanos, los familiares eran las agencias de colocación. Un extranjero recién llegado que se encontraba con un conocido era conducido al día siguiente al portón de entrada. Cuando había trabajo, la noticia se desparramaba de boca en boca y, ya en los años treinta, los vagones del ferrocarril eran las columnas más leídas por quiénes buscaban empleo. "En Berisso hay trabajo" parece que fue una leyenda corriente que informaba sobre las posibilidades laborales en la comunidad fabril. Los recuerdos son coincidentes. Contaba un obrero que un día: *apareció un paisano que dijo – voy a Berisso, entonces un domingo dejo el ferrocarril y a Berisso, dormí acá a la noche y el lunes fui frente al frigorífico, al portón; no me tomaron porque había mucha gente, entonces volví a trabajar allá y martes, miércoles y jueves llovía, entonces vine acá otra vez y fui frente al Swift y me tomaron para la conserva.*[6]

El portón frente al frigorífico fue por espacio de setenta años el punto de encuentro de quienes querían trabajar. Allí competían con el único recurso visible que tenían: su aspecto físico. Unos eran convocados por su contextura física y la imagen de fuerza asociada a la presencia de un hombre o una mujer corpulenta. Otros, por su apariencia sumisa. Muchos, simplemente porque estaban cerca del contratador.

Pero pararse frente al portón era también una aventura; había que aguantarse la presión de los que estaban atrás. A veces se producían apretujones, tumultos y hasta corridas cuando intervenía la policía interna de la fábrica para poner orden. *El Día* describe así ese momento: "La 'turba famélica' espera que de vez en cuando aparezca un personaje providencial –el jefe de personal de obreros –que es en quien se halla confiada, con pleno poderes la elección de los mismos entre el conjunto. Ese hombre … escoge los sujetos que le parecen más vigorosos por su aspecto entregando a cada uno la anhelada boleta de admisión. Esto provoca invariablemente ruidosos desórdenes y escenas de pugilato en las que intervienen por una parte los aspirantes al ingreso y por otro la "policía" de la casa armada de palos".[7]

Una vez conseguida la "papeleta" de empleo era necesaria una breve revisión médica con el objetivo de constatar que no hubiera signos visibles de enfermedades; pero en particular que no se presentaran amputaciones o cortes importantes, sobre todo en las manos, que pudieran atribuirse al trabajo en la empresa. Aceptado por el médico, se conseguía la "chapa" con un número, símbolo en esta primera etapa de la tarjeta o

Smithfield, entrevista realizada en Zárate, 13 de junio de 1985. Difiere también de los mecanismos de selección de personal utilizados por otras empresas de Berisso. En la hilandería The Patent Knitting Company estaba extendido el sistema de recomendaciones. Para la empresa Pirelli véase también María Inés Barbero: op. cit

[6] Taller de historia oral Club Eslovaco Argentino de Berisso, sesión del 13 de octubre de 1986. Quisiera llamar la atención sobre otro aspecto de este testimonio. El empleo en el ferrocarril, sobre todo en la construcción o mantenimiento de las vías férreas, estaba sujeto a suspensiones de acuerdo con las inclemencias del tiempo, del mismo modo que el trabajo en la construcción.

[7] *El Día*, 21 de marzo de 1915. El 29 de mayo de 1932 el periódico *La Vanguardia* publicó una "primicia gráfica" donde se observa un grupo de personas desocupadas intentando entrar en el frigorífico de Berisso.

ficha personal. A partir de aquí se iniciaba un recorrido laboral que casi nunca terminaba en la sección para la cual se había sido contratado.

Los mecanismos de contratación de personal por parte de las empresas revelan una fuerte contradicción entre la imagen de modernidad, sobre la que construyen buena parte de sus propagandas, y la de despotismo y violencia que emerge de los relatos; doble representación que se mantendrá a lo largo de esta historia.

Fragmentación y cooperación: duración del trabajo, calificaciones y aprendizaje

El trabajo en las plantas procesadoras de carne necesitaba de trabajadores que se adaptaran rápidamente a las tareas asignadas y además fluctuaba día a día de acuerdo con la entrada de animales o a la estación del año. Las fluctuaciones incidían en la conformación de los equipos de trabajo, que se caracterizaban por la alta rotación de sus miembros en los niveles menos calificados, mientras que esa rotación disminuía cuando se trataba del trabajador de "oficio" o de los más calificados. La evidencia más clara del carácter fluctuante de los grupos de trabajo se encuentra en las fichas personales. Ningún trabajador permaneció en la sección por la que ingresó la primera vez; y muchas personas entraron y salieron de la fábrica en más de una oportunidad.

En los frigoríficos, los obreros podían cambiar de sección y de tarea según las necesidades de cada empresa. En las fábricas se encontraban combinadas dos formas típicas de intercambiabilidad en los puestos laborales, según las clasificaciones realizadas en trabajos clásicos de sociología del trabajo: el "intercambio entre trabajadores no calificados fundado en la facilidad de la ejecución de las tareas" y el " intercambio entre piezas especializadas o calificadas fundado en la flexibilidad o polivalencia de las adaptaciones, capacidades y conocimientos".[8]

La facilidad para ejecutar las labores convirtió a los frigoríficos en una puerta de entrada al trabajo industrial. Según el cuadro N° 11, y más allá de las variaciones existentes, se puede decir que en promedio el 50% de los asalariados probó suerte alternadamente en alguno de los dos establecimientos. De ahí deriva la frase que se repite en la localidad sobre que en Berisso "no hay nadie que no haya trabajado en los frigoríficos". El resto de los asalariados ingresó entre dos y diez veces para trabajar en distintos departamentos de cada una de las fábricas. Las continuas entradas y salidas, así como la alternancia entre las dos compañías, formaban parte de un rasgo dominante de esta experiencia obrera caracterizada por la precariedad.

Otro claro indicador de esta situación, así como de los niveles de rotación, fue la duración del trabajo (cuadros N° 12 y 13). Los porcentajes son contundentes. En Armour,

---

[8] Pierre Naville: "El progreso técnico, la evolución del trabajo y la organización de la empresa" en George Friedmann y Pierre Naville: *Tratado de sociología del trabajo,* vol. 1, México, FCE, 1963, pág. 382.

Frigoríficos Armour y Swift. Personal obrero según cantidad de ingresos y por sexo y origen. (En porcentajes)

Cant. de ingresos	Frigorífico Armour, 1915-1930				Frigorífico Swift, 1907-1930			
	Argentinos		Extranjeros		Argentinos		Extranjeros	
	Varones	Mujeres	Varones	Mujeres	Varones	Mujeres	Varones	Mujeres
1 vez	58,4	72,4	61,4	45,8	36,1	41,0	45,5	45,0
2 veces	16,8	14,3	18,2	24,3	16,0	23,0	19,0	20,2
3 veces	11,7	5,7	7,6	6,8	14,0	11,5	12,7	11,6
4 veces	4,6	2,8	5,0	4,1	6,0	7,6	9,3	7,2
5 veces	3,0	1,1	2,8	2,2	8,0	6,4	2,1	8,6
6/10 veces	4,6	3,4	5,0	3,6	15,0	7,6	8,0	7,2
+ de 10 veces	0,6		0,3	0,9	3,0	2,5	2,9	

FUENTE

Registros de personal

alrededor del 60% trabajó menos de un año, en Swift, superaban el 80%. Menos de un año de trabajo implicaba que muchos sólo permanecían en las fábricas apenas unos meses, otros entraban y salían en varias oportunidades y los restantes alternaban su presencia en uno u otro frigorífico, o con la pequeña fábrica textil. Los trabajadores vivían una permanente situación de inestabilidad. Esta situación contrastaba visiblemente con la de otros trabajadores, importantes también en la economía agroexportadora, tales como los maquinistas ferroviarios quienes, por su formación y conocimientos, permanecían más tiempo trabajando. Durante la huelga ferroviaria de 1912, los miembros de la Comisión Directiva de La Fraternidad tenían una antigüedad promedio de 17 años, síntoma de la mayor estabilidad que gozaban los trabajadores de oficio y los más especializados. [9]

[9] Véase Juan Suriano: "Estado y conflicto social: el caso de la huelga de maquinistas ferroviarios de 1912, *Boletín Nº 4*, del Instituto de Historia Argentina y Americana, 3a. Serie, 20. semestre de 1991, pág. 95, Joel Horowitz:" Los trabajadores ferroviarios en la Argentina (1920-1943). La formación de una elite obrera", en *Desarrollo Económico*, Nº 99, vol. 25, octubre-diciembre de 1985.

CUADRO Nº 12

Frigorífico Armour. Personal obrero, período de tiempo trabajado según sexo y origen, 1915-1930. (En porcentajes)

Período de tiempo	Arg. varones	Ext. varones	Total varones	Arg. mujeres	Ext. mujeres	Total mujeres
1 a 7 días	7,2	7,0	7,1	5,1	5,1	5,1
7 días-1 mes	14,2	12,7	13,1	11,5	9,6	10,4
1-2 meses	10,1	8,1	8,7	11,5	7,8	9,4
2-3 meses	5,2	6,1	5,8	5,7	9,1	7,6
3-4 meses	5,0	5,0	5,0	6,3	5,9	6,1
4-5 meses	5,7	3,0	3,8	1,7	8,7	5,6
5-6 meses	3,0	3,6	3,4	1,7	3,2	2,5
6-7 meses	3,0	3,1	3,0	2,8	4,1	3,5
7-8 meses	2,3	2,1	2,1	1,1	5,5	3,5
8-9 meses	2,4	1,8	2,0	0,5	1,3	1,0
9-10 meses	2,0	1,6	1,7	0,5	0,9	0,7
10-11 meses	0,9	1,0	1,0	2,2	1,8	2,0
11-12 meses	1,8	1,8	1,8	2,8	3,2	3,0
Subtotal	**63,1**	**57,2**	**58,8**	**54,0**	**66,5**	**60,9**
1-2 años	7,8	8,5	8,3	12,0	10,0	10,9
2-3 años	2,7	3,3	3,1	6,8	4,1	5,3
3-4 años	2,3	2,3	2,3	0,5	0,9	0,7
4-5 años	1,2	1,3	1,3	0,5	1,3	1,2
Subtotal	**14,2**	**15,5**	**15,1**	**20,1**	**16,5**	**18,1**
5-10 años	1,8	1,9	1,9	4,0	1,3	2,5
10-15 años	0,3	0,9	0,9	0,5		0,2
Subtotal	**2,1**	**2,8**	**2,6**	**4,6**	**1,3**	**2,8**
15-20 años	0,1	0,2	0,2	0,5		0,2
20-30 años	0,6	1,4	1,2	0,5	0,9	0,7
+ de 30 años	2,4	1,6	1,8	0,5		0,2
Subtotal	**3,2**	**3,4**	**3,3**	**1,7**	**0,9**	**1,2**
Sin datos	16,6	19,5	18,7	18,9	14,2	16,3
No trabajó	0,6	1,3	1,1	0,5	0,4	0,5

FUENTE

Registros de personal. Se considera la primera vez que ingresa el trabajador.

Frigorífico Swift. Personal obrero, período de tiempo trabajado según sexo y origen 1907-1930. (En porcentajes)

Período de tiempo	Arg. varones	Ext. varones	Total varones	Arg. mujeres	Ext. mujeres	Total mujeres
1 a 7 días	10,0	10,2	10,1	12,8	10,1	11,4
7días-1mes	25,6	23,0	24,2	20,5	12,8	16,8
1-2 meses	15,5	14,5	15,0	14,1	10,0	12,1
2-3 meses	6,5	8,5	7,6	17,9	11,4	14,8
3-4 meses	5,0	7,2	6,2	6,4	11,4	8,7
4-5 meses	7,0	7,2	7,1		7,1	3,3
5-6 meses	3,0	5,1	4,1	5,1	5,7	5,4
6-7 meses	3,0	3,0	3,0	2,5	1,4	2,0
7-8 meses	2,0	2,1	2,0	1,2	5,7	3,3
8-9 meses	1,5	1,7	1,6		4,2	2,0
9-10 meses	3,0	1,2	2,0		1,4	0,6
10-11 meses	2,0	0,8	1,3	1,2	1,4	1,3
11-12 meses	2,0	1,7	1,8	2,5		1,3
Subtotal	**86,4**	**86,7**	**86,6**	**84,6**	**82,8**	**83,7**
1-2 años	5,5	4,2	4,8	3,8	7,1	5,4
2-3 años	0,5	2,1	1,3	3,8	1,4	2,7
3-4 años	0,5	1,7	1,1	3,8	5,7	4,7
4-5 años	1,5	0,8	1,1			
Subtotal	**8,0**	**8,9**	**8,5**	**11,5**	**14,2**	**12,8**
5-10 años	3,5	1,7	4,5	1,2	2,8	2,0
10-15 años	0,5	0,4	0,4	1,2		0,6
Subtotal	**4,0**	**2,1**	**3,0**	**2,5**	**2,8**	**2,7**
15-20 años		0,4	0,2			
20-30 años	0,5	1,2	0,9			
+ de 30 años	1,0		0,4			
Subtotal	**1,5**	**1,7**	**1,6**			
Sin datos		0,4	0,2	1,2		0,6

FUENTE
Registros de personal. Se considera la primera vez que ingresa el trabajador.

Además de la inestabilidad y de la alta rotación, los frigoríficos contrataban inmigrantes. Desde el inicio de las actividades del Swift, en 1907, y en el Armour, en 1915, así como a lo largo de la década del veinte, el origen de los trabajadores de las "cuadrillas" variaba constantemente. La heterogeneidad de origen caracteriza el trabajo en esta etapa convirtiendo a cada grupo en una babel en miniatura. El análisis de la distribución de los trabajadores, en un año tomado al azar (1925) así como durante los años conflictivos de 1917 y 1918, muestra que la composición de los grupos es variable. Un día podían predominar los rusos, otro día los lituanos, un poco más tarde los árabes y así sucesivamente. En una sola sección, cámaras frías, de once trabajadores incorporados en un día seis eran rusos, tres, árabes, uno búlgaro y otro italiano. Poco tiempo después de 70 hombres, treinta y tres eran árabes, veintidós rusos, nueve argentinos, seis italianos, tres españoles, tres armenios, un francés y un griego. En un solo año, 1918, sobre el total de la población obrera el quinto lugar por su número estaba ocupado por trabajadores de origen japonés, insignificantes por otra parte en el contexto migratorio global.[10]

Si se considera el momento de ingreso a la compañía y se combina esta información con los escasos datos sobre la fecha de ingreso al país, se advierte que, en varias oportunidades, la mayor presencia de un grupo nacional estaba en estrecha relación con la llegada de un barco al puerto de Buenos Aires. La cantidad de grupos nacionales representados en ambos establecimientos, de acuerdo con la información analizada en el capítulo anterior, da cuenta del peso de los obreros extranjeros y reafirma la heterogeneidad de los grupos de trabajo y la de la propia comunidad dividida en fragmentos de diversas nacionalidades. Este rasgo ha sido analizado sólo desde la perspectiva del movimiento obrero, que lo veía como una amenaza para la clase obrera en tanto obstaculizaba la unidad de los trabajadores.[11] Si bien ello puede ser cierto, propongo que imaginemos además el funcionamiento de una "cuadrilla de trabajo": cuando había que "sacar la producción" era necesaria la asistencia recíproca entre sus miembros independientemente de las diferencias.

Los equipos de trabajo variaban de acuerdo con las necesidades de las empresas. Es cierto que la ayuda de amigos, familiares y paisanos funcionaba a la hora de ingresar en un establecimiento y que dentro de éste la colaboración de un semejante era habitual. Pero una vez "adentro" había que "arreglárselas" y realizar las tareas sin

---

[10] Los japoneses desaparecieron entre los grupos nacionales de la muestra y es posible que al ser numéricamente escasos y, entendida su experiencia migratoria en términos de *dekasegi* (salida laboral temporaria), emprendieran el camino del retorno o abandonaran sus iniciales ocupaciones como obreros industriales. Sobre la inmigración japonesa, señalaba un funcionario de ese origen que "Si bien los europeos tienen buena receptividad por parte de los funcionarios a causa de las grandes similitudes raciales, lingüísticas, de costumbres[...] la situación no es la misma en el caso japonés", citado por Marcelo Higa: *Inmigrantes de otros puertos. Los japoneses de Buenos Aires hacia 1910*, Trabajo presentado en el Coloquio Internacional "Buenos Aires, 1910: el imaginario para una gran capital", Buenos Aires, 28 y 29 de noviembre de 1995.

[11] Ricardo Falcón: "Inmigración, cuestión étnica y movimiento obrero (1870-1914)", en F.J. Devoto y E. J. Míguez (Comp.): *Asociacionismo, trabajo e identidad étnica. Los italianos en América Latina en una perspectiva comparada*, Buenos Aires, Cemla-Cser-IEHS, 1992.

entorpecer el trabajo de los otros.[12] La inexperiencia generaba situaciones de tensión y si se producía un "atascamiento", junto a los gritos y las protestas de sus compañeros, sobrevenía la ayuda. Si había un paisano era mejor. En caso contrario, los gestos ayudaban a salir del atolladero. El trabajo los obligaba a la cooperación, lo que no quiere decir que desapareciera la competencia.

El recuerdo de Juan, un obrero búlgaro que ingresó a la fábrica siendo menor de edad pero con documentación falsa, ayuda a entender las múltiples situaciones que daban paso a la cooperación. Juan recordaba que el 7 de mayo de 1922 entró al frigorífico: *me pusieron con el agua hasta aquí* (señala la altura de las rodillas) *llevaba tripas de una bandeja a otra, la tiro adentro, se va para atrás, la tiro para acá, se va para allá[...] al segundo día [...] me cambiaron, tenía que llevar unas zorras con tres tachos llenos de tripones, había un lugar que tenía que llenarlos bien llenos y llevar la zorra y tirarlos por unos tubos que los llevaban a una máquina donde los limpiaban y yo no podía levantar la zorra para arriba [...] miro [...] no hay nadie y me apoyo en la zorra y me pongo a llorar: ¿Por qué vine yo aquí?. Otra vez con la zorra para atrás, para adelante, veo uno, lo agarro de la mano, me ayuda y saco la zorra, al poco tiempo no pasó ni un mes me cambiaron a la tripería de capones [...].*[13]

Las dificultades provenían de la falta de experiencia para realizar el "esfuerzo adecuado" que permitiera levantar la zorra; pero además se sentía solo, en cierto sentido aislado. Era un recién llegado, no conocía el idioma y estaba rodeado de otros que, como él, tenían problemas para establecer comunicaciones sobre la base de una lengua común.[14] *Le agarro las manos*, apenas un gesto. ¿Hacían falta otras palabras?. Y la ayuda llegó pese a que todas las tareas requerían celeridad y cada uno debía cumplir sus funciones.

Para realizar el trabajo los obreros tenían que asistirse; esa interacción trascendía las fronteras nacionales y se extendía de la sección a los lugares de descanso.[15] En las intermitencias del trabajo monótono y repetitivo, se iniciaba un diálogo que abarcaba desde cómo hacer una tarea hasta los recuerdos de la aldea que dejaron, la familia y las obligaciones. Poco a poco, la fábrica iba operando como un ámbito integrador del trabajador inmigrante.

---

[12] Algunas de estas ideas en Mirta Zaida Lobato : "Una visión del mundo del trabajo. Obreros inmigrantes en la industria frigorífica", en F. Devoto y E. Míguez: op. cit. Sobre las cadenas migratorias se puede consultar, entre otros, María Inés Barbero: op. cit. Alrededor de la importancia de las tensiones derivadas de cuestiones étnicas Michael Burawoy: op. cit.. y Robert Linhart: *De cadenas y de hombres*, México, Siglo XXI, 1985.
[13] Taller de historia oral Sociedad Búlgara Iván Vasov, sesión del 22 de noviembre de 1986.
[14] En la fábrica y la comunidad se fue produciendo también una mezcla de distintos dialectos con el castellano dando paso a múltiples variantes de lo que se conoce con el nombre de "cocoliche". Esa lengua más o menos "degradada" fue el instrumento de comunicación dentro de la población y aún hoy sus habitantes se jactan de conocer palabras en diferentes idiomas.
[15] En la isla Paulino y en las playas vecinas los trabajadores organizaban los conocidos pic-nics. En la fábrica los organizaban por sección, pero en la localidad las diferentes asociaciones nacionales convocaban a los suyos.

La cooperación era una de las facetas que no ocultaba la naturaleza de las tensiones. Las tareas estaban predeterminadas por la empresa y el buen funcionamiento de un equipo dependía de la "eficiencia" de todos sus miembros. En este punto se encuentran las mayores fuentes de conflictos al producirse "atoramientos" o "empachos", como recuerdan los trabajadores.[16] Sin embargo, esas tensiones no pasaban de su verbalización: *apurate ruso (o rusa) de mierda* o *dale negro de mierda*.[17] En ocasiones, el humor ayudaba a soportar las nuevas situaciones. Los despidos por tirarse carne, reírse o hacerse el payaso, tanto entre los hombres como entre las mujeres, eran las manifestaciones de un juego que probablemente les permitiera amortiguar otros antagonismos.

Los trabajadores establecían una "relación festiva".[18] Los miembros de diferentes nacionalidades se permitían bromas que incluían la falta de respeto e impedían niveles mayores de confrontación. Se tiraban carne, se insultaban verbalmente. La situación les recordaba las distancias existentes entre ambos, probablemente sus orígenes, pero producida en el marco de relaciones amistosas impedía que el insulto fuera tomado en serio, facilitaba la interacción de los miembros de la comunidad del trabajo y permitía crear un marco de cohesión a esos fragmentos dispersos. Dado que en el trabajo se requería la continua cooperación entre sus miembros, las tensiones que podían generarse fuera de este ámbito específico se distendían. Al constituirse la fábrica en punto de encuentro de hombres y mujeres con experiencias migratorias y culturales diferentes, se daba lugar a un grado mínimo de intimidad, a veces de amistad que evitaba el estallido de situaciones violentas.

Otro momento en que los trabajadores pudieron borrar las fronteras nacionales fue durante las protestas por mejoras en las condiciones de trabajo. Durante las huelgas de 1915 y 1917, los trabajadores, convertidos en huelguistas, se enfrentaron con las empresas en defensa de sus intereses. La experiencia del conflicto los unía, pero ello no borraba la diversidad lingüística y cultural; por eso, los oradores en los mitines se dirigían a sus compañeros en distintos idiomas. La existencia de este mosaico cultural fue tomada por las autoridades nacionales y provinciales, por la policía y, a veces, por la prensa, como un síntoma de la presencia disociadora del extranjero. Las huelgas, las protestas, las manifestaciones eran sólo algunos de los síntomas de los conflictos que se producían.

---

[16] La competencia es señalada en todos los textos donde se analizan sistemas de premios e incentivos en la determinación del salario. En particular, se puede consultar Harry Braverman: op. cit. y Maurice Dobb: *Salarios*, México, FCE, 1973, págs. 51-53.

[17] Se refiere a los trabajadores nativos del interior más conocidos como "cabecitas negras".

[18] Tomo el concepto de relación festiva de A. R. Radcliffe-Brown (1952) citado por Michael Burawoy: op. cit. pág. 177. "La distancia social entraña una divergencia de intereses y, por ello, la posibilidad de conflicto y hostilidad, en tanto que la conjunción requiere evitar la confrontación. ¿De qué forma es posible dar una vida ordenada y estable a una relación en la que se combinan ambos elementos?. Hay dos posibilidades. Una consiste en mantener entre dos personas que tengan entre sí ese tipo de relación un gran respeto mutuo y limitar considerablemente los contactos personales. Otra posibilidad estriba es establecer *una relación festiva, es decir una relación de falta de respeto y de permisividad recíprocas. El antagonismo verbal evita cualquier hostilidad grave, y en su continua repetición, constituye una manifestación o recuerdo de esa distancia social que es uno de los componentes esenciales de la relación, en tanto que la amistad que impide tomar en serio el insulto mantiene la conjunción social.*" El destacado es mío.

Las diferencias nacionales y los sentimientos de los trabajadores frente a la acción policial y a las manifestaciones de conflicto, dieron materia prima para la ficción literaria. Ismael Moreno escribía en el contexto de la huelga de 1917: "Tiraban a los turcos ...¿Y a los rusos?... Si hay huelga los rusos. Si se organiza una sociedad gremial; los rusos. Si se corren historias de bombas los rusos ... si aparece el "cuco": tiene cara de ruso. Siempre los rusos ... ¿Y los italianos? ... 'Gringos' de aquí; 'gringos de allá; 'gringos' de mierda ... me caigo sobre el mismo Dios ... A nosotros también idéle con el 'gallego'! ...¿Y a nosotros, que somos de pura cepa del país ¿nos llaman 'sujetos'? ¿Dónde se ha visto? 'Sujetos'[...]".[19]

La división y la cooperación entre trabajadores de diferentes procedencias pueden identificarse también si se analizan las calificaciones obreras y la adquisición de habilidades y destrezas para la realización de las tareas. Ya se ha señalado que el frigorífico era un campo propicio para el trabajador no especializado. Los frigoríficos requerían una fuerza de trabajo que se adaptara de manera flexible a diferentes tipos de tareas y que respondiera elásticamente a las fluctuaciones en la demanda de brazos. En otras palabras, los trabajadores debían estar dispuestos a incorporarse a las fábricas cuando se los necesitara, a realizar algunas labores de manera eficiente y a encargarse de las tareas de guía y control de otros obreros cuando llegara el caso.

Los inmigrantes europeos y los trabajadores nativos que buscaban un lugar permanente en el mundo laboral estaban entre la oferta disponible. Los pobres, que llegaban a la Argentina y se incorporaban al trabajo en las frigoríficos, se convertían en un operario intercambiable o desechable de acuerdo con las variaciones de la demanda.

La mayoría de los trabajadores constituía la masa de peones, *el trabajo era más o menos para todos igual ... lo hacían todos.*[20] Un buen peón es aquel que puede realizar cualquier tarea que se le asigne, aun las más duras y pesadas. Para muchos obreros inmigrantes ser peón era una fuente de satisfacción y orgullo. *¿Tenía algún oficio?*, le pregunté a un obrero búlgaro a lo que respondió: N*o, peonacho, pero buen peonacho.*[21]

El tiempo de aprendizaje era la frontera entre un *peonacho* y un semicalificado o un peón práctico. El capataz podía explicar cómo hacer el trabajo; repetirlo a lo largo del día permitía adquirir eficiencia y velocidad. Aquí podía producirse un ensanchamiento de los límites entre las calificaciones y el modo de adquirir los conocimientos. Clasificar tripas, revisar hígados, cortar carne implicaban tiempos diferentes para adquirir velocidad y algunos de estas actividades exigían buena coordinación motriz y visual. Pero en las playas de matanza las destrezas en el manejo del cuchillo no se lograban tan fácilmente. Había que practicar. Realizar uno que otro corte hasta transformarse en un peón diestro. Un garreador o un matambrero experimentados podían permitirle a un peón hacer esos cortes para que, paulatinamente, se transformara en un trabajador de *oficio*. Cuando

---

[19] Ismael Moreno: op. cit. págs. 159 y 169.
[20] Taller de historia oral Sociedad Búlgara Iván Vasov, sesión del 28 de octubre de 1986. Se repite entre los checos y santiagueños.
[21] Taller de historia oral Sociedad Búlgara Iván Vasov, sesión del 22 de septiembre de 1986.

llegara la oportunidad ocuparía los nuevos puestos de trabajo. En la enseñanza poco importaba que el "peón raso" fuera nativo, árabe, lituano, ruso o yugoslavo, aunque es cierto que comunicarse con un paisano facilitaba el aprendizaje.

La calificación estaba cruzada también por las diferencias culturales alrededor de los roles productivos para hombres y mujeres. A simple vista, peón, peón práctico y calificado podía ser cualquiera independientemente de su género, pero las prácticas empresarias y las de los trabajadores se apoyaban en la concepción de que existían diferencias de entrenamiento, de habilidades, de experiencia vinculadas a cuestiones biológicas. Desde esta perspectiva, los puestos femeninos requerían menor esfuerzo físico o se caracterizaban por una habilidad manual, o un tacto delicado que evitara la rotura de los materiales que manipulaban. La consecuencia inmediata era que la calificación más alta era exclusivamente masculina. Fuerza, rapidez y resistencia eran las mayores cualidades requeridas y se sintetizaban en la figura del matambrero.

La valoración de la fuerza física como un atributo mas preciado que la habilidad o el tacto era común en muchas actividades. Esto sucedía también en la otra fábrica de Berisso, en la hilandería, pero en los frigoríficos esta valoración no sólo formaba parte de una concepción dominante sino que se veía reforzada por la naturaleza de la actividad donde los atributos de la masculinidad (fuerza, rudeza, resistencia) se colocaban en primer plano.

Tiempo y disciplina industrial: experiencias masculinas y femeninas

La presencia de migrantes de áreas rurales –y de hombres y mujeres–, lleva a considerar también las situaciones derivadas de una noción diferente del tiempo y su medición, propia de los trabajadores que dependen de los ciclos naturales (el trabajador rural) o de actividades orientadas al quehacer (las mujeres).[22] Acostumbrados al trabajo no delimitado por las manecillas del reloj, sino por los ciclos de la naturaleza (muchos cuidaban ganado o eran peones agrícolas golondrinas), el ingreso de los trabajadores a los tiempos precisos y a los ritmos impuestos por la cadencia de la noria sólo era soportable en determinadas circunstancias. Alargar la jornada de descanso o abandonar la fábrica eran comportamientos que las empresas juzgaban negativamente, sin embargo, servían para hacer más tolerables las duras condiciones de labor. El abandono de un lugar en el mercado laboral se extendía hasta que las necesidades lo empujaban de nuevo a la fábrica.

El tiempo acercaba y alejaba las experiencias masculinas y femeninas. Para las mujeres que ingresaban al trabajo fabril como mano de obra sin especialización, el trabajo en el hogar constituyó la base más importante de su formación previa. Pero en

---

[22] E. P. Thompson: "Tiempo, disciplina de trabajo y apitalismo industrial", en *Tradición, Revuelta y Conciencia de clase. Estudios sobre la crisis de la sociedad pre-industrial,* Barcelona, Crítica, 1974.

la casa, la demarcación entre trabajar y pasar el tiempo era menor. Allí –como en el trabajo rural– no todas las labores estaban adaptadas a las agujas del reloj. Como señala E.P. Thompson, el trabajo del ama de casa también estaba "orientado al quehacer" y ello no sólo constituía la base de su universo mental cuando las mujeres ingresaban a las fábricas, sino que acentuaba las tensiones entre uno y otro trabajo y ayudaba a dar forma a sus comportamientos.[23]

Tal como he señalado en el capítulo anterior, más de la mitad de las mujeres eran extranjeras en el período expansivo de la producción de carnes. Aunque muchas mujeres migraban en virtud de su rol en la familia (acompañaban a sus padres o esposos), no fueron pocos los casos de aquellas que iniciaban una nueva experiencia independientemente de lo que hiciera el grupo familiar. *Yo vine sola, sola, no conocía a nadie*, decía Anastasia, una obrera lituana que llegó a Buenos Aires al comenzar la década del veinte, trabajó como doméstica en casas de familia en Buenos Aires, en el frigorífico Argentino de Valentín Alsina, en el frigorífico Anglo de Dock Sud, en los frigoríficos de Berisso en los años treinta, para terminar su carrera laboral, ya casada y con un hijo, como propietaria de un comercio sobre la calle Montevideo. Y agregaba: *yo pasé muchas cosas porque no tenía quien me ayude [...] pero no desmayé [...] a mi no me iban a engrupir con nada [...] porque sabe que carácter de mujer tengo yo.*[24]

Algunas mujeres llegaban solas a la ciudad. Tal vez, como muchos hombres, sentían temor ante las vicisitudes de la búsqueda de trabajo o de un lugar para vivir y de las incertidumbres que se abrían con el establecimiento de nuevos vínculos en un país o en una ciudad desconocidos. Posiblemente, y al mismo tiempo, se sintieran fuertes, autosuficientes, con iniciativas. Pero seguramente sus experiencias eran bien diferentes a las masculinas.

Más allá de que el mundo público en cualquiera de sus ámbitos era un espacio hostil para las mujeres; por su conformación precisamente en términos masculinos, el trabajo femenino era visto como un factor importante en la degeneración física y moral de la mujer, y el trabajo fabril, como el más nefasto de todos. La integración de las mujeres a las fábricas se producía en un contexto en el que se mezclaban su propia experiencia como mujeres trabajadoras y las imágenes que construían alrededor del ideal maternal, la familia y el hogar como centrales en la vida femenina. *La cuestión familiar* – como un objeto problemático que convocaba al conocimiento científico y a la intervención moral – se encontraba en la base de la empresa transformadora del país, que adquirió vigor en el último cuarto del siglo XIX y se consolidó en las primeras décadas del siglo XX. El discurso pronunciado por diferentes actores (intelectuales, profesionales) y desde diversos ámbitos (instituciones estatales y privadas) enfatizaba que la mujer se realizaba en la maternidad y que la mujer obrera era una especie de híbrido degenerado y potencialmente degenerador. La mujer obrera se convertía, al procurarse para ella y su familia un salario, en elemento disgregador de la unión del hogar.[25]

[23] Ibídem, pág. 270.
[24] Entrevista realizada en Berisso, 13 y 20 de octubre de 1986.
[25] Algunas de estas ideas en Mirta Zaida Lobato: "Mujeres obreras, protesta y acción gremial en la Argentina: los casos de la industria frigorífica y textil en Berisso", en Dora Barrancos (comp.): *Historia*

Paralelamente a la construcción del ideal maternal, la paternidad permaneció asociada a la imagen del varón productor que gana el pan para él, su mujer y sus hijos. Su radio de acción era, sin embargo, más amplio. Abarcaba a toda la sociedad y su obligación era velar por su familia a través de las energías gastadas fuera del hogar.

Este campo de representación sobre los roles masculinos y femeninos solamente podía romperse en caso de *necesidad*, cuando no había ninguna otra salida a la indigencia o la miseria. La *necesidad* fue la válvula de escape que permitió legitimar el descuido de los deberes y de las obligaciones maternales en todas las mujeres entrevistadas, y en particular, en las que iniciaron su experiencia laboral en los años veinte. Volveré sobre este punto, pero lo que quiero destacar ahora es que el ingreso al trabajo fabril no era igual para las mujeres y los hombres y que las experiencias actuales o las personales no deben solapar la importancia o el grado de conflictividad que ellas encarnaban en las primeras décadas del siglo XX.

Ingresar a la fábrica era una transgresión, pero entrar al frigorífico era aún peor. No todas las actividades industriales tenían el mismo estatus para los trabajadores. Los frigoríficos eran considerados como un espacio para hombres ("de machos") donde el uso del cuchillo era frecuente, donde los olores repugnantes penetraban en el cuerpo y hasta producían el rechazo del varón.

Si a las mujeres el ingreso al trabajo fabril les generaba muchas tensiones por las contradicciones que se producían entre obligaciones maternales y laborales extradomésticas; si el frigorífico era un lugar de machos, ello habla también del lugar del varón. El hombre debía proveer: trabajar y mantener a su familia. Ser bueno como hombre implicaba fundar una familia y en el orden de las representaciones ello significaba un "deber ser" masculino relacionado con los recursos económicos. Además, el hombre debía ser valiente y "aguantar" cualquier amenaza, incluidas aquellas que involucraban el honor familiar. La virilidad, el ser macho, permite adaptarse también a un mundo duro y a menudo amenazador. El varón preñador, protector y proveedor era la contracara del ideal maternal que enfatizaba la función reproductora de la mujer.[26]

El patronazgo en las fábricas

El trabajador inexperto (hombre o mujer) que se transformaba en obrero industrial buscaba en las experiencias vividas en el pasado los instrumentos apropiados para

y género, Buenos Aires, CEAL, 1993 pp. 70-76 y "Women Workers in the 'Cathedrals of Corned Beef': Structure and Subjectivity in the Argentine Meat Packing Industry", en John D. French-Daniel James (ed.): op. cit. Mas específicamente sobre la conformación del ideal maternal en la Argentina Marcela Nari: *La mujer obrera: entre la maternidad y el trabajo. Reproducción biológica, familia y trabajo en la vida de las mujeres de clase obrera de la ciudad de Buenos Aires entre 1890 y 1930*, Informe de investigación, Facultad de Filosofía y Letras, UBA, 1995.

[26] La mayor parte de los trabajos sobre la problemática de géneros enfatiza en la situación de la mujer; los análisis sobre el tango rescatan la imagen del varón melancólico. Para un análisis más general véase D. D. Gilmore: *Hacerse hombre. Concepciones culturales de la masculinidad*, Barcelona, México, Paidós, 1994.

adaptarse a la nueva situación. Arabes, italianos, españoles provenían, generalmente, de áreas rurales, donde las relaciones entre terratenientes y arrendatarios (Italia centro meridional, España) o los intercambios por protección (Líbano) eran frecuentes.[27] Cuando esos inmigrantes entraron a los frigoríficos no dejaron sus experiencias abandonadas en los portones, sino que las utilizaron para sobrevivir en ese nuevo contexto.

Las actitudes de los trabajadores provenientes del Líbano y Siria pueden ayudarnos a precisar mejor esta idea. Cuando los muchos árabes que trabajaban en Armour y Swift ofrecían dinero a los capataces para mejorar su situación estaban empleando una herramienta utilizada en su tierra natal: en su experiencia personal, familiar e histórica en la aldea de origen, las personas necesitaban protección frente a la opresión y la rapacidad de los jefes y administradores políticos; ante las demandas exageradas de la administración central; y frente a las amenazas de facciones y familias políticas contrarias. Para obtener seguridad y protección se convertían en clientes de quienes estuvieran en condiciones de brindarlas. A cambio de esa protección no sólo ofrecían fidelidad sino también regalos, que reforzaban los lazos entre protectores y protegidos. Los regalos que los trabajadores de origen árabe hacían a sus capataces les servían, en otro contexto y con otras reglas, para sobrevivir en los marcos de la disciplina industrial.

El "soborno" puede ser analizado desde otra perspectiva además de la del abuso y la corrupción. Desde una faceta de denuncia, el poder y la autoridad en la fábrica no sólo han sido suficientemente señalados en la literatura especializada sino que dichas denuncias resultan incuestionables. Pero es importante considerar otros aspectos relacionados con las costumbres o las formas de vida. En este sentido, dar dinero a un capataz era una posibilidad de mejorar la situación y no era visto como un acto de corrupción.

De modo que si miramos en el pasado socio–político del Líbano encontramos que es una "historia de una serie de grupos y comunidades que tratan de asegurarse el patronazgo: grupos de clientes en busca de protección, seguridad y beneficios vitales, y patrones que intentan ampliar el ámbito de su clientela".[28] En toda la historia sociopolítica libanesa se puede constatar la existencia de vínculos personales y locales de fidelidad, y obligaciones recíprocas y asimétricas. Como dato significativo se puede señalar que esas formas de patronazgo no desaparecieron con el surgimiento de organismos e instituciones seculares en el Líbano y tampoco se esfumaron totalmente en los países de inmigración. En la Argentina la supervivencia de esas formas fue un medio para combatir la vulnerabilidad y vencer la miseria. En las fábricas, los obreros de origen libanés buscaron la protección de jefes y capataces y trataron de establecer lazos de fidelidad y lealtad como una forma de asegurarse trabajo y estabilidad.

---

[27] Véase en particular los trabajos de Sydel Silverman: "El patronazgo como mito"; J. Romero Maura: "El caciquismo como sistema político" (sobre el caso español); Alan Zuckerman: "La política de clientelas en Italia"; todos en Ernest Gellner y otros: *Patronos y clientes en las sociedades mediterráneas*, Madrid, Jucar Universidad, 1986.

[28] Samir Jalaf: "Nuevas formas de patronazgo político en el Líbano", en Ernest Gellner y otros: op. cit. pág. 180.

Los obreros italianos y españoles, así como los nativos, también tenían sus ojos puestos en sus experiencias del pasado. Durante esta etapa de la historia, llegaban a Berisso trabajadores de las áreas rurales de la Italia meridional y de España, así como nativos procedentes del campo de la provincia de Buenos Aires o de las zonas empobrecidas del noroeste argentino, donde los síntomas de cualquier proceso modernizador entraban más lentamente. Las relaciones sociales en las áreas rurales se basaban en redes de protección y lealtad entre patrones y peones, y eran consideradas como legítimas por quienes establecían el lazo clientelar. Podría decirse –siguiendo a Thompson– que estos obreros tenían una *experiencia del clientelismo* basada en la obligación moral de dar beneficios a quien les daba beneficios. [29] Como algunos grupos de trabajadores inmigrantes, los obreros nativos también encontraban que una particular relación con el capataz o jefe podía derivar en ciertas ganancias, como asegurarse la contratación permanente a pesar de las fluctuaciones y del carácter temporario de su trabajo, una tarea menos penosa o el permiso para faltar en caso de necesidad. El capataz o jefe se aseguraba una cuadrilla obediente cuya capacidad de trabajo le ayudaba a mantenerse con cierto poder dentro de la fábrica. En un aspecto, él era un trabajador más y la falta de eficiencia del grupo de obreros bajo su mando era un elemento negativo en su propio récord personal. Se establecía así una relación de intercambio que era fundamental como base del compañerismo en las fábricas.

Pero esa relación no sólo era de intercambio, sino que tenía también un carácter afectivo. Expresiones como "yo tenía una cuadrilla bárbara" o el "capataz me quería" son sólo indicios del tipo de vínculos que podían establecerse. Era una peculiar relación de amistad que se entablaba en un mundo inicialmente hostil y donde había que aprender a vivir creando y recreando los instrumentos apropiados.

La gestación de una esfera afectiva permite repensar la existencia de una mera reciprocidad o el predominio de una pura racionalidad en este tipo de relación, tal como se desprende de algunos estudios que enfatizan el clientelismo político. Es posible concebir la existencia de un mundo interactivo en las fábricas basado en el afecto, que se constituye en el origen y la base de una relación de "colaboración legítima" entre protector y protegido. Esa noción de colaboración legítima puede ser transferida a la empresa en su conjunto, si ella cumple con la norma moral de asegurar cierto bienestar a sus trabajadores, o romperse parcial o definitivamente si se considera que la compañía

---

[29] En realidad, estoy combinando la noción de experiencia tal como aparece en *La formación de la clase obrera en Inglaterra*, Barcelona, Crítica, 1989 con la importancia de la costumbre y de los usos consuetudinarios en el análisis de los comportamientos políticos y sociales tal como son planteados en "Costumbre y cultura" y "La economía moral de la multitud en la Inglaterra del siglo XVIII", en *Costumbres en común*, Barcelona, Crítica, 1995. Es importante también la definición y caracterización de los vínculos patrón-cliente que realiza James Scott en "Patronazgo o explotación", en Ernest Gellner y otros: op. cit., sobre todo teniendo en cuenta la importancia de las "políticas de clientelas", "el caciquismo como sistema político" o " el patronazgo político" existentes en Italia, España o Turquía, lugares de donde provenían muchos de los obreros de los frigoríficos. Para una revisión de la literatura sobre el clientelismo político véase Javier Auyero: "La doble vida del clientelismo político", en *Sociedad*, 8, abril de 1996.

no cumple con sus obligaciones y sólo establece una relación de explotación. Los vínculos clientelares pueden transferirse en forma de lealtades políticas fuera de las fábricas.

En realidad, es una red bastante compleja formada de experiencias particulares y peculiares que cambian en situaciones diferentes y en cada momento histórico. En esta etapa, dichas experiencias sirven para integrarse en mejores condiciones al mundo del trabajo y, en el caso de los nativos, para expresarse políticamente apoyando alguna de las fuerzas organizadas que actúan en la localidad. Concretamente, las denuncias sobre la relación política que se establece con los capataces se concentran en la acción de los políticos radicales y conservadores.

Vigilancia y control en las fábricas

Las empresas ejercían un estricto control de los trabajadores. Por cierto que los empresarios buscaban eliminar la "pereza" que se hacía visible con las "demoras" en los baños o la ejecución de un ritmo más lento de trabajo, pero también querían eliminar las "charlas" entre compañeros.

La disciplina, desde el punto de vista empresarial, se lograba con el ejercicio de una vigilancia constante en todo el recinto de la fábrica. El control y su consecuencia más directa, el disciplinamiento de los trabajadores, se apoyaban en dos pilares fundamentales: la organización espacial y laboral, y el sistema de penalidades. El espacio era la clave de la vigilancia. Los cuerpos de las fábricas estaban claramente delimitados, cada persona tenía un lugar y una función determinados. Esto permitía a los jefes y capataces controlar tanto el proceso productivo como a los trabajadores. Se limitaba el robo de alimentos u otros bienes y evitaban, al mismo tiempo, las conversaciones peligrosas.

Vigilancia y control aparecen claramente expresados en las narraciones de los trabajadores, pero sobre todo en aquellos cuya experiencia laboral se remonta al promediar la década del veinte:

P: ¿Podían salir de una sección para ir a otra?

JM: No.

PI: No podían.

JM: No permitían entrar de una sección a otra, si querías hacer algo, tenías que ir a hablar con el capataz y (el) capataz va a hablar al mayordomo y mayordomo al jefe; si no, no había caso o si seguís y vas a otro departamento enseguida te paran los serenos y te preguntan a dónde vas.

PI: La policía de la fábrica.

JM: Y te hacen un acta y enseguida te echan.

P: ¿Qué hacían los de vigilancia?

JM: Controlaban al obrero, si roban, pelean, se van antes de hora...

BK: La disciplina era muy rigurosa.[30]

---

[30] Taller de historia oral Club Eslovaco Argentino de Berisso, sesiones del 22 de septiembre y 7 de octubre de 1986. Se repite en todos los testimonios recogidos.

Las palabras utilizadas por los trabajadores tienen gran poder para designar el control social ejercido en las fábricas.[31] Vigilar. En algunos registros de personal puede leerse: "Informe de la Oficina de Tiempo al Superintendente. A la 1,30 horas Chapa Nº 3725 fue encontrado fumando en una de las casillas de la ribera. La chapa fue dada vuelta"[32]; "El *causante* con otros soldadores no conformes con el salario se *amotinaron* y resolvieron abandonar el trabajo"[33]; "Esta oficina suministró a la policía de la provincia los *antecedentes* existentes en este *prontuario* que sirvieran para identificar a Konochuf o Babby".[34] El ojo escudriñador de los serenos se detenía así en todos los lugares de la fábrica y, aunque se buscaban espacios que permitieran escapar a su control, los únicos lugares que estaban al margen eran los que se alejaban del recinto fabril.

El sistema de penalidades (sanciones, despidos, multas, inclusión en listas negras) completaba el sistema de disciplinamiento de la fuerza de trabajo. En realidad el sistema era doble pues se castigaba haciendo retroceder, degradando, o se premiaba mediante la recompensa de un salario mayor, más estabilidad en el empleo o un pequeño ascenso. En otro apartado se mencionó a Galinsky, aquel obrero polaco que fue despedido por demorarse en el baño. Cuando encontró nuevamente un lugar en la fábrica no volvió a retrasarse. El despido fue por décadas la sanción más eficaz, aunque ya en los años cuarenta se establecieron gradaciones en las sanciones que iban de la suspensión por uno o dos días hasta la expulsión. Pero el instrumento disciplinador por excelencia fue el contrato temporario. El fantasma del despido fue el mejor antídoto contra la resaca de una borrachera, la holganza en horas de trabajo, el consumo de una lata de paté o un pedazo de carne, el placer de un cigarrillo, la protesta individual o colectiva.

[31] Se entiende por control social el conjunto de medios de intervención (positivos o negativos) puestos en marcha en la sociedad o grupo social a fin de conformar a los propios miembros a las normas que la caracterizan, impidiendo y desaconsejando los comportamientos "desviados" y reconstruyendo las condiciones de conformidad incluso respecto de un cambio normativo. Existen dos formas principales: controles externos y controles internos. Con la primera expresión se hace referencia a aquellos mecanismos (sanciones, castigos) que se ponen en marcha cuando los sujetos no actúan de acuerdo a las formas dominantes. En el área de los controles internos se encuentran aquellos medios con los que la sociedad intenta una interiorización de normas y valores, Norberto Bobbio, Nicola Matteuni y Gianfranco Pasquino: *Diccionario de política*, México, Siglo XX, 1983, pág. 368-370. Se puede consultar también un clásico G. Gurtvich: " El control social", en G. Gurtvich y W.Z. Moore: *Sociología del siglo XX*, vol. I Los grandes problemas de la Sociología, Buenos Aires, El Ateneo, 1947. Control y disciplinamiento son cuestiones desarrolladas por Michel Foucault: *Vigilar y castigar. Nacimiento de la prisión*, México, Siglo XXI, 1986. Respecto al mundo del trabajo se puede consultar Stephen A. Marglin: Orígenes y funciones de la parcelación de las tareas 'Para qué sirven los patrones?", en André Gorz: *Crítica de la división del trabajo*, Barcelona, Laia B, 1977.

[32] "La chapa fue dada vuelta" significa que fue despedido. La fecha del registro es 6 de abril de 1925.

[33] La fecha consignada en el registro de personal es 15 de octubre de 1923. El destacado es mío.

[34] La fecha es junio de 1919. El registro tiene además el recorte del diario *El Día* donde se informa sobre un asalto que tuvo por protagonista a este obrero del frigorífico. La empresa envió todos los antecedentes a la policía.

Las nociones disciplinares que nutrían el pensamiento de las empresas se analizan mejor al estudiar las causas de la salida de las fábricas. Como ejemplo se han examinado las correspondientes al personal femenino de ambos establecimientos (Cuadros N° 14 y 15). Las causas de egreso pueden clasificarse en cuatro grandes grupos: 1) el control del tiempo; 2) de la actividad; 3) del modo de ser y 4) de la seguridad. A ellas pueden sumarse el retiro por cuestiones personales (su voluntad, la maternidad en el caso de las mujeres, insatisfacción laboral y por ausentarse de la localidad, entre otros) y los despidos por falta de trabajo, que están relacionados con el ciclo productivo y los vaivenes de la economía en general.

Faltar sin permiso, abandonar el trabajo o estar fuera de una sección son los aspectos más importantes relacionados con el control del tiempo. El control del modo de ser abarca un espectro más amplio que va desde la desobediencia a un superior, las discusiones o peleas con un compañero hasta los juegos como tirar carne o "hacerse el payaso", y mentir, ser desordenado, hablar, desobedecer e insultar a otro trabajador. El control del modo de ser incluye además los casos en que los hombres insultan, amenazan o agreden a mujeres y las peleas callejeras entre varones. También, aparece, en sólo tres casos del total de la muestra, la leyenda que el despido se produjo "por no realizar el tratamiento contra la sífilis". El control de la actividad está relacionado con la eficiencia. No cumplir, faltas de atención, no terminar la tarea asignada, permanecer con los brazos cruzados pueden ser motivos para el despido del mismo modo que fumar o dormir durante el horario de trabajo. El control de la seguridad tiene en la mira a los huelguistas, a los revoltosos y a quienes reaccionan violentamente contra el capataz o hurtan productos de las empresas (desde carne hasta bolsas o estaño) y registra los actos de sabotaje; por ejemplo, dañar las reses de exportación.

Las condiciones adversas para el establecimiento de comunicaciones fluidas entre los trabajadores, derivadas del control ejercido por las empresas y del poder disciplinador del despido, fueron más intensas en el período expansivo de la producción de carnes; sólo con el tiempo los trabajadores pudieron ir superando los obstáculos y dando forma a embriones de organización.

También es cierto que hubo límites para el control de los obreros; hubo espacios que escaparon a la vigilancia; los y las asalariadas encontraron las formas de burlar las disposiciones impuestas por las compañías. El control de las empresas y las resistencias de los trabajadores fueron delineando, a lo largo del tiempo, relaciones obrero–patronales que funcionaban como un juego donde los patrones imponían las normas, los asalariados las burlaban y, al producirse conflictos, las redefinían. Lo importantes era que para aprender las reglas al juego había que jugar (vivir la situación) y, en el período expansivo de la producción de carnes, los trabajadores iniciaban ese proceso de aprendizaje.

Los límites que los obreros ponían al control implicaban el reconocimiento y la resistencia a la voluntad de las empresas de vigilar y restringir aquellos comportamientos laborales y sociales que las compañías juzgaban como inadecuados o peligrosos. Por eso, para referirse a la situación de control utilizaban términos empleados en el lenguaje policial. Palabras tales como *sospecha, denuncia, labrar actas, detención* repetidas en los testimonios orales dan cuenta de la extensión del lenguaje del control –utilizado por

las compañías en sus registros e informes– a las expresiones cotidianas de los trabajadores. La representación del control se concentraba en la figura del sereno, al que se
lo nombraba como *"la policía de la fábrica"*.

CUADRO N° 14

Frigorífico Armour. Personal femenino: causa de egreso según origen, Totales y porcentajes, 1915-1930

Causas	Arg	Ext	Total	%
1) Cuestiones personales				
Su voluntad	77	97	174	44,4
Maternidad				
Otros	3	10	13	3,3
Jubilación	1		1	0,2
Subtotal	81	107	188	47,9
2) Despidos				
a. Control del tiempo				
Faltar sin permiso	5	6	11	2,8
Abandono	3	7	10	2,5
Subtotal	8	13	21	5,3
b. control del modo de ser				
Pelear	2	1	3	
Tirar carne	2		2	
Desobediente	2		2	
Por hablar siempre	2		2	
Hacerse el payaso		1	1	
No cumplir	1	3	4	
No competente - No hábil	1	3	4	
Subtotal	10	8	18	4,5
c. Control de la seguridad				
Por huelguista	4		4	
Comer productos	1		1	
Subtotal	5		5	1,3
Falta de trabajo	15	29	44	11,2
Paso a oficina general	1		1	
Sin datos	44	45	89	22,7
Sin especificar causa	9	16	25	6,4
TOTALES	174	1.394	392	100,0

FUENTE

Registros de personal

CUADRO Nº 15

Frigorífico Swift. Personal femenino: causa de egreso según origen. Totales y porcentajes, 1915-1930

	1907 - 1930			
Causas	Arg	Ext	Total	%
1) Cuestiones personales				
Su voluntad	17	11	28	18,9
Maternidad/embarazo	1		1	0,6
Casamiento	2	3	5	3,3
Por ausentarse		1	1	0,6
Para descansar	1	2	3	2,0
Mucho trabajo	2		2	1,3
Enferma	7	5	12	8,1
Le hace mal la pintura		1	1	0,6
A pedido del marido		1	1	0,6
Le hace mal a la vista		1	1	0,6
Razones de familia	1		1 ,	0,6
2) Despidos				
a. control del tiempo				
Faltar	3	6	9	6,0
Abandono	4	9	13	8,7
b. Control del modo de ser				
c. Control de la actividad				
No cumplir	1	1	2	1,3
No competente/no hábil	2	3	5	3,3
Baja producción/No da estándar	2		2	1,3
No le sienta/gustó/aceptó	2		2	1,3
Descuidado	1		1	1,3
Rehusó trabajar en extracto	1		1	1,3
Falta de atención	1		1	1,3
d. Control de la seguridad				
Cortar tapas intencionalmente		1	1	1,3
Falta de trabajo	20	13	33	22,2
Sin especificar causa	1		1	1,3
Lay off due lay off	1		1	1,3
Sin datos	8	8	16	10,8
Suspendida (se reincorpora)		1	1	1,3
Disgustos con el capataz	1		1	1,3
Otro trabajo		1	1	1,3
Fue al Armour		1	1	1,3
Subtotal	79	69	148	100,0

FUENTE

Registros de personal

Capítulo V
Protesta, conflicto, organización, 1907-1930

"[...] son muy contados los adherentes a la sociedad de resistencia [...] ¿por qué?. Según mi criterio, el obrero cuanto más esclavizado y embrutecido por el trabajo, está menos preocupado por mejorar su condición, ¿será verdad?".
La Protesta Humana, 30 de septiembre de 1903.

"A los obreros de los frigoríficos fue preciso obligar por la fuerza a dejar el trabajo como acto de solidaridad hacia Sacco y Vanzetti y Eusebio Magnasco".
Bandera Proletaria, 25 de junio de 1927.

"[...] El industrial no pide al obrero otra cosa que su trabajo; el obrero espera de él otra cosa que su salario [...]".
Alexis de Tocqueville, *La Democracia en América,* Madrid, Sarpe, 1984.

En los meses de noviembre y diciembre de 1917 no era fácil caminar por la calle Nueva York y otras adyacentes a los frigoríficos. La policía vigilaba atentamente la zona y los trabajadores se apostaban en las esquinas, se reunían en los sitios baldíos, realizaban mitines y manifestaciones. Cuando aparecía la policía arreciaban las pedradas y se producían numerosas detenciones. Por la noche se escuchaban algunos disparos. En el mes de diciembre, Berisso ocupaba la primera plana de todos los diarios. El frigorífico había sido asaltado, había muertos, heridos y detenidos. Todos los diarios: *La Prensa, La Nación, El Día, La Patria degli Italiani, La Protesta* y *La Vanguardia* se refieren a los acontecimientos.

Entre octubre y diciembre los obreros de la carne habían prácticamente paralizado las tareas en los dos grandes colosos de la industria y habían organizado su gremio. Era difícil abstraerse de los *sucesos de Berisso*. Sin embargo, cuando inicié esta investigación, pocas personas recordaban esta época. La mayoría asociaba la existencia del gremio y de protestas a los tiempos de Perón; de la noche a la mañana los trabajadores habían encontrado su destino como trabajadores dignificados de la mano del entonces coronel.

En la memoria de la localidad, el ayer (antes de Perón) estaba obturado y aunque ello requiere de una explicación, la propia existencia del olvido convocaba a una multiplicidad de preguntas sobre cuáles fueron las formas de la acción colectiva; cómo variaron a lo largo del tiempo; bajo qué circunstancias y de qué manera los trabajadores identificaron sus intereses. Dice E.P. Thompson: "la clase obrera no surgió como el sol de la mañana, a una hora determinada. Estuvo presente en su propia formación[...]".[1] De acuerdo con este autor, hay un proceso activo en el que la clase obrera se hace y rehace de manera permanente y, en ese proceso, los conflictos tienen un papel importante en la conformación de las identidades. Por eso, en este capítulo se examinan las causas de las protestas, su desarrollo y sus consecuencias.

En las páginas anteriores, el frigorífico fue analizado como una gigantesca puerta giratoria por donde entraban y salían hombres y mujeres diferenciados por sus orígenes y experiencias. Para que los trabajadores pudieran conocer las dificultades, transmitirlas a los recién llegados y organizar (si lo deseaban y consideraban necesario) alguna forma de resistencia, se necesitaba tiempo. En principio, los obreros tenían que romper la barrera de la lengua (nacionalizarse en términos lingüísticos); luego, identificar los problemas comunes y, finalmente, traducirlos en alguna forma de organización.

Identificar las causas de su malestar, agruparse y encarar los reclamos ante las empresas requería de un período de maduración. Ese período no era uniforme. Podía variar dentro de una fábrica, entre las empresas de una misma rama de producción e incluso entre los trabajadores de todo el país. Pero además, al mismo tiempo que comenzaban a tejerse las redes de solidaridad, se encontraban también los motivos de temor que llevaban a la retracción y la pasividad.

La protesta fragmentada

Cuando en 1904 en Berisso había apenas una fábrica, rodeada de barro y aguas pestilentes, en el frigorífico The La Plata Cold Storage –que luego fue adquirido por el Swift– un grupo de trabajadores no se presentó al trabajo para demandar aumento de salarios, que no se admitiera a menores de 14 años en la compañía y que se los proveyera de agua buena para beber. Tanto el personal dependiente de ingeniería como el de sala de máquinas peticionó solamente las 8 horas de trabajo y el conflicto sólo tomó estado público cuando las tareas se paralizaron al plegarse el personal especializado de la playa de matanza.[2]

---

[1] E. P. Thompson: op.cit. pág. XIII.
[2] Para las huelgas de 1904 véase *El Día*, 12 de julio, 16 y 21 de noviembre de 1904, y The La Plata Cold Storage Co. Ltda., Buenos Aires, *Minutes of the Local Boards*, 70 th Meeting, Thusday, November 24, 1904, pág. 19, (en adelante *Minutes*).

Según relatos de la época, la actitud de los obreros fue pacífica y esperaban que el Directorio resolviera satisfactoriamente su pedido. El mismo día de la paralización de la fábrica comenzó a circular la "versión" de que la gerencia del establecimiento había propuesto un aumento del 10% de los jornales y que los trabajadores lo consideraban aceptable. Las "versiones" o rumores eran un medio para presionar a los obreros. Con el rumor se intentaba generar inquietud entre los trabajadores, socavar decisiones, causar temor e incertidumbre; el rumor actuaba como un fuerte espolón que los conducía de nuevo al trabajo. En algunas oportunidades operaba como justificación para la represión.[3] Rumores de acuerdos, sobre el cierre del establecimiento y sobre la presencia de agitadores extraños se extendían cuando las empresas consideraban que podía producirse algún conflicto.

Para los trabajadores, el rumor de la "desocupación" levantaba una figura amenazante que resultaba difícil de soportar. La mera idea de desocupación socavaba las acciones colectivas porque los trabajadores se enfrentaban con la incertidumbre de un período prolongado sin trabajo y sin salario. El rumor de la presencia de agitadores servía, con matices y diferencias sobre quienes lo encarnaban, para legitimar la represión. En este período, los agitadores eran representados por los anarquistas, quienes recorrían el país como figuras ciclópeas que podían cambiar el rumbo de cualquier acontecimiento.

El conflicto de 1904 se produjo en un contexto donde circulaban versiones contradictorias, ya sea sobre el cierre de los establecimientos o sobre posibles acuerdos con los obreros. Pero en la medida que el movimiento de protesta se dilataba y las necesidades apremiaban, los obreros aceptaron un pequeño aumento de salarios para no perderlo todo. El 24 de noviembre el movimiento había cesado, las actividades se reanudaban y los trabajadores lograban un pequeño aumento en el jornal diario.

El extraordinario poder de convocatoria que el gobierno y la prensa atribuían a los agitadores ácratas se esfumó cuando la FORA (Federación Obrera Regional Argentina) llamó a la huelga general para el 1 y 2 de diciembre de 1904. Sólo algunos hombres del Ferrocarril del Sur, unos pocos albañiles y los estibadores del puerto de La Plata acompañaron a la Federación Obrera en la medida.[4] La protesta de los obreros del Cold había terminado, se circunscribía a esa empresa y no tuvo lazos con la que protagonizaron los trabajadores de La Negra y La Blanca en Avellaneda o del frigorífico de Zárate.[5]

Al conflicto de 1904 le sucedió, poco tiempo después, otro movimiento. En enero de 1905 los trabajadores de las cámaras frías, la "siberia" del frigorífico, se negaron a trabajar. Las actas del directorio no consignan sus causas, sólo la respuesta enérgica

---

[3] El análisis del rumor y el miedo tiene un lugar privilegiado en los estudios sobre la Revolución Francesa véase por ejemplo Michel Vovelle: *La mentalidad revolucionaria*, Barcelona, Crítica, 1989, pág. 63 a 106.

[4] La huelga general fue llamada en repudio a la represión que se produjo en Rosario durante la huelga de dependientes de comercio que demandaban las 8 horas, descanso dominical, vida externa y reconocimiento de las asociaciones, Sebastián Marotta: op. cit., Vol. I, Buenos Aires, Lacio, 1960, pág. 262 y *El Día*, 2 de diciembre de 1904.

[5] *El Día* 4, 13 y 2 de diciembre; y *La Protesta*, 4, 10 y 13 de diciembre de 1904.

del "work manager" de que debían volver al trabajo incondicionalmente.[6] En octubre, una nueva protesta, esta vez de los cargadores de barcos, se neutralizó con la contratación de nuevos brazos y, en junio de 1906, los obreros de matanza protagonizaron una pequeña movilización. Los "butchers" demandaban que la matanza de vacunos no excediera las 300 cabezas de ganado diarias (se había llegado a 500), a lo que la empresa accedió. En noviembre del mismo año, los peones generales y los de cámara fría reclamaron 8 horas de trabajo, el 20% de incremento en los salarios, doble salarios los días festivos y la inmediata contratación de los despedidos.[7] En 1907 pararon nuevamente los cargadores de barcos,[8] y en 1912 veinticuatro obreros toneleros se declararon en huelga por aumento de jornales, que la empresa rechazó al ser solicitado "en razón de que se les exigía trabajar en una construcción extraordinaria".[9] Los nuevos dueños –Swift– no parecían ser más conciliadores que el consorcio anglo-sudafricano.

Los conflictos obrero-patronales de esta primera etapa tienen algunos rasgos que se pueden destacar. El eje de las protestas estaba constituido por la reivindicación de la jornada de 8 horas. La jornada laboral unificaba la experiencia de trabajo: durante el período expansivo de la producción de carnes, los obreros –hombres y mujeres– vivían prácticamente en la fábrica. Mientras otros trabajadores, en particular los de la ciudad de Buenos Aires, habían obtenido la jornada de 8 horas, los asalariados de Berisso estaban expuestos a los efectos de una permanencia prolongada en las fábricas con intensos ritmos de trabajo.

La extensión de la jornada generó dos tipos de reacciones entre los asalariados. Algunos expresaban individualmente su disconformidad. *"El causante expresó a viva voz su descontento"* dicen algunos registros de personal de Swift y Armour, con un agregado en lápiz rojo: *"reclama 8 horas"*. Otros se unían para demandar colectivamente las 8 horas, como ocurrió en los conflictos abiertos de 1904 y 1907, así como en los más generalizados y violentos de 1915 y 1917.

La extensión de la jornada como rasgo distintivo de las condiciones de trabajo permaneció más allá de la sanción de la ley 11.544 que establecía que la duración del trabajo no podía exceder las 8 horas diarias y las 48 horas semanales[10]; pues las empresas violaban las disposiciones establecidas por el Estado argentino, que pugnaba por regular las relaciones laborales.

En estas primeras acciones obreras, cualquiera de las secciones del frigorífico podía ser el foco de la confrontación. Los movimientos se circunscribían a un pequeño número de operarios sin diseminarse por toda la unidad de producción. Ni la empresa

---

[6] "The work manager, Mr. Manning, reported that he had received a letter from the strikers asking to be taken back incondicionally", *Minutes*, 75 th Meeting, January 5, 1905, pág. 37.

[7] *Minutes*, 94 th Meeting, Wednesday October 11, 1905, pág. 5; 95 th Meeting, October 25, 1905 pág. 174; 110 th Meeting, June 6, 1906, pág. 265 y 122 th Meeting, Wednesday, November 21, 1906 pág. 333.

[8] Sebastián Marotta: op. cit., vol. I, pág. 262.

[9] *El Día*, 13 de abril de 1912.

[10] La ley se sancionó el 29 de agosto de 1929. Para un análisis de la legislación obrera véase: José Panettieri: *Las primeras leyes obreras*, Buenos Aires, CEAL, 1984.

ni la prensa nombraban al gremio de alguna forma y tampoco identificaban los liderazgos ideológicos de las tendencias obreristas del momento. Sin organización, los trabajadores no tenían representantes en los congresos obreros ni en las federaciones gremiales que por ese entonces se conformaban en la Argentina.

La organización del trabajo dividía a los trabajadores, pero sus condiciones y las relaciones que se establecían entre sus miembros constituían un impulso hacia la unidad en función de las protestas. Como en el caso de otros grupos de trabajadores, la jornada laboral y los salarios fueron los acicates que los llevaron a enfrentarse con sus patrones. La separación espacial, el desmenuzamiento de las tareas y el estricto control del modo de ser marcaron los límites.

En pocas ocasiones las tensiones generadas en el nivel de cada departamento de la fábrica irrumpieron en confrontaciones en gran escala. 1915 y 1917 constituyeron años clave en la emergencia de conflictos abiertos.[11] En los conflictos circunscriptos a unos pocos departamentos los contendientes eran dos: capital y trabajo. Empresarios industriales y obreros. Pero en los de 1915 y 1917 se involucraron otros actores: el gobierno y las dependencias estatales que habían surgido al calor de las nuevas funciones con que el Estado abandonaba sus concepciones de prevención para intervenir en la regulación del conflicto social; los vecinos que aumentaban en número y diversificaban sus actividades con la expansión que provocaba la actividad frigorífica; y los partidos políticos, esos actores que las transformaciones políticas de principios de siglo colocaron en la escena pública.

Guerra, trabajo y protesta: la huelga de 1915

La guerra de 1914 influyó favorablemente sobre la actividad de los frigoríficos. El Swift entró en un clima febril de trabajo al producir carnes enlatadas para el abastecimiento de los ejércitos beligerantes. Desde 1914 aumentó la faena de ganado para exportación y la matanza de vacunos se incrementó hasta duplicar los valores existentes al comenzar la guerra. En 1918 se llegó a las 2.976.224 cabezas vacunas, momento en que la producción y venta comenzaron a declinar. En 1920 y 1921 se faenó menos de la mitad de los animales sacrificados en 1918. La matanza de ovinos se mantuvo durante la guerra con pequeñas oscilaciones y la de cerdos se incrementó notablemente.

En 1915 el malestar de los trabajadores del Swift tomó estado público. El 7 de mayo de ese año se declararon en huelga 200 obreros (los primeros que expresaron su descontento fueron los hojalateros): A ellos se unieron, más tarde, el resto de los trabajadores, salvo un pequeño grupo que permaneció alojado y alimentado en el interior

---

[11] Tomo el concepto de P. K. Edwards-Hugh Scullion: *La organización social del conflicto laboral. Control y resistencia en la fábrica*, España, Ministerio de Trabajo y Seguridad Social, 1987, pág. 29: "Conflicto abierto es la categoría más sencilla, se refiere a los casos en los que el conflicto es reconocido por los participantes y en donde tiene lugar una acción para expresarlo."

del establecimiento. Decía *El Día*: "La administración del frigorífico se ha abusado hasta el más increíble punto con los trabajadores [...] con distintos pretextos ha exigido al personal que trabaje 10, 14 y hasta 16 horas diarias; luego por las exigencias de la guerra europea ha hecho trabajar a las mujeres del departamento de conservas sin descanso [...] y ya en el vértigo de esa explotación cínica y brutal se resolvió últimamente, a no pagar a nadie como extraordinarias las horas de exceso después de las 8 de jornal humano. Esto unido a los tratamientos verdaderamente salvajes que se aplicaban a los trabajadores para incitarlos a una mayor diligencia, a la rapiña de los capataces que cobraban coimas para garantir la permanencia en sus funciones [...] a las injusticias frecuentes y sin apelación de los encargados [...], las extorsiones ejercidas lo mismo con los hombres que con las mujeres o los niños, todo eso, en fin, ha provocado el estallido de la huelga".[12]

El diario local *El Día* señalaba las causas y construía dos imágenes enfrentadas. Por un lado los trabajadores, los explotados. Por el otro, las empresas que concentraban en sus métodos toda la gama posible de inhumanidad. *"Explotación"*, *"tratamiento salvaje"*, *"rapiña"*, *"injusticia"* eran palabras que comenzaban a adquirir fuerza simbólica en la comunidad. Las representaciones de la fábrica se oponían y superponían a las imágenes de dignidad, esfuerzo y trabajo que se asociaban con la entrada de miles de hombres y mujeres a los frigoríficos.

Pero si al texto del redactor de *El Día* lo despojáramos de sus adjetivos quedarían los elementos básicos de la organización del trabajo y sus condiciones: extensión de la jornada, férreo control por parte de las empresas, el poder despótico de jefes y capataces, los ritmos de labor. El aumento de la matanza y la elaboración de carnes envasadas transformaban las condiciones de trabajo en intolerables y el estallido no se hizo esperar. Los obreros exigían: "La jornada de 8 horas fuera de las cuales se pagará con un 50% de aumento, admisión de todos los obreros expulsados a raíz del actual movimiento, expulsión únicamente con causa justificada a juicio de la federación, provisión a cargo exclusivo de esta última de los obreros que en adelante necesite el establecimiento".[13]

Los motivos eran los más extendidos entre los trabajadores de la Argentina, y los dos últimos puntos constituían un intento de controlar el ingreso de nuevos brazos, propio de aquellos trabajadores de oficio cuyos conocimientos eran importantes para la marcha de la empresa. La organización del trabajo en la industria, con sus requerimientos de trabajadores sin especialización, transformaba esta demanda en insostenible y desapareció en los petitorios de 1917.

El movimiento se inició el 7 de mayo de 1915, pero sólo el día 12 se suspendió la matanza. El departamento de conservas prosiguió sus labores, aunque en forma irregular, y los cargadores de barcos cumplieron parte de sus obligaciones ya que la compañía les pagó un salario apreciable.[14]

---

[12] *El Día*, 14 de mayo de 1915; también puede consultarse *La Organización Obrera*, quincena del 1 de mayo de 1915.
[13] *El Día*, 14 de mayo de 1915.
[14] *El Día*, 13 de mayo de 1915.

Declarada la huelga, la empresa utilizó dos mecanismos para salir del atolladero. En una industria que procesa materiales perecederos resulta de vital importancia culminar con el proceso de elaboración iniciado. El mayor salario abonado a los cargadores de barcos les aseguraba que las carnes estuvieran en el mercado de Londres en apenas cuarenta días. El otro recurso estaba mucho más extendido entre las prácticas empresarias en contextos caracterizados por la descualificación y la ausencia de protección para los trabajadores. Las empresas podían contratar y despedir a los obreros sin ningún costo adicional. En el mercado laboral estaba asegurada la oferta de brazos y así lo aseguraba el Gerente General del establecimiento, Mr. Prior, quien "aconseja que no se tomen en cuenta las proposiciones de los obreros porque cree que consiguiendo desolladores para la playa y contando sin mayores tropiezos peones no han de faltar [...] entre los turcos, árabes, montenegrinos, etc. que pueden reclutarse en Berisso y ciertos parajes de la Capital Federal".[15]

Crumiros o desocupados, según la óptica desde donde se los mire, los contingentes de inmigrantes que se reclutaban entre los recién llegados a la localidad, a la Capital Federal o entre los montevideanos con alguna experiencia en la matanza, incidían negativamente sobre el éxito de la huelga. Continuar trabajando o engrosar las filas de los que buscaban empleo era una alternativa conocida por los trabajadores. Es cierto que el país crecía y que las dificultades de la estructuración del capitalismo en la Argentina sólo se hacían sentir esporádicamente. Los trabajadores tenían expectativas de construir una casa y educar a los hijos con su empleo. Pero esas expectativas a veces eran erosionadas por el umbral de la incertidumbre. ¿Cuánto tiempo estarían buscando empleo?, ¿de qué vivirían? . No eran problemas menores en una sociedad que ya contaba con una oferta abundante de brazos.

Las empresas conocían el poder disciplinador de la falta de trabajo. En miles de oportunidades, aquí y en Chicago, habían podido comprobar que un trabajador despedido por protestar se volvía manso cuando regresaba a la fábrica. Por eso, se distendían las negociaciones cuando la empresa no contaba con los brazos sustitutos y se endurecían sus posiciones ante cada posibilidad de realizar nuevas contrataciones. Así procedió el Swift durante el conflicto de 1915. En marcha el movimiento huelguístico, la compañía comunicó que aceptaba las 8 horas y no tomar represalias, pero rápidamente mudó de idea cuando se enteró de que el vapor Labrador arribaría a Berisso con 170 hombres que habían contratado.[16]

Las empresas tampoco estaban solas. La Jefatura de Policía puso los hombres necesarios a su disposición para "sofocar cualquier revuelta que pudiera producirse". Hasta ese momento no había ningún indicio de disturbios. Los trabajadores habían presentado su petitorio, buscaban y querían negociar; comportamiento que implicaba un

---

[15] Ibídem.

[16] Sobre el desarrollo de la huelga véase *El Día*, 12 al 15, 19 y 20 de mayo de 1915. También, *La Protesta* y *La Vanguardia* en las mismas fechas.

reconocimiento de sus derechos y de sus límites y una aceptación de las prerrogativas patronales. El grupo policial acampó en el establecimiento y ejercía su vigilancia en los alrededores de la fábrica. En la calle, el escuadrón de seguridad actuaba disolviendo los grupos de trabajadores y a los vecinos. Esta situación aumentó el clima de tensión entre los obreros y se extendió al vecindario, que no aceptaba la vigilancia extraordinaria que se ejercía alrededor de los frigoríficos y sobre las viviendas cercanas.

Para colmo de males, se agitó nuevamente el fantasma de la perturbación ácrata. El cuerpo de seguridad de la fábrica expandió el rumor de un atentado anarquista que sólo servía a los fines de la compañía. Al mismo tiempo, la Federación Obrera local realizó una reunión el 13 de mayo, donde proclamó la solidaridad con los obreros y algunos de ellos denunciaron las causas que originaron el movimiento. Dos de ellos hablaron a sus compatriotas en idioma árabe.

El día 15 de mayo Berisso recibía la visita de un diputado socialista y una delegación de trabajadores se acercó al ministro de Gobierno buscando su intervención para solucionar el conflicto. Idas y venidas del frigorífico a la casa de gobierno desalentaron a las autoridades y a los trabajadores sobre las posibilidades de un acuerdo. Los obreros se retiraron para reunirse al otro día en una nueva asamblea.

El 17 de mayo discutían la propuesta de la gerencia de aceptar las 8 horas de trabajo y no tomar represalias. En ese momento, llegó la noticia de que arribaría un lanchón con obreros. La llegada se concretó al día siguiente, y la compañía interrumpió nuevamente las negociaciones. El día 20 de mayo los signos de fracaso del movimiento obrero eran evidentes. Por esa fecha el cronista de *El Día* señalaba: "la absoluta inflexibilidad de las autoridades de la empresa, apoyada por su incontrastable poder económico, ha quebrado todas las tentativas de avenimiento entre una y otra parte". Y agregaba: "una vez más ha debido cumplirse en la vida el sino fatal de los humildes puestos por su misma condición a merced de los pudientes. *El oro de los grandes industriales derribando la razón, que pareciera inconmovible, de sus explotados. La empresa [...] ha preferido echar a todos a la calle*".[17]

A partir de este momento, las tensiones acumuladas estallaron día a día. Una parte importante del personal permaneció alojada en el interior del edificio pero otra viajaba diariamente de Buenos Aires a Río Santiago, en un tren contratado por la empresa, y otra lo hacía desde La Plata. Los trabajadores en huelga trataban de amedrentar a los que estaban trabajando y el tranvía era acompañado por gritos e insultos.

Al finalizar el mes, los huelguistas ni siquiera podían reunirse. Para ello necesitaban un permiso policial y éste no llegaba. Recién el 29 de mayo lograron encontrarse en el local de La Real. Eran muchos días sin trabajo y las fuerzas estaban flaqueando. El 30 realizaron otra asamblea en un baldío de las calles Barcelona y Lisboa, pero un rumor empezó a correr: los desolladores reanudarían su trabajo. El día 5 de junio la huelga estaba terminada de hecho, el frigorífico trabajaba normalmente con casi 3.800 obreros y no todos los que regresaban eran readmitidos. Los que tuvieron una participación

---

[17] *El Día*, 20 de mayo de 1915.

activa en el conflicto figuraban en una lista con un poderoso contenido simbólico y real: desocupación. Estar en una lista significaba no ser contratado por la compañía, ni tampoco por aquellas a las que les llegara el fatídico papel. La empresa estaba decidida a eliminar a estos trabajadores del panorama laboral de Berisso con la entrega de los nombres de los obreros indeseables al frigorífico Armour, que estaba pronto a inaugurar su planta industrial.

La vuelta al trabajo fue difícil. El triunfo de la compañía las llevó, aparentemente, a acentuar las duras condiciones de labor. El 12 de junio la situación comenzaba a complicarse nuevamente: los huelguistas viejos y los nuevos se reunieron en la cancha de pelota de Berisso pero la policía irrumpió con violencia. Al día siguiente un tranvía fue tiroteado. Hubo seis heridos, entre ellos, un vigilante y, según la policía, el acto fue realizado por un grupo de diez huelguistas. El mismo día corrió el rumor de que en el frigorífico se habían encontrado dos bombas que no estallaron porque fueron descubiertas a tiempo. Las detenciones de obreros aumentaron y casi todos los dirigentes del movimiento fueron encarcelados. La rigidez de la policía para disolver los grupos que se formaban en las calles y veredas hizo que las mismas quedaran desiertas pero el malestar persistió porque como decía *El Día:* "que los obreros no anden en manifestación por las calles no quiere decir nada. No andan porque la policía no los deja".[18]

El conflicto se prolongó por espacio de cuarenta días, tras los cuales el movimiento debió darse por fracasado con el saldo de algunos obreros y dirigentes detenidos. Durante la huelga de 1915 el gobierno provincial intervino sólo una vez buscando soluciones, pues el ministro de Gobierno se retiró rápidamente del escenario cuando la empresa endureció sus posiciones. Marcelino Ugarte era el gobernador de la provincia desde el 1 de mayo de 1914 y desde la época en que estalló el movimiento obrero de Berisso estaba preocupado por tejer acuerdos y alianzas que, creía, lo llevarían a la presidencia de la nación. Poco importaba la marcha de estos acontecimientos; la indiferencia del gobierno provincial era denunciada permanentemente por *El Día*, cuya tendencia proradical se traslucía en cada página donde denunciaba la "bochornosa incapacidad del gobierno forastero", y el gobierno nacional era interpelado por los socialistas a través de la figura del diputado Oddone.

Los partidos políticos, socialista y radical, actuaron como agentes de denuncia y control ante el estallido del conflicto. A través de la prensa afín al radicalismo se insistía en la denuncia de la insensibilidad de la empresa para aceptar las justas demandas obreras, al mismo tiempo que se socavaba al gobierno conservador y a su presencia en ámbitos más pequeños, como el de la propia localidad. Las interpelaciones socialistas al Poder Ejecutivo ayudaban a conformar una noción de derechos y deberes de los trabajadores (derecho al trabajo, a la huelga, a la organización), que alimentaba la constitución de una ciudadanía industrial, componente importante de la ciudadanía social.

La experiencia en las fábricas integraba al trabajador al proceso político como un ciudadano industrial, titular de una serie de obligaciones y derechos que se expresaban materialmente de diferentes modos: jornada laboral, salarios justos, compensaciones por

---

[18] Sobre el accionar policial véase en particular *El Día*, 12 y 13 de mayo de 1915. La cita es del día 16.

antigüedad y el establecimiento de mecanismos para plantear los reclamos y garantizar la igualdad y la justicia en las fábricas.[19] Esta forma de integración era importante porque los trabajadores eran extranjeros, al menos la mayoría en esta etapa, y no tenían derechos políticos. La ciudadanía política no había llegado para ellos por diferentes razones, incluso porque no les preocupaba ejercerla por medio del sufragio, pero construían aquella ciudadanía que se articulaba alrededor del reconocimiento de los derechos sociales, como los de trabajar una jornada justa con un salario digno.

Ni la preocupación de los radicales, ni las interpelaciones socialistas, ni las denuncias de un sistema injusto de los ácratas, impidieron que varios obreros detenidos después del tiroteo al tranvía fueran encarcelados. Nueve de ellos fueron procesados y el fiscal solicitó penas que llegaban a los 25 años de prisión. La FORA y la FOL les designaron abogados, realizaron numerosas campañas de agitación y colectas de ayuda económica.[20] Y desde la FORA hasta idearon un cupón de protesta que debía ser enviado al juez Villar Sáenz Peña a La Plata. Así expresaban su protesta contra el dictamen del fiscal Ydoyaga Molina porque los obreros "no pueden ser acreedores a pena tal por hacer uso de un derecho en defensa de su dignidad de productores y por la de sus hijos".[21]

Los presos de Berisso se constituyeron en un campo de batalla entre anarquistas, socialistas y sindicalistas que pugnaban entre sí por designar abogados o encabezar las campañas pro libertad. En tanto, los trabajadores fueron condenados a 17, 12 y 3 años de prisión por la aplicación de la Ley de Defensa Social aunque fueron dejados en libertad en agosto de 1917.[22]

Seis meses más tarde de terminado el conflicto, la dirección de la compañía, con la llegada de un representante de la casa de Chicago, inició una investigación sobre las denuncias realizadas por los trabajadores y la prensa local referidas a abusos por parte

[19] Tomo la idea de la "creación del ciudadano industrial" de Michael Burawoy: op. cit. págs. 143 a 145. Por otra parte, dice Marshall sobre la ciudadanía social: "La disminución de las desigualdades fortaleció la lucha por su abolición, por lo menos en relación con los elementos esenciales del bienestar social. Esas aspiraciones se volvieron realidad, al menos en parte, con la incorporación de los derechos sociales al estatus de la ciudadanía y por la consiguiente creación de un derecho universal a una renta real [...] el objetivo de los derechos sociales constituye una reducción de las diferencias de clase", (la traducción es mía), en T. H. Marshall: *Cidadania, Classe Social e Status*, Río de Janeiro, Zahar Editores, 1967, pág. 88.

[20] *Actas de la Federación Obrera Local*, La Plata, 5 de octubre de 1915, se destinó una suma de dinero para los huelguistas de Berisso; 19 de octubre de 1915, se discute la mejor forma de actuar para que no se les aplique a los presos de Berisso la Ley de Defensa Social y para ver a otro abogado; 26 de octubre de 1915, se resuelve realizar una campaña de agitación por los presos de Berisso; y 20 de noviembre de 1915, se resuelve no continuar con la agitación y archivar el asunto. Las actas me fueron facilitadas por el profesor José M. Lunnazzi.

[21] *La Organización Obrera*, noviembre de 1915.

[22] La sentencia fue apelada, pues se denunciaron presiones e irregularidades por parte de la policía. Se designó una Comisión Investigadora, integrada por el senador Enrique del Valle Iberlucea y los diputados Antonio Zaccagnini y José P. Baliño, que confirmó las amenazas y violencias contra los detenidos. Los obreros habían sido responsabilizados por delitos que no habían cometido.

de las autoridades, en particular jefes y capataces, y despidió a los que fueron encontrados culpables. Como una muestra de flexibilidad se constituyó una Comisión Técnica para analizar los peligros existentes en el trabajo y se instaló un buzón en el que se anunciaba que cualquier indicación que se considerara conveniente para mejorar las condiciones de labor podía ser realizada por los obreros y empleados.[23]

Los resultados de la política de la empresa no pueden ser evaluados; en todo caso, el interés por formar la comisión fue un síntoma de cambio y un intento de limar situaciones antagónicas, sólo que el estallido de la huelga de 1917 mostró las limitaciones de la compañía. La fábrica era una arena de confrontaciones y éstas surgían, se aplacaban y volvían a estallar de diferentes formas.

Cuando sobrevenía la explosión de protesta y su onda expansiva se extendía sobre el poblado, el conflicto adquiría dimensión pública. En tanto, en la fábrica, los días calmos se alternaban con otros donde predominaban roces y tiranteces con la empresa y con la policía al servicio de la compañía.

La "gran huelga" de 1917 y sus secuelas
Un incidente de violencia

Se señaló que entrar a trabajar en los frigoríficos era relativamente fácil. Día a día, decenas de personas se agolpaban frente al portón. Empujones y apretujones eran frecuentes y, a veces, la policía del frigorífico dispersaba a los que no habían encontrado un lugar en la fábrica. Luego de la huelga de 1915 el procedimiento se volvió cotidiano, pero los límites de la tolerancia de quienes buscaban empleo eran impredecibles.

Apenas iniciado 1917, la policía provincial reprimió a quienes buscaban trabajo frente a los portones del Swift porque demoraron en dispersarse. A latigazos y machete limpio desbandó a los que, aguijoneados por la necesidad o porque no entendían bien lo que se les decía, permanecían esperando y no se retiraban. Dos desocupados fueron heridos y veinte enviados a prisión. Algunos de ellos eran, aparentemente, simpatizantes radicales. Ante los acontecimientos, algunos vecinos de Berisso, entre los que se destacaban ciertos radicales notorios como Alejandro Cestino y el abogado Juan Lozano, que representó a los detenidos, enviaron una nota al juez que intervino en la causa denunciando los maltratos y el accionar policial.[24]

---

[23] *El Día*, 11 de diciembre de 1915.

[24] *El Día*, 10 y 11 de enero y 15 de marzo de 1917. La historia del radicalismo en Berisso es poco conocida, entre otras cosas por el impacto que ejerció el peronismo sobre sociólogos e historiadores. El 10 de mayo de 1913 una asamblea de 150 afiliados inauguró el sub-comité Dr. Leandro Alem bajo la presidencia de Esteban Solari; el 17 de julio de 1915 fue electo presidente Alejandro Cestino quien, el 14 de marzo de 1917, solicitó al Presidente de la nación, mediante un telegrama, la intervención federal a la provincia. Esta información se encuentra en *Actas del Comité de la Unión Cívica Radical*, Berisso, 1913 a 1918.

Los sucesos fueron un síntoma de la situación política provincial: el gobernador, asociado al pasado de fraude electoral, estaba enfrentado con el gobierno nacional. El incidente en los portones del Swift permitía a los radicales locales denunciar el accionar de la "máquina ugartista" basada en la policía y abrir un camino para la intervención nacional; era también un indicador de la presencia activa y permanente del radicalismo en una confrontación, a veces violenta, con las fuerzas conservadoras.[25] La intervención de los radicales locales fue también una expresión de su interés por asociar sus acciones públicas a la defensa de los trabajadores de los abusos que podían ser objeto.

El 12 de octubre de 1916, el triunfo del radical Hipólito Yrigoyen para ocupar la presidencia del país colocó en una difícil situación al gobernador de la provincia Marcelino Ugarte. Desde mediados de 1915, Ugarte había descuidado su acción de gobierno en la esfera provincial ocupado en la campaña por su candidatura presidencial. Los conservadores de la provincia competían con todas sus armas con las de los radicales, pero empezaban a sentir las dificultades para adaptarse a los nuevos aires insuflados a la política por la Ley Electoral de 1912. Los choques entre radicales y conservadores se sucedían. La violencia no era extraña a la vida política, pero el flamante gobierno radical quería limitar su persistencia tanto como su frecuencia.

El incidente de los portones del Swift se sumaba a otros, como el de Tres Arroyos –aunque allí el conflicto no estaba mezclado con grupos específicos de trabajadores– y permitía a los partidarios de la intervención intensificar su campaña. Finalmente, la intervención federal de la provincia se produjo el 24 de abril de 1917.[26] En el nivel del trabajo en la industria, el incidente fue un síntoma de las prácticas autoritarias de las empresas y de la existencia de una masa de desocupados que no encontraban un lugar en el mercado laboral.

La situación en las fábricas preocupaba a las autoridades del Departamento de Trabajo quienes, unos pocos días antes del incidente de los portones, habían enviado inspectores a los frigoríficos Swift y Armour. Los inspectores constataron infracciones a

---

[25] Esta competencia era importante porque, aunque Yrigoyen había sido elegido presidente, la elite tradicional controlaba las cámaras en el Congreso y recién en las elecciones parlamentarias de 1918 se modificó el panorama político al obtener la UCR la mayoría en la Cámara de Diputados, véase Ana María Mustapic: "Conflictos institucionales durante el primer gobierno radical, 1916-1922", en *Desarrollo Económico*, vol. 24, N° 93, abril-junio de 1984, págs. 85 a 108.

[26] Lamentablemente no hay un análisis pormenorizado del radicalismo ni de los conservadores bonaerenses y los existentes no explican las bases de la movilización e inserción popular de ambos partidos. No obstante se puede consultar Richard J. Walter: *La provincia de Buenos Aires en la política argentina 1912-1943*, Buenos Aires, Emecé, 1987 y Ana María Mustapic: *El Partido Conservador de la provincia de Buenos Aires ante la intervención federal y la competencia democrática: 1917-1928*, Documento de Trabajo N° 95, Instituto Torcuato Di Tella, diciembre de 1987. El bisemanario local *El Orden* bajo el título "la intervención nacional" señalaba: "Por fin se ha producido la intervención nacional a la provincia de Buenos Aires, el hecho tan anunciado y anhelado por los radicales. Esta resolución del poder ejecutivo nacional no ha causado mayor sorpresa al pueblo, por cuanto los voceros oficiales del radicalismo daban en estos últimos días como seguro para antes de la apertura de las cámaras, el decreto que acaba de firmarse", 26 de abril de 1917.

la ley de descanso dominical en el Armour. Según los gerentes, la ley sancionada por el gobierno nacional no era aplicable en la provincia.[27]

La agitación obrera

No sólo el Partido Radical o el Departamento de Trabajo tenían su mirada puesta en Berisso. El mes de mayo fue activo en asambleas y conferencias para formar una sociedad de resistencia, y hasta se comenzó a hablar de huelga contra los abusos y la desconsideración, aunque se creía que el momento era inoportuno. Recién a mediados de junio se formó una Sociedad de Resistencia y, el día 18 de ese mes, se realizaron paros parciales en Swift y Armour. La movilización de los obreros de la carne se produjo en diferentes plantas industriales pero ellos no actuaban de manera coordinada. El 12 de junio se declaró la huelga en el frigorífico Hall de Zárate y más tarde en el Smithfield. La huelga de Zárate se extendió a la fábrica de papel y el secretario del Departamento Provincial del Trabajo fue comisionado para entrevistarse con los gerentes de ambos establecimientos. El funcionario tenía que examinar las causas del movimiento, las condiciones de trabajo y ofrecer la mediación del director del Departamento.[28]

La presencia policial y la represión en Zárate fue denunciada esta vez por el diario socialista *La Vanguardia*. Reclamaba el derecho de reunión para los trabajadores y denunciaba a la "policía radical".[29] Los anarquistas proclamaban, en cambio, que los delegados de la FORA que partieron para Zárate "orientarán al movimiento hasta que la conquista sea asegurada para los obreros".

Mientras la huelga proseguía en Zárate; en Berisso, la comisión de vecinos, presidida por Alejandro Cestino, distribuía víveres entre los pobres, en su mayoría obreros de los frigoríficos. La Sociedad de Resistencia se mantuvo activa y organizó un "meeting" en la Plaza Dardo Rocha de La Plata donde se protestó, además, por el mal servicio del tranvía 25. Los agremiados informaron también que habían conseguido el primer triunfo de su campaña: el frigorífico Swift aumentó en 5 centavos la hora de trabajo. El anuncio de la empresa coincidió con la celebración del 4 de julio, la fecha patria norteamericana.

---

[27] *El Día*, 12 y 17 de abril de 1917. También en *El Orden* del 20 de abril de 1917 se publica una nota sobre la resolución del director del Departamento del Trabajo que obligaba a compensar al personal empleado en día domingo el descanso que les hubiera correspondido.

[28] Los títulos de El Día fueron los siguientes: "Meeting en Berisso" (13 de mayo), "Los obreros de los frigoríficos". "Movimiento de Resistencia" (14 de mayo), "El trabajo en los frigoríficos" (23 de mayo), "Obreros de los frigoríficos. Nueva Asamblea" (1 de junio), "Obreros de los frigoríficos. Conferencia Gremial" (3 de junio), "Obreros de los frigoríficos, Segunda Conferencia" (4 de junio), "Obreros de los frigoríficos, se reunió la comisión organizadora de la Sociedad de Resistencia" (5 de junio), "Obreros de los frigoríficos. Se realizarán conferencias de propaganda " (16 de junio), "Huelga parcial en el Swift. Huelga en Zárate" (18 de junio), "Principio de huelga en el Armour " (19 de junio). Sobre la huelga de Zárate véase *La Vanguardia* y *La Protesta* del 12 al 17 de junio de 1917 y *El Debate*, periódico local de Zárate, en las mismas fechas.

[29] La complicidad política de la policía era el blanco predilecto de cada nuevo gobierno en la provincia y de los opositores políticos, véase Ana María Mustapic: op. cit., págs. 9 y 10.

En los meses de agosto, septiembre y octubre, la Sociedad de Resistencia intensificó su propaganda gremial. Oradores de la FORA y de la FOL se hicieron presentes en la localidad y en Ensenada. [30] Los trabajadores agremiados buscaban romper la fragmentación en la que se encontraban. Enviaron una circular a los obreros de Avellaneda para establecer relaciones y estudiar la posibilidad de crear una organización de todos los establecimientos instalados en el Río de la Plata. La nota también fue remitida a los obreros de los frigoríficos localizados en la ciudad de Montevideo (Uruguay). Recordemos que la huelga de 1915 fue socavada con la contratación de trabajadores en esa ciudad, entre otros lugares. Agitación gremial y varias huelgas parciales en distintos establecimientos cárnicos de la provincia de Buenos Aires (Zárate, Avellaneda) culminaron con la gran huelga que abarcó la mayor parte de los frigoríficos en 1917.

Estalla la huelga

A la acción militante de organización hay que sumar el contexto de la guerra. La Primera Guerra Mundial constituyó el marco para los conflictos de 1915 y 1917. En 1915, el trabajo aumentó por el incremento de las exportaciones de carnes y la jornada laboral se prolongó sin traducirse en mayor bienestar para las familias obreras, debido a la carestía de la vida. Por eso, la principal demanda de la huelga de 1915 fue por el establecimiento de la jornada de 8 horas y por aumento de salarios. En 1917, el desarrollo del conflicto bélico comenzaba a provocar otros inconvenientes. La intensificación de la guerra submarina y la escasez de vapores obligaban a reducir notablemente el trabajo. El temor a los despidos comenzó a propagarse apenas iniciado el año. La inquietud de los trabajadores fue creciendo y, en el mes de octubre de 1917, los estibadores del frigorífico Armour se presentaron a la Gerencia reclamando aumento de jornal. Éste les fue concedido. Lo mismo hicieron los obreros de las cámaras frías pero agregaron al aumento de salarios el pago de "tiempo y medio" en las horas extra, lo que fue rechazado por la empresa. [31]

El 10 de noviembre, los obreros del Swift que cargaban productos en el barco "Manchester City" se negaron a continuar trabajando si no mejoraban sus salarios. Quince días más tarde se nombró una Comisión de la Sociedad Obreros del Frigorífico, integrada por 20 miembros, diez representantes por cada establecimiento, quienes presentaron ante el Swift la siguiente demanda:

---

[30] Función organizada en Ensenada por la Sociedad Obreros de los Frigoríficos de Berisso con el objeto de recaudar fondos para activar la propaganda. B. Senra Pacheco disertó sobre la Revolución Rusa "a pedido de la numerosa colectividad de esa nación". Se realizó también una representación de "Los muertos" de Florencio Sánchez, *La Organización Obrera*, Buenos Aires, 1 de septiembre de 1917. Conferencia pública en la esquina de las calles Río de Janeiro y La Plata. La Secretaría de la Sociedad Obreros de los Frigoríficos se encuentra en la calle Río de Janeiro 445 y "persigue como único fin la unión y la elevación material de los trabajadores". En los discursos se pone de manifiesto la situación del gremio y la necesidad de defenderse de las "extorsiones capitalistas", *La Organización Obrera*, 20 de octubre de 1917.

[31] *El Orden*, 25 de octubre de 1917.

"1. Jornada máxima y mínima de 8 horas, las que se excedan se abonarán con un 50%.

2. En domingo se pagará jornal doble.

3. Aumento del 15 % para jornales inferiores a $3.

4. No podrá ser suspendido ningún obrero por falta de trabajo, en caso de faltar éste se establecerá turno.

5. No podrá ser suspendido o despedido sin causa justificada ningún obrero.

6. Todo obrero que por cualquier accidente se lastimara en el interior del establecimiento ganará el jornal íntegro.

7. No podrá ser mayor de 70 kilogramos el peso que debe llevar un hombre.

8. En caso de estallar la huelga los jornales correrán por cuenta de la empresa y en caso de que algún obrero por causa del conflicto se encontrare preso no se volverá al trabajo hasta no recuperar la libertad.

9. Expulsión del personal que traicione al movimiento.

10. Readmisión de los obreros que a raíz de la última huelga fueron víctimas de la prisión y que acaban de recuperar la libertad".[32]

Los trabajadores del frigorífico Armour solicitaban, además, el aumento de los jornales. Por la noche, alrededor de 4.000 trabajadores estaban en huelga y, al día siguiente, los obreros de playa de capones y novillos del Armour agregaron nuevas condiciones: reconocimiento del primer pliego; la solicitud de que para los obreros de la playa rigieran condiciones similares a las existentes en Campana y un aumento de salarios para los obreros cabeceros y para los descarnadores. Los huelguistas esperaron frente a los establecimientos la respuesta al pliego de condiciones, pero los gerentes callaron. Ante el fracaso, la Sociedad de Resistencia de los Frigoríficos declaró la huelga general.

Los "sucesos de Berisso"

El 28 de noviembre la huelga involucraba a la mayor parte de los obreros. Los más militantes se apostaban en los alrededores de los frigoríficos y en las calles que eran el paso obligado del tranvía para impedir la entrada a la fábrica. La presión se fue acentuando y los tranvías sólo podían llegar a la primera línea de casas de Berisso.[33] La reacción de la empresa no se hizo esperar: los gerentes de los frigoríficos Armour y Swift se entrevistaron con el ministro de Agricultura para darle cuenta de la situación. Para los empresarios, el movimiento respondía a la acción de un grupo de agitadores y exaltados, y solicitaron la protección del gobierno nacional. Reconocer derechos, negociar y acordar con los trabajadores no estaba en el horizonte mental de los empresarios. Buscaban y solicitaban la intervención policial para poner fin a lo que consideraban una situación anómala. La policía intensificó, entonces, su accionar para

[32] *El Día*, 26 de noviembre de 1917.

[33] *La Nación*, 28, 29 y 30 de noviembre de 1917, véase también el diario *El Día* para esas fechas.

que los tranvías pudieran circular libremente hasta el punto terminal: los frigoríficos. El personal policial actuaba enérgicamente sobre los obreros estacionados entre el Swift y el Armour, y justificaba su comportamiento en la actitud hostil de los trabajadores.

Frente a la presión de la policía, los obreros reclamaban su derecho a reunirse y debatir la marcha de los acontecimientos. Las asambleas eran el medio que conocían pero tenían que solicitar permiso a las autoridades policiales para realizar los mitines en la vía pública y, por otra parte, el permiso nunca llegaba. Para romper el aislamiento que implicaban las manifestaciones reducidas al ámbito local, decidieron ampliar su radio de acción; se contactaron con otros gremios buscando apoyo y solidaridad y acercaron a la prensa toda la información sobre el conflicto.

Al finalizar noviembre la huelga continuaba y el panorama tendía a complicarse, pues muchos trabajadores comenzaron a plantear la necesidad de dar por terminado el conflicto. La presión de los huelguistas sobre los establecimientos fue más visible cuando el día 28 unos 500 obreros intentaron entrar al Swift para impedir la realización de las tareas. Un disparo, la presencia de los guardias, pedradas. La policía a caballo logró disolver el grupo. El resultado: tres obreros heridos. Ese mismo día, frente al Armour, se produjo un nuevo tiroteo y los huelguistas se refugiaron en la farmacia del Sr. Cestino –dirigente radical– quejándose del proceder de la policía.

A partir de entonces, un rumor comenzó a propagarse en las asambleas obreras: el Armour cerraría sus puertas. Según *El Día*, el comisario Benavídez consultó al gerente del establecimiento y le solicitó rever la medida prometiéndole a cambio conversar con los obreros si reanudaban las tareas. Pero eran promesas. El accionar de la policía fue haciendo cada vez más difícil el de los obreros. Luego de una asamblea, la policía interceptó el paso a un grupo numeroso. Las pedradas arreciaron y se produjo un nuevo tiroteo. Otros tres heridos: José Alí de 22 años, que transitaba a caballo por la zona; Luis Gangullo un vecino que estaba en el corredor de su casa y Fernando Di Paula, 25 años, obrero huelguista.[34]

En la estación local del ferrocarril se produjo otro tumulto entre huelguistas y obreros y obreras provenientes de Ensenada. La activa presión sobre las pocas personas que permanecían trabajando dio sus resultados y el número de obreros que entró a las fábricas disminuyó. El día 30 se analizó en una agitada reunión el régimen de abusos, en particular con las obreras, y algunos trabajadores hasta plantearon armarse con revólver o cuchillos. Esta vez la policía se mantuvo alejada y millares de obreros formaron una gran columna que desfiló ante los frigoríficos sin que se produjeran incidentes. Empero, por resolución de la Jefatura, se enviaron refuerzos: diez gendarmes de caballería y veinte infantes para el servicio de vigilancia.

[34] La represión es un eje informativo en casi todos los periódicos, pero sobre la represión de esta manifestación *La Prensa* señala: *"no se sabe de más heridos porque la policía niega los datos"*. *La Prensa*, 29 de noviembre de 1917.

Esta vez los trabajadores parecían tener algunas metas y objetivos más precisos que en 1915. El fracaso de la huelga de ese año y de los conflictos anteriores posiblemente operara sobre la memoria de algunos obreros. En el pasado, las huelgas circunscriptas a un departamento o sección habían fracasado. Por eso, una meta precisa era lograr la paralización de todas las tareas y los obreros utilizaron todo tipo de estrategias para lograr la unidad de la protesta. Las presiones sobre los trabajadores refractarios a la huelga la ejercían con los piquetes en las calles adyacentes a las fábricas, en el recorrido del tranvía, en la estación ferroviaria, en sus domicilios.[35] Se realizaban también actos cargados de un simbolismo reparador. Por ejemplo, empleados administrativos del Armour fueron obligados a descender de un tren que había sido detenido y a dar vivas a la huelga para luego dejarlos libres.[36] Algunos acontecimientos entusiasmaban a la militancia obrerista. El periódico ácrata *La Protesta* mostraba su apasionamiento cuando señalaba: "es verdaderamente ejemplar la resistencia demostrada por los huelguistas pues han llegado a obligar a directores y gerentes a gritar ¡viva la huelga! sometiéndolos a entera voluntad de los trabajadores".[37]

El último día del mes de noviembre el Departamento Provincial del Trabajo hizo llegar una propuesta de intervención pero fue rechazada en asamblea, pues se sostuvo que la cuestión debía tratarse con los gerentes. Los trabajadores tenían urgencia en llegar a un acuerdo y temían que la intervención gubernamental ayudara a dilatar las negociaciones. El tiempo operaba en contra de los obreros porque prolongaba el movimiento y podían producirse nuevas deserciones. Sin embargo, el Dr. Condomí Alcorta insistió en que aceptaran su mediación y, el 1º de diciembre, una comisión de 15 trabajadores de ambos frigoríficos fue al despacho del funcionario para entregarle el pliego de condiciones.

En tanto, la huelga se había extendido a otros gremios. La Federación Obrera Marítima, y la Federación Ferrocarrilera (seccional Tolosa) se solidarizaron con los trabajadores. Los marítimos decidieron no cargar los barcos de los frigoríficos, ni trasladar personal ni tropa hasta sus puertas. Los tranviarios de La Plata, reunidos en la Unión Tranviaria, resolvieron parar sus tranvías siete cuadras antes de la parada de Berisso para facilitar a los huelguistas el control. Los remolcadores y boteros de la zona dejaron de transportar a posibles o eventuales "traidores".[38] Los trabajadores recibieron también la solidaridad de los obreros de los frigoríficos de Montevideo.[39]

[35] Las acciones eran llevadas a cabo por hombres y mujeres. Por ejemplo *El Día* del 13 de diciembre de 1917 informa que se formó una comisión de mujeres obreras del frigorífico para hacer propaganda, "instan a todos los obreros a participar en las asambleas y continuar la huelga".
[36] Huelguistas del frigorífico obligaron a unos "crumiros" a vivar la huelga, en ese momento partió una descarga desde el establecimiento *La Organización Obrera*, 15 de diciembre de 1917.
[37] *La Protesta*, 2 de diciembre de 1917.
[38] *La Organización Obrera*, 15 de diciembre de 1917.
[39] "Telegráficamente nos comunica la Federación Obrera Regional Uruguaya que anteayer, con destino a Berisso, en un vapor de la carrera, fueron remitidos 40 carneros", *La Protesta*, 15 de diciembre de 1917.

El 3 de diciembre los titulares de *El Día* eran alarmantes: "La huelga sangrienta de Berisso". "El choque de anoche". "Sus terribles consecuencias". "Numerosos heridos". "Régimen de terror". A partir de ese momento, las noticias sobre la huelga ocuparon los titulares de la mayor parte de los periódicos que circulaban en Buenos Aires. *La Prensa*, *La Nación*, *La Patria Degli Italiani*, *La Protesta*, *La Vanguardia* y los periódicos locales, *El Día* y *El Orden*, llenaron varias columnas con los acontecimientos en los frigoríficos. La huelga se había extendido a todos los establecimientos y el enfrentamiento había alcanzado tal magnitud que era imposible ignorarlo.

En realidad, la profecía parecía cumplirse. El temido asalto al frigorífico se había producido. Decía *La Prensa*: "En las primeras horas de la noche, los empleados de la administración del frigorífico Swift [...] tuvieron la certeza de que algo serio se tramaba [...] solicitaron del arsenal de marinería de Río Santiago un pelotón de soldados [...] Después de media noche, como se preveía, fue llevado un asalto por dos lados".[40] Según el cronista, otros empleados del Swift fueron atacados por los huelguistas. Esto dio lugar a un nutrido tiroteo en la calle. Los heridos fueron conducidos a la asistencia pública de Ensenada, uno de ellos en grave estado. Tras 40 días en conflicto, la huelga se había transformando en un acontecimiento público de gravedad y la situación amenazaba con convertirse en incontrolable.

Los *sucesos de Berisso*, representados por el tiroteo frente al Swift, culminaron con un saldo de numerosos heridos y la inseguridad de la población. Los vecinos se movilizaron y enviaron telegramas a las autoridades. El día 7 de diciembre, comerciantes, vecinos y el comité local de la Unión Cívica Radical remitieron un telegrama al Presidente de la nación solicitando su intervención directa para que no se repitieran los hechos de violencia.[41] Del mismo modo se movilizó la representación socialista en el Congreso Nacional.

Entre el 3 y el 22 de diciembre los enfrentamientos continuaron pero el movimiento comenzó a resquebrajarse, pues muchos trabajadores retomaron las tareas. El 22 de diciembre, las empresas informaron que el trabajo tendía a normalizarse con el ingreso de 2.000 obreros al Armour y de 3.000 al Swift. Durante sesenta días se sucedieron manifestaciones, asambleas, mitines, negociaciones, piquetes y enfrentamientos con las fuerzas de seguridad. El poder que los trabajadores habían logrado al generalizarse la huelga fue socavado por la prolongación del conflicto. Sesenta días sin obtener un salario tuvieron más fuerza que las balas incrustadas en las casas de chapa del vecindario. Al promediar el mes de enero de 1918, el conflicto había desaparecido.

---

[40] *La Prensa*, 4 de diciembre de 1917.
[41] Como acto de protesta el comercio cerró sus puertas, *La Nación*, 7 de diciembre de 1917.

Foto N° 15
La calle Nueva York durante la huelga de 1917 (Archivo General de la Nación)

Foto Nº 16

Después de la represión. Una calle vacía vista desde los portones del frigorífico Swift, 1917 (Archivo General de la Nación)

Foto Nº 17
Viviendas baleadas durante los "sucesos de Berisso", 1917 (Archivo General de la Nación)

La mirada de la prensa

Los *sucesos de Berisso* se convirtieron, para diferentes diarios y periódicos de la época, en otra arena de confrontaciones pues cada medio privilegiaba un tema de controversia. Para diarios como *La Nación* el problema residía en el gobierno radical, pues sostenía: "la conducta de las autoridades responde evidentemente al propósito de despertar simpatías entre el elemento obrero con fines electorales".[42]

El gobierno radical en el nivel nacional y la intervención provincial estaban en el foco de *La Nación*, que no vacilaba en denunciar fines espurios en la mediación de las autoridades para resolver el conflicto.

La extensión del movimiento obrero a otros trabajadores de Berisso, del puerto, de la usina; la permanente movilización, los enfrentamientos e, incluso, el corte de los cables subterráneos que dejaron a oscuras a La Plata, Berisso y Ensenada fueron presentados por las empresas periodísticas como *La Prensa* o *La Nación* como parte de un plan de los obreros con el objetivo de incendiar los frigoríficos.[43] Todo ello era producto de los agitadores. Sin embargo, la huelga tenía más de un mes de duración y, a lo largo de ese período, los obreros buscaron negociar con las autoridades.

Otro diario, *El Argentino* de La Plata, órgano del Partido Conservador ugartista, concentró sus críticas sobre las acciones prácticas de los obreros de Berisso y las equiparaba a las que atribuía al comité revolucionario ruso durante la Revolución de 1917. Los temores del periódico editado en La Plata eran compartidos por las clases dirigentes en la Argentina. El fantasma de la Revolución Rusa y el complot maximalista se agitaba permanentemente. Se temía, al mismo tiempo que se magnificaba, el grado de influencia que tales acontecimientos tenían entre los trabajadores argentinos. La Revolución Rusa era una figura que penetraba con fuerza toda vez que se impugnaban los reclamos obreros y las prácticas que emergían de su experiencia.

En cambio, para un periódico pro obrero como *La Protesta*: "los sucesos de Berisso vienen a demostrar a qué grado de prepotencia han llegado esas empresas extranjeras radicadas en el país para explotar desconsideradamente a miles de infelices proletarios a quiénes se les niega el derecho de asociación y de huelga [...] el gobierno 'legalmente constituido' no es más que un lacayo de los capitalistas".[44]

La denuncia del periódico ácrata muestra la intensa circulación de algunos tópicos discursivos entre los grupos de militantes letrados. La denuncia de la prepotencia del capital extranjero es un motivo común a socialistas, radicales y anarquistas. Recorta el motivo nacionalista que cobra fuerza en el discurso de radicales y socialistas y aparece

---

[42] *La Nación*, 4 de diciembre de 1917.

[43] La iluminación de Berisso agiganta las dificultades asociadas a la huelga. "Anteanoche permaneció otra vez a oscuras la población de Berisso [...] Esto contribuye, naturalmente, a aumentar el pánico en que la población se encuentra debido a la huelga de personal de los frigoríficos y corresponde que las autoridades se preocupen del asunto haciendo que el personal dependiente de la administración realice las indispensables operaciones para que el alumbrado de las calles se restablezca", *La Prensa*, 9 de diciembre de 1917.

[44] *La Protesta*, 5 de diciembre de 1917.

en el anarquismo bajo la denuncia anticapitalista. El párrafo tomado de *La Protesta* es un indicio también de las preocupaciones políticas de los ácratas. Éstos denunciaban la falta de reconocimiento de los derechos de asociación y de huelga para los trabajadores, al mismo tiempo que impugnaban la noción de ciudadano que desnaturalizaba al individuo. La ciudadanía era considerada un privilegio político que producía la ilusión de la participación y generaba en el pueblo el espejismo de la democracia.[45]

Los actores y el conflicto

El conflicto se desarrolló tejiendo una densa red de problemas, vínculos y reacciones. Inicialmente, no todos los trabajadores acataron la decisión de paralizar las tareas y algunos obreros del frigorífico Swift hasta reconocieron que, desde la huelga de 1915, se sentían bien tratados y, en general, bien retribuidos. Según ellos, paraban en solidaridad con los trabajadores del Armour. En este punto podría pensarse que los cambios realizados por el Swift para mejorar las condiciones de trabajo estaban desactivando las causas de posibles conflictos, pero las diferencias en las reacciones de los obreros de Swift y Armour fueron barridas rápidamente por los acontecimientos.

La presión sobre los trabajadores que permanecían en el establecimiento se fue intensificando. El férreo control que ejercían los huelguistas sobre la primera línea de casas adyacentes a las fábricas y las dificultades que creaban para la circulación de los tranvías resultaban intolerables para ambas empresas. De modo que los frigoríficos recurrieron, como en otras oportunidades, al gobierno nacional, para que interviniera represivamente en el conflicto. Ninguna de las compañías habló de sus prácticas dilatorias para entrar en negociación, de su negativa a discutir las bases de un acuerdo, de la presencia de guardias armados dentro de las fábricas.

Swift y Armour no estaban solos en sus reclamos ante los poderes públicos. Todas las empresas frigoríficas se habían unido para presentar una demanda de protección y de intervención del gobierno. La Sociedad Rural Argentina, por intermedio del Dr. Anchorena, señaló al Poder Ejecutivo que la huelga causaba "al país" enormes perjuicios. El presidente de la asociación de los grandes ganaderos reclamó en nombre de toda la nación, aunque la huelga sólo afectaba los intereses sectoriales. La disminución de la matanza significaba una merma en las compras de ganado que efectuaban las empresas cárnicas y ello, sin duda, perjudicaba a invernadores y criadores de ganado que vendían sus animales a los frigoríficos.

En los *sucesos de Berisso* las compañías se encontraron sólidamente apoyadas por la Sociedad Rural, por empresas periodísticas como *La Prensa* y *La Nación*, por políticos conservadores, algunos de ellos mezclados con los intereses de los frigoríficos

---

[45] Juan Suriano: "Ideas y prácticas 'políticas' del anarquismo argentino", en *Entrepasados*, revista de historia, Nº 8, 1995.

como Benito Villanueva.[46] Obreros y empresarios se encontraron también con los intentos conciliatorios de las autoridades nacionales y provinciales. La creación e intervención del Departamento del Trabajo colocaba un nuevo actor en las confrontaciones obrero patronales.

Aunque es cierto que el organismo oficial tenía dificultades para funcionar como una estructura burocrática consolidada, los intentos por arbitrar el conflicto fueron visibles. El interventor radical de la provincia de Buenos Aires solicitó al director del Departamento Provincial del Trabajo, Dr. Condomí Alcorta, que interviniera para encontrar una solución al conflicto. Se mencionó que una comisión de quince obreros se reunió con el director en su despacho y que fue imposible reunirse con las empresas.

En efecto, la actitud más intransigente provenía del sector empresario, que reconocía y solicitaba la intervención estatal en materia de regulación del comercio, del establecimiento de exenciones impositivas, en el dictado de normas para la construcción de las plantas cárnicas e incluso en la participación represiva de las fuerzas policiales sostenidas por el Estado nacional, pero no admitía la injerencia estatal cuando ella podía inclinarse, aunque suavemente, a favor de los trabajadores.

La burocracia estatal en formación vinculada al trabajo podía actuar de manera relativamente autónoma y esto implicaba escuchar a los trabajadores, analizar sus reclamos y resolver con algún criterio de equidad.[47] Dicha actuación era insostenible desde la perspectiva de las empresas. Además de presionar directamente al Poder Ejecutivo nacional, las compañías utilizaban otros argumentos. El Armour señalaba que como los obreros habían hecho abandono de sus tareas, el cierre de la planta industrial era inminente. Swift expresaba que sus asalariados no estaban en huelga sino imposibilitados de concurrir al trabajo. Se resistía la organización de los trabajadores argumentando que intervenían elementos perturbadores y no el personal obrero de las fábricas. De hecho, se negaba la existencia del conflicto. Esto colocaba en una incómoda situación a los representantes del Estado.

La Federación Obrera Regional Argentina, que buscaba convertirse en la voz de los trabajadores, tuvo una posición más clara respecto del rol del Estado. En su manifiesto

[46] La postura de Villanueva era conocida. Durante la huelga ferroviaria de septiembre de 1917 se manifestó a favor de las empresas ferroviarias y como representante conservador en el Senado dilató cualquier consideración de una legislación laboral ferroviaria, Paul B. Goodwin: *Los ferrocarriles británicos y la UCR, 1916-1930*, Ediciones La Bastilla, Buenos Aires, 1974, pág. 112.

[47] Ante los esfuerzos del Departamento del Trabajo y la Intervención Federal a la provincia de Buenos Aires por encontrar una solución al conflicto, dice *La Prensa*: "El doctor Condomí Alcorta condujo a una comisión de seis obreros al despacho del interventor, en el cual se encontraba el superintendente del frigorífico Armour. Después de un cambio de ideas entre ellos, se convino en lo siguiente: que mañana a las 9, concurriesen al frigorífico Armour tres obreros de cada departamento en representación de los demás a fin de discutir en detalle las mejoras solicitadas y las horas de trabajo", *La Prensa*, 11 de diciembre de 1917. *El Día* recalca: "La acción oficial se ha dirigido en este como en otros conflictos obreros a prestigiar toda mejora o conquista justa y razonable de los trabajadores, en defensa de los intereses de la clase obrera y de la misma industria, persiguiendo por sobre todas esas consideraciones el mantenimiento del orden público, la armonía con las conveniencias de la economía nacional", *El Día*, 14 de diciembre de 1917.

del 15 de diciembre decía: "El Estado, al prestar sus fuerzas armadas a esas empresas, comete una evidente y odiosa injusticia con los trabajadores condenados por contraste a una situación verdaderamente misérrima. La FORA no reclama del Estado su apoyo para los obreros en los conflictos inevitables entre los intereses del trabajo y los del capitalismo; pero entiende que tampoco debe ser prestada a las empresas capitalistas, tal como ocurre en Berisso y Avellaneda[...]".[48] La inevitabilidad de los conflictos entre patrones y obreros era tanto un síntoma de la lucha de clases (desde la perspectiva de la FORA) como de la indiscutible modernización de la Argentina (en el pensamiento de los grupos dirigentes).

Pero la actitud de la FORA, que hablaba en representación de los gremios en huelga, no se quedó en un manifiesto. El reclamo por la presencia de las fuerzas que custodiaban los frigoríficos así como del personal técnico de la Armada que prestaba servicios en sus remolcadores y embarcaciones fue llevado ante el Presidente de la nación en una entrevista. El 14 de enero de 1918 los delegados de la FORA, la Federación Obrera Marítima (FOM) y la Federación Obrera Ferrocarrilera (FOF) se reunieron con el presidente Yrigoyen, quien se comprometió a retirar las tropas de los frigoríficos en Avellaneda, pues para esa fecha el conflicto de Berisso había terminado.[49]

La FORA, que acompañó al movimiento huelguístico, aunque inicialmente aconsejó a los militantes más activos no precipitar las acciones inorgánicas y parciales porque el enemigo era fuerte y vinculado entre sí , afirmaba: "las huelgas de los frigoríficos no rindieron beneficios materiales inmediatos a los obreros [...] pero sí favorecieron considerablemente a la organización de los trabajadores en su desarrollo y en sus ambiciones de poder"[50].

En efecto, los fracasos de las dos grandes protestas de 1915 y 1917 dejaron sus huellas en aquellos obreros que permanecieron en la fábrica. Los más activos buscaron conformar una organización que pudiera sobrevivir a la renovación constante de los trabajadores y al fuerte control empresario. Las actividades de dicha organización se realizaban en la comunidad a través de conferencias, veladas teatrales y bailes. Sin embargo, muchos trabajadores permanecieron al margen, con la esperanza de obtener los beneficios materiales que juzgaban necesarios para una vida mejor. A principios de 1918, la huelga que en el mes de diciembre de 1917 afectó a todos los frigoríficos de la provincia de Buenos Aires, sólo continuaba en Avellaneda. En Berisso, la gente se

---

[48] República Argentina, *Boletín del Departamento Nacional del Trabajo*, Nº 40, febrero de 1919, pág. 58.
[49] Ibídem, pág. 59. La dirección ideológica de la huelga no fue ni clara ni definida alrededor de una determinada corriente ideológica. La intervención de la FORA, de la FOL, de los diputados socialistas o de los dirigentes radicales no permiten concluir ninguna orientación política hegemónica en el movimiento de protesta. En este punto difiero de la interpretación expresada por Joel Horowitz cuando dice que "In 1917-18 Irigoyen used troops against strikers in meat-packing plants. The strikers were not only mostly foreigners and therefore ineligible to vote, but also they were led by Anarchist", Joel Horowitz: *Argentine unions. The State & the Rise of Perón, 1930-1945*, IIS Institute of International Studies, Berkeley, University of California, 1990, pág 57. También en David Rock: op. cit, págs. 162, 292 y 295-6 y Peter Smith: op. cit.., págs. 76-7.
[50] República Argentina, *Boletín del Departamento* Nacional del *Trabajo*, op. cit. págs. 62 y 63.

agolpaba en los portones de Swift y Armour solicitando ocupación. [51] A mediados del mes de enero la fuerza de marinería fue retirada de los frigoríficos. La custodia que venía realizando desde el estallido de la huelga a fines de noviembre era innecesaria. El trabajo era normal en las dos fábricas, todos los turnos estaban organizados, incluso los nocturnos y se trabajaba en el mayor orden. [52]

Entre la derrota y la aparición del "peligro rojo"

Todo el año 1918 fue complicado en los frigoríficos: los despidos eran moneda corriente y el motivo, muy simple: la participación en la gran huelga. En 1919, los sucesos de la Semana Trágica que conmovieron a la ciudad de Buenos Aires dieron paso a un rumor conocido: era probable un ataque a los frigoríficos. Las autoridades del Armour, tal vez anticipándose para obtener el favor de las autoridades, ofrecieron toda la carne necesaria para el abastecimiento de las tropas destinadas a la represión. El general Dellepiane aceptó el ofrecimiento y agradeció a la empresa. [53] Pero el ataque no se produjo.

Ese año se registró un sólo movimiento de protesta. En el mes de julio, un grupo de obreras de la tripería del Armour se declaró en huelga; todas fueron despedidas y ninguna retornó al establecimiento. [54] Después de la gran huelga, que había abarcado desde fines de noviembre de 1917 hasta los primeros días de enero de 1918, la movilización era difícil y los movimientos de protesta parecían retornar a sus rasgos iniciales: estallaban en un departamento pero tenían inconvenientes para extenderse al conjunto de la fábrica. El sindicato que había surgido al calor de la movilización languidecía.

Pero no todo estaba perdido. Algunos trabajadores habían aprendido a hacer uso de la prensa. El diario *El Día* recibía cartas que denunciaban la situación en las plantas procesadoras de carne. Por ejemplo, un obrero del Swift se quejó de su injusto despido y de la falta de pago de las horas extraordinarias que le adeudaban. En su carta enfatizaba que los obreros eran tratados de manera desconsiderada y que muchas veces no se quejaban a los diarios o a las autoridades por temor al despido. [55]

Hacia fines de noviembre de 1919, la empresa Swift comenzó a despedir asalariados por falta de trabajo. El 50% de los obreros de los departamentos de conserva y tachería, cuya dotación de trabajadores había aumentado con la demanda motivada por la guerra, perdió sus puestos por la caída de esa demanda. Para atemperar la situación, la empresa anunció que desde la segunda quincena de diciembre se aumentarían los salarios de los peones (10 centavos por hora) y que los empleados mensuales recibirían un aguinaldo equivalente al 10% de los sueldos recibidos en un año, así como el goce de quince días de vacaciones.

[51] *El Día*, 8 de enero de 1918.
[52] *El Día*, 5 de enero de 1918.
[53] *El Día*, 13 de enero de 1919.
[54] Los despidos aparecen en los registros de personal del frigorífico Armour.
[55] *El Día*, 24 de junio de 1919.

La calma pareció reinar de ahí en más en las plantas fabriles, a pesar de que en 1926 un grupo de obreros de la sección Beef Casing del frigorífico Swift inició un movimiento de protesta, que fue rápidamente sofocado y a pesar de que en 1927 obreras de la sección salchichería del Armour protestaron "vivamente" por su situación laboral.[56]

Una sola huelga alteró esta imagen de fracaso de las acciones reivindicativas de los obreros. En mayo de 1924 se lanzó un paro contra la aplicación de la ley de jubilaciones sancionada por el gobierno radical de Alvear en noviembre de 1923. Las empresas que tenían discursos y prácticas intransigentes cuando se trataba de las demandas obreras asumieron en esta ocasión una actitud pasiva, pues ellas tampoco acordaban con la ley.

Los trabajadores estaban divididos: mientras algunos gremios con mejores condiciones de labor y mayores ingresos no ocultaron su interés por gozar de los beneficios jubilatorios, que ya disfrutaban otros trabajadores, como los ferroviarios; muchos otros estaban disconformes con la medida, entre ellos, los obreros de los frigoríficos. La clave de la oposición obrera residía en que los trabajadores se negaban a realizar aportes previsionales por los magros salarios que recibían.[57] La huelga se desarrolló pacíficamente en Berisso, aunque la subprefectura tomó algunas precauciones para "evitar desórdenes". Las tensiones se manifestaron el 5 de mayo, cuando los obreros realizaban un mitin en la esquina de Montevideo y Río de Janeiro. La reunión se realizó sin la autorización de las autoridades policiales y, cuando la policía trató de suspender la conferencia, hubo silbidos en su contra. En ese momento fueron detenidos dos oradores obreros del acto.[58]

En 1925, 1926 y 1927 los datos empresarios informan sobre la activa presencia de obreros comunistas en las fábricas. Los registros de personal de ambos establecimientos comienzan a consignar como causa de despido la palabra "comunista". No importa el origen del trabajador. Pedro, Jacinto, Julio y Mateo eran argentinos; Gaspar y Wasil austríacos; Hussian, árabe; Stase, lituano; Teodoro y Dimitroff, búlgaros; Román, Samuel, Jacobo, Constantino o Menic, polacos; Israel, Sani y León, israelitas. Se consigna en los registros hasta la fecha en que se asociaron al Partido.

Al final de la década del veinte, los comunistas desplegaban su actividad en los establecimientos y en el vecindario. Así, el 1 de mayo de 1924 el Partido Comunista organizó un acto público en el Salón Bernardino Rivadavia para las dos de la tarde. Varios oradores hablaron en castellano, en ruso y en búlgaro. Luego, los participantes del acto se dirigieron en columna por la calle Montevideo hasta la esquina de Río de Janeiro. La muchedumbre militante buscaba ocupar las calles y hacer visible su presencia. A la noche confluyeron con el Sindicato de Obreros de los Frigoríficos en la función teatral

---

[56] Ambas protestas están consignadas en los registros de personal de los frigoríficos Swift y Armour.

[57] Sobre la ley de jubilaciones propuesta durante el gobierno de Alvear véase Ernesto A. Isuani: *Los orígenes conflictivos de la seguridad social argentina*, Buenos Aires, CEAL, 1985, págs. 108-116. De los 9.000 a 10.000 trabajadores sólo trabajaron 1.000, *El Día*, 6 de mayo de 1924. También se señalaba que era inexacto que haya habido insinuación por parte de las empresas, *El Día*, 7 de mayo de 1924.

[58] *El Día*, 6 de mayo de 1924.

nocturna seguida de baile, que realizaron en el local del Cine Progreso. No muy lejos, en Montevideo y Génova, los socialistas tenían su local.[59]

Es ardua la reconstrucción de la experiencia de la militancia comunista en Berisso. En principio ha sido borrada de las narraciones de la comunidad, salvo en el caso del enfrentamiento Reyes (del Sindicato Autónomo de la Carne-Laborista)-Peter (de la Federación Obreros de la Industria de la Carne-Comunista). También, dicha militancia ocupa un lugar bastante marginal en los testimonios obreros de miembros de las asociaciones nacionales. Aparecen esporádicamente minúsculos indicios en las entrevistas a trabajadores ucranianos, polacos y checoslovacos. Por otra parte, al tratarse de grupos perseguidos por las autoridades, muchos documentos de los militantes comunistas se destruyeron o perdieron ante las requisas policiales.[60]

A todos estos problemas habría que agregar el fenómeno del "turnover" que caracterizaba al trabajo en los frigoríficos y que puede extenderse al Partido. Los militantes también entraban y salían de la organización permanentemente y, para algunos, era sólo un paso fugaz por el compromiso político gremial, que los exponía al riesgo no sólo dentro de la empresa sino también en la familia, donde se producían conflictos y rupturas.[61]

Los estudios existentes sobre el Partido Comunista y su política tampoco ayudan a delinear un cuadro posible de sus prácticas.[62] Más allá de sus divergencias, la historiografía sobre el Partido Comunista discute la versión oficial del propio partido tal como surge del *Esbozo de historia del Partido Comunista de la Argentina*, donde se reconoce a sí mismo como el partido político "de la clase obrera y del pueblo, como un

[59] *El Día*, 30 de abril y 2 de mayo de 1924. Respecto al local del Partido Socialista, véase el mismo diario del 3 de febrero de 1924.

[60] La dificultad para rearmar la historia de los partidos comunistas no es patrimonio exclusivo de la situación argentina. Ha sido planteada para diferentes países europeos por Eric Hobsbawn: *Revolucionarios. Ensayos contemporáneos*, Barcelona, Caracas, México, Airel, 1978, I Comunistas, págs. 13 a 86, Perry Anderson: "La historia de los partidos comunistas" en Raphael Samuel: *Historia Popular y Teoría Socialista*, Barcelona, Crítica,1984, págs. 150-165. Anderson distingue cinco tipos principales de obras para un examen de la historia de los comunistas, aunque ninguna de ellas en sí misma es suficiente: 1) Memorias, 2) Historias oficiales 3) Historias independientes de izquierda, 4) Obras de erudición liberal y 5) Monografías de la guerra fría. Plantea además que hay tres procedimientos básicos para realizar una adecuada reconstrucción: 1) la trayectoria política interna, 2) el equilibrio nacional de las fuerzas (relación con la clase obrera en su conjunto, y con otras clases y grupos) y 3) la tradición y las culturas nacionales. No he encontrado ninguna historia del partido comunista argentino en esta dirección. Se puede consultar también Norman Penner: *The Canadian Left. A Critical Analysis*, Toronto, Prentice-Hall of Canada Ltd., 1977, cap. 4 y 5 págs. 77 a 170.

[61] Sólo un minucioso estudio del Partido Comunista puede arrojar un poco más de luz sobre esta hipótesis. Rodolfo Puiggrós señala en uno de sus trabajos: "Si fuera posible computar los *afiliados golondrinas* que entraron y salieron del Partido Comunista desde su fundación hace más de medio siglo, el resultado sería asombroso", Rodolfo Puiggrós: *Las izquierdas y el problema nacional*, Buenos Aires, Ediciones Cepe, 1973, pág. 120. Por otra parte podríamos decir que es un rasgo de las fuerzas de izquierdas el exigir a su militancia un esfuerzo y dedicación extenuantes; además del peligro que encierra. El fenómeno del "turnover" es señalado para el caso del Partido Comunista francés en Gerard Vincent: "¿ Ser comunista? Una manera de ser", en *Historia de la vida privada. El siglo XX: diversidades culturales*, Madrid, Taurus, 1989, tomo X, pág. 66.

[62] Me refiero a textos tales como Rodolfo Puiggrós: *Las izquierdas y el problema nacional*, Buenos Aires, Ediciones Cepe, 1973 y Jorge Abelardo Ramos: *Breve historia de las izquierdas en la Argentina*, Buenos Aires, Editorial Claridad, 1990.

partido proletario independiente, de nuevo tipo, inspirado en la doctrina más avanzada de la humanidad: el marxismo-leninismo-stalinismo".[63] Autores como Rodolfo Puiggrós o Jorge Abelardo Ramos, aun con sus matices, consideran que los comunistas han heredado el *pecado original* del socialismo, que es su adhesión al internacionalismo y su desconocimiento de los problemas nacionales. El Partido Comunista era incapaz de organizar y dirigir a las masas populares, ya sea porque sus miembros entendieron mal las resoluciones de la Internacional Comunista o porque eran un instrumento de las políticas internacionales del stalinismo. Esa dependencia los convertía no sólo en "extrajerizantes" sino también en "mecanicistas", puesto que trasladaban los análisis y resoluciones sin adecuarlas a las particularidades del país. La producción historiográfica tiene una imagen cristalizada de la dependencia del Partido Comunista de la URSS y sus críticas se concentran en la cúpula dirigente. De sus fracasos deducen su escasa inserción entre los trabajadores, en particular antes del surgimiento del peronismo.

La experiencia de Berisso matiza notablemente estas lecturas. En principio, aunque es cierto que el Partido Comunista tuvo la firme convicción de enseñar las ideas de Lenin (más tarde, las de Stalin) y su afiliación al Comunismo Internacional desde su fundación es innegable, estuvo cruzado por las dificultades, las dudas y los desacuerdos sobre el rumbo a seguir. Sólo luego del triunfo de Perón se fue construyendo un partido que se mantuvo sobre la base de las purgas continuas de los disidentes.[64]

El Partido Comunista de la Argentina se había conformado como un desprendimiento del Partido Socialista. En 1917, la agrupación liderada por Juan B. Justo sufrió una de sus primeras crisis, en la que se enfrentaron dos tendencias: "la socialdemócrata" y la "marxista revolucionaria". Esta disidencia culminó con la conformación, en 1918, del Partido Socialista Internacional. Dos años más tarde, esta fracción adoptó el nombre de Partido Comunista.[65] En 1925, Berisso figuraba entre las localidades en las que se llevó a cabo la reorganización partidaria y se contaba entre quienes participaron en la conmemoración del VII y VIII aniversario de la Revolución Rusa.[66] Hacia fines de la década del veinte ya funcionaba en el poblado un local partidario. Según Juan, un militante comunista, el local estaba cerca del frigorífico y él se acercó espontáneamente.[67] Otro testimonio confirma las palabras de Juan. *"Hubo gente que organizaba las huelgas y el*

[63] *Esbozo de historia del Partido Comunista de la Argentina (Origen y desarrollo del Partido Comunista y del movimiento obrero y popular argentino)*, redactado por la Comisión del Comité Central del Partido Comunista, Buenos Aires, Editorial Anteo, 1947.

[64] Tamarín señala que el Partido Comunista permaneció como fuerza política minoritaria en los años veinte y los inicios de la década del treinta. Como miembro de la III Internacional y leal sostén de las 21 condiciones, estuvo a merced de los cambios del Comitern. Esa dependencia produjo problemas y contradicciones para los comunistas argentinos especialmente en el area de las relaciones laborales. David Tamarín: *The Argentine Labour Movement, 1930-1945. A Study in the Origins of Peronism*, Alburquerque, University of New Mexico Press, 1985.

[65] La información se halla dispersa en numerosos textos pero se puede consultar Emilio J. Corbiere: *Orígenes del comunismo argentino (El Partido Socialista Internacional)*, Buenos Aires, CEAL, 1984, y las historias oficiales como *Esbozo de historia del Partido Comunista de la Argentina (Origen y desarrollo del Partido Comunista Argentino y del movimiento obrero y popular argentino*, redactado por la Comisión del Comité Central del Partido Comunista, Buenos Aires, Editorial Anteo, 1947; Oscar Arévalo: *El Partido*

sindicato. *Jaime Jungman, era un activista que recuerdo bien. Llegó más o menos en la misma época que yo [...] El grupo, ese primer grupo que hemos formado, no sé si hay que llamarlo célula, o no, es un grupo de obreros del frigorífico. Quien lo dirigía era Jaime Jungman, había otros también: Morus, Kunikov, Dickler, Zilberberg, un tal Julio[...] Eran todos comunistas. Hacíamos reuniones, hacíamos fiestitas [...]"*, decía Moishe. En algunos años, los militantes comunistas organizaron actos por el 1 de mayo con banderas rojas en las calles cercanas a los frigoríficos.

La conformación de las células de fábrica aparece en los recuerdos de algunos trabajadores. Durante el VII Congreso del Partido Comunista realizado en diciembre de 1925 se había establecido una "Carta Orgánica de las células de fábrica". Allí se establecía que en toda fábrica donde hubiera tres afiliados se constituiría una célula que no sólo se limitaría a la propaganda en su fábrica sino que se extendería a todos los establecimientos vecinos.

Las funciones de las células eran múltiples. Realizaban la propaganda comunista entre los obreros; propagaban las consignas del Partido; hacían propaganda especial para que se concurriera a las manifestaciones, conferencias o festivales; difundían las publicaciones comunistas; intervenían y aclaraban todas las cuestiones que se presentaran en las conversaciones con otros trabajadores y publicaban un diario de la fábrica. A todas estas actividades había que agregar la exigencia partidaria para que sus militantes conquistaran todos los puestos electivos en las fábricas. Había que ser delegado, integrar las comisiones de control y los consejos de fábrica. Tenían además que desarraigar la influencia de otros partidos políticos "perjudiciales para la clase obrera".[68]

Comunista, Buenos Aires, CEAL, 1983. Rina Bertaccini, Paulino González Alberdi, Julio Laborde, María Litter y Eugenio Moreno: *El nacimiento del PC. Ensayo sobre la fundación y los primeros pasos del partido comunista de la Argentina*, Buenos Aires, Editorial Anteo. 1988 y Leonardo Paso: *Origen histórico de los partidos políticos*, vol. 3, Buenos Aires, CEAL, 1988. También, una lectura crítica de Rodolfo Puiggrós: *Las izquierdas y el problema nacional*, Buenos Aires, Ediciones Cepe, 1973. En sus vinculaciones con el movimiento obrero, Julio Godio: *El movimiento obrero argentino (1930-45). Socialismo, comunismo y nacionalismo argentino*, Buenos Aires, Legasa, 1989 y el trabajo pionero de Celia Durruty: *Clase obrera y peronismo*, Pasado y Presente, Córdoba, 1969. Una parte fue publicado bajo el título "La Federación Obrera de la Construcción", en Torcuato Di Tella (comp.): *Sindicatos como los de antes*, Buenos Aires, Editorial Biblos, 1993; Robert Alexander: *Comunism in Latin American*, New Jersey, New Brunswick, Rutgers University Press, 1957.

[66] Informe del Comité Ejecutivo al VII Congreso del Partido Comunista, firmado por el Secretario General del partido Pedro Romo, Buenos Aires, 26, 27 y 28 de diciembre de 1925, en Emilio J. Corbiere: op. cit.., págs. 115, 118 y 123. Oscar Arévalo considera que el "programa de reivindicaciones" inmediatas facilitó su desarrollo como "partido de masas" y adquirió mayor influencia en el plano sindical, Oscar Arévalo: op.cit..

[67] Juan trabajó en los frigoríficos de Berisso, militó toda su vida en el Partido Comunista y fue un participante activo de la Sociedad Búlgara. La entrevista formal fue realizada en Berisso el 1 de agosto de 1995, pero durante los años anteriores tuvimos largas conversaciones informales. Testimonio de Moishe, nacido en Vilna, Lituania, en 1889, en Sara Itzigsohn, Ricardo Feierstein, Leonardo Senkman, Isidoro Niborski: *Integración y marginalidad. Historias de vida de inmigrantes judíos en la Argentina*, Nueva York, Editorial Pardés, 1985, pág. 242.

[68] VII Congreso del Partido Comunista, diciembre de 1925 en Emilio J. Corbiere: op. cit.., págs. 137 a 146.

Esta organización celular implicaba una cierta fragmentación de la militancia gremial y política y, de acuerdo con los testimonios recogidos, en la práctica significaba que los militantes locales y de los que llegaban desde La Plata se desconocieran entre sí. Aunque los datos de las fábricas (los despidos de comunistas) y la información de la prensa local (manifestaciones y mítines) y partidaria es fragmentaria, muestran que al finalizar la década del veinte una nueva fuerza política se había conformado en las fábricas y en la localidad; pero los rasgos de ese proceso serán más visibles en la década posterior.

Un desvío necesario: la formación de identidades
La construcción de una identidad social: los obreros versus el capital

El carácter subalterno de los trabajadores es una cuestión importante aunque parezca tan obvia que no merece ser analizada. Durante las huelgas de 1915 y 1917 se hizo evidente la ausencia de poder de los trabajadores frente a la supremacía y la prepotencia de los empresarios. Los trabajadores buscaban movilizarse y organizarse para sostener sus demandas pero las empresas no reconocían a los sindicatos como representantes legítimos de los trabajadores. Este fenómeno puede verificarse, sin duda, en distintos momentos y lugares, donde un grupo de obreros busca mejorar su situación socio económica así como lograr el reconocimiento de ciertos derechos básicos (organizarse, expresar sus ideas, peticionar y participar en la toma de decisiones). Forma parte también de un contexto más vasto que involucra al estado y a fuerzas políticas y sociales más amplias.

Durante las huelgas, diferentes agentes (los periódicos locales, los intelectuales, la militancia política y gremial, las instituciones del Estado) dieron forma a un conjunto de imágenes sobre la condición proletaria de la comunidad de Berisso. Se erigieron los motivos de una identidad articulada alrededor de las diferencias de clase (obreros versus capital) y se hicieron visibles las marcas de *género* en el lugar de trabajo y en las protestas. En las confrontaciones de 1915 y 1917 los trabajadores comenzaron a reconocerse y a legitimar la huelga como mecanismo para obtener sus demandas ("pan y trabajo"). La huelga adquirió una gran fuerza simbólica y real: se recurrió a ella para intentar obtener algunas concesiones de los empresarios; cuando tomó estado público, fue además un modo de ejercer presión sobre el gobierno para que interviniera a favor de los trabajadores.[69] La huelga, sobre todo aquella que excedía el reclamo de grupos más o menos individualizados, aislados y "privatizados" –recordemos los paros parciales en diferentes departamentos en los años 1905, 1906 y 1907–, era la herramienta principal de la lucha obrera.[70] Pero la huelga se constituía también como un instrumento de

---

[69] Sobre el papel de las huelgas véase Pierre Bourdieu: "La huelga y la acción política", en *Sociología de la cultura*, México, Grijalbo, 1990 y Edward Shorter y Charles Tilly: op.cit.

[70] La suspensión colectiva del trabajo (la huelga y la huelga general) no llegó a ser una posibilidad práctica en la Argentina hasta los primeros años de este siglo, aunque es cierto que desde 1890 se

violencia que tenía elementos simbólicos y que, en su realización, afirmaba la cohesión de un grupo y manifestaba la ruptura colectiva de un orden considerado normal.

En 1915 y 1917, las huelgas formaron parte de un campo de lucha en el que se encontraban enfrentados un conjunto de agentes: patrones, obreros y Estado. En el mismo enfrentamiento se definían las formas legítimas de lucha. El grado de legitimidad y la eficacia de la medida se debatía en un terreno complejo donde los trabajadores definían los modos más adecuados para la confrontación y los que mejor representaran sus intereses (el ámbito privilegiado fueron las asambleas y reuniones públicas). Por su parte, los sectores dominantes y el Estado definían los suyos.

En cuanto a los empresarios, ellos estrecharon lazos con las entidades representativas de los agentes económicos involucrados (en particular la representación de los productores ganaderos más ricos: la Sociedad Rural Argentina). El Estado, por su parte, actuó como salvaguarda del orden, a menudo contra los patrones, que eran demasiado ciegos para aceptar tanto la importancia de su función mediadora como la legitimidad de las organizaciones obreras; pero intervino mucho más, y de manera ambivalente, contra los trabajadores que alteraban con sus actos el orden y la paz pública. El Estado, en la medida en que reconocía la existencia de la *cuestión obrera* y conformaba organismos especializados para atender y resolver esas cuestiones, se integraba a una compleja red de agentes constructores de la *clase obrera* como sujeto social.

Durante las huelgas de 1915 y 1917 el periodismo local y la literatura contribuyeron también a recortar los rasgos de una identidad trabajadora. *El Orden*, un periódico defensor de los intereses locales, señalaba que los obreros, al mirar su propia experiencia anterior (1915) y siguiendo el ejemplo de otros gremios, hicieron posible un movimiento que con "esfuerzo, disciplina y sacrificio" les permitiría obtener el pan y el respeto en la "nueva era (que) ha comenzado para la clase trabajadora de la República Argentina".[71] Esa nueva era se apoyaba en una clase obrera organizada.

La identidad de clase se basaba en el reconocimiento de un "nosotros". Los obreros, a veces los trabajadores, eran el polo de un conjunto de intereses que se enfrentaba al de las empresas capitalistas. El pueblo que no sabe leer, todo tiene que aprenderlo en la vida. *A golpes... Es la más triste de las enseñanzas. Hoy, todo Berisso comprende que vive o muere según lo imponga el capital...* serán los caprichos... serán las conveniencias de esos señores capitalistas, lo que amenazará al pueblo o le borrará del mapa, cuando la especulación así lo requiera"[72], decía el autor de *El Matadero*. La experiencia de la confrontación dejaba sus enseñanzas tanto en los triunfos como en las derrotas. Y esas enseñanzas daban cuerpo a la necesidad de la unión.

---

multiplicaron las huelgas en las ciudades de Buenos Aires y Rosario principalmente. Para que la huelga se convirtiera en un medio eficaz de lucha eran necesarias dos condiciones: 1) la economía tenía que ser dependiente del trabajo asalariado y 2) los trabajadores debían haber conseguido un grado de organización y solidaridad en sectores productivos claves.

[71] *El Orden*, 29 de noviembre de 1917.
[72] Ismael Moreno: op. cit., pág. 159.

"Hablar de orden y de respeto [...] ¡Si ellos no respetaron nada con sus ametralladoras!" decía uno de los personajes de la misma novela refiriéndose a la represión. Mientras que otro obrero le contestaba: "Respondamos con la unión". Esta unión, en la narrativa y en la práctica cotidiana, era fundamental para superar las divisiones. "Sujetos, gringos, rusos y gallegos", eran las palabras que aludían a las diferencias[73]; en los espacios de trabajo, las distinciones nacionales se borraban. Quedaban los trabajadores, a veces los huelguistas, quienes se enfrentaban al capital. Tenían que dar forma a la unión y, al mismo tiempo, crear una fuerza política que les permitiera desafiar a los poderes existentes. La unión alrededor del gremio podía lograrse con un largo y paciente trabajo. Había que enfrentar los despidos y no desmayar ante las adversidades; pues tenían un enemigo más poderoso que las empresas: el fantasma de la desocupación.

Las identidades políticas.

La identidad de clase obrera se forma en el ámbito de la producción y se basa en la identificación de intereses económicos contrapuestos con los de los patrones/capitalistas. En el conflicto laboral y social se agudizan las diferencias y asincronías relacionadas con el proceso de formación de múltiples identidades. Según Smith, cuando aparece una identidad colectiva con mayor poder de inclusión que afecta a toda la población de un territorio, por ejemplo una identidad nacional, religiosa o política, se ponen en peligro identidades más restringidas como las de clase o género, provocando su debilitamiento.[74]

Desde esta perspectiva, los vínculos entre identidad de clase e identidad política son conflictivos. La complejidad se produce porque la experiencia en las fábricas no se traduce inmediatamente en un lenguaje político que organice la comprensión de esa experiencia y, además, porque ese mismo conjunto de experiencias puede ser articulado por más de un lenguaje.[75] Durante esta etapa múltiples lenguajes competían para dar coherencia a las acciones de los trabajadores. Algunos hablaban restringiendo su discurso al campo obrero/trabajador y otros, lo ampliaban para incluir a sectores más amplios de la población.

La relación trabajadores-política se articulaba alrededor de la existencia de una organización. Ella es importante tanto en el plano simbólico como en el práctico. Dice Gareth Stedman Jones en su estudio sobre la clase obrera inglesa que "el tipo de dimensión política que adquiera (una huelga por ejemplo) [...] dependerá de la existencia de una organización o corriente política capaz de presentar convincentemente la secuen-

---

[73] Ismael Moreno: op. cit., pág. 169.

[74] Anthony D. Smith: *La identidad nacional*, Madrid, Trama Editorial, 1991, pág. 5.

[75] El debate sobre el cartismo es útil para pensar algunas de estas cuestiones. Véase Gareth Stedman Jones: *Lenguajes de clase. Estudios sobre la historia de la clase obrera inglesa*, Madrid, Siglo XXI, 1989 y Geof Eley: "Edward Thompson, Historia social y cultura política: la formación de la "esfera pública" de la clase obrera, 1780-1850", en *Entrepasados*, Revista de historia, N° 6, 1994.

cia de los acontecimientos como un ejemplo de postura general coherente con relación al carácter del Estado y a una estrategia para su transformación".[76]

Durante las confrontaciones de 1915 y 1917 los trabajadores lograron identificarse a sí mismos como parte de un todo reconocible (obreros fabriles de una empresa extranjera que vivían en una comunidad obrera) y legitimaron las huelgas como método de acción, pero sus organizaciones traducían la debilidad en la que se encontraban. Al mismo tiempo, diferentes fuerzas políticas constituían al sujeto *trabajador* como un elemento de su lenguaje y, aunque parcialmente, batallaban para mejorar la condición social de los obreros. Además, en este mismo período, la acción estatal estuvo marcada por los cambios políticos, producto de la reforma electoral que facilitó el acceso del radicalismo al gobierno nacional. Así, mientras en 1915 los gobernantes permanecieron indiferentes, en 1917 las instituciones estatales como el Departamento Nacional y Provincial del Trabajo buscaron mediar en el conflicto. El Departamento Provincial del Trabajo adquirió un marcado protagonismo buscando un acercamiento entre las partes en pugna.

La Unión Cívica Radical y el Partido Socialista tuvieron una activa intervención en los *sucesos de Berisso*. Ayudaron de diferentes modos a los vecinos-trabajadores: solicitaron la intervención del Presidente, pidieron informes al Poder Ejecutivo, plantearon interpelaciones y se ofrecieron como mediadores. En este punto, ambos partidos cumplían las funciones reconocidas a las fuerzas políticas: transmitir las demandas, exigencias y necesidades de la población reflejadas en las demandas de su base social y participar en el proceso de formación de las decisiones, en particular a través de las instituciones de gobierno.

Este camino de participación y representación fue abierto por la reforma política de 1912 y es innegable su importancia en el proceso de democratización, sólo que el predominio de la población extranjera, no nacionalizada y por tanto despojada del valor de la ciudadanía, ponía límites a la construcción de una democracia participativa más amplia, y acotaba la importancia de los "lenguajes políticos" que pudieran ligar el bienestar de los trabajadores a la democracia, la igualdad, y la justicia logradas a través de los mecanismos de la representación política.

Obreros extranjeros en las fábricas y vecinos –no ciudadanos– en la comunidad transformaban la política formal y el sistema representativo en elementos que sólo a veces cobraban sentido para la población. La emergencia y visibilidad de tensiones y conflictos, tanto en las fábricas como en el vecindario, era la oportunidad para una mayor intervención de los partidos políticos que construían sus lenguajes incluyendo a los trabajadores. Por ejemplo, socialistas y radicales compitieron, en el mismo terreno, para sostener las demandas de los trabajadores. Reconocían el derecho a un "salario justo" y a un cierto bienestar que debía apoyarse en la protección de los asalariados frente a la desocupación, a la vejez o a la enfermedad. Se diferenciaban en el énfasis que colocaban en la definición de las bases sociales que interpelaban.

---

[76] Gareth Stedman Jones: op. cit., pág. 10.

Los socialistas confiaban en el poder de la representación, levantaban su voz como el partido de los trabajadores y, en consecuencia, promovieron un conjunto de leyes protectoras del trabajo. Su programa mínimo mantenía todos aquellos puntos destinados a mejorar las condiciones de la vida material y laboral de los asalariados y, en el plano político, impulsaba la nacionalización de los extranjeros buscando transformarlos en ciudadanos capaces de modificar la sociedad.[77] El socialismo construyó una imagen de la clase obrera como parte sana, culta y consciente de la población, distinguiéndose y separándose de los radicales que apelaban al "populacho", a la "entidad amorfa", "híbrida", "heterogénea".[78] Su interés era elevar moralmente a los "híbridos" de los que los obreros de los frigoríficos formaban parte; para construir al trabajador/ciudadano abrió un local en las calles Montevideo y Génova, a unas pocas cuadras de los frigoríficos.[79] Allí, organizó sus conocidas conferencias y veladas teatrales para concientizar y educar políticamente a la población obrera. No era el único camino. En épocas de conflictos, los representantes socialistas en el parlamento ponían en funcionamiento el arsenal legal y reglamentario con el que contaban. Pedían informes a las autoridades del Poder Ejecutivo, planteaban interpelaciones, visitaban la localidad para escuchar inquietudes.

Esta presencia sólo les permitió ganar unos pocos adherentes, visibles en los actos eleccionarios donde ocuparon el tercer puesto entre las preferencias de los escasos votantes. Un análisis de las elecciones provinciales y nacionales muestra que efectivamente los socialistas fueron ocupando un lugar, aunque modesto, entre las fuerzas políticas. Pero la debilidad de la inserción de su discurso entre la población de Berisso se hace más visible si se comparan los guarismos obtenidos por radicales y conservadores.[80]

Frente a los socialistas, el radicalismo aparece como un partido más eficaz electoralmente, aunque menos articulado y programático. Los radicales no hablaban en nombre de, o para una determinada clase social, sino que dirigían sus palabra a todos los habitantes. Como los socialistas, predicaban la justicia y la reparación política y denunciaban al capitalismo y a los monopolios en la prensa y en el parlamento; además, muchos radicales estaban convencidos de que las compañías extranjeras abusaban de los trabajadores y del país. Por otra parte, el presidente Irigoyen estaba dispuesto a dialogar con los trabajadores en el marco de la armonía social y la conciliación de diferentes intereses.[81]

---

[77] Se pueden consultar los Programas Mínimos del Partido Socialista de los años 1896, 1904, 1909, 1913 y de distintas coyunturas electorales en Hobart Spalding: *La clase trabajadora argentina (Documentos para su historia 1890/1912)*, Buenos Aires, Galerna, 1970.

[78] Aníbal Viguera: "Participación electoral y prácticas políticas de los sectores populares en Buenos Aires, 1912-1922", en *Entrepasados*, Revista de historia, N° 1, 1991.

[79] Archivo General de la Nación, Archivo Gráfico, en una foto sobre los acontecimientos de Berisso se distingue un afiche del Partido Socialista donde llaman a una conferencia y se indica la dirección de su local. En *El Día*, 3 de febrero de 1924 se informa sobre la apertura de un local en la sección octava (corresponde a Berisso).

[80] Por ejemplo, en las elecciones del 30 de noviembre de 1923 la UCR obtuvo 480 votos; el partido Conservador 101; el partido Socialista 91 e Híbridos (sic) 44; en total: 696 votantes. Si se considera que la población total de Berisso, en 1923, llegaba a 10.470, de los que probablemente casi un 60 % eran extranjeros, se puede inferir el escaso peso que la movilización y la participación política formal podían tener.

[81] El diálogo del gobierno con un sector de los trabajadores en David Rock: op. cit. Durante los gobiernos radicales, incluso en la primera presidencia de Hipólito Yrigoyen, se presentaron diversos proyectos de

Pero el discurso es insuficiente para medir la fuerza que adquirirá el radicalismo en Berisso. En el ejercicio cotidiano de la política los radicales competían mucho más con las fuerzas conservadoras que con las socialistas. En las fábricas, se disputaban el favor de un capataz del frigorífico dispuesto a movilizar a los trabajadores-ciudadanos-votantes. En el espacio más amplio de la localidad, radicales y conservadores que dominaban la lecto-escritura, se erigieron en representantes de los trabajadores desde la década del diez. Es interesante, en este sentido, la figura del "agente judicial": comerciante, a veces periodista (Pedro Busquet), que jugaba varios papeles al mismo tiempo: ejercía la representación legal de otro vecino, se encargaba del cobro de alquileres, actuaba como inquilino principal de varias propiedades que subarrendaba, cedía su domicilio como "domicilio legal" a diversos litigantes.[82] Estos personajes asistían a los analfabetos, a los extranjeros; podían brindarles ayuda en diferentes circunstancias y, de esa manera, ganarse la confianza y el apoyo político. Su capacidad y eficiencia para resolver pequeños asuntos los iban transformando en hombres confiables, capaces para actuar públicamente. Los radicales realizaban también, como en otros lugares del país, campañas de ayuda a los pobres; repartían alimentos a precios bajos, conseguían empleos; asistían jurídica y médicamente a los necesitados.

Durante la huelga de 1915 los radicales notables (el farmacéutico Cestino, por ejemplo) denunciaron la acción policial (en manos de los conservadores); cuando estalló el conflicto de 1917, el Comité Radical local como "parte integrante y representativa del pueblo obrero" envió telegramas al Presidente de la nación para poner fin a la represión y a la huelga. Los comerciantes mantuvieron el crédito a los trabajadores y los médicos siguieron asistiéndolos.

Estos mecanismos fueron creando una extensa red clientelar que se alimentaba con la resignificación de la experiencia del patronazgo en la nueva comunidad. Recordemos al campesino italiano, al pastor árabe o búlgaro, al migrante nativo que cuando entraba a la fábrica buscaba en las maletas de su experiencia cómo sobrevivir en el mundo industrial. Allí, los trabajadores encontraban que las relaciones de protección y reciprocidad propias del sistema de patronazgo podían establecerse en el nivel de la fábrica y en la comunidad para mejorar su situación.

Como he señalado hasta aquí, los trabajadores se integraban y/o respondían a las apelaciones de diferentes fuerzas políticas integradas a un sistema político que sostenía un concepto de ciudadanía que no resolvía la cuestión de la población extran-

---

legislación sobre conciliación y arbitraje, asociaciones profesionales, contrato colectivo de trabajo y trabajo en los territorios nacionales. Se impulsó también un Código del Trabajo (1921) en uno de cuyos capítulos se negaba el derecho de los industriales a oponerse a la participación de los obreros en los sindicatos, Ricardo Falcón: "La relación estado-sindicatos en la política laboral del primer gobierno de Hipólito Yrigoyen", en *Estudios Sociales*, Revista universitaria semestral, N° 10, primer semestre de 1996.

[82] El "agente judicial" y sus funciones aparece en las causas judiciales analizadas en: *Juzgado de Paz*, Ensenada, secciones 4a. y 5a., años 1911 a 1922.

jera.[83] Berisso era una babel, y para el grueso de la población obrera inmigrante la vida política formal, absolutamente marginal.

Pero había otras opciones y construcciones políticas en las que los obreros de Berisso podían integrarse o participar. Asociaciones culturales, vecinales y étnico nacionales, así como sociedades culturales anarquistas, cuyos militantes llegaban toda vez que una huelga podía dar curso a la "revolución social". Además, la Federación Obrera Local de La Plata enviaba sus representantes para dar conferencias. La Federación estaba integrada por las inestables organizaciones gremiales que se formaban; organizaba la ayuda a los huelguistas y asistía a los trabajadores detenidos.[84]

Durante la primera década del siglo XX los anarquistas habían logrado el apoyo de importantes capas de la población para su proyecto político cultural, sobre todo en las grandes ciudades. Pero era un proyecto que se apoyaba parcialmente en el poder de los trabajadores y se diluía en el gesto de los oprimidos.[85] En la segunda década, su capacidad de convocatoria había comenzado a debilitarse, tanto por las consecuencias de la represión como por los cambios que se operaban en la sociedad y la fuerza de aquellos que, impulsados por el Estado, horadaban sus mensajes y propuestas.[86] La relación del anarquismo con los trabajadores de Berisso no parece haber sido muy sólida pero se sustentaba en una suerte de amistad entre los militantes más activos del anarquismo platense y algunos trabajadores de los frigoríficos. Algunos de ellos vivían al comenzar la década del cuarenta; y según el pedagogo Lunnazzi: *"Había unos cuantos, y había otro grupo que vivía en los cañaverales, una media docena de melenudos, iconoclastas y vagos, que hablaban de anarquismo, había pájaros sueltos, y había rusos antiguos y antiguos ucranianos, que habían sido anarquistas revolucionarios en Rusia".*[87]

Del texto surge una visión anacrónica y romántica del militante (*"melenudos, iconoclastas y vagos"*); sin embargo imagino a estos individuos aislados, diseminando en la fábrica y en los boliches y fondas donde se reunían a beber y a conversar con otros trabajadores reproduciendo imágenes, gestos y prácticas que les permitían imaginarse como obreros y como oprimidos y oponerse a quienes los marginaban y explotaban.[88]

---

[83] De acuerdo a los estudios actuales sobre la relación entre los inmigrantes y la política, el debate sobre naturalización/ ciudadanía /derechos políticos tuvo un momento importante en la década del ochenta del siglo pasado. La ausencia de esta cuestión en los análisis políticos de principios de siglo nos lleva a suponer que la controversia declinó a principios de siglo para finalmente desaparecer con la creciente nacionalización de la población. El problema se mantiene en Berisso porque constituye un foco de atracción para los recién llegados durante la década del veinte.

[84] Actas de la *Federación Obrera Local,* La Plata, 1915 y 1917.

[85] Véase Ricardo Falcón: "Izquierdas, régimen político, cuestión étnica y cuestión social en Argentina, (1890-1912)", en *Anuario 12,* 1986/87, Universidad Nacional de Rosario, 1987; y Juan Suriano: *Anarquistas ...* op. cit.

[86] Véase Juan Suriano: *Anarquistas ...* op. cit. y Dora Barrancos: op. cit.

[87] Entrevista realizada por Daniel James a quien le agradezco su colaboración.

[88] Un espacio importante de la sociabilidad obrera lo constituían las fondas, boliches, bares y lugares de venta de bebida. Se ubicaban en los alrededores de la fábrica y fueron el centro de la vida social. Allí llegaban, desde la mañana temprana, los clientes trabajadores en sucesivas oleadas; a ellos se acercaban los inmigrantes recién llegados buscando amigos, familiares y paisanos. "Tomé el tranvía 25 —me dijo Pedro un obrero de los frigoríficos— hasta el fondo, después me bajé y llegué. Alexis tenía fonda [...] entro

Los anarquistas concebían a la política como farsa y a las elecciones como una comedia inútil e innecesaria que creaba la ilusión de la representación (lo que atentaba contra la igualdad de los individuos) y la participación.[89] La impugnación de estos mecanismos de la acción política alimentaba la idea de exclusión que aparece, como sentido común, en los testimonios recogidos en Berisso.

Los trabajadores de origen extranjero utilizaron y crearon otros canales de participación (las asociaciones nacionales y de vecinos, el gremio, los centros de fomento, las bibliotecas); pero allí también competían diferentes ideologías y fuerzas políticas. En estas instituciones nuevas fronteras se levantaban y se constituían nuevos fragmentos.

Las marcas del género

La fábrica es un espacio que no se limita a producir bienes. Es una arena donde confrontan las imágenes construidas en la sociedad sobre los roles femeninos y masculinos, sobre el poder o sobre de las identidades políticas. Si el 30% de la población obrera era femenina y la situación de hombres y mujeres difería notablemente en los espacios laborales, ello debe haber incidido en la participación en los movimientos de protesta y en la gestación de las organizaciones gremiales. Un historiador, Bergquist, señalaba que la presencia femenina era una de las causas de la debilidad de la organización gremial de los obreros de la carne.[90]

La explicación, evidentemente, es limitada; existen otros grupos de trabajadores con iguales debilidades que no incorporaban mujeres. Lo que es importante discutir es el carácter conflictivo del trabajo femenino extradoméstico, porque al mismo tiempo que las mujeres de los sectores populares debían contribuir con su esfuerzo al sostenimiento del hogar, se estaba afianzando en la Argentina el ideal doméstico y maternal de la mujer. Las mujeres de todas las clases sociales debían "reinar" en el hogar pero las pertenecientes a la clase obrera estaban acicateadas por la necesidad. Entrar a la

---

allá y encuentro a Nicola Peteff, se conocíamos de Bulgaria, después estaba el tío Josefo, Ivalino, todos". En los bares (el café y bar Nelson, el restaurante El Aguila, la cervecería y restaurante de José Riera) y en los numerosos locales de ventas de bebida, los trabajadores parroquianos escapaban a la disciplina del trabajo y a las prohibiciones existentes en el espacio de la fábrica; era un espacio que les permitía salir del ámbito del hogar, encontrarse con los amigos, hablar de mujeres y política. Rosenzwig, señala que la reunión de los trabajadores en los bares producía una transformación de las relaciones sociales en los marcos del mercado de un modelo de interacción social que permitía afirmar los valores comunitarios por sobre los individuales. La importancia de los bares como ámbito de sociabilidad masculina se destaca en los relatos de obreros que participaron en el Taller de historia oral Sociedad Búlgara Iván Vasov, sesiones del 22 de septiembre y 14 de octubre de 1986. El tema de la sociabilidad obrera en Europa y Estados Unidos puede abordarse en Roy Rosenzwig: *Eight Hours For What We Will*, Cambridge University Press, New York, 1983, en particular págs. 35-64 y 240-49 y M. Agulhon: "Clase obrera y sociabilidad antes de 1848", en *Historia social*, Instituto de historia social UNED, Valencia, Nº12, invierno 1992.

[89] Para un exhaustivo análisis del anarquismo ver Juan Suriano: *Anarquistas ... op. cit.* e "Ideas y prácticas políticas del anarquismo argentino", en *Entrepasados*, N° 8, 1995.

[90] Charles Bergquist: op. cit., págs 136 a 234.

fábrica era una salvación como una fatalidad que había que sobrellevar. Era una actividad que imaginaban temporal pero que podía transformarse en permanente.

Los comportamientos de las mujeres (como los de los varones) no son uniformes. Las obreras mas jóvenes, solteras, cuyo salario era necesario pero no imprescindible, se plegaban mas rápidamente a las protestas, pero aquellas cuyo salario era el único ingreso familiar eran más refractarias. La desocupación temporal masculina por los altos niveles de rotación en el empleo y las continuas entradas y salidas de la fábrica transformaban el ideal masculino de proveedor (del sustento) y protector (de la familia) en una imagen tan resquebrajada como la de la mujer en el hogar. La familia obrera vivía con el aporte de, al menos, los dos miembros formadores del núcleo y, a veces, con la ayuda monetaria de los hijos. Cuando la pareja trabajaba el salario de la mujer era la "ayuda", pero cuando el varón estaba desocupado, se convertía en el único sostén. Vivir y dar de comer a los hijos se transformaron en las necesidades básicas que las mujeres, por el imperativo de su condición de "reinas del hogar", no podían abandonar.

El conflicto laboral no estaba al margen de las tensiones entre los roles masculinos y femeninos por lo que probablemente muchas mujeres, responsables de "proveer", decidieran continuar trabajando en tiempos de conflictos abiertos. Sobre la permanencia de las mujeres en las fábricas durante la huelga la información es discordante. Mientras *La Vanguardia* señala que algunos asalariados seguían realizando sus tareas, entre ellos un grupo de mujeres, una semana después de declarada la huelga de 1917, *El Día* comenta que la cantidad de mujeres que trabajó durante la primera jornada de huelga fue muy reducido. Los registros de personal de ambos establecimientos indican claramente que varones y mujeres fueron expulsados por adherir al movimiento huelguístico.

En la huelga de 1917, más que en la de 1915, los trabajadores de ambos sexos presionaban sobre aquellos que se resistían a unirse al movimiento independientemente de su género. No obstante la prensa socialista señalaba la ausencia–presencia de las mujeres. ¿Qué quiere decir esto? Por un lado, remarcaba la ausencia de las mujeres en el conflicto y por otro resaltaba su intervención en los mitines, en las manifestaciones, en las acciones contra los rompe-huelgas como ejemplo de participación consciente y heroica que debía ser imitada. Se destacaba la falta de presencia de las mujeres pero cuando la policía cargaba sobre los manifestantes se denunciaba la "insensibilidad de la cosacada" que atacaba mujeres indefensas.[91]

Pero además había que organizarlas. En el caso específico de la huelga de 1917 los socialistas impulsaron la organización de una Sección Femenina Especial para promover la solidaridad con los huelguistas y *El Día* menciona una Comisión de mujeres obreras del frigorífico (no señala si vinculada o no a una determinada ideología) que se reunió para hacer propaganda alentando, en sus panfletos, a todas las obreras a participar en las asambleas y continuar la huelga. [92] Las noticias fueron contradictorias

---

[91] El diario socialista es sólo un ejemplo de estas contradicciones. Problemas similares se encuentran en *La Protesta, La Nación* o *La Prensa*.

[92] *El Día*, 13 de diciembre de 1917.

como contradictorio era el clima en el que las mujeres se incorporaban al trabajo. Personajes de ficción ayudan a construir el cuadro. En el capítulo sobre la huelga de 1917, Ismael Moreno hace hablar a una mujer: "Las mujeres ya no somos la simbólica flor. Somos apenas la rama deshojada; pero haremos sentir las espinas que nos restan para que en esta protesta quede, con el gesto del hombre, el rasguño femenino, característico de nuestro sexo débil y agostado. Os acompañaremos. Somos vuestra sombra insepa-rable...[...] Pero sabedlo: las mujeres queremos la exigencia completa, porque con las concesiones homeopáticas siempre seremos la media naranja, desgreñada y andrajosa, la misma bestia cascarrienta que os acompaña por el pedregal de la vida proletaria".[93]

El párrafo muestra la importancia de la construcción discursiva –detrás del narra-dor masculino– de una identidad femenina que se transforma en estereotipo: "somos vuestra sombra inseparable" dice la compañera en alusión a la iniciativa masculina, en las "buenas" y en las "malas".[94] Esta construcción, abre el camino para pensar las demandas que las mujeres–obreras expresaban con dificultad. Continúa: "las mujeres queremos la exigencia completa". ¿Qué exigencias?, ¿seguir la huelga hasta el final?, ¿incorporar aspectos concretos que transformaran el trabajo femenino?, ¿transformar los salarios diferenciales por sexo en un salario de acuerdo a la calificación?

Pero hay algo más. Un ideal de mujer se estaba afianzando y el imaginario enlazaba maternidad, hogar, dulzura y femineidad, todos los actos, los gestos o las palabras que pusieran en cuestión ese ideal se ubicaban en lo anormal. Así, si una mujer reclamaba era una "mujer brava", de "armas llevar", "marimacho". Dice Gonzalez Arrili sobre las mujeres que participaron en la huelga de 1917 en Avellaneda:

"Algunas muchachas de las más entusiastas [...] comenzaron a incitar a los carniceros para que abandonaran la faena. Los que alzaron la cabeza [...] vieron en lo alto de la escalera un revuelo de faldas de colores, unos zapatos de mujer, y el arranque de unas piernas. ¡A la huelga! [...] Los esfuerzos de los capataces y algunos vigilantes por sujetar aquel desorden, resultaron visibles. Uno muy exaltado desenfundó el revólver [...] Las muchachas ante la amenaza, se arremangaron las faldas como si fueran a cruzar un charco mostrando sin pudor todas las interiores cintas y puntillas".[95]

[93] Ismael Moreno: op. cit., pág. 107.

[94] Me parece importante destacar la dificultad de las voces femeninas para expresarse en la prensa y en la literatura. Esas dificultades se agigantan en el caso de las mujeres obreras. Dice Jean Franco, cuando analiza la literatura mexicana: "dada la escasez de escritoras, los hombres con frecuencia usaban seu-dónimos femeninos y de esta manera reafirmaban su dominio sobre las esferas pública y privada. Las mujeres participaban en este discurso como *lectoras* pasivas; como recipientes de la literatura didáctica, que se dirigía a ellas como alumnas a las que había que enseñarles, o como mentes que había que modificar...", (destacado en el original), Jean Franco: *Las conspiradoras. La representación de la mujer en México*, México, Tierra Firme, 1993, pág. 117.

[95] Bernardo Gonzalez Arrilli: *Los charcos rojos*, Buenos Aires, 1927 págs. 96 y 97. Aunque la novela está ambientada en las huelgas de los frigoríficos de Avellaneda la tomo como expresión del conjunto de representaciones de ficción que incorporan al trabajo en general y el de los frigoríficos en particular. En muchos aspectos se toca con *El matadero* de Ismael Moreno.

La imagen de muchachas entusiastas, vivando la huelga y enfrentando a los capataces y a los vigilantes, mostrando "sin pudor" piernas, cintas y puntillas cristaliza también una imagen de ruptura. La actitud provocativa de las mujeres era una manifestación de las tensiones que creaba su presencia en las fábricas y en las protestas. Puede interpretarse también como la expresión de un deseo, del intento de participar en el espacio de la virilidad con aquello que se consideraba un atributo de su femineidad.

La huelga de 1917 fue, entonces, un momento importante en la emergencia de las tensiones alrededor de identidades. Algunas de estas tensiones estaban relacionadas con los imaginarios femeninos y masculinos. La experiencia de la fábrica no era uniforme para hombres y mujeres; creaba contradicciones y tensiones. En el conflicto se daba forma a una identidad de clase y también se construía la identidad de un género (femenino) subordinado y complementario del masculino. Subordinación que se manifestaba como discriminación (en los salarios, en la noción de la debilidad femenina) y como exclusión en la esfera pública y en la política.[96]

Las mujeres podían acompañar a los hombres en las protestas, trabajar a su lado para sostener el hogar, pero para inspirar una acción colectiva, tenían que asociarse con aquellas formas de identidad que tenían mayor poder de cohesión. Según Smith: "el carácter universal de la diferenciación de género lo convierte en un fundamento menos cohesivo y con menos poder para producir identificaciones y movilizaciones colectivas". Por eso, la participación de las mujeres en las acciones colectivas que se produjeron en ese período histórico aparecía solapada por otras identidades como las de clase o las políticas.

---

[96] Dice Smith : "Aunque no sean inmutables, las clasificaciones basadas en el género son universales e impregnan todos los ámbitos. Además son el origen de otras diferencias y subordinaciones, porque el género nos define de una forma no sólo sutil sino también evidente, como lo demuestran las oportunidades y recompensas que tenemos en la vida por pertener a uno u otro género", Anthony D. Smith: op. cit., pág. 3.

CAPÍTULO VI
Crisis y cambio en las fábricas

Cuando Agustín, un obrero de los frigoríficos, recordaba su experiencia obrera en la década del treinta resaltaba que en esa época *había miles en el portón, uno estaba tranquilo con estar adentro*, se preguntaba también porqué las empresas *abusaban* de los obreros y se respondía que *porque echaban a uno y tomaban diez.* Agustín se refería al problema de la desocupación en las fábricas de Berisso, en el contexto de una crisis económica que afectó seriamente al comercio de carnes; colocaba, además, en primer plano el ejercicio de una autoridad despótica por parte de las compañías. Otros trabajadores confirmaron lo dicho por Agustín y enfatizaron que en época de los conservadores no había ninguna organización que defendiera a los trabajadores, pues los sindicatos eran perseguidos.

Un grupo pequeño de obreros aludió a otras imágenes asociadas al trabajo. Berisso *hervía de comunistas* me dijeron algunos de ellos. El sindicato organizaba a los trabajadores a escondidas de la compañía y de la policía. Las referencias a los comunistas y a la organización gremial estaban frecuentemente ausentes en la mayoría de las narraciones obreras y en las de la comunidad. Estas omisiones, contradicciones y tensiones de los relatos abrían un abanico de interrogantes sobre la experiencia obrera durante la denominada *década infame*.

Las transformaciones de una década
La nacionalización de los trabajadores

Los años treinta fueron años de cambios en la fábrica y en la comunidad. Mientras en las compañías parecía reinar la calma, los trabajadores se congregaban, al finalizar la década del veinte, alrededor de un débil sindicato. En el capítulo anterior se ha examinado el proceso mediante el cual había surgido una organización gremial de la experiencia del conflicto; y el modo en que se articulaba la peculiar organización del trabajo con la heterogeneidad del grupo humano generando una situación de *aislamien-*

to y *fragmentación* entre los trabajadores. Durante toda esa etapa, los asalariados ensayaron diversos caminos para vencer el aislamiento y la fragmentación y para identificar los *problemas comunes*. Ello era crucial para transformar los reclamos específicos de cada departamento (playa de matanza, tripería, conserva, corrales, etc.) en acciones colectivas que involucraran a todo el personal y a los trabajadores de las dos plantas de Berisso.

Se ha señalado la importancia del carácter extranjero de la fuerza de trabajo fabril, y sus implicancias. En la década del treinta, la imagen cosmopolita de la fábrica y de la localidad se alteró parcialmente. Berisso sufría momentos de revitalización con la llegada de nuevos contingentes de Europa oriental, y nuevos rostros la poblaron cuando se sumaron los *cabecitas negras* que provenían de las provincias pobres del interior, como Santiago del Estero, Chaco, Tucumán, Corrientes. Los nuevos pobladores se ubicaron en los alrededores de los frigoríficos, en las viviendas colectivas de las calles Nueva York, Cádiz o Río de Janeiro.

El número de trabajadores extranjeros disminuyó sensiblemente y el abanico de grupos nacionales se restringió, pero la llegada de los nuevos migrantes europeos, que escapaban de los conflictos bélicos y de la experiencia comunista en la Unión Soviética, fue creando una trama más compleja en las relaciones entre diferentes grupos nacionales que comenzaron a definir fronteras de pertenencia más restringidas. Al mismo tiempo, la población nativa, incluidos los hijos de la primera generación de inmigrantes, comenzaron a percibir, a veces de manera ambigua, lo que sentían como una invasión de los extranjeros.

La información sobre el origen de la población obrera (cuadros N° 5, 6 y 7 incluidos en el capítulo IV) permite visualizar los cambios en el reconocimiento de la pertenencia a una determinada identidad nacional. Algunas nacionalidades desaparecieron, se constata la presencia de personas de países limítrofes (Bolivia, Paraguay) y sobre todo se advierte el peso de los trabajadores nativos.

Aunque la información fabril sobre el lugar de procedencia de los trabajadores no es muy completa, se especifica en algunos casos el lugar de origen y en otros se puede inferir a partir del domicilio de los padres. Los datos dan cuenta de la presencia de personas que provenían de distintas provincias de la región pampeana (Buenos Aires, Santa Fe, Córdoba) y al aumento de aquellos que llegaban desde el noroeste (Santiago del Estero, Catamarca, Tucumán, La Rioja) o desde las provincias del litoral mesopotámico como Corrientes. Según la información disponible, provincias como Santiago del Estero, Catamarca y Corrientes emergieron como los lugares de procedencia de muchos trabajadores. Esta información coincide con las investigaciones demográficas que señalan que las tasas de inmigración neta de nativos de esas provincias es del orden de −10, −7 y −10 por mil respectivamente en el período censal 1914-1947.[1]

---

[1] La evolución de la población se encuentra analizada de acuerdo con la información censal en Zulma Recchini de Lattes y Alfredo E. Lattes: *La población de Argentina*, Buenos Aires, Indec, Serie Investigaciones demográficas, 1975, págs. 104 y 105.

El grupo más numeroso entre los migrantes internos fue el proveniente de Santiago del Estero, en particular el de los departamentos Loreto y Atamisqui. El éxodo de unas 5.000 personas, de acuerdo con las estimaciones de la prensa santiagueña[2], se produjo a raíz de una larga sequía que afectó la región.

Cuando la población migrante se incorporó a las actividades fabriles tuvo algunas dificultades iniciales para integrarse en la cosmopolita sociedad local. Diferenciaciones sutiles en los espacios de trabajo, en las fiestas y bailes, en amores que a veces se volvían imposibles entre jóvenes nuevos y viejos marcaban las líneas de separación entre la población más antigua y los recién llegados del interior.

Desde el punto de vista institucional estos problemas también se hicieron palpables. Los extranjeros estaban separados en diferentes asociaciones que no favorecían la incorporación de los nativos recién llegados a las organizaciones preexistentes. Por eso, correntinos y santiagueños fundaron, en 1944, sus respectivos centros de residentes con el objetivo de unirse, reconocer su pertenencia a un pasado y a una tradición, ayudarse y protegerse ante la adversidad. De ambas organizaciones sólo la de los santiagueños se mantuvo hasta la actualidad.[3]

La importancia de los santiagueños, por su presencia y peso institucional, es novedosa; y en algunos relatos locales aparecen como base del desarrollo del peronismo en la localidad. Desde este punto de vista los santiagueños eran representativos de la población nativa, que en la tradicional interpretación de Gino Germani significó la entrada de una población sin experiencia en la vida política y gremial del país.

El mayor momento de migración provincial a la localidad de Berisso se produjo al finalizar la década del treinta y, fundamentalmente, a partir de la del cuarenta. Sin embargo, hay que enfatizar que la población de la provincia tenía una tradición cultural migratoria producto del desajuste económico y social que se arrastraba desde el siglo pasado.[4] Con la expansión de la agricultura cerealera de la región pampeana y el desarrollo de la industria azucarera en Tucumán, la población se encontraba engrosando a los trabajadores golondrinas. Los migrantes temporarios trabajaban un período fuera

---

[2] *El Liberal* (Santiago del Estero), 15 de marzo de 1937. Las descripciones de la situación en el Departamento Loreto eran alarmantes. Un examen médico realizado a los niños de la escuela de Puesto de Juanes, uno de los parajes de emigración, señalaba que más del 50% presentaba debilidad física y que ello se agravaba en los lugares más alejados de rutas y caminos. Registraba, además, la disminución de la matrícula escolar porque los padres buscaban trabajo en Chaco, Córdoba, Santa Fe o Buenos Aires. Otra noticia da cuenta del trabajo de mujeres y niños (los hombres habían migrado): juntaban algarroba para alimentar vacunos y yeguarizos. Una mujer con dos niños podía levantar entre 100 y 120 kilogramos obteniendo entre 15 y 25 centavos por cada 10 kilogramos. Una obrera del frigorífico podía ganar, por la misma época, alrededor de 35 a 45 centavos la hora. Véase el mismo periódico en los días 1 de septiembre y 14 de noviembre de 1937 y 21 de enero de 1938.

[3] La historia de la institución puede reconstruirse con los testimonios recogidos entre 1985 y 1987 y con las *Actas del Centro de Residentes Santiagueños*, 1944-1983.

[4] Con la noción de "cultura migratoria" se enfatiza la idea de que la población conoce la existencia de fuentes de trabajo que son externas a su propia comunidad. Sabe también que las mismas son transitorias; por eso la vida del paraje rural se arma en función de la transitoriedad. Sin duda el fenómeno requiere de una investigación adicional.

de su localidad y cuando regresaban hasta podían seguir cuidando sus cabras o trabajando en la producción agrícola provincial, pero en 1937 las posibilidades del sector rural
santiagueño se deterioraron por una prolongada sequía.[5] Por otra parte, la demanda de
alimentos a raíz de la Segunda Guerra Mundial provocó la expansión de la producción
de carnes abriendo la posibilidad para que los migrantes internos pudieran integrarse
al trabajo industrial. El ingreso al trabajo fabril en uno de sus rasgos, la transitoriedad,
no constituyó un choque brutal con las pautas laborales anteriores; y los obreros rurales
convertidos en industriales se adaptaron rápidamente a la nueva situación.

El nacionalismo en las fábricas

En la década del treinta el nacionalismo cobra fuerza en la Argentina como en
otras partes del mundo. En el capítulo II, se ha señalado la importancia que éste adquirió
en el plano discursivo y el modo en que las empresas, en particular las estadounidenses,
reaccionaron, asociando su historia a la de la nación. Las compañías tomaron algunos
de los motivos nacionalistas, por ejemplo el criollismo, y le daban forma y significación
dentro de las fábricas. Los productos, y sus propagandas, llevaban junto al internacional
(Swift-Armour) otros nombres relacionados con el campo. Así la harina de maíz o la de
legumbres era *La criolla* como el vinagre de vino, la caballa o el atún, y el jabón se
llamaba *El gauchito*. El impacto de "lo criollo " fue visible también en otras compañías.
En 1931 la fábrica textil Alpargatas comenzaba a editar sus famosos almanaques ilustrados por Florencio Molina Campos.[6] Los motivos se concentraban en paisajes y tipos
de la vida en la campaña.

Las empresas no se limitaban a utilizar estos motivos en la publicidad. En la
década del treinta comenzaron a editarse algunos periódicos de empresa. Las revistas
de las compañías apuntaban a crear la idea de unidad familiar en las fábricas para
cimentar lazos de solidaridad e identificación con sus intereses. Una de ellas, Swiftlandia,
utilizó, además, varios recursos para colocar "lo criollo" en un lugar de significación.[7]

[5] La historiografía provincial es bastante pobre cuando se trata de abordar las vinculaciones entre
áreas de migración y de recepción. Algunas escasas referencias se encuentran en Luis C. Alen Lascano:
Historia de Santiago del Estero, Buenos Aires, Plus Ultra, 1996, pág. 589. El libro de Alberto Tasso –centrado
en el fenómemo de la inmigración sirio libanesa– ilumina algunos aspectos relacionados con la presencia
de ese grupo inmigratorio en la localidad de Loreto y sus adyacencias, un punto de expulsión de las
personas que llegaron a Berisso, Alberto Tasso: *Aventura, Trabajo y Poder. Sirio libaneses en Santiago
del Estero (1880-1980)*, Buenos Aires, Índice, 1989.

[6] Los almanaques salieron en dos etapas. En la primera (1931-1936) Florencio Molina Campos tomó
las escenas de la región pampeana, en la segunda (1940-1945) incluyó las de otras zonas del país, como
el noroeste y la región chaqueña.

[7] La empresa se dirigía a sus trabajadores pero la escuela incidía sobre sus hijos. He intentado examinar
los libros escolares que efectivamente se utilizaron en las escuelas locales, como un modo de acercarme
a esta cuestión. *Canto al Trabajo* se utilizaba en 4° grado y en 1941 llevaba trece ediciones. Junto a las lecturas
de contenido moral y religioso se encontraban aquellas que se utilizaban en las clases de "conversación
y composición". Las lecturas se titulaban: "El día de la tradición", "De la payada", "Escena campestre",

"Lo criollo" estaba representado en el recinto de la fábrica por el trabajador de los corrales. Los trabajadores tenían que entrar y sacar la hacienda. Muchas veces eran hombres "de a caballo". Debían suministrar a los animales agua y alimento, conducirlos al lugar donde se los pesaba y, finalmente, embretarlos hacia el "corral de baños" para que iniciaran el ascenso hacia la muerte. Muchos de estos trabajadores se iniciaron llevando hacienda al paraje de Berisso; ingresaban a la fábrica buscando un empleo permanente pero sus hábitos seguían asociados a la vida rural.

No he encontrado muchos de estos trabajadores en el examen de los registros de personal. El más llamativo de los casos es el de don Julián Fernández, "una reliquia gaucha" –según los editores de *Swiftlandia*– que en 1943 tenía más de 100 años. Había trabajado en los corrales del establecimiento y luego como puestero en una estancia de propiedad de la Compañía. El viejo resero que sirvió a la empresa era recordado con los motivos propios de la épica gauchesca:

"Tuvo por cuna el poncho de un matrero,
Bordado chiripá su pañal,
El mango de un facón su sonajero,
y pingo de juguete el bayo overo
padre del caballito de Roldán ".[8]

Julián Fernández representaba al *gaucho*. Era la empresa la que enunciaba las palabras que privilegiaban la imagen de un sujeto que ya no era. El verso "Tuvo por cuna el poncho de un matrero" puede asociarse a un pasado remoto que había sido desplazado por el gaucho bueno. En este caso, por el obrero fiel y cumplidor que, por otra parte, la compañía había premiado devolviéndolo a su paisaje natural: una estancia de su propiedad .[9] El gesto recuerda parte de la literatura gauchesca que instaura un espacio (la pampa) y un sujeto (el gaucho) sin enemigos ni aliados, sin coacción ni represalias, sin los conflictos que los actos y la presencia del gaucho generaban en la vieja sociedad. El gaucho y lo criollo eran un motivo que facilitaba la identificación con la nación de una compañía extranjera y en una localidad cosmopolita.

Paralelamente al discurso criollista de las empresas se produjo en las fábricas de Berisso un proceso de nacionalización de la población obrera por dos procesos convergentes. Por un lado, los nativos se incrementaron porque los hijos de inmigrantes que habían llegado en épocas tempranas no sólo habían nacido en el país, sino que se incorporaron a la vida de la comunidad y al trabajo luego de pasar por dos instancias

---

"El caballo criollo " en sintonía con las que exaltaban el regreso de los conscriptos y la alegría de los padres, orgullosos porque el hijo vistió el uniforme de soldado y "sirvió a la Patria". Lecturas similares en *Forjador* donde los capítulos se titulaban "Campo argentino", "Tradición", "Campo arado", "Mesopotamia", "Nuestra Tierra". Adelina M. F. de Millán: *Canto al Trabajo*, Editorial Kapelusz, 1941, 13a. Edición (Texto de lectura para cuarto grado), aprobado en 1933 y Luis Arena: *Forjador*, Angel Estrada & Cía., 1940, undécima edición, (Texto de lectura para los grados superiores), aprobado en 1932. La enseñanza de la tradición (y las leyendas) se combinaba con un discurso nacionalista que buscaba asimilar a los padres a través de los hijos. Para un análisis de las políticas educativas en este periodo véase Carlos Escudé: *El fracaso del proyecto argentino. Educación e ideología*, Buenos Aires, Tesis, 1990, en particular el capítulo IV.

[8] El fragmento pertenece a "Canto al Gaucho" de Arsenio Cavilla Sinclair reproducido en *Swiftlandia*, noviembre de 1943.

de socialización de importancia: la escuela (para ambos sexos) y el servicio militar obligatorio, en el caso de los varones. En segundo lugar, disminuyeron los saldos migratorios externos al mismo tiempo que aumentó el flujo de personas procedentes de diferentes provincias, tal como se ha señalado en el punto anterior.

Los nuevos obreros encontraron en los difusos motivos nacionalistas una referencia conocida. Los trabajadores se reconocían como los portadores de una tradición cultural que se apoyaba, a veces en lo criollo y otras en lo nativo. Este sentimiento era parte de su propia confrontación con el cosmopolitismo existente en la comunidad y abría un espacio para la recepción de los discursos que diseminaban lenguajes nacionalistas.[10] Y cuando el Coronel Perón utilizó muchos de estos motivos en su lenguaje político las resonancias eran claras e identificables.

Esas resonancias nacionalistas no quedaron encerradas en las fronteras del país y las cuestiones nacionales que involucraban a ucranianos o polacos comenzaron a tener también su impacto en la experiencia de la fábrica y de la localidad. Las instituciones que levantaban las banderas del nacionalismo comenzaron a extender "certificados " a sus asociados en los que dejaban constancia que la persona "no profesaba ideas comunistas ni anarquistas ". Era el modo para hacer posible su contratación como trabajador.[11] La extensión de estos certificados estaba asociada a la mayor presencia de los comunistas en las fábricas de Berisso desde mediados de la década del veinte.

Continuidades y rupturas en el espacio fabril
Inestabilidad laboral: una jornada impredecible

Entre los cambios relacionados con las condiciones de trabajo, la jornada laboral fue uno de los temas recurrentes. En el período expansivo, la jornada se caracterizaba por su extensión; en la década del treinta adquirió ribetes indefinible, ya que como señalaba un dirigente gremial "hoy se podía trabajar 10 y hasta 14 horas seguidas para trabajar una hora mañana y luego pocos días sin ganar un jornal".[12] Las variaciones en la cantidad de animales faenados (cuadro N° 16), debido a las alteraciones en la demanda explican la situación. El fin de la Primera Guerra Mundial detuvo el efecto dinámico que le había impreso a la elaboración de carnes envasadas, el estallido de la crisis de 1929 y sus consecuencias produjo una abrupta disminución en la faena, y el inicio de la Segunda Guerra Mundial dinamizó nuevamente la matanza de ganado. Todas estas variaciones transformaron las exigencias de una jornada de 8 horas, propia del período anterior, en un reclamo por la jornada mínima.

[9] El término matrero remite a vago, delincuente, fuera del orden y de la ley. "El poncho de un matrero" puede ser equivalente al "arisco e indomesticado ganado colonial" de las propagandas analizadas en el capítulo II.

[10] Sobre los nacionalistas véase por ejemplo Marysa Navarro Gerassi: *Los nacionalistas*, Buenos Aires, Jorge Alvarez, 1968.

[11] La información oral fue verificada en el caso de la Sociedad Polaca y en Prosvita (ucraniana).

[12] José Peter: *Crónicas proletarias* op. cit, pág. 47.

Cuadro Nº 16

Número de cabezas de ganado vacuno, ovino y porcino faenados para exportación durante los años 1925-1945.

Años	Vacunos	Ovinos	Porcinos	% sobre el total1	% sobre el total2	% sobre el total3
1925	3.127.988	4.725.581	38.341			
1926	2.819.016	3.732.781	132.713			
1927	2.995.761	4.288.187	70.364			
1928	2.458.474	4.341.706	163.080			
1929	2.300.805	4.804.618	241.881			
1930	2.137.458	5.263.670	206.111			
1931	1.778.901	4.726.895	163.592			
1932	1.690.907	4.385.818	212.879			
1933	1.718.142	4.100.988	311.305			
1934	1.794.279	3.506.740	425.290	43,4	1,5	15,7
1935	1.946.169	3.782.631	399.912	41,4	2,5	16,8
1936	2.242.119	3.929.269	416.368	45,4	1,6	15,0
1937	2.418.450	3.736.143	515.697	46,5	2,1	14,3
1938	2.207.137	4.192.470	347.733	43,9	1,5	16,0
1939	2.527.788	3.945.859	250.836	43,5	3,1	15,7
1940	2.120.877	4.582.452	169.186	41,0	3,3	17,2
1941	2.762.323	4. 426.663	550.389	45,3	3,9	15,9
1942	2.647.320	6.515.874	905.830	43,6	4,1	16,6
1943	2.278.913	8.658.154	1.557.537	41,0	3,7	20,4
1944	2.069.262	9.006.016	2.137.543	40,3	3,6	19,8
1945	1.292.775	8.561.937	1.592.393	28,4	4,2	22,3

Fuente

República Argentina, Junta Nacional de Carnes, Reseña, año 1956, págs. 5 y 11.
1. Frigoríficos centrales, entre los cuales se encuentran los frigoríficos Anglo, Armour, La Blanca, *Swift La Plata*, Swift Rosario, Wilson, La Negra, Cuatreros y Smithfield.
2. Grandes fábricas regionales tales como Yuquerí, Liebig's y Bovril.
3. Frigorífico municipal de la Ciudad de Buenos Aires.

Cuando una parte de los trabajadores conformaron la Federación Obreros de la Industria de la Carne (FOIC), concentraron los reclamos en el establecimiento de una "garantía horaria ". Durante la década del treinta reiteraron, por diversos medios; esta demanda; pero fue recién en 1944, cuando se estableció un pago mínimo quincenal –se hubiera trabajado o no– mediante un decreto del Poder Ejecutivo Nacional. El artículo segundo del decreto 14.103 (1 de junio de 1944) señalaba: "los obreros ocupados en la misma industria ya sean permanentes, eventuales o por tanto, devengarán en todos los casos el importe de 60 horas quincenales como mínimo".[13]

La protección al trabajador, que establecía la legislación era importante por varios motivos. La Segunda Guerra Mundial, como la Primera, multiplicó las posibilidades de trabajo tanto para las empresas como para los obreros. El fin del conflicto bélico puso al descubierto, una vez más, la precariedad del empleo en el sector. Sin embargo, con Perón en la Secretaría de Trabajo primero, y luego en la Presidencia de la nación, había poco margen para que las empresas continuaran con unas relaciones laborales que eran sumamente flexibles. El gobierno, surgido del golpe militar de 1943, no permaneció indiferente frente a los conflictos en esta rama de la actividad industrial, pues las exportaciones de carne formaban parte del talón de Aquiles de la economía argentina. Frente a las protestas por la duración de la jornada laboral el gobierno decretó la *garantía horaria*, que aseguraba a los obreros un salario mínimo. Sin embargo, el problema subsistió porque las empresas se negaban a afrontar el pago de salarios cuando no se había trabajado la totalidad de la jornada. Para resolver parcialmente la situación el gobierno acordó con las empresas estimular el retiro de los trabajadores mediante el establecimiento de una compensación monetaria.[14]

La garantía horaria protegía al trabajador, pero los mecanismos para evadir su cumplimiento fueron múltiples y no quedaron registrados en las fuentes empresarias. Sin embargo, quienes vivían cotidianamente la incertidumbre de un jornal escaso, no olvidaron esos mecanismos. Aparece casi espontáneamente cuando se los empuja a reconsiderar el pasado:

> BK: *Había una conquista que no se quién la había hecho. Se acuerda? (dirigiéndose a un compañero), que los frigoríficos pagaban 6 horas y 40 minutos a un obrero aunque no trabajara ... Ahora lo que pasaba (era que) los capataces, mayordomos, esta gente que mandaba a los obreros, le decía –mañana tiene permiso–, por ejemplo, y teniendo un día de permiso pierde la conquista de los*

---

[13] *Anales de la Legislación Argentina*, Tomo IV, pág. 132, y en Cipriano Reyes: *Yo hice el 17 de octubre*, Buenos Aires, Memorias GS. 1973, pág. 156.

[14] Entre las causas de salida de la fábrica figura la palabra "subsidio". Los juicios por indemnización consignan la fecha exacta en la que el trabajador pasó a ser subsidiado por el "Superior Gobierno de la Nación". Por ejemplo: *Demanda por despido de Antonio Portela contra la Cía. Armour, 1947* (encontrada entre papeles diversos del establecimiento). El demandante era de origen español, había ingresado a la sección embalaje el 15 de febrero de 1937 retirándose por su voluntad el 19 de marzo de 1937. En otras cinco oportunidades volvió a ingresar al establecimiento hasta que se retiró subsidiado el 16 de mayo de 1945. En su registro personal consta también que trabajó durante el paro de octubre de 1943.

quince días, la fábrica tenía que pagarle y pierde todo derecho, esto lo hizo un jefe, no le preguntó al obrero. Ud mañana tiene permiso y con este permiso se perdía todo derecho a cobrar..

JG: Eso me pasó a mí mismo ...

BK y JG: (a coro), ¡ Garantía horaria!

JG: Yo sé de Swift, a la gente de playa sí lo cumplieron, pongalé que no alcanzaba, que había poco trabajo, pongalé que trabajaba 3, 4, 5 horas al día ... entonces ya a aquellos les pagaron pero a otros a ninguno.

BK: Porque los necesitaban porque la playa era todo personal especializado con los cuchillos que no podía llamar otro de la puerta para ponerlo en lugar de él.[15]

El testimonio une tres cuestiones relevantes. La responsabilidad empresaria en el cumplimiento de la legislación, la precariedad del empleo existente en esta actividad industrial y las divisiones que se establecían entre el pequeño grupo de los trabajadores calificados y la masa de los peones. Cuestiones que permanecieron hasta el cierre de los grandes establecimientos; se mantienen también en la actualidad en establecimientos más pequeños y no integrados.[16]

Ritmos e intensidad del trabajo: el estándar

Los ritmos de trabajo y su intensidad variaban de acuerdo con las necesidades económicas y políticas de las empresas. Las compañías buscaban producir más y a menores costos; también intentaban evitar los esfuerzos de organización gremial para lograr la subordinación de los trabajadores.[17] El aumento de la productividad podía obtenerse incrementando la eficacia del proceso de producción y disminuyendo el precio del trabajo. En pocas palabras: reduciendo los costos laborales. Para lograrlo se contaba con dos caminos: la intensificación del trabajo a partir de la introducción de nuevas máquinas y procesos, y la implementación de un proceso de "descualificación" en países cuyos trabajadores lograron forjar una tradición de oficios.

El incremento de la producción y de los beneficios se lograba en los frigoríficos mediante una organización del trabajo que se consideraba científica y racional, y que se basaba en el estudio sistemático de las tareas realizadas por los trabajadores. El trabajo "desmenuzado" en pequeños movimientos multiplicados durante la jornada de labor permitía la incorporación de trabajadores sin experiencia. La organización laboral en Swift y Armour se basaba en el sistema de *trolley* que aceleraba las tareas y daba continuidad a los procesos en una industria donde no era fácil suplir el trabajo humano.

---

[15] Taller de historia oral Sociedad Búlgara Iván Vasov, sesión del 1 de octubre de 1986.

[16] Para un análisis de las condiciones de trabajo en los últimos años véase, Olga Odasso, Sergio Rizzi y Alberto Bialakowski: "Notas sobre las condiciones de trabajo en la industria de la carne", en *Diálogo Laboral*, año I, N° 2, cuarto trimestre de 1985.

[17] En este punto sigo a Benjamin Coriat: op. cit.

Los guinches y motores eléctricos eran los elementos claves en la playa de matanza[18]; por eso son el foco de las descripciones que aluden a incrementos en la intensidad del trabajo.

Recordemos al menos una de las imágenes analizadas en el capítulo II: "no hay voces de mando la máquina gobierna; es una noria gigantesca que anda serpenteando, y da a cada uno el tiempo que necesita para mover su hoz". La "cadencia de la noria", símbolo de la reducción de los tiempos muertos en la producción, marcaba la intensidad del trabajo. "¡Trabajar! ¡Trabajar! " era el grito que repiqueteaba en los oídos de los asalariados; así lo recuerda un obrero:

P: ¿Qué hacía en la grasería?

R: Trabajaba en una prensa [...] a la grasería viene todo lo feo, entonces se cocina y se prensa.

P: ¿Cuál era su tarea?

R: En la prensa trabajaba y el capataz estaba: ¡Trabajar! ¡Trabajar! ¡Trabajar! (golpea las manos mientras dice trabajar) y uno se rompe todo.[19]

Suprimir los tiempos perdidos era una ley en todos los departamentos, aun en aquellos que no estaban regidos por el ritmo de la noria. En algunas secciones era difícil la introducción de un medio mecánico que acelerara la tarea, pero en otros sólo era cuestión de tiempo. En la conserva, por ejemplo, se trabajaba alrededor de una mesa, pero alrededor de la década del treinta se introdujo la cinta mecánica. Máquinas para lavar tarros, máquinas para engomar etiquetas, máquinas para cortar riñones, máquinas para exprimir frutas[20], completaban el proceso de transformación y afectaban las tareas que se realizaban.

El uso de planos inclinados, el desplazamiento de los elementos en lugar de la movilización de los hombres eran principios organizadores del trabajo en las plantas cárnicas. La simplificación de las tareas y la medición del tiempo empleado también. Lo importante es que estos principios no se fijaban de una vez y para siempre sino que se redefinían permanentemente. El hecho de que en las plantas procesadoras de carnes utilizaran estas formas de organización del trabajo desde la apertura de las fábricas, explica el hecho de que los trabajadores entrevistados señalaran que el modo de trabajo estándard existió siempre, aunque es cierto que las normas de producción fueron redefinidas hacia fines de la década del veinte.

---

[18] La Cía. Swift, agrega en la empresa en 1907 un conjunto importante de guinches a fricción simple y doble adquiridos en 1911 y 1918, y motores eléctricos de 3, 4, 5, 10 y 15 HP que se compraron en 1933. *Compañía Swift de La Plata S.A.*, Planilla de valuación de maquinarias, Juan Carlos Tobal, Ingeniero Civil, Playas.

[19] Taller de historia oral Sociedad Búlgara Ivan Vasov, sesión del 1 de octubre de 1986.

[20] Según información de la empresa Swif, en la década del treinta adquirieron la siguiente maquinaria para la sección conserva:

1933 varias máquinas para limpiar tripas de vacunos y remachadoras de tarros de jamón.

1934, máquinas para pelar patitas, escurrir tripas de ovino y sierras para reses.

1935, máquinas para abrir quijadas de cerdos.

1936, máquinas para limpiar tripas de ovino, para cortar riñones, para picar, para llenar tarros de 6 libras y para lavar tarros.

1937, máquina cortadora de carne para *Corned Beef*

1938, máquinas para picar productos, otras 6 máquinas para engomar etiquetas y varias remachadoras de tarros.

Compañía Swift de La Plata S. A., *Planilla de valuación de maquinarias.*

El siguiente testimonio da cuenta de estas percepciones:

P: ¿Recuerda que se hayan producido cambios en su sección en la época en que Ud. trabajó?.

PI: No, es que no había.

P: ¿ Y... lo que se llamó el estándar?

PI: Si, entró el estándar... si Ud. tiene que hacer 10 pedazos la hora y Ud. hace 12 pedazos, hay 2 pedazos de premio.

JM: ¿Me permitís? Estándar era una compañía fuera de la compañía, ella presentó a esta compañía que nos va a dar beneficios.

P: ¿Qué tipo de beneficios?

JM: Venía por ejemplo tipos que te estudian, dicen 'Boris charqueá aquí esta cadera', yo cortaba vamos a decir 40 pedazos por hora y esta empresa tiene empleados con su reloj y dice mire si Ud. corta 45 te vamos a dar un premio, pero después que cortaste 45 tenías que hacer 50.

P: ¿Cuándo sucedió esto que está contando?

PI: Siempre fue.

JM: No esto fue ...

PI: En el año treinta ya estaba estándar.

JM: Creo que el estándar entró en el treinta.[21]

En los recuerdos recogidos en la década del ochenta sobre el trabajo en los años treinta hay una imagen de permanencia: el estándar "siempre fue". Aunque la empresa creía conocer hasta los más mínimos detalles del proceso productivo comenzó a advertir que los trabajadores habían aprendido las reglas y que sabían cómo violarlas. Para definir las normas, especificar tareas y funciones, señalar los métodos de medición, la compañía necesitaba de los "especialistas", de aquellos técnicos que iban definiendo un campo de actuación relacionado y delimitado por el trabajo. Los técnicos especializados formaban parte de una empresa consultora que, en el recuerdo de los obreros, se nombra como "una compañía fuera de la compañía ".[22]

El ejército de cronometristas que llegó a las fábricas hacia fines de la década del veinte y al despuntar el treinta, significó el establecimiento de nuevas bases de producción, que los asalariados incorporados al trabajo industrial sólo vieron como una amenaza cuando la experiencia les enseñó que el establecimiento de esas bases implicaba una nueva intensidad del trabajo. "Después que cortaste 45 tenías que hacer 50", señalaba Boris dando cuenta de esa situación.

Hacia fines de la década del veinte y sobre todo en la del treinta, los frigoríficos americanos reorganizaron las bases de producción; fue en ese período que las denuncias

[21] Taller de historia oral Sociedad Búlgara Ivan Vasov, sesión del 22 de septiembre de 1986.

[22] Los testimonios recogidos en Berisso coinciden con los recuerdos de José Peter, dirigente comunista del gremio de la carne que dice: "en el transcurso del año 1927 quedé sin trabajo. Me trasladé a Berisso donde conseguí ocupación en el frigorífico Swift [...] una compañía norteamericana, enviada por Mr. Swift bien pertrechada con aparatos y técnicos especializados había tomado posesión de las playas de matanza", *Crónicas Proletarias*, Buenos Aires, Esfera, 1968, pág. 52.

de los trabajadores se multiplicaron. De modo que la introducción de la organización del trabajo no se produjo de un día y para siempre sino que sufrió modificaciones, con el establecimiento de nuevas normas y se redefinieron las tareas y los movimientos que debían realizarse en un tiempo determinado. La organización del trabajo y la definición de nuevas bases de producción tienen, según Benjamín Coriat, ritmos de aceleración, de progresos rápidos así como ritmos lentos y momentos de estancamientos. Los ritmos de transformación dependen de las industrias, de las tradiciones organizativas y de las resistencias de los trabajadores.[23] La aceleración de ese ritmo en los frigoríficos, que se venía dando en un proceso de casi dos décadas, fue acompañada por una activa denuncia de la situación por parte de la militancia obrera de la débil Federación de la Industria de la Carne.

La racionalidad y eficiencia asociadas a la organización científica del trabajo fue un rasgo característico de la organización industrial en los frigoríficos; aunque llevaban la delantera en el panorama industrial argentino, en el tramo final de la década del veinte, ya se advierten síntomas de cambios en otras actividades industriales. La introducción de nuevas maquinarias, la modificación de algunas construcciones o el surgimiento de otras nuevas, la incorporación de métodos de racionalización eran los indicios clave asociados con cambios en las formas de trabajo. Paralelamente, diferentes publicaciones– obreras, empresarias, de profesionales, como las de los ingenieros o las más ideologizadas, como las de origen comunista– señalaban las ventajas de la organización taylorista y de la racionalización así como las consecuencias para los trabajadores.[24]

Los cambios introducidos en las bases de producción afectaban las condiciones de trabajo. Decía Peter: "se aplicaba la fórmula 60 BH, que en la jerga imperialista de los frigoríficos se pronuncia '60 bei hora', o sea que la relación entre trabajo y producción es pareja".[25] Y agregaba: "es preciso dejar marcada claramente la diferencia existente entre la estandarización del trabajo aplicado en los frigoríficos –especialmente en la playa de matanza, descarnada, despostada–, que difiere mucho de la que se aplica en la metalurgia, mecánica, maderera y textil. En estas industrias cada vez más tecnificadas, la labor se realiza con herramientas cuya forma, peso y tamaño es siempre el mismo, y a las cuales el obrero se adapta para aplicar en ellas siempre el mismo esfuerzo e iguales movimientos para poder seguir el ritmo de la cadena y cumplir también con el 'bei hora'. En la industria de la carne es diferente. Las piezas, o sea los animales, que el obrero debe manipular, no son siempre del mismo tamaño ni están en las mismas condiciones. Y si bien es cierto que en aquellas industrias muchas veces el trabajador ha sido suplantado por la máquina, en el frigorífico el hombre es acoplado a la máquina como una pieza más y debe moverse a su misma velocidad ".[26]

[23] Benjamín Coriat: *El Taller y el Cronómetro*, Madrid, Siglo XXI, 1982, pág. 89.

[24] Se pueden consultar *La Ingeniería*, Revista del Centro Argentino de Ingenieros; *Boletín* del Museo Social Argentino; *Metalurgia*; y *Adelante* (periódico comunista crítico de la dirección partidaria). Véase también Mirta Zaida Lobato: "'La Ingeniería': industria y organización del trabajo en la Argentina de entreguerra", en *Estudios del Trabajo*, N° 16, segundo semestre de 1998.

[25] José Peter: *Crónicas* .. op. cit., pág. 53.

[26] Ibídem, pág. 55.

Las consecuencias de un ritmo intenso de trabajo diferenciaban a las actividades industriales pero también a las distintas tareas que podía realizar un trabajador dentro de una misma unidad de producción. El estándar trazaba una tenue línea divisoria entre los obreros directamente afectados a la manipulación de animales y aquellos que no realizaban esa tarea. En la playa de matanza un cuchillo desafilado obligaba a realizar un esfuerzo mayor para evitar los atascamientos y lograr los minutos necesarios para darle el filo adecuado. Resulta difícil mensurar el esfuerzo realizado, pero es evidente que la tensión física y mental aceleraba el cansancio.

Ritmo e intensidad del trabajo se sintetizaron en la palabra estándar, y "¡Abajo el standard!" fue una consigna agitada permanentemente durante la década del treinta. En 1936 la FOIC impulsó el proyecto presentado a la Comisión de Legislación del Trabajo de la Cámara de Diputados de la nación para formar una comisión especial que "estudie e informe sobre el cumplimiento de la legislación obrera, sistema de trabajo y condiciones generales de vida de los obreros y empleados de la industria de la carne y aconseje las soluciones que considere más convenientes".[27] Tres años más tarde, en el Congreso Ordinario de la Confederación General del Trabajo, José Peter (secretario general de la Federación Obrera de la Alimentación) exponía: "el infierno del trabajo estándar en los frigoríficos" y en nombre de la FOIC presentó al presidente de la Cámara de Diputados su exposición para que sean conocidas por ese cuerpo legislativo.[28]

Al trabajo estándar se le dedicó un apartado especial. Se señalaba que con su implantación se engañaba al obrero con "supuestos premios y bonificaciones" y que estimulaba la producción de cada trabajador hasta límites insostenibles, que luego se fijaban como norma, anulando de ese modo los beneficios iniciales. Señalaba el memorial respecto del sistema estándar: "ese ritmo intenso y brutal de trabajo que convierte al trabajador en mucho menos que una máquina; porque a una máquina se le da descanso, se la aceita, se la cuida y se la repara mientras que para el obrero sólo quedan la desocupación y las enfermedades cuando el standard en unos cuantos años le ha extraído la última gota de energía y le ha arruinado por completo la salud".[29]

---

[27] El proyecto fue presentado por Francisco Pérez Leirós, Alfredo L. Spinetto, Carlos E. Cisneros, José E. Pfleger y Deolindo Pérez, Congreso Nacional, *Cámara de Diputados*, 21 y 22 de diciembre de 1936, pág. 573.

[28] Véase "El infierno del trabajo estándar en los frigoríficos. Expuesto por José Peter ante el Congreso de la CGT " y "El infierno de los frigoríficos expuesto en la Cámara de Diputados ", en *CGT*, 28 de julio de 1939 y Congreso Nacional, *Cámara de Diputados*, Agosto de 1939, págs. 49-53. Si al informe de Peter se le suman los realizados sobre los obreros ocupados en la industria vitivinícola, sobre los trabajadores del campo en general y sobre los asalariados forestales y azucareros en especial, y los problemas de la mujer obrera, entre ellas las de la industria del tejido, se compone el cuadro de la vida obrera al finalizar la década del treinta. En cuanto a la CGT había sido constituida en septiembre de 1930. En 1936 estaba dividida en dos, una con sede en la poderosa Unión Ferroviaria reunía a socialistas y comunistas, la otra respondía a la dirección sindicalista. En julio de 1939 se realizó el Primer congreso ordinario de la CGT haciendo un llamado en favor de las libertades públicas, contra el fascismo, por la paz y el mejoramiento de las condiciones de vida y de trabajo.

[29] Congreso Nacional, *Cámara de Diputados*, 16 de agosto de 1939, pág. 51.

El sistema –según la FOIC– quebrantaba la ley. "Este sistema –decían– contraviene lo dispuesto expresamente por el artículo 103 de la ley número 4548 de la provincia de Buenos Aires, que proscribe el método de trabajo standard en cuanto declara obligatoria la reglamentación del ritmo, celeridad e intensidad del trabajo impuestos a los obreros en las tareas sincronizadas o sujetas a un ritmo establecido por el empleador con sujeción a la siguiente regla: el ritmo e intensidad impuesto al trabajo deberá ser de una naturaleza tal que permita su normal realización con un esfuerzo humano, la recuperación de las energías y la respiración normal ".[30]

Las preocupaciones de los trabajadores respecto del ritmo e intensidad del trabajo en la década del treinta y el lugar destacado que el estándar ocupó en las gestiones realizadas ante la Cámara de Diputados de la nación por parte de la FOIC, orientada por los comunistas, impulsaron una intensa campaña para sensibilizar a los funcionarios del gobierno y a la misma dirección de la CGT para producir una modificación de las condiciones de trabajo en la industria. La estandarización de las tareas, así como su evaluación y control, constituyen indicadores importantes de los cambios en los procesos de trabajo durante la entreguerra, momento en el que comenzaron a generalizarse los discursos sobre racionalidad y eficiencia productiva y a complejizarse la trama institucional vinculada al mundo del trabajo.

La duración del trabajo

Aunque la tendencia general de la duración del trabajo en los frigoríficos se caracteriza por la inestabilidad, durante la "década infame" se produjeron cambios importantes. En el período que va de 1930 a 1945, tal como se observa en los cuadros Nº 17 y 18, se produjo una leve disminución en el porcentaje de aquellos trabajadores, varones y mujeres, argentinos y extranjeros que permanecieron menos de un año en la fábrica y un aumento de la participación porcentual en la franja de 1 a 5 años. Durante la década del treinta hubo, dentro de la inestabilidad que caracteriza la producción de las carnes, una mayor estabilidad en relación con otras etapas de la historia de la industria.

La contratación temporal es un rasgo importante del trabajo en los frigoríficos. La rotación de los trabajadores se mantuvo en la década del treinta aunque se advierten algunos cambios: disminuyó levemente el porcentaje de obreros que ingresaron en una sola oportunidad a las fábricas y se incrementó el número de veces en el que una persona podía entrar y salir de los establecimientos. (Cuadro Nº 19)

[30] *Ibídem*, pág. 51.

CUADRO Nº 17

Frigorífico Armour. Personal obrero, periodo de tiempo trabajado según sexo, origen y totales, 1931-1945. (En porcentajes).

Período de tiempo	Varones Arg.	Varones Ext.	Varones Totales	Mujeres Arg.	Mujeres Ext.	Mujeres Totales
1 a 7 días	3,9	5,0	4,2	3,2	1,2	2,6
7 días-1mes	11,5	7,7	10,7	6,2	3,6	5,4
1-2 meses	7,3	4,5	6,7	8,1	7,2	7,8
2-3 meses	10,8	4,5	9,4	7,0	7,2	7,1
3-4 meses	2,3	2,2	2,3	5,9	6,6	6,1
4-5 meses	2,8	2,2	2,7	4,3	1,8	3,5
5-6 meses	2,4	0,9	2,1	4,3	4,8	4,4
6-7 meses	2,3	1,8	2,2	2,7	4,8	3,3
7-8 meses	3,4	3,2	3,5	3,5	3,6	3,5
8-9 meses	2,5	2,2	2,5	2,7	1,8	2,4
9-10 meses	2,5	1,3	2,3	1,0	1,2	1,1
10-11 meses	0,7		0,6	1,0	1,8	1,3
11-12 meses	0,9	0,9	0,9	2,0	1,2	1,6
Subtotal	**53,8**	**37,4**	**50,2**	**52,3**	**46,9**	**50,6**
1-2 años	12,3	10,0	11,8	12,4	15,6	13,4
2-3 años	5,7	4,1	5,4	6,2	6,0	6,1
2-4 años	2,9	4,5	3,3	3,5	3,0	3,3
4-5 años	1,6	2,2	1,8	4,3	2,4	3,7
Subtotal	**22,7**	**21,0**	**22,3**	**26,5**	**27,1**	**26,7**
5- 10 años	5,7	8,6	6,4	8,9	10,2	9,3
10-15 años	2,0	5,9	2,9	2,1	1,8	2,0
Subtotal	**7,8**	**14,6**	**9,3**	**11,1**	**12,0**	**11,4**
15-20 años	3,7	6,3	4,3	2,4	3,0	2,6
20-30 años	6,9	17,3	9,2	4,0	5,4	4,4
+ de 30 años	0,2	0,9	0,4	0,2	0,6	0,3
Subtotal	**10,9**	**24,6**	**13,9**	**6,7**	**9,0**	**7,4**
Sin datos	2,0	1,8	2,0	2,9	3,0	3,0
No trabajó	2,5	0,4	2,1	0,2	1,2	0,5
Rechazada					0,6	0,1

FUENTE

Registros de personal. Se considera la primera vez que ingresa el trabajador.

Cuadro Nº 18

Frigorífico Swift. Personal obrero, período de tiempo trabajado según sexo, origen y totales, 1931-1945. (En porcentajes).

Período de tiempo	Varones Arg.	Varones Ext.	Varones Totales	Mujeres Arg.	Mujeres Ext.	Mujeres Totales
1 a 7 días	9,7	7,1	9,3	7,8		6,4
7 días-1mes	24,4	18,3	23,6	18,6	10,8	17,2
1-2 meses	19,3	27,3	19,4	13,2	13,5	13,3
2-3 meses	11,0	10,2	10,9	10,2	5,4	9,3
3-4 meses	5,9	3,0	5,5	4,2	5,4	4,4
4-5 meses	4,3	4,0	4,2	8,4	13,5	9,3
5-6 meses	2,7	2,0	2,6	1,2	8,1	2,4
6-7 meses	0,9	3,0	1,2	4,2	5,4	4,4
7-8 meses	1,4	1,0	1,3	4,2		3,4
8-9 meses	1,2	1,0	1,2	2,4	5,4	2,9
9-10 meses	1,2	2,0	1,3	1,8	2,7	1,9
10-11 meses	1,2	1,0	1,3	0,6		0,5
11-12 meses	0,4	1,0	0,5	1,8		1,4
Subtotal	**84,3**	**74,4**	**83,0**	**78,9**	**70,2**	**77,3**
1-2 años	6,0	9,1	6,4	7,2	16,2	8,8
2-3 años	2,8	3,0	2,9	4,2	5,4	4,4
2-4 años	0,9	4,0	1,3	3,6	2,7	3,4
4-5 años	0,6	2,0	0,8	0,6	2,7	0,9
Subtotal	**10,5**	**18,3**	**11,6**	**15,6**	**27,0**	**17,7**
5- 10 años	1,9	1,0	1,8	3,0		2,4
10-15 años	0,9	1,0	0,9	1,8		1,4
Subtotal	**2,8**	**2,0**	**2,7**	**4,8**		**3,9**
15-20 años	0,3	2,0	0,5	0,6		10,5
20-30 años	0,9	1,0	0,9		2,7	0,5
+ de 30 años	0,3		0,2			
Subtotal	**1,6**	**3,0**	**1,8**	**0,6**	**2,7**	**0,5**
Sin datos	0,4	1,0	0,5			
No trabajó	0,1	1,0	0,2			

Fuente

Registros de personal. Se considera la primera vez que ingresa el trabajador.

CUADRO Nº 19

Frigoríficos Armour y Swift. Personal obrero según cantidad de ingresos y por sexo y origen, 1931-1945. (En porcentajes).

Cant. de Ingresos	Frigorífico Armour			Frigorífico Swift		
	Arg.	Ext.	Total	Arg.	Ext.	Total
1 vez	56,8	62,5	58,2	42,2	48,1	43,1
2 veces	27,5	26,5	27,2	24,1	25,1	14,2
3 veces	9,6	6,7	8,8	7,7	4,4	7,2
4 veces	1,5	0,8	1,3	4,0	2,9	3,8
5 veces	1,3	0,5	1,1	6,9	5,1	6,6
De 6 a 10 veces				0,6	1,4	0,7

FUENTE
Registros de personal.

El trabajo como juego: aceptación y violación de las normas

En la primera etapa de la historia del trabajo en los frigoríficos los trabajadores (hombres y mujeres) tenían que aprender las reglas del juego existentes en el trabajo industrial y, en ese aprendizaje, recurrieron muchas veces a su experiencia previa, pero en los años treinta la situación había variado para muchos de ellos. La mayor permanencia en las fábricas implicaba no sólo el conocimiento por parte de los obreros de las pautas laborales sino también de los conocimientos para violarlas o para legitimarlas.

Los obreros comenzaban a jugar un juego en el que las normas establecidas inicialmente por los empresarios podían ser objeto de modificaciones, como resultado de un proceso de lenta pero paulatina participación en la definición de pautas y ritmos de producción. Ese proceso dio lugar a la creación de un marco consensual para discutir, redefinir y establecer nuevos criterios. La intervención en el juego no soslayó la coacción que subyace en toda relación de empleo, pero lo que comenzó a producirse fue el consentimiento. Este constituyó un aspecto importante de las relaciones laborales pues facilitó el diálogo y la cooperación entre empresarios y trabajadores. La producción del consentimiento fue tan importante como las formas que adquirió la resistencia obrera en los espacios industriales.[31]

---

[31] Tomo las ideas de juego y de producción del consentimiento de Michael Burawoy en particular cuando dice: "Los juegos aparecen históricamente en el marco de un proceso de lucha y negociación, pero se desarrollan dentro de límites definidos por la necesidad de salarios mínimos y márgenes aceptables de beneficios" (pág. 107) y "La participación en un juego genera la adhesión a sus reglas, la participación en las elecciones que el capitalismo nos obliga a efectuar genera también adhesión a sus reglas y a sus normas" op. cit. pág. 120.

¿Cuáles pueden ser los indicios de la entrada en el juego de consentimiento y resistencia por parte de los trabajadores? Las "mulas" constituyen una de esas huellas. Un obrero señalaba: *el standard quería que yo con 130 hombres tenía que dar tantos B la hora en la noria. Muy bien, como yo sabía que es esto de tanto por hora yo le metía la mula.*[32] ¿Qué nos dice este testimonio?

Este obrero era un trabajador búlgaro que había ingresado a los frigoríficos en la década del veinte. Había vivido la redefinición de las bases de producción que se había realizado al finalizar la década del veinte y al comenzar la de los treinta. El esfuerzo y los movimientos que debía realizar el obrero habían sido definidos por las compañías sin la intervención de los asalariados y éstos violaban las bases cuando podían.

Uno de los componentes del relato es el "saber". Dice Boris "como yo sabía que es esto... yo le metía la mula". Ese conocimiento era resultado de su experiencia; sabía como trabajar rápido y era uno de los "más viejos", por eso lo nombraron encargado; pero también conocía el mecanismo para engañar a la compañía. Intervenía en el juego anotando las cifras de producción estipuladas aunque no fueran cumplidas por su equipo de trabajo; ello implicaba la colaboración de otros trabajadores, como los empleados de control y los encargados de los otros turnos. Boris señala también que si él necesitaba 20 obreros y la compañía le asignaba menos hombres, era la empresa la que no cumplía; por eso era correcto engañarla.

La exigencia de un determinado ritmo de producción sólo podía cumplirse con el número suficiente de trabajadores, con las herramientas adecuadas y en ambientes apropiados. El sistema estándar violaba esas condiciones. Cuando un cuchillo se desafilaba, se producía un "atoramiento", un "empacho" y esto alteraba el ritmo normal de trabajo. Cuando la empresa exigía una intensidad superior a la necesaria, se modificaba la posibilidad de tener las herramientas en condiciones, y esto también violaba las normas, porque las compañías desconocían, de este modo, la naturaleza del trabajo en sus plantas.

La discusión sobre el ritmo e intensidad del trabajo y su violación (las mulas) se extendió a otros aspectos: el cuidado de máquinas y herramientas, la colocación de respaldos en los asientos, las mejoras de los ambientes de trabajo (mayor luz y ventilación). Cada situación daba lugar a conversaciones entre los trabajadores, y a una mayor negociación con las empresas lo que iba haciendo evidente la necesidad de una organización que canalizara las demandas.

Al mismo tiempo, la militancia fabril comunista, que había formado algunas células en las fábricas, tomaba cada una de las reivindicaciones y las hacía suyas, impulsando la organización de un gremio bajo su orientación. Los comunistas fueron eficaces en detectar hasta los más pequeños inconvenientes que afectaban a los asalariados. josé Peter cuenta que cuando organizaron a los obreros de los frigoríficos tenían que recoger la opinión de los trabajadores quienes señalaban "tal cosa está bien, pero falta tal o cual otra"[33]

---

[32] Taller de historia oral Sociedad Bulgara "Ivan Vasov"; sesión del 22 de septiembre de 1986.

[33] José Peter: *Crónicas proletarias*, Buenos Aires, Esfera, 1968, pag. 147. La idea de los militantes gremiales de detectar y recoger las reivindicaciones relacionadas con las condiciones de trabajo se repite en otros testimonios recogidos en Berisso y Zárate.

Este sistema de conversaciones, que se producía en el contexto de una relativa mayor estabilidad laboral, coincidió con las preocupaciones de las compañías respecto de los niveles de producción, en una etapa en la cual no se introdujeron grandes innovaciones en los procesos de trabajo. Las compañías estimularon, con diversos mecanismos, una mayor identificación de los trabajadores con las empresas vía la instalación de clubes deportivos, la realización de fiestas o la conformación de grupos teatrales.

Tanto Swift como Armour organizaron clubes de empresas; la compañía Swift editaba una revista, *Swiftlandia*, que se distribuía entre el personal; y Armour tenía un grupo teatral que organizaba funciones en la localidad; todas estas eran actividades sociales que se originaron y desarrollaron durante la década del treinta de manera paralela a la promoción de otras medidas destinadas a reapropiarse de los saberes prácticos acumulados por los trabajadores, que en el esquema de organización inicial de las compañías habían sido marginados.[34]

La campaña de sugestiones iniciada alrededor de 1934 por Swift fue una de esas medidas (Cuadro Nº 20). La campaña perseguía "la libre manifestación de ideas y la posibilidad de intercambiarlas para el beneficio común".[35] Los trabajadores, obreros y empleados, reaccionaron positivamente, tal como muestran las estadísticas difundidas por la compañía, de los numerosos diseños encontrados en lo que era la oficina técnica y de los recuerdos de algunos obreros que habían sido premiados.

El incremento de la participación de los "inventores" obreros era un síntoma también de su integración en el juego que producía el consentimiento en las fábricas. El juego se producía cuando se vinculaban trabajadores y empresarios en un diálogo que incluía la confrontación de sus respectivos intereses. Ambos, obreros y directivos, se relacionaban cuando debatían las modificaciones introducidas a partir del sistema de sugestiones y cuando discutían sobre los ritmos y la intensidad del trabajo. A partir de esta práctica, se generaba el interés común de todos los participantes: los obreros obtenían un cierto bienestar y los empresarios se aseguraban determinado nivel de beneficios. Esta relación hacía que los trabajadores intervinieran facilitando las condiciones de reproducción de su subordinación. Pero el proceso no fue en una sola dirección. Los mecanismos de discusión, el debate sobre los métodos más adecuados para obtener las mejoras, facilitaba –a su vez– la identificación de los problemas, y creaba las condiciones para el reconocimiento de la necesidad de afianzar la organización obrera.

---

[34] Un medio importante para generar el ambiente de familia fabril fue la edición de revistas y periódicos por parte de las empresas. *Swiftlandia* es una de ellas. A través de sus páginas se daban a conocer acontecimientos sociales (casamientos, compromisos, retiros y pensiones, nacimientos, vacaciones y cumpleaños), deportivos (torneos de basquet, bochas y fuúbol), laborales (ascensos), notas y chistes sobre la seguridad en las fábricas y las recetas de cocina con los productos Swift. Las fotos tenían la función de hacer visible y real la imagen familiar.

[35] *Swiftlandia*, vol. II, N° 12, de octubre de 1942.

CUADRO Nº 20

Frigorífico Swift. Sugestiones presentadas y premios otorgados en m$n, 1934-1944.

Año	Sugestiones presentadas	Premios otorgados en M$N	Año	Sugestiones presentadas	Premios otorgados en M$N
1934	43	85	1940	265	1.740
1935	51	80	1941	779	2.710
1936	69	340	1942	1.161	4.085
1937	56	250	1943	1.284	4.773
1938	108	505	1944	1.321	5.892
1939	164	1.520			

FUENTE
Registros de personal.

Las organizaciones gremiales, impulsadas por diferentes ideologías (sindicalistas en Zárate, comunistas en Avellaneda y Berisso), no quedaron al margen de este juego. Al intentar redefinir las reglas del juego productivo también ellas legitimaban las relaciones entre obreros y empresarios; la constelación de intereses generada creaba el ambiente propicio para la coordinación de los intereses de uno y otro.

La percepción de que el juego ayudaba a mejorar las condiciones de labor, favoreció, a su vez, la acción de la militancia obrera, que tuvo que modificar sus formas de acción para lograr una mayor recepción de sus propuestas. "Saber cuáles eran las reivindicaciones más inmediatas, las más sentidas... " dice Peter que fue la consigna que permitió a los militantes comunistas levantar la "reivindicación del día " o constituir grupos sindicales en las diferentes secciones. Y agregaba: "la agitación de estas reivindicaciones jugó un rol importante ya que los obreros vieron que la organización defendía las reivindicaciones más sentidas por ellos ".[36]

[36] Jose Peter: ¡Así... se preparó la huelga de los frigoríficos!, Editado por la CSLA, s.f. págs. 8 y 9.

CAPÍTULO VII
El peligro rojo: Trabajadores y política en la década del treinta

Las empresas "implantaron el estado de sitio dentro de cada sección"; "impedían por todos los medios las reuniones de los trabajadores"; "durante las horas de trabajo no se permitían las conversaciones"[1] "denunciaban a trabajadores y miltantes, en especial a los comunistas".[2] Algunas de estas denuncias pueden interpretarse como exageraciones. Sin embargo, ya se ha visto que los registros empresarios confirman la existencia de este control así como la de los despidos. *Comunista* o *notorio cabecilla comunista* era el motivo esgrimido por las compañías para despedir a los trabajadores disconformes. Estas huellas hablan tanto de la represión, del poder disciplinador de las compañías como de una experiencia laboral y gremial que se diferenciará claramente de la etapa anterior.

1932: Una huelga fracasada

En 1932 una obrera fue despedida en el frigorífico Armour. Era lituana de origen, soltera, de 23 años, y trabajaba en la salchichería. No consta la causa del despido, sólo un lacónico "OSIP ver lista mayo 32". ¿Qué sucedió en ese mes y en ese año?

---

[1] José Peter: *Historias y luchas...* op. cit., págs. 37 y 38.
[2] Las referencias orales sobre la presencia del comunismo se reiteran en los testimonios. Por ejemplo: "estaba la guerra y aquí hervía el comunismo y todo el mundo gritaba 'viva Rusia'". Taller de historia oral sociedad Búlgara Iván Vasov, sesión del 14 de octubre de 1986. Y, además, se vinculan con el peligro:
"P: A veces escucho búlgaro como sinónimo de comunista...
Violeta: Ahora también, por ejemplo mi padre sí, él era luchador.
Stana: Tenía simpatía
Violeta: Estando allá fue miembro y creo que estuvo preso. [...] acá no, porque la lucha por la subsistencia se lo impedía pero sus simpatías siempre las tuvo [...].

En el mes de mayo hubo un intento de huelga en los frigoríficos de Berisso. La huelga había sido preparada por los militantes obreros comunistas que intentaban construir una organización que enfrentase el "poder de las empresas imperialistas".[3] Desde 1929 se habían constituido nuevos embriones sindicales en Berisso, Zárate y Avellaneda que ocuparon el lugar de los desaparecidos gremios conformados durante los conflictos de 1915 y 1917.

La huelga de 1932 se realizó en un momento difícil para el trabajo en la industria de la carne. La faena de ganado, vacuno sobre todo, había descendido con el estallido de la crisis económica de 1930 (Véase cuadro N° 16 en el capítulo VI). La merma de la matanza implicaba la disminución del número de trabajadores, lo que aumentaba la desocupación en el sector. No obstante, grupos dispersos de trabajadores buscaban aglutinarse y organizarse.

Al mismo tiempo se conformaron agrupamientos comunistas. Las células de empresas que aparecían y desaparecían por la represión agitaban las reivindicaciones más inmediatas asociadas a las condiciones de trabajo en cada sección o departamento. Los esfuerzos de organización dieron su fruto tanto en los frigoríficos Anglo (Dock Sud) y La Blanca (Avellaneda) como en Swift y Armour en Berisso.[4] La huelga estalló en reclamo de mejoras en las condiciones de trabajo en mayo de 1932 en Avellaneda; fue rápidamente sofocada.

En el caso de Berisso la información es discordante. El diario *El Día* relata que se oyó una sirena y varios vivas a la huelga, pero que el trabajo no se paralizó.[5] Peter, en cambio, señala: "(en) Berisso se produjo un verdadero estado de guerra. La seccional de la FOIC denunciaba que los serenos del Swift habían sido armados [...] era un verdadero arsenal", y "(en el) Armour, los obreros indignados [...] pararon la matanza. La gerencia ordenó la movilización de los serenos –que armó de pistolas– y de policía y marineros. Se produjeron choques, se dispararon tiros y varios obreros cayeron heridos de bala. La lucha continuó en la calle, frente a los portones del establecimiento, con una duración de casi dos horas".[6]

Si recorremos nuevamente las páginas del periódico platense podemos reconstruir una situación un poco más compleja. Cuando los obreros de Armour estaban trabajando sonó la campana de alarma, era la señal para iniciar el paro, todo el personal salió corriendo, según el redactor del diario, porque creían que se había producido un incendio,

P:¿ Los visitaban otros comunistas?

Stana: Yo no quería, [...] yo les dije que no aparezcan más [...] para que vivamos tranquilos [...] era peligroso, en este momento se puede hablar pero no sabemos por cuanto tiempo", Ibídem, sesión del 25 de octubre de 1986.

[3] La fuente más importante sobre la huelga es José Peter: ¡*Así... se preparó la huelga de los frigoríficos!*, Editado por CSLA, Montevideo, 1934. Puede consultarse también Guillermo Cao: "La huelga de los obreros de la carne de 1932 (Un aporte para una mejor comprensión del movimiento obrero anterior al peronismo)", en *Historia de la Argentina*, Buenos Aires, Premio Coca Cola en las Artes y las Ciencias 1989, 1990.

[4] Sobre la situación en los frigoríficos de Avellaneda se puede consultar *Bandera Roja*, abril y mayo de 1932; José Peter: ¡*Así* ....op. cit.

[5] *El Día*, 28 y 30 de mayo de 1932.

[6] José Peter: *Historia y luchas*...op. cit., pág. 53 y 54.

y varios hombres dieron vivas a la huelga. La situación era confusa y cuando aparecieron los marineros de la subprefectura se produjeron corridas y la detención de diez hombres, búlgaros y lituanos, incluido el que puso en funcionamiento la campana de alarma.

Fracasado el primer intento de protesta en el Armour, la policía y la subprefectura tomaron medidas de precaución, sobre todo para evitar "la actuación de comunistas en el puerto de La Plata". Se esperaba un nuevo estallido de huelga pero éste no se produjo. En agosto de 1932 nuevamente volvió a actuar la policía en los alrededores de los frigoríficos disolviendo a grupos de trabajadores que intentaban realizar una manifestación de "carácter comunista".[7]

Aunque los intentos fracasaron y más tarde no se produjeron conflictos abiertos hasta la gran huelga de 1943, los acontecimientos tuvieron importancia por varios motivos convergentes. En primer lugar, si relacionamos el intento con las notas que aparecían en los legajos personales de varios obreros, podemos interpretar la lista de mayo de 1932 como un conjunto de nombres que debían ser despedidos o que no podían ingresar a la fábrica. La sigla OSIP alude a Orden Social Investigaciones Policiales, lo que muestra la estrecha relación entre fuerzas del orden (sostenidas por el Estado) y empresas (negocios particulares), con el común objetivo de eliminar todo individuo-ciudadano-trabajador considerado sospechoso.

La noción de "estado de sospecha" está emparentada con la noción de "estado peligroso", en la medida en que todo individuo podía ser juzgado y penalizado por lo que podría realizar y no por el acto efectivamente realizado.[8] En las fábricas se aplicaba con aquellas personas que, se suponía, desarrollaban actividades gremiales y políticas.

Hemos visto que en los años veinte los despidos bajo el cargo de ser comunista eran corrientes y, en los treinta, la asociación entre activista gremial–comunismo se intensificó de manera paralela a la actividad desplegada por los organizadores comunistas en varias ramas industriales. Ser comunista fue adquiriendo una fuerte connotación negativa y la palabra fue utilizada por empresarios y fuerzas políticas que buscaban deslegitimar cualquier recusación del orden político y social.

---

[7] *El Día*, 24 de agosto de 1932.

[8] Beatriz Ruibal señala que la noción de "estado peligroso" fue introducida por la policía que tomó este concepto de la criminología. La noción de "estado peligroso" va unida al derecho que tiene la sociedad de defenderse y protegerse; puede utilizarse respecto de los vagos, delincuentes o militantes político-gremiales. Véase Beatriz C. Ruibal: "El Control Social y la Policía de Buenos Aires. Buenos Aires, 1880-1920, en *Boletín* N° 2 del Instituto de Historia Argentina y Americana Dr. Emilio Ravignani, 3a. serie, 1er. semestre de 1990, pág. 79. El poder de este concepto se entiende mejor cuando se lo coloca en un contexto más amplio. Por ejemplo en el plano educativo, desde las páginas del Monitor, un prominente funcionario advertía sobre los peligros del comunismo reclamando la acción de los maestros para evitar su propaganda. Párrafos del discurso están citados por Carlos Escudé: op. cit. pág. 92. Desde las ideas, el nacionalismo restaurador dibujaba sus enemigos y definía a la izquierda en general y al comunismo en particular como los peores enemigos de la nación. Cristián Buchrucker: *Nacionalismo y Peronismo. La Argentina en la crisis ideológica mundial (1927-1955)*, Sudamericana, Buenos Aires, 1987, pág. 43. No menos importante desde el punto de vista de la organización obrera fue la hostilidad del sindicalismo cuando lideraba la CGT. En no pocas oportunidades bloqueó el ingreso de las organizaciones comunistas a la Confederación General del Trabajo.

El estado de sospecha se delineaba como una práctica empresaria que buscaba eliminar los focos de disidencia y discusión del poder de la empresa, trabar la organización de los trabajadores y obstruir el reconocimiento de sus derechos. El caso de un obrero nativo, casado, con dos hijos, que ingresó al frigorífico Swift en el mes de septiembre de 1932, es un ejemplo de esa práctica. Este obrero fue despedido, luego de haber trabajado cincuenta y tres días, por "huelguista del Anglo" y en su ficha de personal quedó asentada la recomendación de "Ver Oficina policía antes de tomarlo".

La huelga fracasada de 1932 es un caso interesante porque muestra la aparición de una nueva fuerza política que interpela a los trabajadores con una práctica diferente a la que realizaban anarquistas y socialistas por un lado, y radicales y conservadores por otro. Los comunistas –más allá de sus cambios "tácticos" derivados de la frecuentemente mencionada subordinación a la política de la Unión Soviética– intentaban construir su base de poder en las "reivindicaciones" de los trabajadores. Para ello no bastaban las veladas teatrales y las conferencias que buscaban educar al trabajador que llevaría a la revolución social (o a la transformación lenta y progresiva de la sociedad). Para captar la adhesión de los asalariados era necesario transformarse en los defensores de "las legítimas esperanzas y necesidades de los trabajadores" y, para ello, había que caminar los barrios obreros (la fábrica era peligrosa), identificar a los trabajadores, conversar sobre sus necesidades y problemas. Los comunistas imaginaban que identificando a cada obrero, captando a los más activos y preocupados por su situación, abrían la posibilidad de organizar la sección en la que trabajaban. Cada sección organizada podía lanzar la "reivindicación del día" y avanzar así sobre la elaboración de las demandas que, en algún momento, presentarían a las empresas.[9]

La constitución de estos grupos en cada sección y el trabajo sobre las reivindicaciones, aunque pequeñas y limitadas, fueron parte de la experiencia concreta de los trabajadores de los frigoríficos. El intercambio de opiniones entre los obreros dentro y fuera de la fábrica, abrió un espacio para discutir sobre el trabajo y sus condiciones y, ese mismo ejercicio preparó el camino para que surgieran nuevas formas de organización que se cristalizarían en los cuerpos de delegados o en las comisiones de fábricas.

La organización de los trabajadores necesitaba también de la contribución de las formas más viejas de movilización proletaria. La prensa jugó un papel fundamental en la constitución y definición de los "trabajadores", de la "clase obrera" y de sus opuestos los "burgueses capitalistas" o las "empresas imperialistas". Los periódicos centrados en el debate de temas tan amplios como la explotación burguesa, la justicia de clase o la moral y educación de los proletarios dieron paso a artículos cortos y concretos donde se informaba sobre la situación en cada sección de las fábricas, los despidos, los conflictos, los logros.

[9] José Peter: *Crónicas Proletarias*, op. cit.; *¡ Así…*, op. cit.. e *Historia y luchas…*op. cit. y Héctor Balcarce: *Carne de frigorífico*, Buenos Aires, Editorial Juventud Obrera, Folleto Nº 1, enero de 1935.

La Federación Obreros de la Industria de la Carne que se había constituido definitivamente en marzo de 1932 y en la que participaba el sindicato de Berisso, tenía su propio periódico: *El Obrero del Frigorífico*. A él le seguiría, más de una década después, *El Trabajador de la Carne*. En el orden local apareció, en el Swift, *El Joven Proletario*, probablemente entre 1933 y 1934, *La Voz de la Fábrica* en el Armour, y cuando se formó el Sindicato Autónomo durante el peronismo, *Conciencia Obrera*.

La prensa era un instrumento fundamental para generar una conciencia de derechos y deberes en general, pero muy particularmente sobre el trabajo y sus condiciones, no sólo entre los asalariados de los frigoríficos sino también entre los partidos políticos, los legisladores nacionales y provinciales y las organizaciones estudiantiles.

La interpelación comunista a los trabajadores de la carne se organizó alrededor de las demandas más sentidas por los obreros: efectividad y estabilidad en el trabajo, que permitían imaginar un futuro menos incierto a un número significativo de trabajadores cuyas fuentes de ingresos fluctuaban permanentemente. La estabilidad tenía una traducción práctica en la fijación de un mínimo de horas garantidas, necesarias en una actividad cuya jornada laboral se había transformado en indefinible con las fluctuaciones en la producción. La efectividad se obtenía cuando el obrero que había trabajado más de tres meses quedaba automáticamente como "trabajador permanente". Con la estabilidad en el empleo se eliminaba la figura del obrero transitorio, un emblema de la flexibilidad laboral existente, tanto en el período expansivo de la industria de la carne como en este primer período de una etapa caracterizada por el estancamiento en términos de organización productiva.

A igual trabajo igual salario, fue otro de los ejes articuladores de la campaña de la militancia gremial comunista, destinado a eliminar, en un aspecto, las desigualdades derivadas de las diferencias de género en los ámbitos laborales. A estos puntos habría que agregar una demanda global de humanización del trabajo, aumento de salarios y cumplimiento de la legislación protectora de la mujer obrera.[10]

El manual del militante comunista

Los comunistas le asignaban a los trabajadores de la carne un papel importante en la lucha antiimperialista. Desde su perspectiva, ellos encarnaban la cara visible de la explotación en las grandes empresas de capital norteamericano e inglés y, para hacer conocer su situación, publicaron numerosos folletos, además de notas en periódicos y

---

[10] Se destaca la demanda de cumplimiento de la Ley de Maternidad. En 1907 se sancionó la ley que reglamentaba el trabajo de mujeres y menores. En 1924 se aprobó una nueva reglamentación que establecía la prohibición del trabajo femenino hasta 6 semanas después de haberse producido el alumbramiento y autorizaba a retirarse 6 semanas antes, previa presentación de un certificado médico. Establecía también que ninguna mujer podía ser despedida por su embarazo; un permiso de 15 minutos cada 3 horas

diarios. Uno de los folletos más interesantes fue *Carne de Frigorífico* de Héctor Balcarce[11], un verdadero *manual del militante*, escrito por una persona que había trabajado en las fábricas de Berisso y que luego del golpe militar de junio de 1943, adhirió al peronismo.

Balcarce era un joven platense que se dirigió a la localidad para buscar trabajo (recordemos que por esa época era aún un barrio de la ciudad capital de la provincia de Buenos Aires); ingresó al frigorífico e inició la tarea de organizar a los trabajadores así como de difundir las ideas comunistas. El folleto está dividido en varias partes. En la primera se describen los frigoríficos "por dentro", la "vida fuera de las fábricas" y el "destino de las riquezas ganaderas". En la segunda parte se analiza cada uno de los pasos que debía seguir un militante para lograr la eficacia de la acción política y de sus ideas.

Según el autor, la "célula de calle", como llamó al núcleo inicial de militantes, tenía que resolver varios problemas: la formación del militante, el trabajo en las fábricas y fuera de ella, las condiciones de vida en las barriadas obreras y la vinculación de los obreros con el partido. También debían erradicar las simpatías por los partidos políticos: radicales, conservadores y socialistas.[12]

Una pregunta central para el autor era: "¿Cómo debemos ligarnos, penetrar, vivir entre la masa proletaria?" Y la respuesta era que "... la *audacia*, la *espontaneidad*, la diversidad y la *constancia en la aplicación de los métodos* producen frutos rápidos y seguros". Había que usar "métodos juveniles", "hacerse el simpático", "sin apasionamientos sectarios". Los militantes tenían que ganarse la confianza de los trabajadores interesándose por su vida y por las condiciones de trabajo pues "Cada uno de los obreros requería un arte, una modalidad especial"; y principalmente "no había que

---

para amamantar al niño y que todas las fábricas de más de 500 obreras debían establecer salas cunas para los menores de 2 años. La ley no instituyó el pago de salario o remuneración durante el período de descanso pre y post parto. En 1933 se planteó otra vez el tema de la protección de la mujer-obrera en el Congreso Nacional y, en 1934, se sancionó una nueva ley que, además de establecer el descanso antes y después del parto, otorgaba un subsidio por maternidad. Para resolver el problema de los fondos necesarios se creó la Caja de Maternidad, cuya afiliación era obligatoria para todas las mujeres entre 15 y 45 años. Los fondos para el funcionamiento de dicha Caja se conformaron con los aportes de la obrera, el Estado y los patrones. Mirta Zaida Lobato: "El Estado en los años treinta y el avance desigual de los derechos y la ciudadanía", en *Estudios Sociales*, Revista universitaria semestral, año VII, N° 12, Santa Fe, 1er. semestre de 1997, págs. 41-58; "Entre la protección y la exclusión. Discurso maternal y protección de la mujer obrera, Argentina, 1890-1934", en Juan Suriano (compilador): *La cuestión social en Argentina, 1870-1943*, Buenos Aires, La Colmena, 2000.

[11] Héctor Balcarce: *Carne de Frigorífico*, Buenos Aires, Editorial Juventud Obrera, Folleto N° 1, enero de 1935. Balcarce es el seudónimo de Luis Horacio Velázquez quien después adhirió al peronismo y ocupó cargos públicos en el área de cultura. Según expresión del autor el peronismo sintetizaba lo que los comunistas predicaban pero no podían materializar. Entrevista realizada en La Plata, noviembre de 1995. *Carne de Frigorífico* es citado por Korn en su presentación al Congreso para crear la Comisión Investigadora de las condiciones de trabajo en la industria cárnica.

[12] Incomprensión de las ideas del partido es una explicación recurrente en buena parte de lo que sobrevino de esa experiencia militante de base. La oposición de los dirigentes del Partido Comunista al radicalismo y la incomprensión de su naturaleza es el sustrato común de las críticas de Rodolfo Puiggrós: *Las izquierdas...* op. cit. y Jorge Abelardo Ramos: *Breve historia de las izquierdas...* op. cit.

mandar sino enseñar. No había que repetir dogmáticamente lo que decían los libros sino basarse en la experiencia concreta de todos los días".[13]

Según Balcarce/Velázquez, las consignas tenían que reflejar hasta los más mínimos detalles del trabajo, pero antes de hacerlas propias el militante debía cerciorarse de su exactitud o si estaba magnificada. "Jamás se le debe mentir a los obreros – escribía– se hace confusión, se desprestigia, no se da crédito a nuestras denuncias. No creamos que se puede artificialmente acelerar el movimiento. Ya sabemos el valor relativo de las murmuraciones y los rumores".[14]

El periódico era fundamental para el trabajo militante dentro y fuera de las fábricas "El periódico... abarca a todo un sector de la industria, refleja la vida de cada departamento o sección, ayuda a impulsar cotidianamente la marcha revolucionaria de toda la fábrica, el organismo celular y sindical"; en cambio los volantes servían para explicar un determinado acontecimiento y dar una salida, eran circunstanciales.[15]

La edición de un periódico requería de mucho esfuerzo, algunos de ellos como *El Joven Proletario*, *La Voz de la Fábrica* o *Juventud Obrera* eran ediciones a mimeógrafo. Era una aventura para jóvenes que, además, se veían a sí mismos como futuros escritores o intelectuales de la revolución. Los periódicos sufrieron algunas modificaciones en su estructura y organización a lo largo de la década: la reproducción de largos textos sobre temas generales propios de la prensa socialista o anarquista, en particular de principios de siglo, fue cediendo su lugar a artículos cortos, a la publicación de recuadros con noticias de fábricas, a las "cartas de obreros"; datos, chimentos, comentarios y cartas buscaban dar un panorama íntimo de las fábricas; sus realizadores intentaron mejorar la diagramación, incluyeron dibujos e ilustraciones y los títulos se convirtieron en consignas.[16] Todo ello era necesario para facilitar la lectura de los trabajadores, quienes, según el autor del folleto, llegaban a sus hogares extenuados. Probablemente los periódicos obreros también querían competir con las empresas periodísticas quienes atraían la atención de los lectores con innumerables recursos. Con los periódicos de fábrica, los comunistas recorrían los conventillos de la calle Nueva York y las viviendas de barrios más alejados como Villa San Carlos, Dolores o Villa Porteña.

La acción de los comunistas en los establecimientos cárnicos comenzó a dar resultados con la formación de un pequeño sindicato que se incorporó, en 1937, a la Federación Obrera de la Alimentación (FOA). [17] La Federación estaba integrada por las seccionales en Berisso, Avellaneda y Rosario de la FOIC y otros sindicatos como los de la industria del Pan, del Dulce y Bebida y Anexos de la Capital Federal, además de otros gremios de diversas localidades del interior del país.

[13] Héctor Balcarce: op. cit., pág. 42.

[14] Ibídem, pág. 35.

[15] Ibídem op. cit., pág. 36.

[16] Si bien se ha remarcado la importancia de la prensa para el estudio de los trabajadores, no existen análisis históricos que la tengan como objeto de estudio. Esta ausencia impulsó la investigación que estoy realizando sobre la prensa más estrictamente obrera constituida por los periódicos gremiales.

[17] A los datos fabriles sobre despidos por ser comunista hay que agregar lo expresado en algunos relatos. Por ejemplo, un obrero búlgaro contaba: *"el sindicato estaba en la calle Londres, donde estaba*

La militancia tenía que enfrentar el problema de la seguridad personal. La policía de la fábrica podía descubrirlos y el despido abortaba el trabajo realizado; la policía podía identificarlos y eso significaba la cárcel. La cuestión de la seguridad no era un tema menor dado que fue durante la década del treinta que los gobiernos conservadores de la provincia llevaron a cabo una intensa campaña anticomunista. El gobernador Fresco (1936–1940) consideraba que su gobierno había llevado la delantera en el asunto, y que la represión al comunismo no sólo debía generalizarse sino que era justificada. Un año después de la publicación del folleto que estamos analizando, diferentes leyes prohibieron las actividades de los comunistas en provincias como Buenos Aires, Santa Fe, Mendoza, San Juan, Salta, Tucumán y Corrientes. El 31 de marzo de 1936 se aprobó una Ley Nacional de Represión al Comunismo.[18]

Las leyes se aplicaban materializando el "estado de sospecha". Los trabajadores veían cercenado el "derecho de reunión", se arrestaba a huelguistas y líderes sindicales, limitándose el "derecho de petición" así como el de "expresar libremente sus ideas", y se deportaba a militantes gremiales y políticos. La cuestión del temor y la represión acompañó las acciones prácticas de la vida militante. En la fábrica tenían que difundir la prensa y arrojar volantes. Esta tarea era casi una aventura. Pablo, un obrero del Swift, recuerda que entraba con los volantes escondidos entre sus ropas y una vez adentro del frigorífico subía a los pisos superiores para arrojarlos. *"Los papelitos volaban y el viento los llevaba [...] subían, subían ".*[19] En el relato desapareció el temor que sentían cuando realizaban esos actos militantes dentro de las fábricas y la descripción resulta una imagen bucólica de la insegura actividad de propaganda. En la experiencia cotidiana los trabaja-dores–militantes estaban amenazados por la más poderosas de las armas: el despido.

Los obreros de los frigoríficos en el Congreso Nacional

La Federación Obreros de la Industria de la Carne (FOIC) buscó, desde el momento de su conformación, por todos los medios, que la situación de los trabajadores que organizaba y representaba tomara estado público. Para ello presentó petitorios, notas

---

la escuela Nº 2, era un ranchito, después lo clausuraron hasta el 39, 40, donde ya el sindicato se empezó a organizar más", Taller de historia oral, Sociedad Búlgara Iván Vasov, sesión de 7 de octubre de 1986. También *Boletín del Bureau Sudamericano de la Internacional Comunista (B. S. A. de la I .C.)*, año I, Nº 14-15, Buenos Aires, 1 de mayo de 1931, agradezco a Daniel Lvovich esta última información.

[18] Decía Sánchez Sorondo en esa oportunidad: "No es un misterio para nadie que la situación social en estos últimos tiempos, tiende a agravarse en todo el mundo, y que buena parte de la acción que la perturba corresponde al comunismo... Creo, Señor Presidente, que el comunismo es un peligro real y llamo la atención de los señores senadores sobre este aspecto de nuestro estado social", Congreso Nacional, *Cámara de Senadores*,4 de junio de 1936, págs. 260-261; También en Congreso Nacional, *Cámara de Senadores*, 24 de noviembre de 1936 y Matías Sánchez Sorondo: *Represión del comunismo; proyecto de ley, informe y antecedentes*, Buenos Aires, Imprenta del Congreso Nacional, 1938.

[19] Pablo, entrevista realizada en Berisso, 1 de agosto de 1995.

y comunicaciones a la Iglesia Católica, a partidos políticos, a la Confederación General del Trabajo y al Congreso Nacional.[20]

El trabajo en las fábricas destinado a identificar los problemas y proponer algunas soluciones fue dando forma a una *práctica de deliberación* que incluía la toma de decisiones limitadas para producir una modificación sustancial de la situación de los trabajadores. Para lograr sus metas los trabajadores debían construir una opinión favorable y decisiones autorizadas, y ellas excedían al espacio fabril. Desde esta perspectiva, el Parlamento nacional podía contribuir a la formación de opinión así como decidir sobre algunas cuestiones [21], por eso, allí recurrieron los obreros de la carne. La FOIC llegó a la Cámara de Diputados a través de los diputados Guillermo Korn, José E. Rozas y Francisco Pérez Leirós, quienes presentaron en 1936 un proyecto de resolución para nombrar una comisión especial, "Para que estudie e informe sobre cumplimiento de la legislación obrera, sistemas de trabajo y condiciones generales de vida de los obreros y empleados de la industria de la carne".[22]

El problema de las carnes entraba al Congreso Nacional por una vía diferente a las habituales en ese órgano legislativo. Las cuestiones vinculadas al precio de la carne, a los intereses del sector ganadero y a la defensa de los consumidores habían sido objeto de numerosos proyectos presentados en el Congreso en 1921 y 1922. Desde fines de 1922 se formó una Comisión Especial de Asuntos Ganaderos de la Cámara de Diputados que propuso legislar sobre la comercialización de carnes y crear un frigorífico nacional que permitiera regular su precio. En 1928, la interpelación del ministro de Agricultura de Alvear, Emilio Mihura, estimuló nuevamente el debate en el Congreso Nacional sobre el mercado de carnes. En julio de 1933, en el contexto de las dificultades del comercio internacional desatada por la crisis económica, fue aprobado el Pacto Roca Runciman en el Congreso, tras un acalorado debate entre representantes del Partido Demócrata Nacional, el Demócrata Progresista y el Socialista y los miembros del gabinete gubernamental.[23] En 1934, Lisandro de la Torre (demócrata progresista) propuso la designación de una comisión que investigara la industria de la carne argentina. La Comisión Investigadora formada por los senadores demócratas nacionales Laureano Landaburu

---

[20] Este movimiento coincide con la propuesta partidaria de Frente Unico con las fuerzas democráticas, Rodolfo Puiggrós y Jorge Abelardo Ramos enfatizan el diseño de esta política como parte de los cambios tácticos del Partido Comunista derivados de su "cipayismo", del pecado original de la izquierda (socialista y comunista) surgida de una ciudad "cosmopolita y cipaya" como Buenos Aires y de la permanente subordinación a las necesidades de la URSS, véase Rodolfo Puiggrós: op. cit y Abelardo Ramos: op. cit. Ninguna de estas versiones explica el peso relativo de los comunistas en la conformación de la FOIC.

[21] No se me escapa que el Parlamento tiene una posición un tanto subalterna si se lo compara con el poder del presidente en la Argentina. No obstante me parece que el Congreso Nacional puede ser estudiado como un lugar de producción discursiva y de toma de decisiones.

[22] Congreso Nacional, *Cámara de Diputados*, 28 de septiembre de 1936, pág. 693. La Comisión de Legislación del Trabajo recomienda la aprobación de la Comisión en la sesión de 21 y 22 de diciembre de 1936, págs. 573 a 576.

[23] Daniel Drosdoff: *El gobierno de las vacas (1933-1956). Tratado Roca Runciman*, Buenos Aires, La Bastilla, 1972.

(San Luis), Carlos Serrey (Salta) y Lisandro de la Torrre (Santa Fe) tenía cuatro objetivos: 1) verificar los precios que se pagaban por el ganado en la Argentina y los beneficios que se obtenían en el extranjero; 2) investigar las ganancias de los frigoríficos; 3) establecer si los frigoríficos se habían beneficiado con la devaluación del peso de noviembre de 1933 y 4) determinar si los precios de los novillos de exportación en Australia eran superiores o inferiores a los que se pagaban en la Argentina. Todas estas cuestiones fueron intensamente debatidas en el Senado Nacional al año siguiente.[24]

En todas estas oportunidades la cuestión laboral no adquirió densidad en los planteos de los legisladores. De modo que la presentación en la Cámara de Diputados para constituir una comisión investigadora sobre problemas laborales implicaba un importante cambio promovido por la dirección comunista de la FOIC. El pedido de los diputados socialistas era más el resultado de una activa propaganda de la Federación que una iniciativa política del Partido Socialista. Los comunistas trataban de articular las quejas de los obreros y presionaban sobre los resortes institucionales a través de aquellos representantes que eran sus competidores en la arena política.

El pedido de constitución de una Comisión Investigadora daba entonces estado parlamentario a la situación de un grupo de trabajadores y reflejaba las expectativas que tenían los obreros organizados en la FOIC así como su dirección comunista en los mecanismos parlamentarios. La presentación ante el Parlamento se organizaba alrededor de dos ejes relevantes: las condiciones de trabajo bajo el "sistema de trabajo denominado estándar" y el incumplimiento de las leyes.

El estándar fue un motivo tratado reiteradamente por la prensa comunista, socialista y sindicalista de la época; los comunistas fueron los que colocaron mayor énfasis en la denuncia. Folletos y notas en los periódicos advertían sobre el carácter negativo de la introducción de la "organización científica" desde fines de la década del veinte. Sin embargo en los frigoríficos las prácticas de organización, racionalización y eficiencia proclamada por las propias empresas era previa. Como ya hemos visto, cuando se constituyó la FOIC, las empresas estaban estableciendo nuevas bases de producción, y el estudio y medición del trabajo se estaba extendiendo al conjunto de las plantas cárnicas. Los nuevos grupos gremiales, que comenzaron a formarse tras la larga década de relativo silencio que siguió al fracaso de las dos grandes movilizaciones de 1915 y 1917, se encontraron con que el establecimiento de esas nuevas bases de producción no eran el resultado de acuerdos obrero-patronales. Como en el pasado, las bases serían impuestas por las empresas y las posibilidades de modificar, aliviar o atemperar la aplicación de una mayor intensidad al ritmo de trabajo eran remotas.

Las denuncias en la prensa comunista y socialista sobre el sistema estándar, que aparecieron a lo largo de la década del treinta, no sólo estaban relacionadas con la impugnación del trabajo "imperialista".[25] La militancia gremial consideraba que esa

[24] Peter H. Smith : *Carne y política en la Argentina. Los conflictos entre el trust anglo norteamericanos y nuestra soberanía*, Buenos Aires, Paidós, 1983 y Daniel Drosdoff: op. cit.
[25] *¡Abajo el Estandar!*, Montevideo, editado por la CSLA, 1934.

organización tenía una cierta base de racionalidad que posibilitaba el incremento de la producción. Lo que discutían eran los métodos de aplicación: había que humanizarlos y la manera de hacerlo era promoviendo cambios, discutiendo con los empresarios, exigiendo el respeto y el reconocimiento de la propia capacidad de negociación. Todo esto ocurría al mismo tiempo que se cuestionaba el sistema y se recusaba toda forma de vinculación con los empresarios.

El estándar, decía Guillermo Korn en su presentación en la Cámara de Diputados "es en verdad un sistema de explotación que lleva a extremos intolerables los límites que el respeto a la dignidad y a la vida humana señalan a la racionalización del trabajo que hoy es aceptada en casi todos los órdenes de la producción".[26] Señalaba además que los socialistas "[...] no propiciamos ni compartimos la concepción vetusta, que a veces reaparece como un resabio en la mente de algunos trabajadores, según la cual la clase proletaria debe tender a la supresión de la producción organizada en gran escala [...] En un nuevo orden social, la organización científica de la producción se realiza en función de principios de justicia, destinados a elevar el nivel de vida del individuo que sirva conscientemente a una elevada concepción de la moral social, cuya principal virtud es la solidaridad [...] La racionalización de la producción, en sí misma, no es buena ni mala; puede servir tanto para la explotación como para la liberación del hombre".[27]

Organización científica, racionalización, productividad y eficiencia formaban parte de una concepción que dominaba la producción y el trabajo en los países capitalistas (EE.UU, Alemania) como en las llamadas economías planificadas (Unión Soviética). Los comunistas denunciaban *el maldito estándar* pero, como Korn, estaban esperanzados en su humanización. En este punto es posible que la divulgación entre los más militantes de las ideas de Lenin sobre el control obrero en la producción ayudara a pensar la posibilidad de trastocar el sentido de la organización del trabajo. Escribía Lenin en 1914: "El taylorismo, sin que lo quieran sus autores y contra la voluntad de éstos, aproxima el tiempo en que el proletariado tomará en sus manos toda la producción social y designará sus propias comisiones obreras para distribuir y ordenar acertadamente todo el trabajo social [...] las comisiones obreras, con el concurso de los sindicatos obreros, sabrán aplicar estos principios de distribución sensata del trabajo social cuando éste se vea libre de la esclavización por el capital".[28]

Las imágenes se multiplicaban. Carlos Chaplin en "Tiempos Modernos" ayudaba a fijar el retrato de "un pelele automático sincronizado", y a él recurrían para dar una idea de la velocidad que imprimía la noria al trabajo en el frigorífico. Pero allí todo era peor por las variaciones de temperatura, porque el ganado se resistía a la muerte, porque los cueros llenos de espinas lastimaban las manos. La representación que se construye

---

[26] Congreso Nacional, *Cámara de Diputados*, 28 de septiembre de 1936, pág. 695.
[27] Ibídem, pág. 696.
[28] Vladimir I. Lenin: "El taylorismo es la esclavización del hombre por la máquina", en *Control Obrero y nacionalización*, Buenos Aires, Tierra Nueva, 1973, págs. 12 y 13. Un análisis exhaustivo de la vulgarización de las ideas marxistas-leninistas y stalinistas en la prensa comunista de la Argentina está pendiente.

alrededor del estándar es dantesca. En el infierno de la fábrica, en medio de vapores y sangre, la noria resuena como un látigo sobre hombres y mujeres. Y se extiende sobre una población a la que amenaza el hambre, la fatiga y la tuberculosis.[29]

Los representantes socialistas lograron que se aprobara la Comisión Investigadora pero sólo les cupo un lugar de los seis puestos disponibles. Como la Comisión no hizo nada se designaron otros integrantes en 1938 con el mismo propósito. En 1939 un nuevo pedido de los socialistas solicitaba la inclusión de José Peter, representante de la FOIC, como miembro de la Comisión. En el mismo año de 1939, se realizó el Primer Congreso Ordinario de la Confederación General del Trabajo y José Peter, como miembro del Comité Central Confederal y Secretario General de la Federación Obrera de la Alimentación, expuso los problemas de los trabajadores de la carne. Los temas son conocidos: pésimas condiciones de trabajo, bajos salarios, condiciones de vida miserables.

La intervención de Peter enfatizaba también sobre otras cuestiones. Decía en uno de los párrafos: "desde esta alta tribuna yo pregunto a los camaradas presentes, yo pregunto al pueblo y a la prensa sana del país, yo pregunto a los poderes públicos nacionales, si es tolerable la persistencia de esta bochornosa y denigrante situación al margen de la Constitución y de las leyes, al margen de los intereses del país y de la tradición nacional democrática, al margen de la noción más superficial de humanidad".[30] Para Peter había "intereses nacionales", una "tradición nacional democrática", según su opinión "la producción nacional es la ganadería", la que se enfrentaba a la "avaricia", a la "influencia devastadora del standard", a las "empresas extranjeras imperialistas" cuyas riquezas estaban en contradicción "con las necesidades de nuestra tierra". El nacionalismo y el antiimperialismo[31] pasaban por la suerte de los trabajadores que se asociaba a la nación, al trabajo y a las riquezas del país.

La exposición de Peter ante la CGT sirvió para que en agosto de 1939 se presentara un nuevo proyecto de ley para crear una comisión permanente con el objetivo de asegurar a las personas ocupadas en la industria el cumplimiento de las leyes laborales; fijar la remuneración "dentro de un mínimo razonable de subsistencia"; asegurar una

---

[29] "[...] el standard no sólo afecta a la organización y control del trabajo en sí mismo: él proyecta también su influencia perniciosa sobre el hogar proletario, sobre la vida de las generaciones nuevas procreadas en el horror de esos apretados barrios obreros que se levantan a la sombra de las inmensas catedrales del corned beef y que edifican su pequeña y precaria arquitectura de chapas de cinc y madera sobre lotes anegadizos, generalmente rellenados con basura", decía en la Cámara de Diputados, Congreso Nacional, *Cámara de Diputados*, 28 de septiembre de 1936, pág. 695. El pueblo que encarnaba más fielmente esa representación era Berisso.

[30] "El infierno del trabajo standard en los frigoríficos. Expuesto por José Peter ante el Congreso de la C.G.T", en *CGT*, 28 de julio de 1939.

[31] Si como señala Edward Said, "[...] la cultura es una especie de teatro en el cual se enfrentan distintas causas políticas e ideológicas. Lejos de constituir un plácido rincón de convivencia armónica la cultura puede ser un auténtico campo de batalla..." las nociones de nacionalismo y antiimperialismo estuvieron en el centro de una confrontación política ideológica en la Argentina desde la primera posguerra, formando parte de campos extraordinariamente variados de intereses. Un análisis profundo excede los límites de este trabajo pero no puedo dejar de advertir a los lectores de su complejidad e importancia. La cita es de *Cultura e imperialismo*, Barcelona, Anagrama, 1996, pág. 14.

jornada mínima de trabajo; funcionar como tribunal arbitral en los conflictos laborales; promover la construcción de viviendas económicas e higiénicas; salas de maternidad, dispensarios médicos, bibliotecas, campos de deportes y colonias de vacaciones. La comisión debía integrarse por tres representantes de los empleadores, tres de la FOIC, dos del Departamento Nacional del Trabajo y uno designado por el Ministerio de Agricultura.[32] El proyecto pasó a la Comisión de Legislación del Trabajo y se le fueron anexando las notas y petitorios que apoyaban las peticiones obreras y que fueron presentadas por diversas instituciones de Ensenada.[33]

En agosto de 1940 se presentó un nuevo proyecto, esta vez para establecer fondos de jubilación y compensación al personal de las empresas frigoríficas y afines establecidas en el territorio.[34] La propuesta presentada por Aníbal Arbeletche, Carlos Rophille, Manuel Pinto (h) y Mario Jiménez se apoyaba en las resoluciones del Comité de Empleados y Obreros de Frigoríficos Pro Ley de Jubilaciones, y es un síntoma tanto del estado de movilización de los trabajadores y del nivel de organización gremial como del interés por encontrar soluciones que comprometieran a las instituciones estatales. Un mes más tarde, la Federación Obrera de la Alimentación solicitó la sanción de aquellas leyes que contemplaran específicamente la situación de los trabajadores de los frigoríficos y de los obreros panaderos.[35]

Al finalizar la década de 1930 la FOIC tenía una activa presencia en los órganos legislativos, y su dirección desplegaba una intensa actividad pública. Sin embargo el trabajo en las fábricas era difícil lo que establecía los límites para una mayor movilización de los trabajadores; por otra parte, en la localidad los conflictos políticos adquirían mayor complejidad.

Fragmentos y oposiciones: nacionalismo versus comunismo, radicales versus conservadores

Al promediar la década del treinta aparecieron diversos problemas asociados a la presencia comunista en las fábricas y en la localidad. Comenzaban a erigirse antinomias muy fuertes que alimentaban enfrentamientos, persecuciones encarcelamientos, muertes. En el micro espacio de la comunidad se daba forma a prácticas políticas que recién la Guerra Fría colocaría con fuerza en el escenario internacional.

Los enfrentamientos se producían en el seno de las asociaciones étnico nacionales. Recordemos las dificultades existentes en la sociedad ucraniana Prosvita donde

---

[32] EL proyecto fue presentado por Juan Antonio Solari, Américo Ghioldi, Enrique Dickmann, Nicolás Repetto y Silvio Ruggieri, Congreso Nacional, *Cámara de Diputados*, 16 de agosto de 1939, págs. 49 a 53.

[33] Congreso Nacional, *Cámara de Diputados*, 5 Junio de 1940.

[34] Es interesante el análisis del proyecto presentado porque más allá de sus fundamentos establece quiénes y cómo deben contribuir a la formación de los fondos de la caja de jubilaciones, de qué modo se computarán los servicios en una industria tan heterogénea y la manera en que será administrada la caja. Congreso Nacional, *Cámara de Diputados*, 14 de agosto de 1940, págs. 46 a 63.

[35] Congreso Nacional, *Cámara de Diputados*, 27 de septiembre de 1940, pág. 892.

un grupo nacionalista (anticomunista) se separó constituyendo otra organización. No fue el único caso: en Berisso las naciones estallaban en sus componentes, en particular a través del asociacionismo, lo que daba paso a una intensa confrontación política. Paralelamente los comunistas comenzaron a ser cegados por la aparición del nazifascismo; cada crítico u opositor a su política se alzaba amenazante sobre su vida, su seguridad y sobre el futuro de la revolución. La manifestación más clara de esta postura la sintetiza Balcarce: "Cada club es un comité fascista. La provocación se organiza en alta escala. Preparan los nombres de obreros, comunistas, socialistas y antifascistas para denunciarlos". [36] En las fábricas la denuncia tenía una base real pues las asociaciones comenzaron a extender certificados de buena conducta y de incontaminación ideológica. Esas recomendaciones tenían el poder de abrir las puertas de las fábricas.

El ascenso del fascismo, la guerra civil española y la Segunda Guerra Mundial acrecentaron esas tensiones. Ya al comenzar la década del treinta se realizaban en Berisso actos y reuniones antifascistas.[37] Los lugares elegidos eran las calles más cercanas a los establecimientos cárnicos y estaban organizadas por la Federación Socialista, el Partido Comunista y, a veces, por algunos clubes étnicos. [38] Hacia 1936 y 1937, el conflicto que enfrentaba a los republicanos y franquistas en España fue un elemento movilizador; y un grupo de vecinos conformó un "Comité pro–ayuda al pueblo español"; durante la Segunda Guerra Mundial se constituyeron otros comités de ayuda, "al pueblo búlgaro", "al pueblo ucranio", "al pueblo ruso y a la defensa democrática", entre otros.[39]

Los trabajadores se encontraban en el centro de otro fuego cruzado: el que enfrentaba a radicales y conservadores tanto en la localidad como en el contexto nacional. En 1930, Agustín P. Justo derrocó al presidente Hipólito Yrigoyen. El Partido Radical estaba dividido y, durante casi toda la década, tuvieron que repensar las claves de su identidad política. Berisso no escapaba a esa tendencia general y el radicalismo local estaba encerrado en la solución de sus problemas. Algunos militantes radicales recuerdan esos años como cruzados por las divisiones internas y por los constantes enfrentamientos con los conservadores. No obstante, se puede decir que muchas de las

[36] Héctor Balcarce, op. cit., pág. 39. Dice en otro lugar: "Tuvimos que luchar bastante con el club búlgaro por su aislamiento y nacionalismo cerrado que los hacía un organismo aparte y sin control. Esto los condujo a que pudieran introducirse agentes provocadores que entregaron a varios miembros del partido y de la juventud. La combatividad de los compañeros búlgaros es ejemplar, pero sienten en su nacionalismo cierto menosprecio por las demás razas", pág. 45.

[37] La ola antifascista también llegó a la fábrica. Los registros de personal conservan al menos un caso de despido por profesar simpatías a los nazis.

[38] Por ejemplo el 25 de junio de 1933 se organizó un acto en el que hablaron el diputado nacional Américo Ghioldi, el Dr. Carlos Sánchez Viamonte y el entonces concejal Guillermo Korn. En el acto una banda de música tocaba "himnos proletarios", El Día, 24 y 25 de junio de 1933. He visto también al menos una fotografía de actos antifascista en manos de un informante búlgaro.

[39] El Día, 5 de junio de 1937, informa que el Comité pro ayuda al pueblo español funcionaba en un local de la calle Barcelona 4802. En cuanto al "comité de ayuda al pueblo ruso y a la defensa democrática" el Partido Radical recibe una comunicación de su constitución y un pedido de ayuda, Actas del Comité Radical de Berisso, 5 de septiembre de 1941.

"familias radicales" de Berisso se foguearon en la política durante esos años críticos. Como en otros partidos políticos sus acciones se definían en el comité partidario y las actas de las reuniones dan cuenta de que sus esfuerzos se concentraron en denunciar los "atentados" conservadores contra la libertad de sufragio; en intentar sacar un periódico; en dinamizar la biblioteca del Centro Acción [40]; en ayudar al "comité feminista" y en organizar una comisión denominada de "Fomento de Berisso" cuyo objetivo era la realización de gestiones tendientes a efectivizar mejoras en la localidad.

El grupo de radicales berissenses presionaba a los legisladores partidarios, sobre todo en el nivel provincial, instándolos a presentar proyectos legislativos tales como el de nacionalización del petróleo, así como la solicitud para formar una comisión que estudiara la forma de trabajo en los frigoríficos. El Comité del radicalismo estaba integrado por los señores Guruciaga (Juan y Luis), Bruzzone, Regueira, Bello, Dallachiesa, Bartolucci, Felli, Bassani (Tomás y Carlos), Chiappe, Paleo y Tunessi entre otros, bajo el liderazgo del médico Leandro Sánchez. [41] El radicalismo local estaba vinculado además con diferentes asociaciones, nacionales /étnicas, por medio de algunos de sus adherentes, que por ejemplo, se relacionaron con los residentes correntinos (cuyos asociados eran en su mayoría obreros de los frigoríficos) e integraron el "subcomité sirio libanés" ([42]). Se incorporaron a las comisiones ejecutivas pro–festejos patrios y a las de mejoramiento de Berisso junto a los presidentes de las sociedades Operai Italiana, Helénica, Polaca, Ucraniana, Lituana, Armenia y Siria. [43]

Los profesionales (médicos y abogados) también ayudaban a mantener los lazos políticos con la población en su conjunto y con los obreros de los frigoríficos en particular. Es cierto que el prestigio profesional podía ser utilizado por todas las fuerzas políticas pero en cada pueblo surgían figuras emblemáticas asociadas a uno u otro partido. En Berisso, el médico Leandro Sánchez estaba siempre dispuesto a atender un enfermo, a prestar ayuda, a dar un consejo. No siempre la remuneración económica era su consecuencia; era un camino también para forjar adhesiones y lealtades a la causa radical.

---

[40] El Centro Acción, Agrupación Radical de Estudiantes y Obreros, se creó luego del golpe militar de septiembre de 1930. El centro "propone a los estudiantes y obreros de toda la nación que pretenden dar solución juvenil a los interrogantes del momento" defender el "ideario del radicalismo" así como la "discusión política y sociológica" a través de la creación de una biblioteca, Cuadernos Acción, Nosotros y la acción política, La Plata, Ediciones de Cultura Popular, 1931, la cita es de la pág. 25. Sobre la obra cultural y educativa del Centro Acción de Berisso se puede consultar también en El Ensenadense, 21 de abril de 1934.

[41] Comité Radical, Actas 5 de octubre de 1932, 21 de julio de 1933, 4 de enero y 15 de marzo de 1935, 10 de junio de 1936, 26 de marzo de 1937, 15 de junio, 8 de julio y 7 de octubre de 1938, 14 de julio, 1 de septiembre y 3 de noviembre de 1939, 6 de junio y 5 de septiembre de 1941.

[42] El Ensenadense, 26 de julio de 1930. En septiembre se informaba sobre la reunión del comité de la UCR (sección 8ª) de la que participaron "calificados miembros del radicalismo y los dirigentes más conspicuos de las planas dirigentes de los dos subcomités Leandro N. Alem, Villa Porteña, Residentes correntinos, Sirio-libanés, Villa San Carlos, Democracia Radical y Oyhanarte", 29 de septiembre de 1930.

[43] El Ensenadense, 26 de julio de 1930. Ese mismo día se destaca que a través de una iniciativa del "laborioso concejal don Manuel Paleo, Berisso contará con 28 nuevos focos de luz a distribuirse en los barrios más necesitados [...] Se demuestra una vez más que los temperamentos de factura laboriosa, llegados a las posiciones de acción no olvidan sus compromisos con los vecinos que representan".

La defensa judicial fue otra forma de acercar los trabajadores al partido. Médicos y abogados estaban forjando una tradición de resolución de los problemas obreros desde los comienzos del siglo XX pero, más claramente, desde la década del veinte el trabajo se constituyó en un campo específico de actuación profesional. La intervención –cierto que limitada– de los departamentos provinciales y nacional del trabajo favorecía la expansión de la demanda de los servicios de aquellos que conocían las leyes y los mecanismos de funcionamiento del Poder Judicial.

Las demandas laborales son tanto un dato de los nuevos lazos que se establecían entre profesiones, política y trabajadores como del interés de los trabajadores para reclamar la intervención de uno de los poderes del Estado para proteger y garantizar su seguridad y estabilidad en el trabajo. [44] El poder otorgado a Isaac Sánchez Larios por Vladimiro Condratiuk, ucraniano, casado, obrero del frigorífico Swift para demandar a la compañía por un accidente ocurrido el 19 de febrero de 1934 es sólo uno de esos indicios.[45] Sánchez Larios era un militante radical que ocupó diversos cargos en el partido y era pariente del líder del radicalismo de Berisso, el médico Leandro Sánchez. La elección de Vladimiro Condratiuk para representarlo no era solamente por el reconocimiento de sus saberes especializados sino también la manifestación de una esperanza de justicia. La elección del abogado radical era una forma de estrechar lazos sociales y, desde la perspectiva del abogado y político, un modo de afianzar lealtades que luego podían tranferirse al radicalismo. Su actuación tenía una base en la asistencia jurídica de los trabajadores y ella era una forma de acercarse a las bases sociales del partido.

Claro que los radicales tenían una fuerte competencia en las fuerzas conservadoras provinciales, en particular con la gobernación del Dr. Manuel Angel Fresco. Entre 1930 y 1943 el Partido Conservador controló el gobierno de la provincia; y sobre 12 gobernadores sólo tres fueron elegidos por medio del sufragio: Francisco Martínez de Hoz (1932-1935), Manuel Fresco (1936-1940) y Rodolfo Moreno (1942-1943). Entre todos ellos se destacó la figura de Manuel A. Fresco quien había jugado un papel importante en la oposición civil al gobierno de Yrigoyen y en el movimiento militar que lo derrocó. Fue presidente del partido Demócrata Nacional y presidente de la Cámara de Diputados de la Nación en 1935. Era el candidato ideal de los conservadores de la provincia y en 1936 asumió sus funciones de gobernador.

[44] Las apelaciones a la importancia de la legislación por parte de las organizaciones sindicales y la utilización de los mecanismos jurídicos es un claro indicio de las expectativas y de los significados que los trabajadores atribuían a la ley. Las demandas de justicia se extendieron durante el peronismo.

[45] *Archivo de la Suprema Corte de Justicia de la Provincia de Buenos Aires*, Expte. 16114, paq. 306, Nº de orden 4, 1935.

[46] La crítica a la democracia y al liberalismo fue un eje del pensamiento nacionalista restaurador que entendía que la democracia no sería más que una forma de comunismo. Véase Cristián Buchrucker: *Nacionalismo y Peronismo. La Argentina en la crisis ideológica mundial (1927-1955)* Buenos Aires, Sudamericana, 1987, pág. 55.

En el plano de las ideas políticas, Fresco era enemigo del "individualismo liberal" encarnado por el radicalismo y de la "utopía comunista", y para derrotar a ambos diseñó una política destinada a los menos privilegiados del campo y de la ciudad.[46] El gobernador de la provincia de Buenos Aires realizó un amplio programa de obras públicas. Durante su gobierno se implementaron planes para mejorar la salud y la educación, se dictaron numerosas leyes protectoras del trabajo y se reorganizó el Departamento Provincial del Trabajo.[47]

Las mejoras incluían a Berisso y acompañaron la acción de los comités conservadores que funcionaban en los períodos electorales.[48] En enero de 1937 el diario *El Día* informaba sobre la aprobación de los presupuestos para construir muelles para pescadores en Berisso y Ensenada y en 1938 la escuela N° 86 contaba con un nuevo edificio.[49] El gobernador visitó la localidad. En agosto de 1937 diferentes asociaciones y vecinos agasajaron a Fresco. Una caravana de autos lo esperó en el límite con La Plata, en 60 y 122. Fresco visitó las escuelas locales, fue hasta La Balandra, el balneario local, y en un acto frente al Centro de Fomento Berisso, habló a los presentes prometiendo más mejoras. Asistieron y organizaron el acto vecinos, sociedades de fomento, miembros de diferentes colectividades extranjeras, y acompañaron al gobernador el director general de escuelas y otros funcionarios.[50]

En el mes de mayo de 1938 el gobernador visitó nuevamente Berisso. Esta vez se trataba de la inauguración del Hogar-Cuna que funcionaría en el local de los Bomberos Voluntarios, entidad presidida por Walter Elena, un destacado militante conservador. Los objetivos de la creación del Hogar-Cuna eran claros: el hogar "*tiende a solucionar el problema de los hogares obreros* cuyos progenitores deben dejar sus hijos de corta edad [...] para ir a sus tareas diarias, con lo que se perjudica su educación y su nutrición". El gobernador Fresco llegó al acto acompañado por su ministro de Gobierno Roberto J. Noble, el intendente de La Plata, el ministro de Justicia e Instrucción Pública, el director de Protección de la Infancia; los detalles del acto fueron transmitidos por LS11 Radio Rivadavia.[51]

---

[47] Manuel A. Fresco: *Cómo encaré la política obrera durante mi gobierno. Directivas del Poder Ejecutivo. Nueva legislación del Trabajo, Acción del Departamento del Ramo*, 1936, 40, La Plata, 2 tomos, 1940; Richard J. Walter: *La provincia de Buenos Aires en la política Argentina, 1912-1943*, Buenos Aires, Emecé, 1987.

[48] Las menciones de los comités conservadores se encuentran en los periódicos y en varios testimonios orales, pero sólo hay referencias sobre la ubicación espacial de los existentes en el año 1931. En ese año funcionaba en la calle Nueva York N° 4865 el subcomité A. Santamarina presidido por el vecino Angel Russo, el del Dr. Walter Elena en Londres y Asunción mientras que el subcomité Santamarina-Pereda se ubicaba en la Villa Banco Constructor, *La Voz de Berisso*, 2 de abril de 1931.

[49] *El Día*, 13 de enero de 1937 y *La Voz de Berisso*, 12 de agosto de 1938.

[50] Véase *El Día* 18, 20 y 21 de agosto de 1937. La noticia del día 21 estaba acompañada de fotos.

[51] *La Voz de Berisso*, 20 de mayo de 1938. Asocio la transmisión radial así como el número de filmaciones sobre los actos en los que participaba el gobernador a la importancia que le asignan a ambos medios de comunicación los gobiernos autoritarios. Sobre la importancia de la radio en los hogares obreros, sólo se puede especular. Como en otros lugares, el partido de fútbol del 10 de junio de 1928 entre la Argentina y Uruguay congregó un nutrido grupo de asistentes en la vereda de la Casa Manoukian. Pero ¿qué sucedía cuando se trataba de un acto político? y, por otra parte ¿cuál era la difusión de receptores de radio diez años más tarde? Un ejemplo de la presencia de Elena en Berisso se encuentra en *Obra Plausible*. Allí se

Las medidas de Fresco y la preocupación conservadora por los trabajadores y por sus condiciones de vida y de trabajo pueden interpretarse como una respuesta asociada al pragmatismo de los conservadores, pero implicaban también la inclusión de los obreros en un orden político y social que debía alejarlos de los males de la democracia liberal (fundamentalmente radical) y del comunismo. Para lograr ese nuevo orden se debía aceptar a las organizaciones obreras como representaciones legítimas, había que procurar su organización cuando ellas no existían o estaban en manos de los comunistas y socialistas, y era necesario promover el mejoramiento de las fuerzas del trabajo y de las familias obreras.[52] En la prensa y en los actos públicos los conservadores denunciaron la opresión e insensibilidad del capitalismo, pregonaron un mundo ordenado y jerárquico, denunciaron sistemáticamente al comunismo y buscaron resolver algunos de los problemas que aquejaban a los obreros. Todos estos temas tenían su eco en la población. Entre los habitantes trabajadores resonaban las denuncias del orden excluyente del sistema político liberal, y la defensa del sentimiento nacional y del patriotismo reavivaba los enfrentamientos entre nacionalistas y comunistas

Al comenzar la década del cuarenta la experiencia cotidiana de los trabajadores seguía envuelta en la complejidad política del período. En este nivel el período de la gobernación de Fresco fue demasiado escaso para poner en marcha sus ideas de "democracia funcional", y la elección de Ortiz como presidente de la República aceleró los tiempos de un retorno a la regularidad electoral, que gozaba, por otra parte, de cierto apoyo entre sectores del radicalismo y de la "opinión pública" expresada por la llamada "prensa independiente". Para evitar que las elecciones facilitaran el retorno de los radicales había que actuar con prudencia. Prudencia que no impidió los enfrentamientos entre Manuel Fresco, Barceló, el caudillo de Avellaneda y Antonio Santamarina, un tenaz pretendiente a la gobernación de la provincia.

Las candidaturas dividían a los conservadores de la provincia, y Fresco sentía otra amenaza. El gobierno nacional podía entorpecer la continuidad de las obras públicas que eran la carta de presentación en localidades como Berisso. Las elecciones llevadas a cabo en la provincia dieron la elección a Barceló pero las quejas sobre fraude se hicieron sentir rápidamente. La provincia fue intervenida y pronto devino el ocaso de Manuel Fresco. La muerte de Ortiz y la llegada de Castillo a la presidencia dio paso a nuevas elecciones en la provincia siendo electo esta vez Rodolfo Moreno (1942-1943).

---

expresa que "El conocido legislador Dr. Walter Elena se ha revelado como uno de los más sinceros amigos de nuestra población, *propulsor de su adelanto en todos los aspectos y observador y a la vez mediador eficaz*, no deja pasar por alto ninguna necesidad de bien público sin buscar por cuanto medio esté a su alcance su inmediata satisfacción". *La Voz de Berisso*, 29 de julio de 1938.

[52] Emir Reitano: *Manuel A. Fresco, antecedente del gremialismo peronista*, Buenos Aires, CEAL, 1992; Manuel A. Fresco: *Ideario nacionalista*, Buenos Aires, Biblioteca nacionalista, 1943.

Octubre

Rodolfo Moreno, el nuevo gobernador de la provincia, no pudo escapar a las luchas que se produjeron dentro de las fuerzas conservadoras y estuvo permanentemente ocupado con los problemas relacionados con las candidaturas presidenciales. En parte por eso, y en parte porque el nuevo gobernador no se mostraba demasiado preocupado por los temas sociales, su gobernación no parece haberse destacado en este orden. Pero el pragmatismo de los gobernantes conservadores en temas obreros no desapareció. Así, el nuevo gobernador adhirió al acto organizado en enero de 1943 por la FOIC.[53]

La Federación Obrera de la Industria de la Carne tenía motivos para realizar un festival público de celebración. Hacia 1942 los miembros de la FOIC consiguieron el reconocimiento de una garantía horaria de sesenta horas quincenales y ocho días de vacaciones pagas por las empresas, que se aumentó a quince en 1943.[54] Obtuvieron también la provisión gratuita de zapatos, zuecos y delantales y hasta un aumento salarial. Además, avanzaron en el plano de la organización gremial: realizaron una reunión general de delegados de los frigoríficos Swift y Armour de Berisso, Swift de Rosario y de los establecimientos de Avellaneda y se incorporaron a la Federación Obrera de la Alimentación.[55]

Cada uno de estos logros fue el resultado de un largo y paciente trabajo pero ninguno de ellos estaba asegurado y las empresas podían barrerlos en cualquier momento. Además, no todos los trabajadores se alineaban detrás del sindicato y algunos hasta desaprobaban las actitudes de los dirigentes obreros dispuestos a integrarse al juego político.[56] Sin embargo, en el imaginario de muchos militantes gremiales comenzaban a realizarse los sueños de "humanizar el trabajo". El nuevo golpe militar del 4 de junio de 1943, los volvería a una realidad que, aunque conocida, comenzaba a llenarse de cosas nuevas.

---

[53] *La Hora*, 9 y 10 de enero de 1943. Véase también Rubén Iscaro: *Ob. Cit*, y José Peter: *Crónicas... Ob. Cit*. Cuando en 1953 la Federación Gremial del Personal de la Industria de la Carne evaluaba su actuación decía que un ejemplo gráfico del "elemento aventurero" en el gremio fue Peter "que siendo de ideología comunista trabajando pura y exclusivamente para dicho partido, hacía sus correrías en otros sectores. Se cita como ejemplo el apoyo probado al ex gobernador Rodolfo Moreno a quien llegó a ofrecerle en tiempo de Castillo 40.000 hombres de la carne para que dispusiera, pese a no contar con dicho número [...] debido al temor de los obreros de afiliarse a un sindicato por las posteriores represalias patronales", *Federación Gremial del Personal de la Industria de la Carne, Derivados y Afines, 1950-1953*.

[54] Como vengo señalando la garantía horaria era una cuestión de gran importancia. Durante el año 1942 los "despidos en masa de obreros" generaban "desasosiego" en "millones de hogares". El anuncio de despido de 5.000 obreros de Swift y Armour "llevará al máximo el grave dilema de la desocupación obrera local. *La Voz de Berisso*, 29 de agosto de 1942. Sobre vacaciones del personal ver *Swiftlandia*, marzo de 1943. Pro jubilaciones de los frigoríficos habrá un acto público mañana, *La Voz de Berisso*, 18 de septiembre de 1943.

[55] Entre 1935-1936 y 1941 el Sindicato de la Alimentación pasó de 10.688 afiliados a 29.171, *Boletín Informativo*, Primer Censo de Asociaciones Profesionales, año XVIII, Septiembre-octubre de 1936 y *Dirección de Estadística Social*, Investigaciones sociales, 1943.

[56] Las críticas están expresadas en *Reseña de los acontecimientos en el gremio de la carne de Berisso, 1943-1948*, Grupo Voluntad sin datos de edición.

El golpe de junio de 1943 tenía una causa poderosa en las vicisitudes de la sucesión presidencial, ésta se mezclaba con el sentimiento de que el comunismo amenazaba con quedarse en el país, el reconocimiento de la crítica situación que vivían amplias franjas de la población y la lucha contra toda subversión social así como la crítica a los reclamos obreros.[57] El comunismo y el conflicto social estaban en la mira del nuevo gobierno y dos días después de producirse el golpe militar, varios miembros de la FOIC, incluido Peter, fueron detenidos, varios locales sindicales fueron sometidos a vigilancia, otros fueron clausurados y muchos trabajadores perseguidos. Entre los detenidos figuraban algunos obreros de los frigoríficos de Berisso.

Con el encarcelamiento de algunos dirigentes, las empresas comenzaron a violar los acuerdos a los que habían llegado con la organización gremial y que habían motivado el festejo de enero de 1943. Ante la situación, los trabajadores reclamaron el cumplimiento de la garantía horaria, la estabilidad y efectividad en el trabajo y un nuevo aumento de salario así como el cumplimiento de las leyes laborales.

La situación era bastante compleja. La FOIC, bajo el liderazgo de los comunistas, había logrado nuclear a una parte de los trabajadores de Berisso y Avellaneda (en Zárate tenían más influencia los sindicalistas). Algunos dirigentes sindicales planteaban la necesidad de tomar medidas contra la especulación y detener el alza del costo de la vida; manifestaron también la esperanza de que el nuevo gobierno no alterase el desarrollo de las organizaciones obreras.[58] Pero el gobierno quería y exigía obediencia y disciplina de los trabajadores para obtener algunos beneficios y, desde su perspectiva, represión y justicia iban juntas. "Resolver los problemas sociales sobre bases justas" era el presupuesto del gobierno, que no sólo tomó algunas medidas de carácter popular (aumento para los empleados públicos, rebaja de los alquileres) sino que dictó un decreto que reglamentaba las asociaciones profesionales. Estableció que sólo podían funcionar los sindicatos con personería gremial, que las recaudaciones de la cuota y su utilización serían fiscalizados por el Estado y que las reuniones y manifestaciones serían reglamentadas. En el mes de agosto el Departamento Nacional del Trabajo hizo saber que los obreros debían evitar la realización de paros parciales o huelgas por cuestiones de salarios.[59]

Ya desde el mes de julio, la FOIC organizó manifestaciones en Berisso, Avellaneda y Rosario en reclamo de la libertad de los dirigentes sindicales; de un aumento general de salarios; de igual salario por igual trabajo y de la garantía de 30 horas semanales de trabajo para todos los obreros. Las compañías se negaron rotundamente a entablar cualquier tipo de negociación y, a mediados de septiembre, los obreros fueron a la huelga. El gobierno declaró ilegal la medida de fuerza y muchos obreros fueron detenidos.

---

[57] Alain Rouquié: *Poder militar y sociedad política en la Argentina II, 1943-1973*, Buenos Aires, Emecé, 1982.
[58] Hugo del Campo: op. cit, págs. 55 y 121.
[59] *La Nación*, 5 de junio de 1943, Hugo del Campo: op. cit, págs. 121 a 125 y Alain Rouquié: *op. cit.*, pág. 11.

Los registros de personal dan cuenta de la dispar aceptación que tuvo entre los obreros la decisión de parar. En una centena de fichas de personal consta que "trabajaron durante la huelga"; eran personas de ambos sexos, en su mayoría nativos y unos pocos extranjeros. Entre estos últimos, muchos tenían varios años de permanencia en las fábricas. Si las empresas tenían el viejo y conocido recurso del despido para desalentar a los huelguistas, el gobierno militar ensayó diversas fórmulas: detuvo a los dirigentes de la FOIC y cerró sus locales; trasladó a José Peter a Buenos Aires desde la cárcel de Neuquén para negociar; y aceptó que la FOIC realizara una asamblea para discutir la decisión de levantar el paro. El Coronel Domingo A. Mercante asistió a esa asamblea y la describió del siguiente modo: "Cuando llegamos nos sorprendió la multitud. Alrededor de 6.000 obreros vivaban a Peter, lo abrazaban, lo apretaban, lo elevaban en andas [...] después habló, y la huelga se levantó allí mismo".[60] En la asamblea realizada en el Dock Sud los obreros decidieron retomar las tareas ante el compromiso del gobierno de que se haría efectivo un aumento de salarios; se cumplirían todas las leyes laborales, tal como se venía reclamando desde mediados de la década del treinta; y se evitarían las represalias de los frigoríficos.

La decisión de levantar el paro fue aprovechada por algunos militantes opositores al comunismo. En este punto la información entra en un cono de sombra pero en algunos recuerdos militantes se dice que "el equipo de activistas que no quería entrar en el partido comunista o que estaba dejando el partido comunista le dieron la apoyatura a Reyes".[61] Aunque la cabeza visible de la FOIC eran los dirigentes comunistas lo cierto es que los trabajadores simpatizaban con orientaciones políticas diversas cuyas diferencias estallaban en los momentos menos esperados. El anarquismo, a pesar de que su influencia se había debilitado enormemente, tenía algunos militantes en gremios como el Anglo–Ciabasa; incluso desde la secretaría de Trabajo y Previsión se le dio un "poco de aire" como a otras fuerzas opositoras para estimular la oposición.[62]

Sobre la asamblea de Dock Sud cuenta Cipriano Reyes que él expresó el rechazo de los obreros de Berisso al levantamiento de la huelga.[63] Probablemente fuera así, aunque es difícil constatar la presencia y el protagonismo de este dirigente antes de la organización del Sindicato Autónomo. Posiblemente, como muchos otros trabajadores, fuera un militante del sindicato que se destacaba por su manera de actuar y decir las cosas. En 1942 había conseguido un aumento para su sección (sala de máquinas) apoyado por un cura y por el director del Departamento del Trabajo Linares Quintana.[64]

---

[60] *Primera Plana*, N° 146, agosto de 1965 y Charles Bergquist: op. cit., pág.. 202.

[61] Osvaldo, entrevista realizada en Berisso, 1991.

[62] Es conocida la oposición del anarquismo y el trotskysmo al stalinismo (y viceversa). Las referencias al reconocimiento de que corrían "vientos a favor" (para la oposición anarquista y troskysta al partido comunista) y que ellos aprovecharon las contradicciones así como la emergencia de nuevos sindicatos tales como la UOM, AOT y la Federación de la Carne, en Ernesto González (coordinador): *El trostkysmo obrero e internacionalista en la Argentina*, Tomo: Del GOM a la Federación Boanaerense del PSRN (1943-1955), Buenos Aires, Antídoto, 1995.

[63] Cipriano Reyes: *Yo hice el 17 de octubre*, GS, Buenos Aires, 1973, pág. 107.

[64] Cipriano Reyes: *Yo hice el ... Ob. Cit. y Reseña de los acontecimientos* ...op. cit,. págs. 4 y 5.

De ese modesto lugar en el frigorífico Armour saltó al liderazgo gremial cuando los otros dirigentes comenzaron a ser despedidos o encarcelados, y cuando entre las bases obreras comenzó a crearse una especie de anomia, pues los trabajadores veían acercarse el fantasma de la cárcel y la desocupación.[65]

La asamblea de los obreros de los frigoríficos convocada en las cercanías del frigorífico Anglo en el Dock Sud decidió levantar la huelga pero no todos los trabajadores acataron la decisión y, en Berisso, una parte de los obreros resolvió continuar con la medida de protesta. Por su parte, el gobierno no cumplió sus compromisos y antes de terminar el mes de octubre volvieron a clausurar los locales de la FOIC de Berisso, Avellaneda y Rosario. Con trabajadores y militantes detenidos o exiliados (Peter se marchó al Uruguay) y con la transferencia de los fondos de la FOIC, en el mes de noviembre de 1943, y la posterior disolución de la organización, no fue difícil desarmar la protesta.[66] Se había producido un vacío que facilitaba la organización de un nuevo sindicato que pronto establecería lazos más firmes y duraderos con Perón.

El 3 de octubre de 1943 se decidió levantar el paro; entre esa fecha y 1945 Cipriano Reyes había saltado al liderazgo gremial y con el apoyo de la Secretaría de Trabajo y Previsión se lograban algunas de las demandas del pasado. Los reclamos en diferentes departamentos de ambos frigoríficos eran acompañados por soluciones satisfactorias. El sindicato estaba allí no para combatir infructuosamente, sino para protestar obteniendo logros concretos. En 1944 fue presentado un petitorio a las empresas donde se solicitaba la garantía horaria y la igualdad salarial de mujeres y varones; se llegó a un fugaz acuerdo con las empresas. Cuando ese año se produjo la huelga de los petroleros varias secciones de los frigoríficos pararon en solidaridad; pero la nueva dirección del sindicato no autorizó la medida.

[65] Esta situación puede inferirse también de las memorias escritas de Reyes. Los saltos narrativos del texto le permiten construir una historia donde se alteran situaciones, personajes y lugares. Según su relato, con apenas 12 años ya formaba parte de un sindicato en Buenos Aires. En 1921, a los quince años de edad, se conecta con un dirigente gremial de los obreros de la carne en Zárate y rápidamente conoce la represión. No he podido reconstruir esa huelga con la información disponible pero el relato entrecruza acontecimientos relacionados con la gran huelga de 1917. Luego de su estadía en Zárate pasa por la localidad de Necochea para saltar directamente a la huelga de 1943 y a integrar la delegación de Berisso en la Asamblea de Dock Sud. Sobre el trastocamiento de lugares, personajes y conflictos me parece importante realizar una lectura sintomática de los fallos de la memoria, pues el relato de la huelga de 1917 en los frigoríficos de Zárate contiene elementos de la producida en 1943. Escribe Reyes: "Poco después, por ausencia forzosa de la mayoría de nosotros, se filtró en el sindicato un grupo de elementos polacos adictos a la Segunda Internacional Comunista que en el orden nacional respondía a la conducción de José Penelón. Los integrantes de este grupo trabajaban en el frigorífico y se salvaron de ser perseguidos o despedidos porque no activaron ni se hicieron conocer en la huelga porque además conocían muy bien la estrategia de la clandestinidad para recoger sin sacrificios los esfuerzos de los verdaderos dirigentes [...] Inmediatamente formaron 'comisiones de solidaridad', se realizaron pic-nics para reunir fondos, se organizaron colectas 'pro ayuda a los hambrientos de Rusia', se recolectaban toda clase de alimentos no perecederos, ropas y calzados de hombres y mujeres. Entre éstas, promovían campañas para tejer tricotas y otras prendas de lana o para arreglar la ropa usada que luego enviaban a Rusia para ayudar a los camaradas que estaban construyendo el paraíso de los trabajadores del mundo.

Está demás decir que desde ese momento el sindicato corría el peligro de perder su verdadero cometido de organización y lucha gremial en defensa de los trabajadores [...] No recuerdo por qué [...] me designaron

Durante el año 1944 la presencia estatal en la localidad fue importante. Se creó una oficina dependiente de la Secretaría de Trabajo y Previsión para mantener contacto directo y permanente con patrones y trabajadores, y para fiscalizar el cumplimiento de las leyes obreras. Al día siguiente de la inauguración de la dependencia oficial, ubicada en la calle Montevideo 831, una comisión del sindicato se entrevistó con el delegado para expresarle sus deseos de que Perón y Mercante asistieran a una Asamblea cuyo fin sería testimoniar las simpatías del gremio a la acción social que se estaba desarrollando.

Al comenzar el mes de agosto Perón fue a Berisso "inesperadamente", según la crónica del diario *El Día*. Pero estaban allí para saludarlo el ministro de Gobierno de la provincia, el delegado regional de Trabajo y Previsión y varias delegaciones obreras. La visita al Sindicato Autónomo de la Industria de la Carne fue una de las actividades desplegadas por los visitantes. Los sindicalistas le explicaron al general la situación de las familias de 150 trabajadores despedidos y éste se comprometió a lograr su reincorporación. Tenía también otros motivos para visitar el poblado: se proyectaba la construcción de viviendas económicas para trabajadores.

El 10 de agosto Perón llegó nuevamente a Berisso para ser homenajeado. Ese día no se trabajó en los frigoríficos y los obreros colmaron el acto; fue visible también la presencia de los asalariados de la hilandería y hasta llegaron delegaciones de los obreros de la carne de Avellaneda. En el acto hablaron Juan C. López Osornio, Cipriano Reyes y Juan Domingo Perón.[67] La presencia de Perón en Berisso no garantizaba un futuro sin conflictos. La Segunda Guerra Mundial había aumentado la actividad en la industria para abastecer a los ejércitos; Gran Bretaña había centralizado la compra de carnes en nombre de las Naciones Unidas y el contrato en el que se establecía las condiciones de venta de carnes había vencido en septiembre de 1944. Aunque la cooperación con Inglaterra continuó, lo cierto es que las compras fueron disminuyendo a medida que el conflicto bélico se iba definiendo. Con el fin de la guerra el problema de los despidos en masas de los trabajadores generó inquietud y el fantasma de la desocupación agitó nuevas tormentas.

En enero de 1945 los obreros de los frigoríficos de Avellaneda presentaron un nuevo petitorio a las empresas Wilson, La Blanca y el Anglo exigiendo el mantenimiento

---

en mi ausencia Secretario de Prensa y organización [...] Un día expresé mi disconformidad por tal situación en una reunión de Comisión Directiva [...] la mayoría se adhirió sin dificultades porque ya se habían dado cuenta qué era lo que buscaban estos "honestos salvadores del movimiento obrero". De esta forma pudimos reconquistar no sin mucho esfuerzo las directivas de la organización y volverla a su verdadero cauce sindical", Cipriano Reyes: op. cit.., págs. 55-6.

[66] Un ejemplo de esta situación es el caso de Avelino Scandura, argentino, nacido en Buenos Aires (Capital Federal) el 12 de febrero de 1913, soltero, lee y escribe. Su ficha personal dice:

Entrada	Salida	Lugar que trabaja	Causa de la salida
salida10-06-37	26-2-38	embalaje	Su voluntad
29-12-42	27-11-43	huesería	Ver en observaciones
28-03-44	10-04-45	huesería	Subsidio (*)

Observaciones: fue detenido en el sindicato el día 27-11-1943 y fue puesto en libertad el 14-3-1944. (*) el despido es subsidiado por el Superior Gobierno de la Nación.

[67] Sobre la habilitación de la Oficina de la Secretaría de Trabajo y Previsión, la invitación a Perón y Mercante y las visitas de Perón a la localidad consultar *El Día* 22, 23, 25 y 26 de julio y 3, 5 y 11 de agosto de 1944.

de la garantía horaria, las vacaciones y la reincorporación de los despedidos desde junio de 1943. A la huelga de Avellaneda se sumaron los trabajadores de Zárate. En Berisso los delegados se negaron aunque algunas secciones del frigorífico Armour, como la de picada, adhirieron al paro; veinte días después reanudaron las tareas sin haber obtenido lo que solicitaban.

Al comenzar el mes de marzo los rumores sobre despidos se multiplicaron. A las empresas no llegaba la hacienda, entre otras cosas por la sequía de ese año. El 1 de abril comenzaron los despidos y el sindicato dirigido por Reyes decide resistir la medida y exigir el cumplimiento de los acuerdos de junio y septiembre de 1944, en los que las compañías se comprometían a no despedir obreros por el plazo de un año. Las empresas consideraban que aunque era cierto que el acuerdo de septiembre de 1944 las obligaba a mantener la garantía horaria, ello no significaba que no pudieran expulsar a los trabajadores innecesarios, por lo que dieron inicio al plan de despidos. El día 4 de abril los obreros iniciaron la huelga y se detuvieron las máquinas de las que dependía el funcionamiento de las cámaras frías, vital para mantener los productos almacenados. El sindicato de Berisso envió una delegación a entrevistarse con Perón; ésta no fue recibida, pero el interventor de la provincia de Buenos Aires intentó encontrar una solución y visitó la localidad y al sindicato. La Secretaría de Trabajo y Previsión declaró la legalidad de la medida de protesta y señaló que los convenios debían ser respetados. Al mismo tiempo el sindicato había presentado una propuesta de reducir a 60 las horas semanales de trabajo para que las 20 horas restantes fueran prorrateadas entre los que iban a quedar desocupados. Finalmente, el día 24 de abril se acuerda volver al trabajo, con el apoyo del Estado de otorgar un subsidio para indemnizar a los obreros y obreras despedidos por razones económicas. Cipriano Reyes informó a su vez que la vuelta al trabajo incluía a todos los despedidos.

Sin embargo, el conflicto no había finalizado. Swift y Armour negaron la entrada del personal, en mayo denunciaron el convenio de 1944 y lo dejaron sin efecto. La consecuencia más inmediata fue la pérdida de los trabajadores de la garantía horaria. Las empresas, el gobierno y el sindicato trazaron varias líneas de conflicto. El gobierno porque estaba impaciente por delimitar una protesta que afectaba seriamente las actividades de una industria muy importante para las exportaciones argentinas y que dañaba sus deseos de justicia sobre la base del orden; el gremio y los dirigentes, que habían apoyado a Perón para desalojar a los comunistas, no parecían tan proclives a responder ciegamente a sus directivas y esto daba lugar a diálogos crispados entre los delegados encabezados por Reyes, Perón y Bramuglia. El gremio tenía que mantener su capacidad de movilización para asegurar el liderazgo frente a los trabajadores, y defender el contrato laboral y los salarios. A su vez, las empresas querían mantener el sistema de contratación flexible que el establecimiento de la garantía horaria había limitado, así como impedir la intervención de los trabajadores y el sindicato en la organización del trabajo.

Ell conflicto tenía sus derivaciones. En la lejana Patagonia los carniceros que habían sido contratados para realizar la faena en el frigorífico de Río Gallegos fueron a la huelga, lo mismo sucedió en San Julián. Las empresas temían la generalización de la protesta en todo el territorio nacional. Los obreros despedidos en Río Gallegos, que vivían en los llamados conventillos del frigorífico, fueron aproximadamente sesenta. Hipólito, Alberto y Héctor Pintos, Gerónimo, Juan y Elías Filgueira, Américo Galinsky, Neme Malle, Teófilo Slapsys, José Ancich son algunos de los nombres.[68] Los obreros que se habían trasladado a Río Gallegos adhirieron al paro que se había acordado en Berisso, detuvieron la matanza y trataron de evitar el funcionamiento de la sala de máquinas lo que afectaba el mantenimiento del frío en las cámaras. La protesta fracasó; el acontecimiento culminó en el despido de los huelguistas.

En Berisso el conflicto se prolongaba. En el mes de mayo los trabajadores realizaron una asamblea donde se decidió la vuelta al trabajo. En la reunión Reyes expresó el deseo de que el gobierno interveniera los frigoríficos. En el mes de junio se propusieron las bases para llegar a un acuerdo: reincorporación de los delegados despedidos, de los obreros que habían regresado de Santa Cruz y de todos los trabajadores y el pago de los salarios perdidos durante la huelga. Las empresas, por su parte, no aceptaron reincorporar a los despedidos ni pagar los salarios correspondientes a los días de huelga. No obstante, el gobierno garantizó el acuerdo y los obreros volvieron al trabajo pese a la oposición del sindicato, que fue clausurado por el gobierno. Luego de tres meses de huelga, los trabajadores no habían obtenido ninguno de los reclamos y quedaron sin trabajo entre 3.000 y 5.000 personas.

En tanto la vieja FOIC solicitó una entrevista a Spruille Braden, el embajador de los Estados Unidos, para informarle sobre la situación en las empresas norteamericanas. En agosto de 1945 la Federación reabrió las puertas de la filial de Berisso; y el enfrentamiento con los hombres de Cipriano Reyes parecía inevitable. El 2 de septiembre se pelearon a balazos y en la refriega murieron dos hermanos de Reyes.[69]

En los meses de septiembre y octubre en Berisso se respiraba tensión e incertidumbre. Ese clima de incertidumbre se acrecentó cuando Perón, quien había estado interviniendo activamente en los conflictos de los trabajadores de la carne, fue destituido de sus cargos y enviado a la prisión de la isla Martín García. Durante los días 13 y 14 de octubre circularon rumores sobre la realización de una huelga nacional para apoyar al coronel preso. En los frigoríficos se hablaba permanentemente de la huelga. El día 15 los trabajadores salieron en manifestación por la calle Montevideo y, al día siguiente, muchas mujeres se concentraron en la calle Nueva York dando vivas a Perón. De algunos barrios alejados llegaron otros trabajadores que recorrían las calles y que fueron dispersados por la policía. Hubo pedradas contra la casa del dirigente radical local, Carlos Bassani. La expectativa por el paro rodeaba a la muchedumbre y el sindicato trabajaba febrilmente. El 17 de octubre, apenas comenzó el día, los piquetes de huelga se apos-

---

[68] Juan Vilaboa y Aixa Bona: *La industria de la carne en Río Gallegos durante la transición del modelo ganadero al hidrocarburífero*, Universidad Nacional de la Patagonia Austral, Informe de Investigación 1999. El conflicto es interesante porque el grupo de trabajadores experimentados que se había enviado desde Berisso es reemplazado por trabajadores chilotes y mujeres, regionalizando así la mano de obra. De este modo la empresa Swift acotaba la posibilidad de que la protesta adquiriera una dimensión mayor. Entre los dirigentes se menciona a H. Pintos.

[69] *El Día*, abril, de abril a septiembre de 1945, Cipriano Reyes: *Yo hice ... op. cit.*

taron en las cercanías de los frigoríficos, frente a la fábrica textil, en las vías de acceso a la localidad. El transporte se paralizó y los comercios fueron empujados al cierre por los grupos de obreros. "Berisso presentaba un aspecto francamente anormal", decía el diario *La Nación*.[70] El clima de agitación llegó a La Plata bajo la forma de rumores que creaban temor e inquietud frente a la presencia de los obreros de Berisso. La multitud que apoyaba a Perón descargó todas sus frustraciones contra la prensa (*El Día*), la universidad y el edificio del Jockey Club.

Daniel James ha analizado los episodios de violencia como una expresión iconoclasta que atacaba los símbolos del prestigio de las instituciones de la elite. La burla y el ridículo fueron las manifestaciones de esa inconoclasia en una suerte de contra teatro que permitía burlarse de los símbolos de la autoridad. De este modo, los obreros querían reafirmar su poder simbólico y la legitimidad de sus reclamos así como el reconocimiento de la importancia de su experiencia social. Según este autor, "las acciones emprendidas por los obreros de Berisso [...] no pueden examinarse fuera del contexto del creciente sentido de organización y conciencia que habían forjado en sus luchas de *los dos años anteriores* contra sus patrones de los frigoríficos".[71] Sin embargo, esa experiencia era más amplia. Los trabajadores se habían movilizado en el pasado por su situación y pendía sobre ellos la amenaza constante de la desocupación, cuando no de la represión. Con el nuevo gobierno militar y la acción de Perón desde algunas instituciones estatales, encontraron una garantía para que las empresas cumplieran sus promesas. Pero el encarcelamiento de Perón era una amenaza, y reaccionaron movilizándose para liberar al Coronel amigo con las herramientas que conocían: la movilización y la protesta. En su movilización, cuestionaron también los símbolos de poder, orden y jerarquía.

Las batallas por el pasado

La relación de los trabajadores con Perón se convirtió desde entonces en un punto importante de las nuevas narrativas locales. El pasado asociado a la lucha y a la organización obrera fue un eje constituyente de un campo de confrontación político e ideológico. No eran batallas violentas, como las del tiroteo entre partidarios de Peter y de Reyes, sino una lenta y constante reproducción de un sentido asociado a la experiencia peronista, a la armonía y al bienestar que la acompañaron.

La experiencia gremial de los trabajadores de los frigoríficos durante la década del treinta, el lugar de los organizadores comunistas y los conflictos en la comunidad y en el trabajo alrededor de la confrontación comunismo anticomunismo que se extendió a las asociaciones étnico nacionales constituyen una fuerte tensión discursiva en las historias tejidas en la localidad.

---

[70] *La Nación*, 18 de octubre de 1945.

[71] Daniel James: "17 y 18 de octubre de 1945: el peronismo, la protesta de masas y la clase obrera argentina en *Desarrollo económico*, Nº 107, vol. 27, octubre-diciembre de 1987.

En todos esos relatos, el peronismo, y el 17 de octubre, marcó la historia de los trabajadores de la carne y de Berisso en un antes y un después claramente divididos y enfrentados. En el "antes" se ubicaban la explotación despiadada de las empresas y la falta de protección al trabajador, su subordinación sin límites y el fracaso de sus luchas. En el "hoy" la legislación, la protección y el bienestar de los asalariados como resultado de la intervención de Perón. El peso de esas construcciones discursivas fue de tal magnitud que en el momento en que los trabajadores recordaban su experiencia de vida, la representación del pasado de Berisso había adquirido las formas amalgamadas de Perón, Evita y los trabajadores en armónica conjunción. La formación de este imaginario fue el producto de una lenta y constante reproducción de un sentido asociado a la experiencia peronista, a la armonía y al bienestar que la acompañaron. El pasado de conflictos y tensiones fue sepultado, en particular cuando la visión nostálgica de un mundo perdido se extendió luego de la destitución de Perón.

A contrapelo de la versión canónica de la armonía que subyace en las narraciones comunitarias, en la década del treinta y en el tiempo breve que se extendió entre 1943 y 1946, Berisso estuvo plagado de conflictos. En las fábricas, los sindicatos comunistas empujaban a los trabajadores a un estado de deliberación, organización y reclamos que, aunque modestos, adquirieron la dimensión de una amenaza para el poder de las empresas y para la economía de exportación en el contexto de la guerra.[72] La huelga de los frigoríficos tenía también otros fines. Dice Juan Carlos Torre: " la huelga estaba destinada a ser la 'chispa del incendio' que volcara el equilibrio militar a favor de los sectores de la causa aliada y de la vuelta a la legalidad constitucional".[73] El análisis de la protesta obrera de Berisso muestra un poder más modesto y limitado en manos de los trabajadores movilizados, y no es difícil imaginar que la elite militar en el gobierno magnificara el poder de la amenaza.

Por otra parte, el gobierno intervino en el conflicto haciendo uso de prácticas políticas conocidas por los conservadores de la provincia de Buenos Aires. Perón trató directamente con los comunistas la resolución del conflicto. Esto no era nuevo. Los conservadores, independientemente de su verborragia anticomunista, habían dado el puntapié inicial con la adhesión enviada por Rodolfo Moreno al festival organizado por la FOIC en enero de 1943. El gobierno alentó también a la oposición en el sindicato independientemente de su ideología, pues ganar dirigentes sindicales le abría el camino para obtener apoyo más amplios en el mundo laboral.

Entre 1943 y 1946, los conflictos políticos y sociales tuvieron su lugar en las fábricas y en las calles de Berisso. Por eso, la reproducción de un sentido asociado a la experiencia peronista requiere de un análisis de las batallas simbólicas y de los combates culturales. Las memorias escritas por José Peter y Cipriano Reyes, así como los

---

[72] Para un análisis de los viejos dirigentes sindicales en la constelación política del período 1943-1946, véase Juan Carlos Torre: *La vieja guardia sindical y Perón. Sobre los orígenes del peronismo*, Buenos Aires, Sudamericana, 1990.

[73] Ibídem, pág. 59.

testimonios orales recogidos entre 1985 y 1995 ayudan a mirar el proceso de construcción del imaginario armónico del peronismo. Pero quisiera evitar una lectura literal de esas autobiografías y descubrir con qué propósitos fueron escritas y de qué manera se superponen situaciones, palabras, mecanismos de selección que configuran, a su vez, diferentes actitudes y valores.[74]

José Peter, Secretario General de la FOIC, militante gremial del comunismo, obrero de los frigoríficos de Zárate y del Dock Sud de Buenos Aires, activista sindical en Berisso, escribió su primer folleto en 1947. Apenas tres años atrás había sido desalojado de la conducción del gremio y la Federación Obrera de la Industria de la Carne había sido disuelta.

Historia y luchas de los obreros de la carne, es el título del folleto publicado por la editorial del Partido Comunista (Anteo). Allí, el autor asociaba las protestas de los obreros de la carne a la lucha antiimperialista: "Hablar de las luchas de los trabajadores de los frigoríficos es referirse a la librada por uno de los sectores más oprimidos por la explotación imperialista, más perseguidos por el reaccionarismo de gobiernos oligárquicos complicados con capitales extranjeros [...] para envilecer a quienes con su sacrificio amasan cuantiosas riquezas que engrosan el capital de los bancos del imperialismo de Norteamérica y Gran Bretaña".[75] Peter utilizaba el discurso de la denuncia y miraba a la clase obrera (y a sí mismo) como parte de una clase dominada y dispuesta a resistir el régimen de opresión, e imaginaba una nueva comunidad nacional. Cuestionaba al capital extranjero y a sus agentes locales y trataba de redescubrir el pasado nativo que, a su juicio, había sido suprimido por la presencia imperialista. Esa apropiación de lo criollo le permitirá resistir los embates contra el carácter extranjerizante que se atribuye a la ideología comunista.

Peter denunciaba el imperialismo y buscaba dibujar el territorio donde ejercen su poder los agentes de la dominación: las empresas norteamericanas. En las fábricas promovía rediseñar las formas de ese dominio buscando humanizar al estándar, que era la representación de la cultura industrial del imperio. El antiimperialismo constituía un sentimiento político compartido por varias corrientes ideológicas en la década del treinta, y se desarrollaba y extendía al mismo tiempo que el sentimiento nacionalista.

Entre 1943 y 1946, Peter lideró la Federación Obreros de la Industria de la Carne. Sostenida por la contribución voluntaria de los trabajadores, perseguida por las autoridades, la organización tenía pocos bienes acumulados; cuando el peronismo ganó las elecciones en 1946, el último local que le quedaba en Avellaneda fue entregado a la CGT. Peter recuerda ese momento con palabras que trasuntan nostalgia (por el pasado reciente que aparece como irrecuperable), dolor (se entrega el escaso patrimonio de la FOIC) y cierta rabia e impotencia por las decisiones que tomaba su partido. El movimiento

---

[74] El uso de estas narrativas es atractivo para analizar el crecimiento de la clase obrera cruzando la perspectiva personal y subjetiva con transformaciones históricas. Una primera aproximación al tema fue realizada en Leandro Gutiérrez-Mirta Zaida Lobato: "Memorias Militantes..." op.cit.

[75] José Peter: *Historia y luchas de los obreros de la carne*, Buenos Aires, Anteo, 1947, pág. 3.

obrero que se imaginaba independiente de los partidos burgueses había caído en los brazos de un coronel burgués. "Nada nos llevamos, dice Peter, todo eso pertenece al proletariado, que lo adquirió luchando por sus reivindicaciones y por su unidad obrera, sin exclusiones odiosas y miserables, manteniendo la organización libre e independiente de intromisiones extrañas y sin aceptar imposiciones de quienes nada tienen que ver con el movimiento obrero".[76] El tono de la recordación hace pensar en una reflexión pública en el momento en el que comenzaba a inventarse una nueva tradición para el movimiento obrero. Había que aclarar no sólo el papel que había desempeñado como dirigente gremial de la carne sino también destacar los combates librados por el proletariado y su autonomía..

En 1947 quiso cicatrizar también las heridas abiertas por el enfrentamiento con el Sindicato Autónomo que se había constituido durante su exilio; por eso señalaba: "Volvieron los trabajadores de los frigoríficos al cauce natural de su organización [...] Ahí está la *Federación Gremial de la Carne, Derivados y Afines*; son otros los dirigentes – peronistas o sin partido–, pero dirigentes proletarios, trabajadores auténticos, como los anarquistas, los socialistas, los comunistas ".[77] Tal planteo tiene también otro contexto. Peter y su partido sostienen ahora la necesidad de la *unidad* como un medio para conducir a las masas proletarias. La unidad, el reconocimiento y la identificación de los trabajadores con el Partido Comunista quedarán como mera expresión de deseos.

Crónicas proletarias apareció en 1968 y aunque retoma los motivos referidos a huelgas, sistemas de trabajo y formas de organización del folleto anterior hace ya una clara reivindicación del rol de los comunistas y una impugnación de Reyes "Pero hay que precisa*r* –sostiene– que no hubo tal desplazamiento de Peter como tampoco tal prestigio de Reyes, como manifiesta Mercante; lo que sí hubo, fue una amplia libertad para Reyes y sus secuaces, y persecuciones, torturas, cárcel y hasta asesinatos para los que durante los años más duros habían dedicado su vida a la organización de los obreros y a la defensa de sus intereses".[78] Para esa época la tradición inventada por el peronismo estaba cristalizada en un sentido común. En esa nueva saga del movimiento obrero nada había antes de la llegada de Perón y los partidos de izquierda, cualquiera fuese su sigla, desconocían la "realidad nacional" y se habían volcado a los partidos "cipayos" en el proceso político que concluyó con la elección de Perón para la presidencia de la nación.

Pero también había que recolocar los sucesos de la asamblea de 1943: "No fue el coronel Perón el que impuso mi libertad y la de los demás compañeros: fueron los trabajadores con su magnífica lucha que la impusieron. Una lucha aprendida durante toda su historia, la lucha de la unidad y la solidaridad de clase".[79] De este modo Peter, y con él el Partido Comunista, se colocaba en las tradiciones forjadas desde principios de siglo con el anarquismo y el socialismo y, a partir de ese mecanismo, impugnaba el presente y el pasado de las organizaciones sindicales que sólo se identificaban con

[76] Ibídem, pág. 85. Hay que considerar también la cantidad de militantes que se pasaron al peronismo.
[77] Ibídem, pág. 86.
[78] José Peter: *Crónicas proletaria...* op. cit., pág. 204.
[79] José Peter: Ibídem, pág. 205.

Perón. La ubicación dentro de esa tradición era, probablemente, la única alternativa posible en tanto los trabajadores como clase social ocuparon paulatinamente la escena asociados a las competencias discursivas y prácticas del socialismo y el anarquismo.

En el otro polo de la confrontación, Cipriano Reyes daba forma a su intervención discursiva con la publicación, en 1973, de *Yo hice el 17 de octubre*. Sin marginar la importancia que para el autor tenía reivindicar su protagonismo en la organización de los trabajadores de la carne frente a un Perón que lo había desplazado, había un motivo más de preocupación en el seno mismo del peronismo. El regreso de Perón de su exilio madrileño y las posibilidades de un nuevo gobierno luego de años de proscripción, eran el contexto para una evaluación del pasado, que la retórica del peronismo reproducía como escasamente conflictivo. Paradójicamente Cipriano Reyes elige colocarse en el centro de la acción de los sucesos del 17 de octubre cuando dice que escribirá la "verdadera historia del 17 de octubre de 1945. De ese real y auténtico acontecimiento político y social del cual, con un grupo importante de compañeros y amigos fui designado organizador".

Pero Reyes, contrariamente de los pasados gremiales militantes de Silverio Pontieri, de Angel Borlengui o de Luis Gay, quienes tenían varios años de actuación gremial[80], sólo podía exhibir como credenciales el lugar que había ocupado en las batallas sociales del Sindicato Autónomo de la Carne de Berisso por un breve período, aquél que fue de su liderazgo a partir del desplazamiento de Peter hasta su elección como diputado nacional.

Berisso es el eje de sus memorias; Reyes arma su pasado militante en torno del anarquismo, seguramente porque en su imaginario el socialismo estaba fuertemente asociado al comunismo, fruto de los lazos establecidos entre la FOIC y los legisladores de ese partido y porque ambos habían integrado el frente opositor a la candidatura de Perón.

En las protestas de los trabajadores de la carne de Berisso, anteriores al triunfo de Perón, poco había tenido que ver Cipriano Reyes. Él encarnaba a las nuevas camadas de dirigentes, aquellas que se hicieron con la visita de Perón y Mercante a Berisso. Aquellas que se movilizaron por cada una de sus reivindicaciones cuando Perón ya era funcionario del gobierno militar surgido en 1943. Aquellas que participaron en el 17 de octubre y que se identificaron con la idea de justicia social que sería tan firmemente pronunciada desde el Estado.

En los recuerdos orales que recogí, las batallas por el pasado en las voces de sus dirigentes se habían acallado pero los trabajadores las revivían. En ocasiones, las referencias eran precisas; en otros momentos, los menos, formaban parte de largos debates, la mayoría de las veces unos pocos indicios iban acompañados por prolongados silencios.

Veamos algunos de esos testimonios:

P: ¿en qué época ubican los primeros sindicatos?

Pedro: En el 44.

Juan: Cuando llegó Perón.

---

[80] En este enfrentamiento discursivo la "vieja guardia sindical", como la llamó Juan Carlos Torre, ausente del cuadro histórico que diseñaba el peronismo, salía a reivindicar el papel que los viejos dirigentes habían jugado en la construcción del peronismo ; como señala Silverio Pontieri, de ningún modo ese rol podrían haberlo tenido dirigentes "circunstanciales y esporádicos".

P: ¿Recuerdan quiénes organizaron el sindicato?

Iván: El sindicato lo hizo Cipriano Reyes.

Pedro: Primero Peter.

Juan: El sindicato lo organizó primero Peter, la gente era toda de Berisso, todos extranjeros [...] cuando organizaron el sindicato había rusos, búlgaros, de todas las colectividades [...] José Peter estuvo detenido y Perón lo trajo, cuando Perón lo trajo él quiso que él se cambie, que va (ya) con él y él dijo no[...] (se) hizo una asamblea general de la carne y todos gritaban ¡paro!, ¡paro! para pedir aumento y él (Peter) nos gritó es muy fácil decir vamos a parar pero hay que ver como volvemos..., en la semana lo detuvieron otra vez y surgió Reyes. Reyes era anarquista y de anarquista cambió peronista y ahí fue donde llevó la directiva de la industria de la carne [...]

Juan: Peter era buen organizador y lo querían porque era justo y ellos eran todos falsos. (Se superponen voces que discuten)

Pedro: Para mí no era bueno.

P: ¿Por qué?

Pedro: Uno que no era de Berisso [...] y después ante todo, le digo la verdad era comunista. Yo hoy, sí, hoy seguro que sí[...] me gustaría [...] tengo la idea ¿ sabe por qué? Porque yo fui a Bulgaria, Bulgaria era una miseria espantosa, antes, cuando vinimos nosotros, hoy Bulgaria, una flor, acá, miseria espantosa.[81]

Los participantes de la conversación contestaron mi pregunta sobre la presencia sindical como lo hacían todas las personas que yo había entrevistado. El sindicato fue obra de Perón así como las mejoras en la situación de los trabajadores. Esta visión formaba parte de las narraciones comunitarias pero, apenas comenzaban a confrontarse las opiniones, las tensiones alrededor del pasado reorientaban la conversación. Podría aducirse que mis informantes constituían un grupo particular: extranjeros, viejos militantes del partido comunista. Pero los participantes del grupo de recordación cumplían los requisitos que yo me había propuesto. Eran personas que habían iniciado su vida laboral en los años veinte y no habían sido dirigentes gremiales. Por eso las tensiones discursivas alrededor de la organización sindical, sus dirigentes y sus ideologías eran particularmente significativas.

El peso del discurso comunitario asociado al sindicalismo y la protección del trabajador con Perón no desaparecía en los relatos de otros trabajadores. Lo mismo opinaban los obreros de origen checoslovaco. En este punto podría pensarse que las evidencias confirmaban la importancia de los extranjeros en el movimiento gremial comunista y que los trabajadores nativos que habían llegado a la localidad poco conocían de esta experiencia.

Sin embargo, los testimonios de nativos como los santiagueños presentaban tensiones similares:

---

[81] Taller de historia oral, Sociedad Búlgara Iván Vasov, 22 de septiembre de 1986. Comentarios similares en Taller de historia oral Club Eslovaco Argentino.

P: ¿Cuándo ingresaron a la fábrica existía el sindicato?

Zacarías: Bueno, yo voy a decir lo que me acuerdo, el sindicato no existió aquí en Berisso en el año 41 pero había gente que afiliaba, por ejemplo así a escondidas, que no sepa nadie, tenía que esconderse para afiliarse y después cuando vino las elecciones de Perón, entonces sí abiertamente buscaba la gente afiliar...

P:¿Ud. se afilió al sindicato?

Zacarías : A escondidas

P: ¿Por qué había que hacerlo a escondidas?

Zacarías: Porque a la persona que estaba afiliada capaz que la echaban.

P: Tenía alguna ideal especial el sindicato?

Zacarías: El que se afiliaba podía tener o no, el que lo afiliaba sí, en una palabra era comunista el que lo afiliaba, y después cuando ese hombre se luchó con el otro vino Reyes y lo suplantó a ese hombre.

P: ¿Quién era ese hombre?

Zacarías : Era dirigente de Buenos Aires, Peter se llamaba. Peter era el que afiliaba así a escondidas, la gente se afiliaba a escondidas porque hubo dificultades para trabajar abiertamente.

P: ¿Veían la necesidad de organizar un sindicato?

Florencio: Los sindicatos se hacen para la defensa del trabajador. En aquellos años el sistema capitalista no permitía esas cosas, no porque era comunista o no era comunista, no tenía que haber sindicato y los que había no eran legalizados, eran sindicatos que hacían los socialistas, los anarquistas, otros grupos de izquierda más esclarecidos [...] tal es así que antes de la elección del 46 se formó el sindicato de la carne con Cipriano Reyes a la cabeza, porque Reyes trabajaba en el frigorífico Armour y de ahí en común acuerdo con Trabajo y Previsión [...] de ahí que le facilitaron la legalización, de que se abriera el sindicato de la carne y así fue que trataron de hacer desaparecer al otro sindicato clandestino, digamos el que no tenía legalidad, el de José Peter.

P: ¿Por qué Perón apoya a Cipriano Reyes y no al otro sindicato que venía trabajando?

Florencio: ¿Por qué? porque el comunismo siempre fue ilegal, siempre fue combatido, inclusive la palabra imperialismo no se podía escuchar en el frigorífico, el que decía imperialismo a ese lo buscaban para echarlo porque ese comprendía, tenía algo de claridad, veía lo que iba a suceder, quien era el enemigo de la clase trabajadora...

Martín: [...] y no quiero ser reiterativo [...] evidentemente en 1942 los que estaban al frente nos invitaron a algún lugar, ya la próxima no se podía hacer había que ir a otro lado, en aquella época la gente se reunía a escondidas, había dos sindicatos, uno en el Armour y otro en el Swift, cada uno tenía sus grupos así {...] después del 43 se legalizó [...] Perón salió con su política fue un hombre que le dio un poco de idea, le abrió un poco el ojo a los obreros [...]

Florencio: el problema estaba planteado en esa dirección de manejar el sindicalismo argentino desde el gobierno, así era la cosa y así fue después pero ya también nosotros íbamos conociendo el problema sindical, como decían los compañeros, que no conocíamos mucho, pero enredados en esa madeja, de algún modo íbamos tomando conocimiento y tomando participación [...].[82]

Los motivos se reiteran: un sindicato débil y perseguido, encabezado por los comunistas y un sindicato legalizado, apoyado por Perón. El reconocimiento de la existencia de una militancia gremial pre existente contradecía la narración dominante en la comunidad. Opacaba el momento fundante de esa nueva era en la que los trabajadores de la carne eran sus principales protagonistas. El sostén de Perón, cuando salieron en manifestación por las calles de Berisso y se dirigieron a la ciudad de La Plata. Ese pasado no tenía ninguna cabida en los relatos comunitarios del presente, en las representaciones teatrales de la Fiesta del Inmigrante, en las prácticas sociales de recordación; hacerlo explícito implicaba una ruptura que podía liberar el temor y las angustias provocadas por ese nuevo peronismo que se constituía en el tiempo histórico de los relatos que yo estaba recogiendo.

---

[82] Taller de historia oral Centro de Residentes Santiagueños, sesión del 18 de noviembre de 1986. El destacado es mío.

Capítulo VIII
"En tiempos de Perón Berisso era una hermosura"

En febrero de 1946 Perón fue electo presidente de la República, con apoyo popular. Una parte importante de los trabajadores organizados constituyó la base que permitió ese triunfo. La relación con Perón cerraba un ciclo de confrontaciones en el que finalmente los obreros lograron su inclusión en los debates del poder. Pero también abría otro que, por prometedor que pareciera, no sería menos confuso y contradictorio.

Los obreros de los frigoríficos sintieron, tal vez como nunca antes, que eran los protagonistas, al menos de esa parte de la historia, y estaban motivados para continuar edificando los caminos de su participación. Esos tiempos quedaron cristalizados en una imagen "En tiempos de Perón Berisso era una hermosura", decía una obrera. "Con Perón llegó la justicia social", expresaba otro trabajador. La figura de Perón y la construcción de su poder, la permanencia del peronismo en el escenario político y en el imaginario popular, su estrecha vinculación con los trabajadores y la política social del gobierno han sido estudiadas una y otra vez por diferentes investigadores. Los trabajadores, sus organizaciones sindicales y sus relaciones con el Estado se convirtieron en eje de la reflexión sistemática de quienes buscaban explicar tanto "el curso anómalo de la historia argentina" como las características del populismo.

De todas maneras, el énfasis puesto en la relación entre los sindicatos y Perón, en sus versiones contrapuestas (subordinación-oposición), ensombreció un aspecto de la experiencia obrera de entonces marcada por la coexistencia de consenso político y conflictos del trabajo.[1] Esa faceta contradictoria, rica en tensiones y ambigüedades, es la que se intentará explorar en este capítulo.

---

[1] Este aspecto se encuentra en Louise M. Doyon: "El crecimiento sindical bajo el peronismo", en *Desarrollo Económico*, vol. 15, N° 57, abril-junio de 1975, "La organización del movimiento sindical peronista (1946-1955)", en *Desarrollo Económico*, vol. 24, N° 94, julio-septiembre de 1984, y "Conflictos obreros durante el régimen peronista, 1946-1955", *Desarrollo Económico*, vol. 17, N° 67, octubre-diciembre de 1977. Reeditados en Juan Carlos Torre (comp.): *La formación del sindicalismo peronista*, Buenos Aires, Legasa, 1988.

El trabajo: las batallas por el bienestar

Al finalizar la Segunda Guerra Mundial las fábricas de Berisso y la propia comunidad habían cambiado sustancialmente. La fábrica había dejado de ser la babel cosmopolita. "Lo extranjero" fue cediendo ante el peso de "lo nacional" que podía exhibirse como "lo propio" tanto frente al pasado fragmentado como ante la empresa extranjera.

El lugar de trabajo como arena de confrontaciones se renovó con el nuevo contexto político institucional. Varios fueron los frentes donde se encontraban trabajadores y patrones, con la compañía, ya inseparable, de distintas instituciones estatales y del propio poder político provincial y nacional.

El fin de la Segunda Guerra Mundial transformó un aspecto de las condiciones de trabajo, que se convirtió en un foco de discrepancias. Terminado el conflicto bélico, la demanda extraordinaria de brazos que había provocado la necesidad de alimentar los soldados en el campo de batalla cesó y comenzaron a producirse numerosos despidos. Las condiciones en que debía eliminarse el exceso de brazos fueron permanentemente discutidas y el gobierno intervino en diferentes oportunidades subsidiando a las compañías para indemnizar a los trabajadores que se retiraban.[2] Los obreros percibían así un ingreso extraordinario que les permitía afrontar la desocupación y, a veces, constituirse en un pequeño comerciante o en un trabajador por cuenta propia.

El despido de los trabajadores eliminaba una parte del problema, pero otras cuestiones subsistían sin lograr una solución. El tema de las variaciones en la duración de la jornada arrastraba varios años de desacuerdos. Las empresas eran reticentes a producir modificaciones que estabilizaran su duración, y con ella el salario percibido por el trabajador.

La duración del trabajo, pese a las demandas permanentes de mayor estabilidad, acentuó la imagen del frigorífico como una gigantesca puerta giratoria. Los cuadros Nº21 y 22 muestran esas variaciones. Entre el 60 y el 80% de las personas trabajaron menos de un año y muchos de ellos permanecieron en la fábrica sólo durante tres meses. Este período era el límite establecido por los acuerdos entre obreros y empresarios para despedir una persona sin indemnización. Los registros abundan en contrataciones que terminaban un día antes de cumplirse ese período, para iniciarse el día siguiente otro similar. El contrato temporario era una norma que la nueva reglamentación del trabajo no lograba eliminar.

---

[2] No fue el único beneficio que recibieron las compañías, pues obtuvieron otros subsidios por intermedio del IAPI y del Banco Industrial. Según Schvarzer las empresas se reorganizaron para enviar sus ganancias a las casas matrices pero cuando sintieron los efectos de las restricciones para la obtención de divisas mantuvieron fondos en pesos que luego orientaron a negocios generalmente financieros y comerciales, Jorge Schvarzer: *La industria que supimos conseguir*, Buenos Aires, Planeta, 1996, pág. 214.

Las condiciones de trabajo (salubridad, horarios, salarios) fueron discutidas de manera intensa durante los primeros cuatro años del gobierno de Perón. Las demandas iban acompañadas por protestas parciales (paros de una hora por turno, huelgas de brazos caídos, trabajo a desgano). Muchos de estos paros eran manifestaciones más o menos espontáneas que generaban no pocas dificultades a las nuevas organizaciones sindicales, las que buscaban, por otra parte, consolidar su poder.[3]

Al comenzar el primer gobierno del general Perón, los trabajadores de los frigoríficos estaban movilizados, "enredados en esa madeja" como decía un obrero. Todo podía ser discutido. Y cada problema se iba enmarcando en la institucionalización del bienestar. Los temas en debate eran múltiples: el poder de las empresas para transferir a los trabajadores de una sección a otra, las condiciones ambientales donde se desarrollaban las tareas, el estado de las herramientas o las maquinarias, la autoridad de los capataces, el trato con los trabajadores, y todos aquellos elementos que mejoraban las condiciones de vida, como la satisfacción de necesidades consideradas vitales (vivienda, alimentación e indumentaria para el trabajador y su familia), de "inquietudes espirituales" y el "descanso libre de preocupaciones".[4] La experiencia no era nueva. En el pasado una parte de los trabajadores había discutido, en diferentes oportunidades, la "reivindicación del día". Sin embargo el contexto era diferente: no sentían la amenaza del despido y confiaban en que la arbitrariedad empresaria podía ser controlada, sobre todo porque ahora no estaban solos.

Una de las discusiones que fue acompañada por el conflicto (la realización de paros) y por el consenso implícito en la búsqueda de soluciones fue el tema de la "salubridad". En algunas secciones el problema no era sólo mejorar el ambiente sino lograr su inclusión en la categoría de "trabajo insalubre". Esta declaración iba seguida de la reducción de la jornada sin que el salario disminuyera, lo que generaba una tenaz resistencia de las empresas. La reducción de la jornada en las secciones grasería, guano, huesería y prensa de sangre así como las condiciones ambientales donde se desempeñaban las labores acompañaron numerosos trámites ante la Secretaría de Trabajo y Previsión para obtener las mejoras planteadas.[5]

Justamente la intervención de los organismos públicos y sus decisiones podía estar en la base del estallido de otros conflictos. Por ejemplo, en el mes de diciembre de 1948 se realizaron paros en el frigorífico Swift porque la empresa desconocía las disposiciones de la Dirección General de Contralor y Policía Sanitaria del Trabajo que establecía la jornada de seis horas para la estiba de cuero cuando pululaban larvas.[6]

---

[3] Tanto el Sindicato Autónomo de Berisso como la Federación de la Carne señalaban que los paros inconsultos conducían a la destrucción de la unidad sindical, Véase *Conciencia Obrera* y *El Trabajador de la Carne*, 1948-1950.

[4] *El Trabajador de la Carne*, octubre de 1948. Un indicador del grado de intervención del sindicato se encuentra en las notas enviadas a la dirección de la empresa solicitando se contrate nuevamente algunos trabajadores. Por ejemplo: nota enviada por Jacinto Biscochea (Sindicato Obrero de la Industria de la Carne-Autónomo) a los miembros de la comisión de coordinación del Frig. Armour, Berisso 29 de mayo de 1946.

[5] *Conciencia Obrera*, enero de 1949 y *El Trabajador de la Carne*, febrero-marzo de 1949.

[6] *El Trabajador de la Carne*, diciembre de 1948.

Frigorífico Armour. Personal obrero, período de tiempo trabajado según sexo y origen, 1946-1958. (En porcentajes)

Período de tiempo	Varones Arg.	Varones Ext.	Varones Totales	Mujeres Arg.	Mujeres Arg.	Mujeres Totales
1 a 7 días	7,3		6,7	3,6		3,4
7 días-1mes	21,0	19,3	20,9	20,5		19,7
1-2 meses	19,7	25,6	20,1	19,7		18,9
2-3 meses	34,3	25,8	33,7	18,5	60,0	20,1
3-4 meses	0,8	4,8	1,1	2,8		2,7
4-5 meses	1,2	1,6	1,2	2,4		2,3
5-6 meses	0,9		0,9	1,2		1,1
6-7 meses	1,3	1,6	1,3	2,8	10,0	3,1
7-8 meses	0,6	1,6	0,6			
8-9 meses	0,6		0,5	2,0		1,9
9-10 meses	0,6	1,6	0,6	4,8	10,0	5,0
10-11 meses	0,3		0,3	3,6		3,4
11-12 meses	0,7		0,6			
Subtotal	**89,8**	**82,6**	**89,3**	**82,2**	**80,0**	**82,7**
1-2 años	3,5	4,8	3,6	7,2	10,0	7,3
2-3 años	1,9	3,2	2,0	5,6	10,0	5,8
2-4 años	2,4	1,6	2,4	2,0		1,9
4-5 años	0,8		0,8			
Subtotal	**8,9**	**9,6**	**8,9**	**14,9**	**20,0**	**15,1**
5- 10 años	0,7	3,2	0,9	2,4		2,3
10-15 años						
Subtotal	**0,7**	**3,2**	**0,9**	**2,4**		**2,3**
15-20 años		1,6	0,1			
20-30 años		1,6	0,1			
+ de 30 años		1,6	0,1			
Subtotal		**4,8**	**0,3**			
Sin datos	0,2		0,2			
No trabajó	0,2		0,2	0,4		0,4

Fuente
Registros de personal. Se considera la primera vez que ingresa el trabajador.

Cuadro Nº 22

Frigorífico Swift. Personal obrero, período de tiempo trabajado según sexo y origen, 1946-1958. (En porcentajes)

Período de tiempo	Varones Arg.	Varones Ext.	Varones Totales	Mujeres Arg.	Mujeres Arg.	Mujeres Totales
1 a 7 días	6,3		6,0			
7 días-1mes	11,7		11,3	13,6		13,6
1-2 meses	17,0	25,0	17,3	22,7		22,7
2-3 meses	10,0	25,0	10,4	18,1		18,2
3-4 meses	6,3		6,0			
4-5 meses	3,6	25,0	4,3			
5-6 meses						
6-7 meses	3,6		3,6			
7-8 meses	0,9		0,8			
8-9 meses	0,9		0,8			
9-10 meses	2,7		2,6	4,5		4,5
10-11 meses		25,0	0,8			
11-12 meses	1,8		1,7	4,5		4,5
Subtotal	**64,8**	**100,0**	**66,0**	**63,6**		**63,6**
1-2 años	7,2		6,9	18,1		18,1
2-3 años	7,2		6,9	4,5		4,5
2-4 años	4,5		4,3			
4-5 años	5,4		5,2			
Subtotal	**24,3**		**23,4**	**22,7**		**22,7**
5- 10 años	8,0		8,0	9,0		9,0
10-15 años	1,8		1,8	4,5		4,5
Subtotal	**10,0**		**10,0**	**13,6**		**13,6**
15-20 años						
20-30 años						
+de 30 años						
Subtotal						
Sin datos No trabajó	0,9		0,9			

FUENTE

Registros de personal. Se considera la primera vez que ingresa el trabajador.

La salubridad en los lugares de trabajo fue, entonces, un punto de conflicto y negociación. Las comisiones de "insalubridad" fueron el medio para que trabajadores y empresarios diseñaran las bases del acuerdo y la cooperación.[7] La higiene y seguridad en el trabajo era un tema viejo pero se amplió hasta demarcar la noción de salud y la responsabilidad de la sociedad de velar por ella. Noción que venía a suplir a la de enfermedad, a la contingencia que hay que subsanar una vez que se había producido. Las comisiones contra accidentes, las comisiones que establecían la insalubridad de espacios y tareas, la organización de los servicios médicos, el estudio de los instrumentos adecuados para proteger la salud de los trabajadores fueron definiendo un vasto campo de acción que incluía la prevención de los accidentes de trabajo.

La noción de prevención estaba presente en el diseño de diferentes formas de intervención que convocaba a trabajadores, empresarios y organismos estatales: se editaban folletos que se repartían entre obreros y capataces; carteles que se pegaban en pizarras y lugares visibles del establecimiento; historietas que se publicaban en los diarios obreros y de empresas con el objetivo de aumentar la seguridad en el trabajo, evitar accidentes y disminuir los riesgos para el trabajador y su familia así como para las empresas, que comenzaban a enfrentar más sistemáticamente, demandas judiciales por este motivo.[8]

Los juicios por accidente e incapacidad como consecuencia de un ambiente laboral que generaba enfermedades se producían en un contexto donde se reconocía la desigualdad entre las partes que se enfrentaban (trabajadores y patrones), lo que implicaba la aplicación del principio que establece beneficiar a quien se presume la parte más débil de la relación.[9]

El creciente involucramiento de los trabajadores en las cuestiones relativas al mejoramiento de la salud en las fábricas y de su propia salud no implicaba que los servicios médicos empresarios no estuvieran organizados previamente. De hecho, Swift y Armour los tenían, pero era también una regla general en el juicio de los trabajadores que el servicio médico de fábrica servía a los intereses del patrón, ya que cuando un

---

[7] Por ejemplo en 1949 funcionó en el frigorífico Armour una "comisión de insalubridad", *El Trabajador de la Carne*, noviembre de 1949.

[8] Las campañas de seguridad realizadas por las compañías son mencionadas desde mediados de la década del treinta. En uno de los números de la revista *Swiftlandia* bajo el título: "¿Ud. mira bien los afiches?, se reproducen algunos de ellos y se señala: "El medio más fácil y práctico para que los obreros aprendan a evitar el peligro, es la representación gráfica de ideas por medio de afiches y carteles", *Swiftlandia*, marzo de 1945. En el mismo número se publica una nota titulada "Lo que puede la seguridad y la higiene. Índice de mejoras en la vida del trabajador". La misma revista publicaba una historieta sobre el tema.

[9] Véase Irene Vasilachis de Gialdino: "El derecho del trabajo desde la perspectiva de la Sociología del Trabajo" en Marta Panaia (comp.) *Trabajo y empleo. Un abordaje interdisciplinario*, Eudeba-Paite, Buenos Aires, 1996. Las causas judiciales que he podido consultar marcan una diferenciación en la resolución de los pleitos respecto a épocas anteriores, sobre todo la celeridad en la toma de decisiones. Juicios por accidentes laborales y diferencias salariales en Archivo de la Suprema Corte de Justicia de la Provincia de Buenos Aires.

médico examinaba a un obrero no reconocía la situación de enfermedad, simplemente cumplía una función de fiscalización al controlar la ausencia del personal.[10]

El tema de la salubridad se complementa con la acción concreta de organizar los servicios de salud. La creación de la Dirección de Asistencia Social para el Personal de la Industria de la Carne en la provincia de Buenos Aires motorizó la apertura de hospitales para los socios. Los "policlínicos" se fueron abriendo en locales comprados o alquilados. En Berisso se adquirió la propiedad de la calle Montevideo 821/29 para instalar los consultorios y poco tiempo después se habilitó el servicio médico a domicilio para los casos de urgencia.[11]

El énfasis puesto en la mejora de las condiciones ambientales y en la salud de los trabajadores era también la manifestación de una esperanza. Los obreros tenían la convicción de que si las fábricas dejaban de ser focos de infección el "trabajo dejará de ser una maldición para transformarse en fuente de alegrías y satisfacciones".[12]

La salud no fue el único motivo de debate. El convenio colectivo fue otro tema de controversias. El primer convenio se había firmado luego de la huelga del año 1943, que culminó con el desplazamiento del Partido Comunista en la orientación sindical de los trabajadores y la formación del Sindicato Autónomo. El convenio establecía los salarios y algunas normas generales que regían el trabajo, siendo la más importante el establecimiento de la "garantía horaria".

Los acuerdos con las empresas habían permitido fijar las habilidades y destrezas requeridas para las diferentes labores, pues en la época se mantuvieron las formas de trabajo basadas en la medición de los tiempos y movimientos.[13] Una escala de clasificación traducía las evaluaciones de las habilidades y los convenios colectivos establecían los salarios correspondientes.[14] Peón, peón práctico, semicalificado, calificado y especializado fueron las nuevas categorías para el conjunto de los obreros, varones y mujeres, mientras que los escasos trabajadores de oficio mantenían su tradicional peón, ayudante, medio oficial, oficial de segunda, oficial de primera, especializado.[15]

---

[10] Sobre el papel de los médicos de empresas las opiniones de los trabajadores entrevistados son coincidentes. He podido consultar también las fichas realizadas por el personal médico de las empresas pero avanzar sobre la problemática de la salud en las fábricas implicaría realizar una nueva investigación. De todos modos cabe recordar que en este caso de estudio es la militancia comunista y socialista la que colocó la salubridad como tema de debate en este tipo de industria durante la década anterior. En cuanto a la organización de los servicios de salud remito a Susana Belmartino: Las obras sociales: continuidad o ruptura en la Argentina de los años cuarenta", en Mirta Zaida Lobato: *Política, médicos y enfermedades. Lecturas de historia de la salud en Argentina*, Buenos Aires, Biblos, 1996. Sobre la salud ocupacional véase AA.VV: *Condiciones y medio ambiente de trabajo en la Argentina*, vol. III, Nuevas Dimensiones de las Buenos Aires, CYMAT, Humanitas, 1987.

[11] *El Trabajador de la Carne*, febrero, abril y junio de 1948. En la actualidad funciona allí el organismo municipal de cultura. Se conservan todavía cientos de fichas médicas de los trabajadores y sus familias.

[12] *El Trabajador de la Carne*, enero de 1948.

[13] Por ejemplo Frigorífico Swift, Estudios de Tiempo, Departamento Etiquetada, 6, 7 y 8 de octubre de 1948, 4 de enero y 22 de noviembre de 1950.

[14] Sobre la clasificación de numerosos trabajos realizados por la Comisión Paritaria Central véase *El Trabajador de la Carne*, octubre de 1948 y números siguientes.

[15] Anteproyecto de Estatuto de la Carne, *Conciencia Obrera*, enero de 1949; *El Trabajador de la Carne*, noviembre de 1948.

Hay, sin embargo, un aspecto en que los convenios permanecieron inmunes a las demandas, al menos en la retórica de los trabajadores: "igual salario por igual trabajo". Los salarios diferenciales por sexo atentaban contra lo que se había establecido en el Estatuto de la Carne, un instrumento legal al que se aspiraba como la obra más acabada para solucionar los problemas en la industria. El Estatuto enunciaba derechos y deberes de trabajadores y empresarios y, aunque es cierto que no había sido sancionado por el Congreso, cristalizaba las demandas de los trabajadores. En el Estatuto se señalaba: "*no se podrá establecer diferencias en los salarios y sueldos del personal fundado en el sexo*. Los obreros y empleados sean mujeres o varones percibirán el salario o sueldo que les corresponda de acuerdo a la categoría, garantía horaria y/u horas trabajadas".[16]

Los convenios colectivos mantuvieron las diferencias en los salarios percibidos por hombres y mujeres y el que mejor ilustra esta situación fue el llamado Convenio Eva Perón, un acuerdo logrado en 1950 por las autoridades de la Federación de la Carne y que, en palabras de la propia Federación, se debía "a la confianza que en nuestros dirigentes tiene depositada el general Perón y su gentil esposa Doña Eva Perón".[17] De ese convenio se han tomado sólo los salarios de producción para dar cuenta del problema, aunque la escala diferencial se mantiene también en el nivel de los empleados. (Cuadro N° 23)

Cuadro Nº 23

Salarios de producción, por categoría, antigüedad y sexo, de acuerdo al convenio Eva Perón (1950)

Categoría	Peón		Peón práctico		Semi calificado		Calificado	
	Masculino	Femenino	Masculino	Femenino	Masculino	Femenino	Masculino	Femenino
Antigüedad								
1-3 años	2,75	2,30	3,00	2,54	3,25	2,75	3,45	2,95
3-5 años	2,90	2,45	3,15	2,67	3,40	2,80	3,55	3,00
5-7 años	3,10	2,62	3,55	2,84	3,60	3,06	3,65	3,16
7-9 años	3,30	2,79	3,55	3,01	3,80	3,22	3,65	3,25
9-11 años	3,40	2,88	3,65	3,09	3,90	3,30	4,06	3,52
11-13 años	3,50	2,96	3,75	3,18	4,00	3,39	4,15	3,60
13-15 años	3,60	3,05	3,85	3,26	4,10	3,47	4,20	3,69
15-17 años	3,70	3,13	3,95	3,35	4,20	3,56	4,30	3,77
17-20 años	3,80	3,22	4,05	3,43	4,30	3,64	4,35	3,86
+de 20 años	3,90	3,50	4,15	3,52	4,40	3,73	4,40	3,94

Fuente

El Trabajador de la Carne, enero de 1951.

[16] *Conciencia Obrera*, noviembre de 1948.
[17] *El Trabajador de la Carne*, enero 1951. Las mujeres comunistas que editaban el periódico *Mujeres Argentinas* denunciaron desde su primer número las diferencias salariales discriminatorias. Reclamaban "una mayor participación femenina [...] en la solución de sus problemas como madres y como obreras",

Cabe aclarar que no hay nuevas definiciones en las categorías que justificaran la diferencia de género; se trata de un salario discriminatorio basado en la distinción sexual que tira por la borda la retórica de la igualdad entre los trabajadores.[18]

Los convenios se ubicaban en el foco de los conflictos fabriles. Su incumplimiento dio origen a paros parciales y generales, los trabajadores se abroquelaron en la defensa de sus conquistas, en particular las referidas a salarios, clasificación de tareas o insalubridad [19] y reclamaban, permanentemente, la intervención del gobierno. El nexo entre condiciones de trabajo, organización gremial y cambio político (con la mayor intervención estatal) se estrecharon en esta etapa y serán analizados a partir de los conflictos que se produjeron en 1946.

Otros aspectos del bienestar se concretaban de manera menos conflictiva. La organización del sistema de jubilaciones y pensiones comprometía crecientemente a la organización sindical, la que se encargaba de la tramitación correspondiente. Lejos había quedado la oposición a la Ley de Jubilaciones de 1923 cuando los trabajadores se negaron a realizar los aportes que establecía la ley. El periódico gremial señalaba que los miembros de la Subcomisión de Jubilaciones, Pensiones y Subsidios dependiente de la Comisión de Previsión Social "no escatiman esfuerzos para lograr la culminación de sus afanes y misión encomendada por la organización [...] para brindar a nuestros compañeros tranquilidad, felicidad y bienestar".[20] Las listas de los beneficiarios se reproducían tanto en la prensa obrera de Berisso como en el periódico de la Federación de la Carne. Inicialmente el logro de cada jubilación era un festejo público en el que participaban los compañeros de sección, amigos y familiares del beneficiado. Las fotografías publicadas en *Conciencia Obrera* y *El Trabajador de la Carne* constituían una especie de ritual que servía para mostrar los logros que se obtenían con la nueva situación.

"Ud. se paga el viaje y el gobierno el hospedaje" fue otra de las consignas que materializaban algunas de las preocupaciones sociales. El lema traducía la apropiación del discurso y las prácticas relacionadas con el placer y el disfrute de la naturaleza, que desde hacía bastante tiempo gozaban las clases más acomodadas. La Dirección de Turismo y Parques de la Provincia de Buenos Aires con la intervención de las organizaciones sindicales trasladaban al trabajador y su familia a Mar del Plata, Necochea, Miramar, Tandil, Carhué.

---

que "las direcciones de los sindicatos faciliten su incorporación a la acción gremial", 15 de marzo de 1946. El 1 de noviembre de 1946 publican las diferencias salariales existentes en el frigorífico Armour. En 1947 denunciaron que en el congreso de la CGT no se trataron las reivindicaciones femeninas: a igual trabajo igual salario, reforma de la ley de maternidad, creación de jardines maternales, 1 de noviembre de 1947. Un título afirmaba: "Con la desigualdad sólo gana la clase patronal", el artículo señalaba que en la tripería de capones del Frigorífico Armour las mujeres ganaban 0,73 centavos por hora y los hombres 1,10 centavos, 1 de agosto de 1947.

[18] No se me escapa el impulso de cambio que en otros aspectos de la vida de las mujeres significó el peronismo, pero ello no anula su carácter conservador respecto del rol de la mujer en la sociedad.

[19] A fines de abril de 1948 se realizaron paros parciales en el frigorífico Armour de Berisso por incumplimiento del convenio vigente. *El Trabajador de la Carne*, mayo de 1948.

[20] *Conciencia Obrera*, octubre de 1948.

Los representantes del gremio de la carne Galileo Mattoni y Frank Winchcabbich organizaron la participación de los contingentes, entre los que se encontraban los trabajadores de Berisso.[21] El sindicato asociaba permanentemente los beneficios con el gobierno, afirmaba que hubiera sido imposible pensar –en otros tiempos– la posibilidad de gozar de "privilegios tales" sino hubiera surgido "un gobierno de pura esencia popular". A esto agregaba: "El gobierno mismo necesita, con la realidad, demostrar cuánto de grande y de bienestar significa esta nueva política social que no dudamos con el tiempo puede servir de base a grandes viajes no solamente dentro del territorio de la provincia sino interprovincial, lo que sería aún más trascendente esta magnífica obra que alcanza a todos por igual, sin distingos ni privilegios".[22]

"Sin distingos ni privilegios" separaba esta nueva experiencia de aquella que selectivamente habían promovido las compañías en los años conflictivos que precedieron a la llegada de Perón a la presidencia de la nación. En la década anterior, las vacaciones anuales, limitadas y selectivas, que las empresas otorgaban al personal también se difundían en los periódicos fabriles, y se ilustraban con fotografías de las que, por entonces, comenzaban a conformarse como capitales turísticas: Córdoba y Mar del Plata. Empresas y trabajadores colocaban el descanso como otro ícono de la modernidad.

El uso del tiempo libre de manera organizada fue otra de las preocupaciones de los gremios. En los períodos anteriores, el tiempo libre se organizaba en las instituciones que agrupaban a los inmigrantes, en sus veladas teatrales, en los bailes y pic-nics que convocaban. Se articulaba también alrededor del trabajo cuando los obreros de cada sección organizaban pic-nics y competencias deportivas creando de ese modo lazos de solidaridad y colaboración. Cada sección (tachería, picada, camaritas) podía organizar su equipo, en general de fútbol, y enfrentarse en una cancha improvisada en los innumerables sitios baldíos.

Al finalizar la década del treinta, las empresas estimulaban también las competencias deportivas, apoyándose en los equipos que se constituían espontáneamente; incorporaron además otros deportes como el básquet. El personal jerárquico practicaba tenis o golf. Con el reconocimiento de la legalidad de la acción sindical, los gremios recuperaron esta tradición y la incorporaron a las propuestas del Estado.

La relación del deporte con el peronismo ha sido analizada para remarcar la construcción del consenso pasivo vía la acción de la Fundación Eva Perón. La práctica deportiva se enmarca, sin embargo, en un contexto más amplio cuya denominación es la de tiempo libre. Según Mariano Plotkin el peronismo carecía de una política consistente para la organización del mismo[23]; pero la acción de los sindicatos y de algunos gobiernos provinciales contradice esta afirmación. La propia concepción de bienestar incluía la dimensión del tiempo libre así como el uso de diferentes espacios para las prácticas

---

[21] *Conciencia Obrera*, enero de 1949, entrevista a Galileo Mattoni, La Plata, 10 de julio de 1987.
[22] *Conciencia Obrera*, enero de 1949.
[23] Mariano Plotkin: *Mañana es San Perón*, Buenos Aires, Ariel, 1993, pág. 276. Se puede consultar también Eugenia Scarzanella: "Domani é San Perón: vacanze e 'turismo popolare' in Argentina (1943-1955)", en *Storia Contemporánea*, a. XXIV, N° 4, agosto de 1993.

deportivas y las de recreación. A través de la Fundación Eva Perón se organizaron los juegos infantiles destinados a los más pequeños, pero los sindicatos materializaban otras actividades: el turismo familiar y la participación en competencias deportivas obreras.

En este aspecto el Sindicato de la Carne de Berisso apoyó activamente la realización de los Juegos provinciales patrocinados por la Junta Deportiva Obrera. La participación en los eventos deportivos formaba parte de una concepción integral de la actividad sindical donde la competencia ayudaba a establecer lazos más firmes entre los distintos gremios, y contribuía a la formación de sus asociados en el "juego limpio".

En el periódico *Conciencia Obrera* decían sobre los Juegos provinciales: "a dichos juegos nuestro sindicato enviará lo mejor que tenga en cuanto deportes se refiere, porque es otra oportunidad que se le presenta al gremio de la carne para demostrar el grado de cultura y preparación que tienen sus representantes, pues no solamente con conquistas gremiales se engrandece una nación, sino también con el deporte, donde uno comienza por respetar a su ocasional adversario, como así también debe respetar al vencido y ese será el lema de los compañeros de Berisso: 'es preferible una derrota honrosa antes que una victoria vil'".[24] Para el sindicato de Berisso el deporte tenía además el doble sentido de "confraternizar y conocernos mutuamente con los compañeros de otros gremios" y ayudar a cimentar la idea de que constituye "otro eslabón de la gran cadena sindical". Los juegos donde los trabajadores confraternizaron, compitieron y se sintieron parte de ese nuevo poder fueron el fútbol, las bochas, la pelota a paleta, el atletismo, el básquet, el ajedrez y la natación así como tiro, ciclismo y box.

La práctica deportiva era para las organizaciones sindicales una forma de competencia, un ámbito de sociabilidad y confraternidad y una escuela ética. El *equipo* debía "tirar" para adelante y, como en el trabajo, incluir a los menos competitivos. Desde esta perspectiva, la interpretación de Plotkin es discutible. El deporte sirve para pensar no sólo lo que se ofrece desde el Estado sino también para analizar de qué modo las personas que lo practican (en este caso los trabajadores) pueden recuperar tradiciones, y negociar nuevos sentidos.

El problema sin embargo no se resuelve fácilmente pues, como señala Alessandro Portelli, los deportes, o el tiempo libre en su conjunto, pueden utilizarse para introducir nuevos significados (nacionalismo, militarismo) y esto es posible porque la articulación pública de los significados en la cultura de masa está siempre reservada a la elite. Los trabajadores, dice este autor, como ávidos consumidores de deportes escuchan sus propias prácticas e intereses explicados en términos de la cultura dominante y sus valores, y les resulta más difícil articular lo que originariamente significaba para ellos.[25]

---

[24] *Conciencia obrera*, enero de 1949.
[25] Alessandro Portelli: "Sports, Work, and Politics in an Industrial Town", en *The Death of Luiggi Trastulli and Other Stories. Form and Meaning in Oral History*, Albany, State University Of New York Press, 1991, págs. 138-160. Durante las dos presidencias de Juan Domingo Perón los deportes tuvieron también un sentido de "unidad nacional" pero esta dimensión no ha sido explorada aún por la vasta literatura sobre el peronismo.

Por eso, en muchos recuerdos la renegociación con la ideología del peronismo se expresaba contradictoriamente. Decía un trabajador: *Perón dice nosotros no creemos que es cultura cuando en un pueblo hay un sabio y un millón de ignorantes, nosotros no queremos una oligarquía cultural sino un pueblo con cultura, donde todo el mundo tenga acceso, después que los genios surjan. Cuando Pascualito Pérez era campeón mundial de boxeo, cuando Fangio era campeón mundial acá había cientos de miles [...] cuando acá había un jugador de fútbol líder mundial, había gente, había cientos que desde la niñez hacían fútbol.*[26] La incorporación de los deportistas destacados como propios formaba parte de los discursos pronunciados desde el Estado, pero esa incorporación era posible porque había una concepción de solidaridad, respeto y honor que encontraba en los deportes un espacio para su materialización.

Un camino difícil: la transformación del trabajo y de la sociedad

Un mes después del triunfo de la fórmula apoyada, entre otros, por el proletariado de Berisso, en marzo de 1946, estalló el primer conflicto en la "nueva era" que comenzaba a dibujarse. Los motivos fueron el atraso en el pago del aguinaldo y el rechazo de insalubridad para las cámaras frías.

El aguinaldo fue uno de los mecanismos utilizados para elevar el salario de los trabajadores. Se percibía anualmente y equivalía a los jornales/salarios de un mes de trabajo. Como se cobraba al finalizar el año, era un aporte excepcional que se esperaba por diferentes motivos: por ejemplo para realizar compras excepcionales, pago de deudas, ayudar a familiares o simplemente como un respiro para las apretadas economías obreras. La demora en el pago constituía un agravio, y el reclamo no tardó en sentirse. Las organizaciones gremiales buscaron, inicialmente, el funcionamiento de los mecanismos de acción consensuados con los empresarios. Se conformó así una comisión paritaria a la que se agregó el objetivo de estudiar un estatuto que rigiera el trabajo en la industria.[27]

Perón se mantuvo alejado del conflicto y fue el secretario de Trabajo y Previsión, Capitán Héctor F. Russo, quien participó de las negociaciones. En la Secretaría se reunieron los representantes obreros y patronales y, tras largas sesiones, los empresarios declararon su disposición a cumplir el decreto del Poder Ejecutivo N° 33.302 sobre el pago del aguinaldo correspondiente a 1945 y la insalubridad del trabajo en las cámaras frías (6 horas diarias y 36 horas semanales en las cámaras cuya temperatura fuera inferior a 0°C).[28] Sin embargo, la Secretaría informó que la sesión se había levantado por la "intransigencia patronal" para aceptar la incorporación de los despedidos a raíz del conflicto.

---

[26] Oscar, entrevista realizada en Berisso en 1991.

[27] *El Día*, 11 de marzo de 1946.

[28] Los detalles de la huelga en Berisso se pueden seguir en el diario *El Día*, del 2 al 27 de marzo de 1946; *La Nación*, del 20 al 27 de marzo de 1946; *Mujeres Argentinas*, 15 de febrero de 1946.

La situación de los despedidos era el foco de las discrepancias, pues las compañías sólo aceptaban la reincorporación de un número determinado de trabajadores y se negaban a considerar la de aquellos expulsados por "faltas disciplinarias". En contraposición, los trabajadores sostenían que la "indisciplina" era un argumento en contra de los trabajadores más activos sindicalmente.

Es interesante la actuación del secretario de Trabajo. A través de la radio explicó la situación; en sus palabras el conflicto en los frigoríficos se convierte en problema público: "[...] nos encontramos en uno de esos casos típicos y por desgracia demasiado frecuentes en que las empresas no vacilan con su injustificada intransigencia en causar grave lesión no ya a los intereses de los trabajadores afectados sino a las necesidades públicas e incluso en el presente conflicto a los compromisos internacionales".[29]

El secretario reconocía el derecho de las empresas a defender sus "economías" pero consideraba que lo que estaba en juego, junto al interés por la nación, era el principio de autoridad en las fábricas. De modo que el conflicto se mantenía "por el afán de demostrar que el derecho del trabajador a defender su trabajo es impotente frente al derecho del dueño a arrebatárselo". Respecto de la negativa empresaria de reincorporar trabajadores que consideraban de "mala conducta" el secretario entendía que efectivamente se aludía a los activistas sindicales, concluyendo que "lo que se trata por la parte patronal es de anular toda organización obrera para poder prolongar indefinidamente la situación de sumisión y miseria en que se mantenía al proletariado".

El Sindicato Autónomo de Berisso expresó su alegría por la enérgica manifestación del secretario de Trabajo y Previsión y dio un paso más reclamando la nacionalización de los frigoríficos "para que una vez por todas se termine la explotación del hombre por el hombre, que es política de estas empresas extranjeras".[30] Los trabajadores recibieron la solidaridad de La Fraternidad del Ferrocarril del Sud que resolvió no atracar vagones en los frigoríficos mientras durara el conflicto.

Las fuerzas políticas (laboristas y comunistas), entre cuyas bases se hallaban los obreros de la carne, hicieron oír sus voces. El Partido Laborista de Berisso creó una comisión para ayudar a los trabajadores, y los comunistas organizaron la cooperación con los huelguistas mientras que el Comité Central solicitó a la CGT que declarase un paro general de protesta de 24 horas contra la intransigencia de las "empresas imperialistas", y que se organizara la ayuda de los huelguistas.[31]

---

[29] El mensaje radial fue publicado por *La Nación*, 17 de marzo de 1946.
[30] *El Día*, 18 de abril de 1946.
[31] *Orientación*, 23 de octubre de 1946.

Foto N° 18
Eva Perón visita Berisso, 1946 Archivo Sr. Guruciaga

El apoyo oficial del Partido Comunista fue uno de los primeros síntomas de los cambios en la actitud de uno de los miembros de la alianza electoral contra Perón, e incluso fue comentado en *The New York Times*. Ante el comentario, el Comité Ejecutivo del Partido Comunista expresó que los miembros del Partido seguían luchando contra el fascismo y en defensa de los intereses obreros. El periódico *Orientación*, a su vez, señalaba: "Es absolutamente falso que, al apoyar la huelga de los obreros de los frigoríficos, los comunistas hayamos cambiado de táctica. El Partido Comunista ha apoyado siempre, invariablemente, las luchas de los obreros de los frigoríficos por mejorar sus condiciones de vida y de trabajo, antes y durante el régimen surgido del 4 de junio. Cierto es que la huelga actual tiene por objeto imponer el cumplimiento de un decreto de aumento de salarios y aguinaldo emanado del gobierno [...] ese decreto respondía al clamor justificado de la clase obrera y de los empleados ante el continuo aumento del precio de los artículos de consumo [...] La lucha de los obreros de los frigoríficos es tanto más justificada cuanto que se trata de empresas extranjeras que se preocupan exclusivamente de sus sórdidos intereses capitalistas y que explotan a sus obreros en forma inhumana, así como explotan de modo irracional la riqueza nacional".[32] Las intervenciones del Partido Comunista en apoyo de los trabajadores continuaron durante todo el período, pero las banderas de justicia y bienestar en el trabajo les habían sido arrebatadas definitivamente.

La batalla pública de las empresas y sus aliados ganaderos se jugaba en los periódicos. Las empresas publicaron una extensa solicitada y las organizaciones ganaderas comenzaron a enviar telegramas a Perón para que se pusiera fin al conflicto.[33] En la solicitada expresaban que la industria frigorífica: "es una industria madre y por eso, en defensa de la economía argentina y del trabajo honesto de sus buenos obreros, que se cuentan por millones, tiene el derecho y el deber de procurar el funcionamiento ordenado de sus establecimientos y luchar contra quienes, sin otra razón que la violencia y las amenazas, tratan de empujarla, voluntaria o inconscientemente, al desquicio y la improductividad".[34]

La actitud intransigente de los frigoríficos provocó la renuncia del secretario de Previsión, y las negociaciones continuaron con la intermediación del secretario General del Ministerio del Interior y la intervención directa del Presidente de la nación. Con la intervención presidencial llegaron finalmente a un acuerdo[35] en el que se disponía la

<hr />

[32] Documento del Comité Ejecutivo del Partido Comunista, "Luchamos contra el fascismo y en defensa de los intereses obreros", *Orientación*, 13 de marzo de 1946.

[33] El Presidente recibió telegramas de los ganaderos del litoral, de la Sociedad Rural de Azul y de la Confederación de Asociaciones Rurales de Buenos Aires y La Pampa (Carbap), *La Nación*, 16 de marzo de 1946.

[34] *La Nación*, 19 de marzo de 1946.

[35] El acta correspondiente fue suscripta en presencia del secretario General del Ministerio del Interior y del director de Asuntos Generales de la Secretaría de Trabajo y Previsión, por el ingeniero Enrique Fernández en representación de las empresas y los señores Cipriano Reyes por la Federación de Sindicatos Obreros de la Industria de la Carne y Afines, Ricardo Giovanelli por los obreros de Berisso, José Palmentieri por el personal de los frigoríficos de Rosario y Santa Elena, Francisco Díaz por el Frigorífico La Blanca, Marcelino Domínguez por el Anglo, Hipólito Pugliese por los obreros de Zárate, Ernesto Risso por los del establecimiento La Castellana, José Presta por los de Ciabasa, Juan C. Bronzini por la Federación Obrera Marítima y el representante de la Confederación de Empleados de la Industria de la Carne y Afines Luis A. Artigue, véase *La Nación*, 24 de marzo de 1946 y *El Día*, 26 de marzo de 1946.

reincorporación del personal cesante en la proporción aceptada por las empresas; el pago del sueldo anual complementario y los aumentos establecidos por el decreto Nº 33.302/45 dentro de los quince días de la reanudación del trabajo y el establecimiento de la jornada de 6 horas para el trabajo insalubre de las cámaras frías. Respecto del pago de los salarios de los días de huelga el documento establecía que sería resuelto por el "órgano estatal" competente, pero la patronal dejó constancia de su "oposición inalterable respecto a ese punto".

En Berisso, como en los otros establecimientos cárnicos en huelga, los trabajadores fueron convocados a una asamblea donde fue comunicado el acuerdo; con algunas resistencias se decidió "dar la vuelta al trabajo". El día 27 de marzo los obreros reanudaron las tareas. En el acto habló –entre otros– Cipriano Reyes quien señaló que "se le había advertido" que el fracaso de la lucha obrera podía acarrearle desprestigio en su vida como diputado, pero enfatizó que a él "no le interesan los diplomas cuando están de por medio el hambre y el dolor de sus compañeros".[36]

Las palabras de Reyes eran el síntoma de un pleito que terminaría rápidamente con la experiencia política del Partido Laborista.[37] Recordemos su disolución, la formación del Partido Unico de la Revolución y las dificultades del bloque independiente que se había conformado en la Cámara de Diputados, que desapareció con la eliminación de sus integrantes, ya sea porque sus mandatos habían finalizado, porque fueron perseguidos y/o encarcelados o por la subordinación de algunos de sus miembros al líder.

Cuando apenas se escuchaban los ecos del conflicto de marzo, la discusión de los salarios por convenio terminó en un nuevo paro que se mezcló con las divergencias políticas que el proceso nacional había abierto.[38] En el mes de septiembre, cuando se continuaba buscando una solución para la discusión salarial, los trabajadores del frigorífico Swift realizaron una huelga de brazos caídos. Protestaban por la contratación de un obrero para la sección mecánica que integraba la lista "4 de junio" rechazada por la Federación[39], pero la empresa se negó a despedirlo pues era un asunto ajeno a la fábrica. En tanto, la Federación declaró a partir del 15 de septiembre una huelga de brazos caídos por la cuestión salarial, que, acatada por los obreros, provocó la disminución de la producción.[40] El 1 de octubre la compañía Swift hizo conocer a los trabajadores, por

[36] Los oradores del acto fueron Alfredo Panelli, Manuel Echeverría (expresó su adhesión en nombre de los centros laboristas), Manuel Rodríguez (llevó el saludo y la felicitación de los ferroviarios), José Balderrey (frig. Swift), José M. Jordan (frig. Armour), Vicente Martínez (secretario de la Confederación de Empleados del Sindicato de Berisso), Ricardo Giovanelli (pro–secretario del Sindicato), Atilio Soria, (miembro de la Comisión Administrativa del Sindicato) y Cipriano Reyes, *La Nación* y *El Día*, 26 de marzo de 1946.

[37] Para un análisis del partido laborista véase Juan Carlos Torre: *La vieja guardia sindical...* op. cit., y Elena Susana Pont: *Partido Laborista: estado y sindicatos*, Buenos Aires, CEAL, 1984.

[38] El 30 de junio había vencido el convenio que fijaba los salarios, los trabajadores solicitaron entonces discutir el nuevo sobre la base de un pedido masivo de aumento, *El Día*, 14 de agosto de 1946.

[39] La lista "4 de junio" conformaba la oposición peronista dentro del sindicato. El nombre es todo un símbolo pues se considera esa fecha el momento inicial de la unión del pueblo y de su ejército por grupos nacionalistas, peronistas o filo peronistas.

[40] En realidad la Federación fue demorando la declaración del paro porque en ese momento se llevaban a cabo las negociaciones Eady-Bramuglia con importantes consecuencias para el comercio de carnes.

medio de pizarras colocadas al frente del establecimiento, que a partir de esa fecha no se permitiría el acceso del personal que trabajara a reglamento y, desde ese momento, no tendría aplicación el régimen de garantía horaria. El sindicato local y la propia Federación respondieron que los obreros concurrirían a los establecimientos y seguirían con el trabajo a reglamento.

Durante todo el mes de octubre continuó el conflicto. En el transcurso del mismo se produjeron dos acontecimientos: los sucesos en el Congreso Nacional cuando demandaban la sanción del Estatuto de la Carne, y los festejos del 17 de octubre, el primero con Perón Presidente.

El 24 de septiembre los trabajadores de la carne se reunieron en la plaza del Congreso para pedir la sanción del Estatuto de la Carne. Alrededor de 4.000 trabajadores se trasladaron desde Berisso. Una delegación se entrevistó con el presidente de la Cámara de Diputados manifestando su asombro ante la ausencia de Reyes como integrante de la comisión encargada de estudiar el Estatuto. Los trabajadores se movilizaban esperanzados en que los legisladores tratarían el tema; como esto no sucedió, quisieron entrar al Congreso. En ese momento intervino la policía quien, luego de algunos enfrentamientos, pudo despejar la plaza, cuando ya eran las once de la noche. Cipriano Reyes responsabilizó a la bancada oficial (el bloque peronista) por la negativa a considerar el Estatuto.[41]

Durante el desarrollo de la huelga se produjo también el primer aniversario del 17 de octubre. En esta ocasión la fecha tenía aún significados contradictorios y no había sido transformada en un ritual cívico por el peronismo. Los obreros de la carne se encontraban en medio de una huelga prolongada y Perón no había intervenido aún para solucionar el problema.

En el local del sindicato de Berisso se realizó una asamblea de los trabajadores, donde se informó sobre la marcha del conflicto y, casi al finalizar la reunión, el secretario interino de la organización, de nombre Biscochea, señaló que la Federación Gremial del Personal de la Carne había resuelto "a último momento" asistir al acto de Plaza de Mayo pues consideraba que se celebraba el Día del Trabajador Argentino.

La referencia no era ociosa. El sector rebelde del Partido Laborista organizó también su acto con Cipriano Reyes. Además estaba el acto oficial en la plaza San Martín de la ciudad de La Plata, donde se había planificado que, luego del discurso del gobernador Mercante y de oir las palabras de Perón por altoparlantes, tuviera lugar un espectáculo de carácter nativo costumbrista, otro de fuegos artificiales y un baile popular animado por orquesta típica y de jazz.

Véase Rodolfo Puiggrós: *Libre empresa o nacionalización en la industria de la carne*, Buenos Aires, Argumentos, 1957 , págs. 186-193 y Drosdoff: op. cit. Respecto al comercio de carnes Gran Bretaña seguía manteniéndose como comprador de los saldos exportables de carnes argentinas, la colocación en otros mercados seguía supeditada a la disponibilidad de bodegas frigoríficas controladas por las compañías inglesas y, a pesar de que se estableció un aumento del 45% en el precio de las carnes compradas por Gran Bretaña, el incremento no compensaba el aumento en el precio de las mercaderías que vendía a la Argentina.

[41] *El Día*, 24 y 25 de octubre de 1946.

El diario *El Argentino* informó que los obreros de la carne habían sido dejados "en libertad de acción" y que numerosos afiliados al sindicato se habían acercado a los organizadores para manifestarles su adhesión.[42] Los festejos del 17 de octubre de 1946 estaban alejados del clima de unanimidad, de alborozo y de fiesta que las construcciones posteriores, realizadas por la ideología oficial del peronismo difundieron. Distintos actos, enfrentamientos entre quienes querían mantener, aun apoyando a Perón, cierta cuota de autonomía, y aquellos que se manifestaban como abiertamente leales, se mezclaban con el propio desarrollo de la huelga.

En este clima el conflicto no podía extenderse mucho más. Incluso el presidente Perón ya no podía permanecer indiferente. Por eso, refiriéndose al paro manifestó que "después de lo ocurrido en la Cámara de Diputados y de un mes de huelga, durante la cual la que ha sufrido es la pobre clase trabajadora [...]; y creyendo que es necesario evitar que esos pobres obreros sigan sufriendo las consecuencias de los que hacen política con los movimientos obreros sirviéndose de las masas en vez de proceder únicamente a servir a las mismas, es que he llamado ayer a los dirigentes de los dos sindicatos de Berisso, y a los de Avellaneda, Zárate y Rosario y a la Comisión Directiva de la Federación [...]".[43]

Diez días más tarde empresas y trabajadores llegaban a un acuerdo que, a juzgar por las dificultades futuras, sólo había sido el resultado del interés presidencial por poner fin a la situación. El acuerdo fijaba nuevos salarios y las partes (empresas y trabajadores) se comprometían a evitar todo acto que pudiera expresar represalias. Por un lado, se limitaba la capacidad de las compañías para despedir, transferir e incluso provocar a los obreros y, por otro, los obreros tenían que aceptar su cuota de disciplinamiento y evitar los paros.

Faltaba un paso: los obreros debían ratificar lo acordado. En Berisso no todos estaban dispuestos a aceptar las bases del acuerdo. La mayoría no acató la vuelta al trabajo y prefirió continuar la huelga, mientras que otros, identificados con la lista "4 de junio", fueron más proclives a aceptar la autoridad de Perón. Pero para otros muchos trabajadores, 60 días de huelga eran difíciles de sobrellevar y poco a poco regresaron al trabajo.

El día de la reanudación de las tareas la policía intervino para impedir que los disconformes actuaran evitando el ingreso de los obreros. Se vigilaban distintos lugares. Se registraban carros y camiones que se acercaban a la zona de los frigoríficos. La Federación de la Carne llamó a trabajar a reglamento hasta que el acuerdo fuera ratificado por las asambleas. El 17 de noviembre se realizó otro acto en Berisso. Raúl Santagostino lo abrió anunciando la libertad de dos de sus miembros, Biscochea y Ossornio, y lo cerró leyendo y aclarando los puntos conflictivos del acuerdo. Tras sesenta días de huelga resolvieron, finalmente, levantar la medida. Los dos grandes conflictos del año 1946 dejaban al descubierto las múltiples aristas que se presentaban con la nueva situación. Por un lado, la movilización espontánea de los trabajadores tenía que

---

[42] *El Argentino*, 17 de octubre de 1946.
[43] *El Día*, 1 de noviembre de 1946.

ser encausada y allí estaba el sindicato dispuesto a establecer sus límites, aunque pronunciara su independencia tanto de la orientación de otras clases sociales como de sus expresiones políticas; por otro, estaba el coronel Perón, que ya en el gobierno, iría recreando las bases de su poder para lograr la subordinación de los obreros y de sus organizaciones rebeldes.

El Sindicato: sitio de lucha de todo trabajador

La movilización permanente de los trabajadores para mejorar su "condición de productores" planteaba al Sindicato de Obreros y Empleados de la Industria de la Carne Autónomo de Berisso una serie de problemas. El sindicato se encontraba en una encrucijada: su conformación había sido el resultado de la participación de los trabajadores para mejorar sus condiciones de trabajo, del proceso abierto por la militancia comunista que había terminado con su propio desplazamiento y del apoyo de la secretaría de Trabajo y Previsión al sindicato autónomo.

Durante las jornadas de octubre de 1945 una parte de los obreros de Berisso habían ocupado calles y plazas en clara señal de adhesión a Perón. Dieron vida al Partido Laborista, que se constituyó en la base de la campaña electoral triunfante en febrero de 1946. Perón tenía entre los trabajadores un espacio amplio para edificar una línea de consenso a su política. Pero ese espacio no era una tabla rasa donde el líder podía dibujar los caracteres a su antojo. Entre 1946 y 1950 el sindicato, que buscaba un espacio para su intervención en la política nacional, intentó, junto con otras organizaciones, formular las ideas y las soluciones a los problemas específicos de sus representados y aquellos más generales que abarcaban a toda la nación.[44]

Para la organización gremial, "El sindicato, templo del trabajador en el cual se sacrifican sus dirigentes en forma silenciosa, necesita colaboración más efectiva". El sindicato podía convertirse en un arma poderosa frente a las empresas si lograba que "dirigentes y afiliados" permanecieran unidos y colaboraban entre sí.[45] El problema residía en cómo lograr la unidad de las fuerzas desatadas por el proceso de movilización. La unidad era necesaria tanto como la disciplina y el orden. La organización se había convertido en realidad con la conformación del sindicato y de la Federación de la Carne, pero la disciplina encarnaba un problema complejo. El sindicato tenía que conciliar la prédica para obtener cada día mayores mejoras para los trabajadores y sus propios intereses en un contexto en el que la organización sindical iba definiendo también un

---

[44] En el artículo "los sindicatos deben ser escuelas de gobierno" los dirigentes gremiales decían: "La hora de las improvisaciones ha pasado. El mundo vive un ritmo distinto al que es necesario adaptarse. Ya no se puede admitir que gobiernen los audaces o desaprensivos. Con la última guerra mundial la revolución social ha iniciado un avance vigoroso. Los espíritus retrógrados van siendo arrollados porque no hay fuerzas que puedan contener el ansia de justicia y libertad de los hombres cansados de sufrir. Los incapaces van siendo arrojados a lo largo del camino", *El Trabajador de la Carne*, abril de 1948.
[45] *Conciencia Obrera*, abril de 1948.

campo de acción entre el apoyo a Perón y la profundización de aquellas acciones que aumentaban su poder.

En octubre de 1948 los dirigentes del gremio de la carne escribían en el periódico obrero local: "Un organismo es necesario y ya no se discute. Ese organismo será poderoso cuanto más disciplina detente, pues eso solamente nos hará fuertes y unidos por una misma corriente en bien de la comunidad, dejando a un lado las creencias absurdas o el ostentar de un servilismo que lo anteponen a toda otra solución viable en salvaguardia de los más elementales principios gremiales".[46] Para los dirigentes sindicales dos eran los enemigos más claros: las acciones inconsultas del gremio y la falta de autonomía e independencia de la organización.

Para orientar la acción de los trabajadores y lograr su encuadramiento en las decisiones de la organización gremial, tanto el sindicato de Berisso como la Federación de la Carne realizaron una intensa campaña a través de algunos delegados y de las páginas de los periódicos gremiales de ambas organizaciones. Para lograr la disciplina, el gremio debía informar y educar a sus afiliados tanto sobre las funciones y la importancia de los delegados (generales y de secciones) como sobre el modo de utilizar los beneficios obtenidos. Tenían que realizar largas campañas de esclarecimiento sobre los derechos de los trabajadores y también sobre sus obligaciones.

"Goce de los beneficios pero cumpla con las disposiciones establecidas para ello".[47] sintetizaban las recomendaciones para evitar sanciones. El gremio hacía conocer cada uno de los pasos que debía cumplir un obrero para obtener una licencia, dar aviso de ausencia o evitar los accidentes. De esta forma seguía dando forma a un modelo de trabajador disciplinado, ordenado, cumplidor, alejado de los vicios. El ideal era: "una vida espartana. Una vida física y espiritualmente sencilla y sana es la que conduce a la verdadera felicidad. Lo demás conduce al dolor, a la desesperanza, al hastío, a la anulación de la personalidad".[48]

Las palabras eran reforzadas por las imágenes diseminadas por la prensa obrera donde la conducta apropiada aparece como garantía de futuro. "La justicia social debe ser para quienes trabajan. Los irresponsables, los viciosos, los que no saben cumplir deberes elementales no tienen derecho a sus beneficios, porque son tan nocivos como los parásitos que viven en el lujo, consumiendo sin producir", decía el epígrafe de *El Trabajador de la carne* que acompañaba la siguiente ilustración[49]:

---

[46] *Conciencia Obrera*, octubre de 1948
[47] *Conciencia Obrera*, octubre de 1948.
[48] "Combatamos los vicios en las filas obreras", *El Trabajador de la Carne*, diciembre de 1949.
[49] *El Trabajador de la carne*, octubre-noviembre de 1949.

La moralización del trabajador era sólo uno de los caminos para lograr una mayor disciplina. El funcionamiento de la propia estructura sindical fue otro. El poder del sindicato se basaba en el conocimiento de los problemas de todas las secciones de las compañías y de las soluciones obtenidas por la organización. En todos los departamentos de Swift y Armour elegían delegados para constituir las Comisiones Internas Seccionales, la Comisión Administrativa o las Comisiones Paritarias. Desde el punto de vista formal los delegados eran electos y renovados periódicamente y eran los agentes que canalizaban las demandas y procuraban las soluciones que se producían diariamente. Los delegados debían ocupar los puestos de vanguardia en las filas de un sindicato pero no siempre su trabajo era reconocido. Insultos, rumores, desconocimiento de las decisiones socavaban el poder que se buscaba construir en las fábricas. Desde la perspectiva de la organización sindical los trabajadores no veían los límites de su acción. Ello motivaba que un delegado, que cumplía con sus funciones pero no acataba las decisiones un tanto arbitrarias de sus bases, fuera colocado en una posición de pérdida de autoridad por los propios trabajadores.[50]

Para atacar el problema los gremios actuaron en dos frentes: entre las bases obreras para que respetaran a sus representantes y entre los delegados para que comprendieran que el cargo no era un puesto de figuración, ni de acumulación de cierta cuota de poder personal sino el camino para lograr el bienestar de todos los trabajadores.[51]

[50] Las dificultades que la movilización creaba al sindicato tienen una traducción más simple en los recuerdos de algunos obreros que la definen como "abuso". "Ya pasaron el límite –recordaba un trabajador– porque todo tiene su límite [...] A lo mejor uno llega tarde o el capataz lo encuentra durmiendo y lo suspende; ¡Cómo lo va a ir a pelear por eso!, tiene que cumplir", F. P, entrevista realizada en Berisso, mayo de 1987. También en Taller de historia oral Club Eslovaco Argentino de Berisso.

[51] "Cuál es la función y qué importancia tienen los delegados generales y seccionales", "Fácil es criticar", "Por qué se hacen las asambleas y para quiénes", "Respetad, compañero y amigo, a tus representantes" e "Indisciplina signo de inconsciencia sindical", *Conciencia Obrera*, octubre de 1948. "Reglamentación de la actuación de delegados seccionales y departamentales" enero de 1949, "La buena relación intersindical es constructiva", abril de 1948.

La reglamentación de la actuación de delegados seccionales y departamentales fue un esfuerzo para ajustar la acción de los delegados a un conjunto de normas.

El sindicato autónomo de Berisso definió y estableció las funciones y las atribuciones de los delegados respecto de sus representados, en relación con el sindicato y con las empresas. Para con sus representados, los delegados tenían la obligación de asumir la defensa de los afiliados de su sección cuando se desconocían de manera arbitraria, ilegal o injusta sus derechos (Art. 5); lograr la satisfacción de las justas peticiones o reclamos del afiliado (Art. 6); de informar a los afiliados de su sección los asuntos de importancia (Art. 13). No podían ejercer un poder arbitrario en tanto estaban imposibilitados para amenazar o aplicar sanciones a los afiliados de su sección.

El reglamento establecía un estricto orden jerárquico en la resolución de los problemas. Así, por ejemplo, ante un hecho de gravedad el delegado de un sector tenía que comunicarlo al delegado seccional, que lo comunicaba, a su vez, al delegado departamental y éste a la Comisión de Reclamos (Art. 8). Como parte de la organización sindical estaba obligado a asistir a las reuniones (Arts. 2 y 12) y a comunicar y consultar los problemas más graves con el sindicato (Arts. 9 y 11). También tenía que confeccionar una planilla con los datos de los afiliados de su sección (Art. 15) y registrar toda la actividad en una carpeta para entregarla a la Comisión Administrativa del Sindicato (Art. 16).

La estrecha vinculación con los trabajadores de un sector otorgaba a los delegados el poder suficiente para paralizar una sección. Ello se realizaba a veces contra las propias autoridades sindicales y por eso trataron de limitar su poder.[52] En el reglamento se expresaba que "deberá abstenerse totalmente de adoptar por sí mismo cualquier medida que signifique la alteración del ritmo normal del trabajo en su sección o de cualquier otra. Si se ha producido un hecho de tal gravedad que pudiera justificar la adopción de una medida de esa índole, lo comunicará de inmediato al delegado departamental, quien lo hará saber, a su vez, a la Comisión de Reclamos" (Art. 7). Si un delegado tomaba resoluciones por sobre sus facultades estatutarias, la Comisión Administrativa y las Subcomisiones Paritarias Locales suspendían todo trato con él y el asunto era llevado a la Junta de Delegados (Art. 17). En cuanto a los delegados departamentales debían entenderse directamente con los jefes de departamentos y sólo por excepción con los capataces de sección (Art. 7 del Reglamento sobre Delegados Departamentales).

La reglamentación de las facultades de los delegados seccionales y departamentales buscaba limitar también las decisiones tomadas por los representantes críticos de la dirección del sindicato y ordenar la organización gremial. Pero el problema era más complejo, pues abarcaba al conjunto de los trabajadores de la carne representados por la Federación. Según Little la Federación representaba a una corriente peronista independiente. Esa tendencia sindical independiente tenía una interpretación propia del papel del sindicato en la nueva sociedad pero también una postura ambigua

---

[52] En un testimonio señalaba un obrero: "Le faltó dirección, le faltó colegio al obrero, le faltó saber cuál era la misión del delegado, dónde empezaba y dónde terminaba. A un delegado lo nombraban y se creía dueño de la fábrica, más de uno, pero no todos". Entrevista realizada en Berisso, junio de 1987.

[53] Walter Little: "La tendencia peronista en el sindicalismo argentino: el caso de los obreros de la carne", en *Aportes*, No. 19, enero de 1971.

respecto a Perón, que fue agudizándose con la eliminación de la oposición laborista para terminar en una mayor subordinación.[53]

El gremio de la carne estaba en el centro de un dilema pues quería mantenerse independiente del poder que encarnaba el Estado y, al mismo tiempo, no quería quedarse al margen de los nuevos beneficios. Era un arduo camino donde las decisiones ligadas al gremio y a la sociedad se consideraban resortes propios de los trabajadores, pues eran ellos los responsables de buscar, con imaginación, las medidas "revolucionarias" que aseguraran el bienestar para todos los argentinos. Se trataba de la formulación discursiva y práctica de una cultura que enfatizaba que el interés de la nación es responsabilidad de los trabajadores; a ellos les cabe promover el desarrollo y el crecimiento social y nacional.

Para la organización sindical la disciplina no excluía la participación: "*El movimiento obrero no necesita mandaderos. Necesita hombres de acción.* Hombres de pensamiento que comprendan que una revolución no puede detenerse un solo momento si no quiere caer debilitada en poder del enemigo. La acción constante es lo que mantiene el equilibrio. Es lo que aviva las fuerzas y las mantiene en condiciones de actuar en defensa de los objetivos del movimiento, que no son precisamente aquellos de crear una pesada burocracia, temerosa de perder las posiciones personales logradas precisamente por la inacción de los trabajadores que no han sabido ocupar el lugar que les correspondía [...] Si por desgracia un día desapareciera del escenario de la lucha el líder, los trabajadores volveríamos automáticamente a la situación anterior a la Revolución, cercados por los enemigos y, lo que es peor, perdido el espíritu realizador, porque *nos hemos acostumbrado a que nos lo den todo hecho y hasta a que piensen otros por nosotros*".

La participación y la disciplina evitaban la obsecuencia lo que conducía a la pérdida de la autonomía en las decisiones. Así los dirigentes pensaban: "Los grandes hombres no necesitan el estímulo de palabras vanas para seguir adelante. Necesitan obras, soluciones prácticas [...] No imitemos a quienes en un ramo de flores ocultan un pedido. Eso no es ser leal. Eso es ser desleal".[54]

La independencia de los obreros de la carne se encarnaba en dos nociones importantes: participación y lealtad. Para el gremio de la carne el progreso del país estaba unido a que los sindicatos condujeran la eliminación de los privilegios. Así decían en 1949: "El movimiento sindical argentino tiene sobre sí la responsabilidad de gobernar el país. Estamos cansados de decir que tenemos un gobierno obrero. ¿Pero cuál es nuestra colaboración con el gobierno, cuáles las soluciones prácticas que hemos planteado, cuál es la gravitación de los sindicatos en la solución de los problemas que señalamos? Hasta ahora, ninguna. Nos desentendemos de todo, nos limitamos a aplaudir, cosa muy fácil por cierto, pero completamente ineficaz, cuando no contraproducente pues hay veces que el aplauso marea e impide ver la realidad".[55]

---

[54] *El Trabajador de la Carne*, Junio de 1948. El destacado es mío.
[55] *El Trabajador de la Carne*, junio de 1949. La primera página de ese número está dedicada al papel de los sindicatos. Eran sus títulos: "No triunfará la Revolución con simples palabras: son lo hechos los

No sólo eran palabras. El gremio agitaba el establecimiento del accionariado obrero, propugnaba la organización del Instituto de Remuneraciones como un modo de frenar la puja permanente por elevar los salarios, impulsaba la organización de cooperativas para evitar la especulación y la carestía.[56] Pero además agitaba cada una de aquellas nociones asociadas con la institucionalización del bienestar: reclamaba "el derecho a la seguridad social", "el derecho al bienestar", "el derecho a la capacitación, "con el que se aspiraba a eliminar los impedimentos de orden económico en la adquisición de saberes, y el derecho a una retribución justa que permitiera satisfacer sin "angustias y apreturas" sus necesidades. Todos estos derechos estaban contenidos a su vez en otro más abarcador: el "derecho al mejoramiento económico".[57]

El celo puesto en la independencia de los sindicatos frente a la política (incluso aunque se sucumbiera ante ella) se manifestaba de varias formas. El reclamo de autonomía chocaba con los propósitos del Partido Comunista de recuperar parte de su influencia en el gremio[58] y cualquiera de estos intentos, fuesen prácticos o verbales, eran impugnados. La objeción pronto se fue extendiendo al conjunto de los opositores definidos ya como "contreras".

Varias fueron las formas utilizadas para impugnar y colocar en un lugar ilegítimo a la oposición, sobre todo cuando la Federación se deslizó hacia una mayor subordinación a Perón y su política; deslizamiento que contaba con el apoyo del Sindicato Autónomo en Berisso. La prensa sindical definía y denunciaba a los opositores como "Predicadores de excusados, oradores de boliches, inmorales que se valen de toda mentira para desprestigiar a los hombres que luchan por la organización [...] Los vemos continuamente en las entradas de las fábricas, en las esquinas, despotricando alevosamente contra todo y contra todos, se valen de su imaginación enfermiza para hacer ver fantasmas a los compañeros o sino se hacen unos volantes, donde con toda desfachatez califican a los otros de lo que verdaderamente son ellos".[59]

Comunistas primero y "contreras" más tarde fueron objeto de burlas en las páginas del diario de la Federación y en el diario del sindicato local. Las historietas similares a las que se publicaban en los grandes diarios fueron las herramientas utilizadas. El dibujo y la historia cobraban fuerza en el contenido irónico que se incorporaba a las diferentes situaciones de la trama. Los personajes se convertían en arquetipos.

---

que gravitan e impulsan" y "La riqueza, la renta y el interés del capital son frutos del trabajo. Corresponde a los sindicatos estudiar las soluciones que conduzcan a la definitiva eliminación de los privilegios". Estas ideas se desarrollaban en "La organización sindical no debe olvidar su responsabilidad en el triunfo revolucionario", junio de 1948.

[56] Cuando hablaban del accionariado obrero no sólo se referían a la participación en las ganancias sino también a la toma de decisiones en la industria. Consideraban al cooperativismo como una manifestación de la conciencia obrera, que pondría fin a la especulación, septiembre de 1948 y septiembre de 1949. Más específicamente sobre la creación de la cooperativa de Berisso y su funcionamiento, *El Trabajador de la Carne*, julio y noviembre de 1948 y junio de 1949.

[57] *El Trabajador de la Carne*, junio, julio, agosto, octubre y noviembre de 1948.

[58] "Nada tienen que hacer los comunistas en la solución de los problemas gremiales", *El Trabajador de la Carne*, febrero–marzo de 1949.

[59] *Conciencia Obrera*, abril de 1948.

"... Y Leal le dice a Contreras 'chupate esta nueva era'"
Fuente: *El Trabajador de la Carne*, marzo-abril de 1951.

Con sus personajes Juan Carlos Leal y Julián Contreras el diario gremial intentó reflejar lo que sucedía cotidianamente en las fábricas. Julián Contreras representaba al "pequeño grupo negativo que todo lo ve mal y trata de confundir desvirtuando las grandes obras, en provecho de bastardos intereses". Juan Carlos Leal, en cambio, era "el prototipo de la masa trabajadora que traspone feliz los umbrales de la fábrica porque se sabe amparada con el Justicialismo Social del líder que hoy guía los destinos de nuestra nueva Federación".[60]

Julián Contreras es objeto de burlas y bromas. Es el que disfruta en el mar de los conflictos y no puede adaptarse a la nueva situación de paz que reina en el mundo del trabajo.

FUENTE
El Trabajador de la Carne, junio de 1951.

[60] *El Trabajador de la Carne*, marzo y abril de 1951.

Los trabajadores (peronistas) se definían en oposición a las disidencias. Esta diferencia se expresaba políticamente con un lenguaje machista. Los opositores podían ser también los "gorilas lampiños", según la expresión utilizada por un obrero entrevistado. Una imagen ciertamente afeminada y deslegitimizadora de aquellos que se oponían a la conducción del gremio y al peronismo. Pero las oposiciones no sólo se fijaban internamente. El gran enemigo era el "capital deshumanizado", las "empresas expoliadoras, los patrones y los gorilas". Frente a estas caracterizaciones los trabajadores organizados se ubicaban en uno de los polos del conflicto enfrentados al poder de los patrones. Desde esta perspectiva, en las palabras y en los hechos, construían un fuerte sentido de pertenencia de clase, aunque el enfrentamiento no sólo era contra el "capital deshumanizado".

Para recortar un "nosotros" se miraba también a la clase media. La literatura ha captado el temor de la clase media ante la invasión de los cabecitas negras (trabajadores). Quizás valga la pena recordar los cuentos *Casa tomada* de Julio Cortázar y *Cabecita negra* de Germán Rozenmacher. Sin embargo la desconfianza parecía ser recíproca. La visión que se tenía de la clase media en el periódico de la Federación no era precisamente de consideración: "cuando la clase media se acerca al proletariado es sólo por miedo a "caer" en él. Se acerca para traicionarlo, para desviarlo de su orientación, con la esperanza de ponerlo al servicio de sus intereses en contra de la propia clase obrera [...] La clase media tanto por sus intereses como por sus prejuicios sociales tiene más afinidad con el capitalismo que con los trabajadores".[61]

Para los gremialistas la clase media se encarnaba en algunos "intelectuales" que buscaban incorporarse a los sindicatos para dirigirlos de acuerdo a su conveniencia. Esos "intelectuales", probablemente una cantidad importante de profesionales que se vinculaban estrechamente con las organizaciones sindicales vía el asesoramiento médico legal, aducían, precisamente, que sus conocimientos eran la herramienta apropiada y necesaria para dirigir y orientar a los trabajadores.

La posición del periódico era no sólo una manifestación de las tensiones sociales desatadas en la década del cuarenta; se relacionaba también con la tradición anti-intelectual de buena parte del movimiento obrero. Puede ser entendida, además, como la expresión de unos trabajadores que buscaban orientar los destinos del sindicato y, a través de él, a todo el país. Los trabajadores de la carne iniciaron esta etapa con la idea rectora de que sólo el sindicalismo era el "heredero del capitalismo" en la dirección de la sociedad.[62] Pero, al poco tiempo, ofrendaron a Perón ese lugar.

La idea de una participación activa en la formulación de propuestas y la búsqueda de soluciones estuvo acompañada además por una clara definición de la lealtad. Decían en *El Trabajador de la carne*: "No es leal quien se somete, quien adula, quien está siempre pronto al elogio, quien se apresura a aplaudir aún los hechos o actos menos plausibles, quien solo procura agradar. Eso no es lealtad [...] eso es simple adulación [...] El hombre

---

[61] *El Trabajador de la Carne*, mayo de 1948.

[62] Estas ideas fueron expresadas también por el secretario de Prensa de la Federación de la Carne en una "disertación radial" que fue transcripta en *El Trabajador de la Carne*, junio de 1948. También en "Por el sindicalismo llegará el obrero hasta su redención económica y social", julio de 1948.

que siente y practica la lealtad no es nunca servil ni adulón. Es moralmente íntegro porque comienza por ser leal consigo mismo, con su propia dignidad, con sus sentimientos".[63]

Para otros, en cambio, la lealtad era la subordinación total a los deseos del Presidente de la República. Para una franja de los trabajadores, así como para algunos de los nuevos dirigentes que iban surgiendo, la lealtad era una relación menos compleja entre el líder protector y sus bases. En realidad, los trabajadores podían continuar recreando sus viejas experiencias vinculadas a la subordinación y la deferencia al patrón en este nuevo contexto. La experiencia de las huelgas y paros mostraba que el enfrentamiento con Perón tenía límites cuyas fronteras resultaban difíciles de transgredir. El proceso de movilización, que siguió al desplazamiento de los sindicatos comunistas por los sindicatos autónomos que apoyaron a Perón y fueron sustentados por él, fue acompañado por una subversión de la noción de autoridad, tanto en la fábrica como en la comunidad, y alteró, profundamente, el lugar y el papel de los trabajadores. Estimuló las demandas y la búsqueda de soluciones a los viejos problemas que los aquejaban, pero cuando los reclamos o las propuestas excedían las posibilidades, el fracaso aparecía como una amenaza. Esa amenaza sobrevenía por la acción de los propios trabajadores y dirigentes que reclamaban un espacio para la toma de decisiones de manera más autónoma e independiente. Los leales eran los que respondían sin cuestionamiento las decisiones de Perón y Evita. Los que cuidaban las "espaldas" del general como lo hacía Evita. Se invertía también la fórmula inicial de la movilización obrera porque la clase trabajadora tenía ahora que expresar su "agradecimiento [...] por los ingentes sacrificios realizados en su beneficio por el líder del movimiento obrero argentino".[64]

Los cambios en la orientación de la Federación de la Carne, en la que el gremio de Berisso era el más importante, se reflejaron en las palabras. Mientras el gremio de la carne mantuvo su independencia, el lema del periódico *El Trabajador de la Carne* fue: "En la unidad reside la fuerza que llevará al triunfo al proletariado". Cuando se subordinó a la dirección política de Perón los miembros del gremio decían: "Practicamos un sindicalismo sano en defensa del justicialismo argentino". A partir del golpe de estado de 1955 proclamaban que "En la unidad reside la fuerza que nos llevará al triunfo"

La confrontación interna en el sindicato fue paulatinamente inclinándose a favor de los leales a Perón. Claro que no fue un cambio sin dolor. Los gremios más rebeldes, como el de Berisso y la propia Federación fueron intervenidos. La intervención de la seccional Berisso dio paso a "la ardua tarea de poner en su lugar al sindicato justicialista, mal tratado por falta de solvencia moral e intelectual".[65]

Por eso, en octubre de 1951 un paro en el frigorífico Swift fue declarado ilegal. El movimiento tenía su origen en la transferencia de personal. Los obreros de la playa de picada se opusieron al traslado de obreros para la sección playa de lanares señalando que el personal femenino de menor antigüedad debía ser incluido en la lista de los transferibles.

---

[63] *El Trabajador de la Carne*, enero de 1948. Se repite en septiembre de 1948.

[64] La cita la tomo de *El Trabajador de la Carne*, agosto de 1948, pero manifestaciones de este tipo se encuentran de manera creciente entre 1950 y 1955.

[65] *El trabajador de la Carne*, julio–agosto de 1951.

La empresa y la Federación respondieron que la ley "prohibe el desempeño de mujeres en la playa, por ser dicho trabajo incompatible con el sexo". Ante esta negativa iniciaron el trabajo a reglamento y la contrapartida fue la ilegalidad[66]; a la mayor autonomía de un grupo se sumaban los problemas internos y éstos se manifestaban de diferentes formas.

La muerte de Eva Perón ayudó a exteriorizar las muestras de adhesión a la causa peronista. Narciso Alegre y Roberto Román montaron guardia de honor en la CGT ante el féretro de "la abanderada de los humildes". En la localidad se conformó una comisión de homenaje "Pro-erección de un busto a la Jefa Espiritual de la Nación Eva Perón", en los dos establecimientos se levantaron altares en su recuerdo.[67] En la práctica el sindicato de Berisso ya no estaba en los primeros puestos para defender la política de Perón e intervenir en los asuntos de la Federación de la Carne. Cuando se eligieron las personas encargadas de difundir, vigilar y aplicar el II plan Quinquenal no figuraba ningún nombre ni representante de las fábricas de Berisso, tal como puede observarse en el cuadro N° 24. Las grandes fábricas, como Swift y Armour, comenzaban a perder su predominio a favor de las organizaciones gremiales más pequeñas, diseminadas en todo el territorio nacional.

Al finalizar el año 1954 se realizaron elecciones para normalizar la vida sindical.[68] Tres meses más tarde el sindicato Swift era intervenido nuevamente y unos pocos meses más tarde se produjo el golpe de Estado que derrocó a Perón.

Una aspiración frustrada: el Estatuto para la Industria de la Carne

Una de las mayores aspiraciones de los trabajadores de la carne fue fijar en un estatuto las condiciones, normas y disposiciones que iban a regir para todos los trabajadores de la industria (la grande y la chica, como solía decirse). En 1946 habían presentado un anteproyecto al Congreso que tenía la sanción de la Cámara de Diputados. En aquella oportunidad los trabajadores se habían movilizado hacia el Congreso Nacional.

[66] *El Trabajador de la Carne*, octubre de 1951.

[67] *El Trabajador de la Carne*, octubre de 1951, julio a noviembre de 1952. La comisión "Pro-erección de un busto a la Jefa Espiritual de La Nación Eva Perón" estaba integrada por las siguientes personas: presidente: Roberto Román (playa de novillos Swift), vice–presidente: Cayetana de Villarruel (costura Swift) tesorero: Jorge B. Ferreyra (oficina de tiempo Armour), protesorero: Wenceslao Barceló (jabonería Swift), vocales: Atilio Reynoso (salchichería Armour), Jorge Ermili (taller mecánico Armour), Cándida Layavedra (tripería capones Swift), Rolando Dalieri (protección Swift).

[68] Sobre las elecciones en el gremio de Berisso la información es muy escasa, *El Trabajador de la Carne*, julio a noviembre de 1954. Los resultados fueron los siguientes de acuerdo con los datos de la Federación:

Frigorífico Armour		Friforífico Swift	
Lista Azul	2088	Lista Blanca y Celeste	1544
Lista Rosa	800	Lista Rosa	2072
Lista Amarilla	204	Blanca	255
Anulados	24	Amarilla	287
en blanco	43	Azul	26
		en blanco	9

CUADRO Nº 24

Itinerario seguido por los representantes de la Federación Gremial de la Industria de la Carne para disertar sobre el II Plan Quinquenal.

Sindicato	Localidad	Fecha
Anglo	Avellaneda	17-04-53
Monte Grande	Pcia. de Buenos Aires	18-04-53
Sirdar	Capital Federal	20-04-53
Ciabasa	Avellaneda	21-04-53
CAP	Capital Federal	22-04-53
La Blanca	Avellaneda	23-04-53
Rosario	Pcia. de Santa Fe	24-04-53
Casilda	4 de Junio	25-04-53
Zárate	Pcia. de Buenos Aires	27-04-53
Wilson	4 de Junio	28-04-53
Maciel	Pcia. de Santa Fe	07-05-53
Santa Fe	Pcia. de Santa Fe	08-05-53
Rafaela	Pcia. de Santa Fe	09-05-53
Carcarañá	Pcia. de Santa Fe	11-05-53
La Negra	Avellaneda	12-05-53
Nelson	Avellaneda	10-06-53
Santa Elena	Entre Ríos	12-06-53
Yuquerí	Entre Ríos	15-06-53
Liebig´s	Entre Ríos	17-06-53
C. del Uruguay	Entre Ríos	19-06-53
Gualeguaychú	Entre Ríos	22-06-53
Las Rosas	Entre Ríos	19-08-53
Bell Ville	Pcia. de Santa Fe	21-08-53
General Deheza	Córdoba	23-08-53
Hernando	Córdoba	24-08-53
Córdoba	Córdoba	26-08-53
Malagueño	Córdoba	27-08-53
Tucumán	Córdoba	30-08-53
Santiago del Estero	Tucumán	31-08-53
Pte. R. S. Peña	Santiago del Estero	03-09-53
Resistencia	Presidente Perón	06-09-53

FUENTE

El Trabajador de la Carne, abril-julio de 1953 y *Federación Gremial del Personal de la Industria de la Carne Derivados y Afines, 1950-1953.*

Tras algunos incidentes, el presidente Perón se mostró no sólo asombrado por los acontecimientos sino que deslizó una velada amenaza. Desde entonces los obreros de la carne y sus sindicatos esperaron la sanción del Estatuto.

La Federación de la Carne retomó el tema y, sobre la base del convenio de 1946 –aquél que puso fin a la huelga de sesenta días–, elaboró un nuevo anteproyecto que fue entregado al Presidente de la nación, a su esposa Evita, al gobernador de la provincia de Buenos Aires, coronel Mercante, y a los presidentes de los bloques peronistas en el Congreso, Leonidas Saadi (Senadores) y Angel Miel Asquía (Diputados).[69] El Estatuto fue publicado tanto en *Conciencia Obrera*, del Sindicato Autónomo de Berisso como en el *Trabajador de la Carne*, órgano de la Federación. Fue sometido a la discusión en diferentes asambleas.[70]

El Estatuto era un instrumento legal de importancia que tendría aplicación en todo el territorio nacional y abarcaba al conjunto del personal dependiente de "las firmas patronales" (obreros, estibadores, empleados, viajantes, supervisores, médicos, etc.). En sus disposiciones se abarcaba un vasto campo de cuestiones que incluía: el funcionamiento de las comisiones paritarias y sus atribuciones; las disposiciones comunes para obreros y empleados en las que se estipulaban las causas de despido, el cómputo de antigüedad, las sanciones disciplinarias, el descanso anual, el régimen de licencias y la constitución de una caja de compensación por desocupación y del consejo de administración; la organización de diferentes organismos tales como bolsas de trabajo con el objetivo de conseguir ocupación al personal subsidiado y un instituto de readaptación para el personal de la industria con incapacidades físicas y con enfermedades; finalmente, se establecían las condiciones de higiene que debían regir en la industria.

En el Estatuto se expresaba también que los trabajadores ocupaban el lugar más importante en el ámbito de la producción; derivaba de esa importancia su poder para proponer las mejores soluciones para ellos y para las empresas. Entre las preocupaciones sindicales se encontraban las relativas a la estabilidad laboral. Por eso se imaginaron instituciones adecuadas (bolsas de trabajo, instituto de readaptación) para amortiguar las características del empleo temporal y para reubicar los trabajadores despedidos.

Hasta 1950, una y otra vez, los trabajadores reclamaron la sanción del estatuto[71]; en el periódico del gremio local y en el de la Federación expresaban su esperanza de que fuera tratado por los legisladores. Las críticas a los senadores de origen gremial eran frecuentes y, al finalizar cada año legislativo, recordaban casi como un ritual que otro año había pasado sin su sanción. En "Nuestros legisladores se olvidaron de los obreros" sostenían que: "los legisladores de origen obrero, ni siquiera han abierto la boca para

[69] El Anteproyecto fue entregado el 10 de septiembre de 1948 por los miembros de la Federación entre los que se hallaban Raúl Santagostino y Pascual Di Plácido de Berisso, y el 15 del mismo mes a Perón. En esa reunión el Presidente expresó que se mantendría equidistante de los problemas internos de la organización que no eran otros que la puja entre la tendencia más independiente y otra más subordinada al líder. *El Trabajador de la Carne*, septiembre de 1948.

[70] Véase *Conciencia Obrera*, enero y febrero de 1949, *El Trabajador de la Carne*, abril mayo de 1949. También en "Un estudio sobre el 'Estatuto de la Carne'", *Orientación*, 6 de noviembre de 1946.

[71] Por ejemplo: "Debemos luchar hasta que el capital ceda en sus eternos privilegios, de escarnio de la masa trabajadora"; "Conozcan Uds. el Estatuto de la Carne", *Conciencia Obrera*, abril de 1948 y enero de 1949.

sostener la necesidad –es lo menos que podríamos esperar de ellos– de encarar la solución que afecta a centenares de miles de trabajadores que con su voto los llevaron a los cargos que ocupan, con la esperanza de que serían valientes defensores de sus intereses [...] han demostrado no diferenciarse de los otros, de los que nada tienen en común con el proletariado".[72]

El Estatuto no fue sancionado. Cuarenta años después un miembro de la comisión directiva del frigorífico, Galileo Mattoni, me comentaba –conteniendo su decepción– que era una deuda del general Perón con los obreros de la carne. Aunque los trabajadores habían quedado enredados en la política de Perón, la relación con el líder no implicaba resignar lo que consideraban "indiscutibles derechos". En la recordación se mezclaba reproche y comprensión: *yo no sé, algo había que se oponía Perón, ferozmente, a que se sancionara el Estatuto de la Carne* y agregaba *se le echaba mucho la culpa a los legisladores pero los legisladores estarían como te puedo decir, maniatados, ellos sabrían muy bien porqué no lo hicieron, no lo llevaron a la sanción que hubiera sido la salvación del gremio de la carne.* Para el viejo dirigente gremial el Estatuto de la Carne no se sancionó *porque no convenía a los intereses de los capitalistas, a pesar de todo lo que se avecinaba, de la evolución que se avecinaba, de la revolución que se avecinaba, todavía ellos tenían el dominio de la cosa.*[73]

La presentación del Estatuto de la Carne en las Cámaras renovó la intervención en el debate de la prensa comunista. El comunismo bonaerense quería impulsar una discusión más amplia entre los trabajadores y proponía sugerencias para su mejoramiento.[74] La estabilidad era una vieja aspiración que debía concretarse en el hecho de que todo obrero o empleado fuera considerado como efectivo desde el primer día de trabajo. Todas las labores tenían que ser categorizadas como insalubres, no solamente las de las cámaras frías, y adecuarse la jornada de labor a esa declaración de insalubridad.

Como el Estatuto abolía el sistema de trabajo denominado estándar y a destajo, los comunistas pensaban que era necesario especificar, claramente, que no podían ser suplantados por ninguna otra forma de labor que "exija un esfuerzo mayor del esfuerzo normal medio del obrero común" y se debía abolir la "oficina de eficiencia" a través de la cual se estudiaba y aplicaba el estándar.

A estas sugerencias se agregaban la declaración de ciertos trabajos como inadecuados para las mujeres, la extensión de la licencia de maternidad de 120 a 180 días, así como observaciones sobre salarios, garantía horaria, asignación familiar, descanso anual y licencia.[75] La intervención pública del Partido Comunista se hacía extremando el tono y el carácter de las resoluciones porque el Estatuto retomaba buena parte de sus demandas del pasado, salvo que ahora ellos se ubicaban aún en los bordes del panorama sindical y político del país.

---

[72] *El Trabajador de la Carne*, septiembre de 1949 también en los números de julio, octubre y noviembre de 1949.

[73] Entrevista con Galileo Mattoni, La Plata, 10 de julio de 1987.

[74] *Orientación*, 6 de noviembre de 1946.

[75] *Mujeres Argentinas*, 15 de mayo de 1947.

La nacionalización de las empresas frigoríficas: otra frustración

La nacionalización de las empresas frigoríficas formó parte de los reclamos de los trabajadores de la carne desde el momento en que los militantes comunistas empujaron la organización, más tarde, durante la huelga de marzo de 1946, del sindicato autónomo y su dirección laborista. Este pedido fue renovado cuando se produjo la nacionalización de los ferrocarriles y puede interpretarse como una muestra más del nacionalismo obrero que encontró en el lenguaje del nacionalismo una clave para su identificación social y nacional.[76]

Por diversos motivos los trabajadores de los frigoríficos se identificaban con ciertos elementos de un "ideal" nacionalista que tenía también una traducción económica. Los trabajadores fragmentados por su origen, cultura e identidades políticas, encontraban en el movimiento peronista una vía para la integración, que el propio conductor de ese movimiento definía como una comunidad política. La idea nacionalista de unidad permitía a los cuerpos dispersos y heterogéneos volver la espalda a sus raíces y aspirar a una uniformidad que superara las diferencias culturales y políticas y a una cohesión alrededor de la nación. La nación era entendida como un cuerpo autónomo y autárquico que tenía el derecho y la obligación de controlar las riquezas, la circulación de bienes y personas.

Los trabajadores de la carne (y el movimiento obrero organizado como un todo) entendían que la sociedad y el Estado podían transformarse, y que los trabajadores podían ser los genuinos representantes y dirigentes de la nación. Dibujaron una línea de enfrentamiento con las compañías extranjeras que fue alimentando una noción de impugnación del capital extranjero que conjugaba bien con ese difuso sentimiento nacionalista.

Cuando Perón nacionalizó los ferrocarriles, los obreros de la carne pensaron que el camino se abría para producir un acontecimiento similar con los frigoríficos. En el congreso ordinario de la Federación de la Carne la delegación de Berisso expresó su "anhelo en el sentido de que la federación interese a los poderes públicos con el objeto que se llegue a nacionalizar la industria".[77] Señaló que las empresas de capital extranjero no estaban a tono con las necesidades del país: "Las firmas patronales extranjeras –decían– nunca se han sentido identificadas con las inquietudes y los anhelos de la nación. Han vivido permanentemente con la condición de una irreductible tensión antitética entre capital y Estado".[78] Era necesario preservar la riqueza de la nación y por eso el

---

[76] Para un análisis de la relación entre nacionalismo y movimiento obrero, véase Samuel L. Baily: *Movimiento obrero, nacionalismo y política en la Argentina*, Hyspamérica, Buenos Aires, 1985. Señala Baily: "El nacionalismo popular representó una ideología política para los trabajadores. Su propósito fue legitimar las aspiraciones de los obreros, unir los distintos elementos de la sociedad y justificar un cambio radical en las estructuras sociales, políticas y económicas, para crear una comunidad igualitaria. Los nacionalistas obreros creían representar mejor los auténticos intereses del pueblo argentino, y buscaron el poder político para que éste los ayudara a crear y proteger un consenso nacional en torno a sus ideales y programas", pág. 193.

[77] *Conciencia Obrera*, julio de 1949.

[78] *Conciencia obrera*, julio de 1949.

sindicato Armour de Berisso denunció la matanza de ganado en estado de preñez pues ello constituía un atentado contra el país.[79]

Los reclamos de nacionalización de las empresas cárnicas venían de largo tiempo atrás. El Partido Comunista reclamó la nacionalización como parte de su lucha contra las compañías imperialistas y como una manera de romper con el trust de la carne. Según Rodolfo Puiggrós, al Estado se le planteaba la disyuntiva de nacionalizar los frigoríficos o subvencionarlos. Se eligió el camino de las subvenciones a los monopolios frigoríficos. Se buscó a través de la Junta Nacional de Carnes o por medio de la comisión administradora de la CAP controlar la producción de carnes e impulsar, al mismo tiempo, la industrialización y comercialización para el consumo interno y la exportación, y lograr incluso un precio adecuado para el ganado.[80]

Como se ha señalado anteriormente, la finalización de la Segunda Guerra Mundial volvía a plantear una situación crítica en el sector que debía reorientar su producción y realizar nuevas inversiones. El otorgamiento de subsidios sólo atenuaba este estado de cosas. El conflicto se acentuó a partir de los cambios en el consumo de los países compradores, pero también con el deterioro de ambas compañías en los propios EE.UU. donde fueron desplazadas de los lugares que ocupaban entre las grandes empresas. Frente a esta situación la retórica nacionalista de Perón no fue suficiente para satisfacer las demandas nacionalistas de los trabajadores de la carne, quienes vivieron la situación como una nueva frustración.[81]

[79] *Conciencia Obrera*, agosto de 1949.

[80] Rodolfo Puiggrós: *Libre empresa o nacionalización en la industria de la carne*, Buenos Aires, Argumentos, 1957, págs. 247–269. Las preocupaciones por el estado de la industria surgen además de sus carpetas de recortes periodísticos (*La Hora, Orientación, La Nación* y *La Prensa*) y de los documentos de la Junta Nacional de Carnes que me fueron cedidos por el autor cuando era profesor en la Facultad de Filosofía y Letras y rector de la Universidad de Buenos Aires. Poco tiempo después la Universidad fue intervenida y las persecuciones políticas lo llevaron al camino del exilio.

[81] Sobre la influencia del nacionalismo en la formación ideológica de Perón véase Cristián Buchrucker: op. cit., págs. 301 a 399.

CAPÍTULO IX
Inestabilidad laboral y política.
La declinación de los grandes frigoríficos

"Lo que tenemos ante nosotros es la perspectiva de una sociedad de trabajadores sin trabajo, es decir privados de la única actividad que les queda No es posible imaginar nada peor".

Hannah Arendt: *La condición del hombre moderno, 1961.*

Si la armonía y la unanimidad habían estado lejos de conseguirse en los frigoríficos y en la comunidad, desde el derrocamiento del presidente Perón en 1955 y durante todo el período posterior, hasta el cierre de Armour y la quiebra del Grupo Deltec, la experiencia de la fábrica estaría cruzada por nuevos y viejos problemas.

Por diferentes motivos, la zona de Berisso y Ensenada fue el epicentro de numerosos conflictos. Cuando se produjo el golpe militar de 1955 la inquietud ganó a la población. La desazón no desaparecía aunque se hubiera "disipado el clima configurado por el estruendo de las bombas y la humeante amenaza de cañones y baterías".[1] La población de Ensenada fue evacuada en masa y la CGT declaró un paro. Cuando se estabilizó la situación nuevas tormentas se produjeron. El trabajo fue el foco de los conflictos y cuando los trabajadores de la carne se aquietaban, las tensiones en la empresa petrolera estatal ocupaban la escena y a ellas las seguían dificultades en la industria textil.

[1] *El Día*, 21 de septiembre de 1955.

En esta nueva etapa se produjo el cierre del frigorífico Armour. Fue demolido hasta los cimientos. El Swift mantuvo su actividad luego de la quiebra de la empresa, pero la fábrica de Berisso no se recuperó y cerró definitivamente diez años más tarde. ¿Era un anuncio de la sociedad de trabajadores sin trabajo? Era imposible saberlo en 1970 aunque treinta años después ése haya sido el final de la historia.

La inestabilidad: una amenaza conocida

La inestabilidad en el trabajo alcanzó las expresiones más altas. Si en las décadas anteriores los frigoríficos eran gigantescas puertas giratorias por donde entraban y salían trabajadores; si la velocidad con la que se producía el giro de esa puerta fue más lento durante la década del treinta y aumentó con el peronismo, en esta nueva etapa adquirió un dinamismo tal que más del 90% de los trabajadores varones y el 80% de las mujeres permaneció menos de 1 año en sus puestos de trabajo. La mayoría fueron despedidos antes de cumplir los tres meses de permanencia en las fábricas. Los cuadros N° 25 y 26 muestran ese dato temporal que puede asociarse, por lo menos, a dos motivos de índole distinta pero estrechamente enlazados.

Desde el punto de vista político los cambios que se produjeron después de la caída de Perón transformaron las fábricas en un campo de batalla; esta vez como parte de los objetivos empresarios para recuperar el poder perdido durante el decenio anterior. La modificación de la política de subsidios a la industria que siguió al cambio de gobierno fue acompañada, además, por la derogación de los precios topes al consumidor y por una liberación de los tipos de cambios. Al mismo tiempo, la diversificación de los países compradores y el tipo de preparación de carne demandada por los consumidores incidió significativamente en el desarrollo de la industria. Según Buxedas, la industria de la carne vendía cantidades menores a cada país de destino y generalmente en número más reducido que las destinadas al mercado británico. Las exportaciones de las conservas tradicionales cayeron fuertemente, pero se desarrollaron otras, como las carnes cocidas, las congeladas y el tipo de comidas. Cambió también la preparación de las carnes exportadas: las destinadas al consumo directo se realizaban en cortes y las de manufactura eran deshuesadas. Todos estas modificaciones iban acompañadas de fuertes variaciones en la demanda a las que la industria tenía que adaptarse.[2] Las fábricas argentinas no eran las únicas. En los Estados Unidos se produjo también la caída del empleo en el sector, el 22,3% entre 1956 y 1964. Se verificó también la transformación de los grandes y más antiguos establecimientos, que fueron reemplazados por una red descentralizada de plantas mecanizadas ubicadas en áreas rurales.[3]

[2] Martín Buxedas: op. cit.
[3] Rick Halpern: *Down on the Killing Floor. Black and White Workers in Chicago Packinghouses, 1904-1954,* University of Illinois Press, Urbana and Chicago, 1997, pág. 247.

CUADRO Nº 25

Frigorífico Armour. Personal obrero, período de tiempo trabajado según origen y sexo, 1915-1969. (En porcentajes)

Período de tiempo	Varones Arg.	Varones Ext.	Varones Totales	Mujeres Arg.	Mujeres Ext.	Mujeres Totales
1 a 7 días	4,3	7,2	4,6	3,6		3,4
7 días-1mes	26,5	27,5	26,6	20,5		19,7
1-2 meses	21,2	26,0	21,6	9,7		8,9
2-3 meses	21,6	23,1	21,7	18,5	60,0	20,1
3-4 meses	2,9	1,4	2,8	2,8		2,7
4-5 meses	3,0	1,4	2,9	2,4		2,3
5-6 meses	2,1		2,0	1,2		1,1
6-7 meses	2,4	2,9	2,5	2,8	10,0	3,1
7-8 meses	2,2		2,0			
8-9 meses	1,2	1,4	1,1	2,0		1,9
9-10 meses	1,8		1,6	4,8	10.0	5,0
10-11 meses	1,2	1,4	1,2	3,6		3,4
11-12 meses	0,9	1,4	0,9			
Subtotal	**91,7**	**94,2**	**92,0**	**82,2**	**80,0**	**82,1**
1-2 años	4,9	4,3	4,9	7,2	10,0	7,3
2-3 años	1,7		1,5	5,6	10,0	5,8
2-4 años	0,8		0,7	2,0		1,9
4-5 años	0,6		0,6			
Subtotal	**8,1**	**4,3**	**7,8**	**14,9**	**20,0**	**15,1**
5- 10 años	0,1		0,1	2,4	20,0	2,3
10-15 años						
Subtotal	**0,1**		**0,1**	**2,4**	**20,0**	**2,3**
Sin datos		1,4	0,1			
No trabajó				0,4		0,4

FUENTE

Registros de personal. Se considera la primera vez que ingresa el trabajador

CUADRO Nº 26

Frigorífico Swift. Personal obrero, período de tiempo trabajado según origen y sexo, 1915-1969. (En porcentajes)

Período de tiempo	Varones Arg.	Varones Ext.	Varones Totales	Mujeres Arg.	Mujeres Ext.	Mujeres Totales
1 a 7 días	4,1	12,5	4,6	1,7		1,7
7 días-1mes	20,0	12,5	19,5	16,0		16,0
1-2 meses	17,5	25,0	17,9	19,6		19,6
2-3 meses	9,1		8,6	5,3		5,3
3-4 meses	3,3		3,1	3,5		3,5
4-5 meses	7,5		7,0			
5-6 meses	5,0	12,5	5,4	1,7		1,7
6-7 meses	2,5		2,3	3,5		3,5
7-8 meses	4,1		3,6	1,7		1,7
8-9 meses	0,8		0,7			
9-10 meses	4,1		3,9	1,7		1,7
10-11 meses	1,6		1,5			
11-12 meses	0,8		0,7	1,7		
Subtotal	**80,8**	**62,5**	**79,6**	**57,1**		**57,1**
1-2 años	5,0		4,6	12,5		12,5
2-3 años	3,3	25,0	4,6	3,5		3,5
2-4 años	2,5	25,0	3,1	1,7		1,7
4-5 años	4,5		3,6	3,5		3,5
Subtotal	**15,0**	**37,5**	**16,4**	**21,4**		**21,4**
5- 10 años	0,8		0,7	12,5		12,5
10-15 años	2,5		2,3	5,3		5,3
Subtotal	**3,3**		**3,1**	**17,8**		**17,8**
15-20 años				1,7		1,7
20-30 años				1,7		1,7
+de 30 años						
Subtotal				**3,5**		**3,5**

FUENTE

Registros de personal. Se considera la primera vez que ingresa el trabajador

Desocupación y defensa de las condiciones de trabajo

Cambios y fluctuaciones se encontraban en la base de la inestabilidad laboral y fueron el origen de los conflictos obreros durante la etapa. Los despidos en la industria eran frecuentes y las huelgas se produjeron rápidamente cuando fue desapareciendo el clima de incertidumbre inicial que acompañó al golpe militar.

Para los trabajadores de Berisso la situación era complicada porque los empresarios de la "industria grande", es decir las grandes empresas oligopólicas, iniciaron una ofensiva contra el poder de los trabajadores y sus organizaciones sindicales al mismo tiempo que eran refractarias a admitir que las transformaciones en los mercados, en el consumo y en la tecnología empleada en la industria requerían de mayores inversiones más que de una ofensiva contra los trabajadores.[4]

La inestabilidad de la producción es indiscutible de acuerdo con los datos proporcionados por la Junta Nacional de Carnes. El cuadro Nº 27 muestra la faena registrada tanto en las compañías tradicionales, como Swift y Armour, en las grandes fábricas regionales y en las nuevas empresas que, aunque inicialmente producían para el consumo interno, participaban también en las exportaciones.

CUADRO Nº 27

Faena registrada de vacunos por tipo de establecimiento, 1935-74. (En miles de toneladas de carne promedio anual).

Período	Frigoríficos Centrales (a)	Grandes fábricas regionales (b)	Lisandro de la Torre (c)	Nueva Industria de exportación (d)	Mataderos Subtotal de consumo (e)	Mataderos Subtotal de consumo (f)	Total (g)
1935-39	804	25	148	-	982	542	1.524
1945-49	632	51	286	-	969	738	1.707
1955-59	854	77	191	119	1.241	980	2.221
1960-64	519	59	140	295	1.013	1.117	2.130
1965-69	544	63	103	645	1.355	1.033	2.388
1970-74	281	61	50	791	1.183	970	2.153

FUENTE

Reseña de la Junta Nacional de Carnes. Citado por Martín Buxeda : *La industria frigorífica en el Río de la Plata*, Bs. As. Clacso, 1983, pág. 109
(a) Anglo, Armour, La Blanca, Swift La Plata, Swift Rosario, Frigoríficos Argentinos (ex Wilson), Cuatreros, Martín Fierro (Smithfield), Gualeguaychú, Vivoratá.
(b) Yuquerí, Liebig's, Bovril y CAP Vilela.

[4] Esta ofensiva política se ejemplifica no sólo con la intervención de los sindicatos sino también con la detención de numerosas personas; entre ellas los dirigentes gremiales de Berisso. Sobre la situación en Berisso y Ensenada, véase *El Día*, 17 al 28 de septiembre de 1955.

Las variaciones en la producción derivadas de las fluctuaciones en el consumo se entrecruzaban con los problemas políticos asociados con el poder de las organizaciones sindicales y su vinculación con Perón, situación que los nuevos gobiernos buscaban modificar. Para los obreros la restauración del poder patronal se tradujo en un enfrentamiento casi diario con las compañías y se enmarcó en una línea de confrontación del sindicalismo peronista con las autoridades nacionales. El eje del enfrentamiento era por parte de los trabajadores la defensa de las "fuentes de trabajo", sobre todo cuando se cerraron establecimientos importantes como el frigorífico La Blanca y el Smithfield.

Esa confrontación adquirió sus más altos niveles en cada discusión sobre la renovación de los convenios colectivos de trabajo o a raíz de su incumplimiento.[5] Lo cierto es que la situación existente en el conjunto de las empresas cárnicas impulsó paros parciales y generales y una permanente acción pública de la Federación a través de las empresas periodísticas y de su propio periódico.

Esas acciones se producían en un momento complicado pues las organizaciones de base, como los sindicatos de Berisso, no siempre respondían disciplinadamente a las decisiones tomadas por la Federación. Por otra parte, si el contexto nacional se había modificado profundamente, también la Federación tenía que responder a las representaciones de un conjunto más vasto de trabajadores, como los pertenecientes a las nuevas empresas y mataderos, en desmedro de las representaciones obreras de las fábricas más tradicionales.[6] Durante el período de mayor autonomía de la Federación de la Carne respecto a Perón, sus secretarios generales habían sido –en su mayoría– representantes obreros de Berisso; al convertirse en una organización más fielmente peronista, los delegados de Swift y Armour fueron perdiendo protagonismo en el escenario político gremial, y su lugar fue ocupado por organizaciones menores.

Durante 1960 los trabajadores enfrentaron una nueva ofensiva patronal y tuvieron que solicitar el apoyo de las "62 organizaciones", el organismo político de los gremios que respondían a Perón en el exilio.[7] A pesar de que la proscripción política del peronismo tendía a amortiguar antiguas rencillas, el sindicato de Berisso, así como los obreros de los frigoríficos de Swift y Armour, realizaron todos y cada uno de los paros dispuestos por la entidad que los englobaba.

---

[5] Por ejemplo el 18 de enero de 1957 se realizaron paros de una hora por turno porque la patronal "no se aviene al estricto cumplimiento de los convenios", *El Trabajador de la Carne*, febrero de 1957.

[6] Este es un proceso originado en la etapa anterior a partir del incremento de trabajadores sindicalizados pertenecientes a pequeños frigoríficos y mataderos. La dimensión de la relación cotizantes-representación existente en el Consejo Federal de la Federación es más clara si se tiene en cuenta que el Sindicato Armour tenía, con 5.000 cotizantes, 3 representantes al Consejo Federal; Swift, con 5.500, otros 3; pero una organización gremial de los mataderos de Córdoba con 278 cotizantes, tenía 1 representante. Los sindicatos pequeños eran numerosos. *El Trabajador de la Carne*, julio de 1962.

[7] *El Trabajador de la Carne*, febrero de 1960.

En el marco del funcionamiento de las negociaciones paritarias, la Federación había presentado el 15 de diciembre de 1960 el petitorio de mejoras para la "industria grande". Las empresas se negaron inicialmente a la negociación, luego aceptaron el diálogo y formularon sus propuestas, pero ellas no fueron aceptadas esta vez por los trabajadores. Las compañías ofrecían un incremento salarial del orden del 20% frente al 50% solicitado por las entidades sindicales. Como en otras oportunidades, la prensa se convirtió en el receptáculo del conflicto. Las grandes empresas periodísticas (a las que ya se había sumado el diario *Clarín*) no ocultaban sus deseos de que los trabajadores depusieran sus actitudes para sostener "las exportaciones".

El diagnóstico sobre las causas de la situación fue la clave para delimitar el campo de problemas y sus soluciones por ambos contendientes. Las compañías, tal como he mostrado, introdujeron programas de desarrollo y capacitación de supervisores confiando en que el establecimiento de "buenas relaciones con el personal" resolvería una parte de las cuestiones.

En el manual *Supervisión–Sus principios*, utilizado para la formación de personal, las compañías reconocían la importancia radical de las buenas relaciones con los empleados. Allí se enumeraban los principios fundamentales de estos programas. Los principios se basaban en el cumplimiento estricto de las disposiciones legales aplicables a las actividades y a las relaciones laborales como un requisito mínimo; esto sobre la base de un programa racional y equitativo. Postulaban la importancia de brindar las mejores condiciones de trabajo posibles así como salarios justos, aunque siempre con relación a los pagados en otras industrias, y de asegurar al personal la máxima estabilidad de acuerdo con las posibilidades económicas. Sostenían la necesidad de mantener buenas relaciones con cada empleado y con grupos de trabajadores, y declaraban que las relaciones entre patrones y empleados no necesitaban basarse en la "teoría del conflicto" sino que debían conducirse por la cooperación para reducir el campo de los desacuerdos. Finalmente, los principios señalaban que la compañía no realizaba ninguna discriminación a raíz de la religión, partido político, sindicato u organización social a la que pertenecieran los empleados.[8]

El nuevo programa mantenía los estudios de tiempo y movimientos y con ellos los ritmos e intensidad del trabajo, pero intentaba establecer un clima nuevo a las relaciones con los trabajadores. El punto de partida era político, ya que se relacionaba con el contexto diferente que vivían los empresarios a partir del desalojo de Perón de la Casa Rosada. El diagnóstico era significativo: la compañía debía tener la iniciativa en el desarrollo y mejoramiento de las relaciones con el personal para no perder ese privilegio a favor del gobierno o de las asociaciones gremiales, tal como había sucedido en el gobierno anterior en que se respondía a la presión de los gremios "políticamente embanderados".

El programa de entrenamiento de supervisores se complementaba con otro de ingeniería industrial cuyo objetivo era reducir costos en las plantas principales de la compañía. Para ello se revisaron los procedimientos contables y se estableció un nuevo código de

[8] Compañía Swift: *Supervisión-Sus principios*. Versión reducida (original para corregir y copiar), 1960, págs. 5 a 7.

cuentas para definir y clasificar la mano de obra y los gastos por función y por área de responsabilidad. Se estableció también la mecanización de los sistemas contables a través de la instalación del equipo de procesamiento de datos por tarjeta perforada. Según la empresa, el nuevo plan "exige el establecimiento de estándares de trabajo medido o presupuestado, donde la performance de cada actividad de la compañía pueda ser medida".[9]

El programa requería un considerable esfuerzo de adoctrinamiento y entrenamiento del personal operativo y contable. El registro de producción establecía hojas de diferentes colores para registrar los volúmenes de producción (blanco para incentivo estándar, rosa para producciones medidas sin incentivo, verde para producciones con otros incentivos). Había empleados que llevaban el registro de producción e informes diarios y quincenales de eficiencia.

El personal administrativo fue sometido también a estudio. Se realizó un seguimiento minucioso de sus tareas. Así, una operación aparentemente sencilla como mecanografiar formularios con una copia de carbónico, debía realizarse en cuatro minutos con máquina de escribir. El estudio de la operación especificaba "recibir borrador de supervisor, dejar borrador sobre la mesa, alcanzar talonarios de formularios, arrancar dos hojas del talonario, guardar el talonario, extraer una hoja de papel carbónico de su caja, insertar una hoja de papel carbónico entre las dos hojas, colocar los formularios y el carbónico en el carrete de la máquina de escribir, transcribir a máquina el texto indicado en el borrador, retirar los formularios y el papel carbónico, devolver el papel carbónico a su caja, llevar el formulario por duplicado al supervisor para su aprobación y firma".[10]

Tamaño esfuerzo creativo para mejorar la performance de los empleados no podía llevar a resultados menos promisorios. No obstante, los escasos y fragmentarios documentos encontrados proporcionan otro diagnóstico sobre la nueva situación. Los problemas estaban en el mercado consumidor y sus transformaciones. Las compañías buscaban introducir los productos que los consumidores reclamaban (carnes precocidas, carnes sin hueso, carnes magras) y reducir los costos laborales. Este proceso de transformación se hacía bajo algunos lemas: "Capacitarse=Reiteradas exigencias de la empresa de nuestro tiempo", "Nuestra tarea es futurizar y cosmizar para responder con acierto y con responsabilidad a la nueva realidad que se nos avecina". Decían también: "El que está al día hoy está atrasado. De ahí la urgencia para contar con una activa imaginación que haga posible la superación de un estado de cosas que no es sino arrastrar un esquema que data de mediados del siglo pasado".[11]

Los responsables de la compañía de diseñar las soluciones posaban su mirada en un futuro tecnológico universal. Los viajes espaciales les hablaban ya de la era cósmica y creían que las empresas debían adecuarse a las nuevas necesidades. En esa

[9] Compañía Swift: *Manual Programa de Control de Costos*, 1 de noviembre de 1960, pág. 2.
[10] Compañía Swift: *Mejora de métodos de trabajo*, s/f, pág. 31.
[11] Swift Complejo de Industrias. *Universidad Frigorífica 1904-1907-1968. 64 años contribuyendo al desarrollo argentino. Evolución, Modernización. Auscultando el futuro*, por J. M. Pellegrino, mecanografiado, s/f, pág. 5.

era cósmica "los alimentos serán de bajo contenido calórico, la carne será comercializada totalmente sin hueso, sin exceso de grasa, sin desaprovechamiento, tierna [...] y precocida por medio de las micro y macro ondas [...] El plástico reemplazará a la hojalata. El procesamiento nuclear en escala comercial de los alimentos es ya una tangible realidad. La radiación atómica de los alimentos introducirá una flexibilidad en los procesos, en el transporte, en el almacenaje y comercialización de los mismos y traerá aparejado beneficios a los productores, distribuidores y consumidores".[12]

Ciencia, capacitación, racionalización, eficiencia e imaginación eran las palabras mágicas que modificarían la situación en el sector en los años sesenta. Los cambios no alcanzaban para mantener el nivel deseado de los negocios y los beneficios y, con el tiempo, se revelaron como insuficientes.

Los trabajadores representados por la Federación, analizaron el estado del sector en los marcos de una retórica que unía su situación a la de toda la industria y ésta a la acción de los monopolios y los intereses antinacionales. En *La esencia de nuestros problemas actuales*[13] realizaron su balance en medio de los paros que se fueron sucediendo desde el momento en que escucharon la negativa de las compañías a discutir la renovación del convenio laboral.[14]

La importancia del desarrollo nacional y del bienestar de la nación unido al de los trabajadores ya formaba parte de la retórica sindical desde los tiempos que propusieron un estatuto que reglamentara el trabajo en la industria así como la nacionalización de los frigoríficos. Para la Federación, la causa de los "momentos de inquietud" que vivía el gremio de la carne "es la distorsión de la economía argentina provocada por intereses ávidos de aprovecharse de nuestras riquezas. Los restos de la estructura colonialista (no impuesta precisamente por los colonizadores, sino por quienes desde la organización nacional han ejercido la hegemonía 'de hecho' y 'a la distancia') no abandona la pretensión de ahogar todo atisbo de independencia económica".

A los dirigentes sindicales no se les escapaba que la ganadería y la elaboración de carnes eran las dos grandes fuentes productoras de divisas con que la Argentina contaba para la modernización y reequipamiento industrial y la consiguiente expansión y liberación de la economía. Pero para ellos, "los intereses antinacionales", "coligados o confundidos con los monopolios" no querían que la Argentina se transformara en un país completamente industrial como tampoco querían que la industria frigorífica contase con instalaciones modernas, con todos los avances tecnológicos y científicos.

Para la organización sindical "al monopolio explotador y antinacional le convendría arruinar la industria argentina de elaboración de carnes... Al monopolio le convendría llevarse las reses al extranjero para someterlas allí a una elaboración exhaustiva empleando los grandes avances de la técnica con los que se beneficiarían exclusivamente

---

[12] Ibídem, pág. 8.
[13] *El Trabajador de la Carne*, junio de 1961.
[14] La prensa tomó posición invirtiendo las responsabilidades: era la actitud obrera la que afectaba el desarrollo nacional y el bienestar de la población pues perjudicaba las exportaciones. Véase en particular la sección editorial de *Clarín*, 7 de junio de 1961.

quienes dirigen el comercio mundial de carnes desde fuera de nuestras fronteras patrias". Desde su óptica, este plan siniestro afectaría a los ganaderos, a los frigoríficos ajenos a los monopolios, a todos los trabajadores y a la economía argentina.

Las consecuencias de esta situación eran visibles: edificios tan vetustos como las instalaciones, maquinarias y métodos de industrialización, a los que había que sumarles el "menosprecio" que sentían por los trabajadores y la "indiferencia" con que los obligaban a realizar sus tareas en condiciones más que deficientes. A todo ello agregaban que actuando de este modo las empresas demostraban "no sólo [...] un insanable egoísmo sino que son indicio de una táctica destinada a desalentar a las personas y destruir las fuentes de producción. Una campaña bien dirigida en el sentido de hacer creer a los trabajadores que no se rinde lo suficiente, que su productividad es escasa tiende a excitar el amor propio de los trabajadores a herir el sentido de responsabilidad que anida en cada trabajador, incitándolo a producir más por el mismo salario".

Para la organización sindical los despidos masivos completaban "la obra desmoralizadora del monopolio" porque, con menos obreros ocupados y sin mejorar los salarios, las empresas lograban aceptables niveles de producción y beneficios que se diluían participando "en empresas colaterales, y a veces, totalmente ajenas a la producción frigorífica". Finalmente, el incumplimiento de las leyes laborales y de las normas establecidas por convenios colectivos, completaba el cuadro en que desenvolvían sus actividades los trabajadores.

Me he detenido extensamente en el diagnóstico realizado por la Federación de la Carne porque aparecen en él claramente delineados los problemas: obsolescencia de las empresas tradicionales, falta de inversión en tecnología, dificultades para adecuarse al mercado; así como los temas organizadores del discurso sindical de la época que se presentaban como pares dicotómicos irreconciliables: colonialismo versus independencia económica; intereses antinacionales (monopolios) versus nación/trabajadores; destrucción de las fuentes de producción versus riqueza nacional.

En el extenso memorial se presentaban también las soluciones: "Son dos solamente las soluciones de fondo que el gremio propone: pero son de orden fundamental, de vida o de muerte. Son, además, factibles. Y son, por último, urgentes y deben adoptarse coetáneamente. A saber: Primera: que se cumplan los compromisos de modernización y equipamiento de la industria frigorífica con miras al aprovechamiento completo y apropiado de todas las líneas de producción, incluso la utilización de los subproductos que puede resultar aún más valiosa. Segunda: ampliación de los mercados consumidores, vendiendo con criterio estrictamente comercial, sin tener en cuenta las tendencias ideológicas de los futuros países compradores."

¿Había alguna forma de acercar las posiciones? ¿Era posible evitar la desocupación de más de 15.000 trabajadores? ¿Era acaso incompatible el mantenimiento de los salarios en los marcos de los convenios colectivos? La solución más rápida que encontraron las compañías fue el despido de los trabajadores con el objetivo de disminuir gastos. En realidad, demostraron escasa flexibilidad para adaptarse a los cambios, realizar nuevas inversiones de capital e incorporar las nuevas tecnologías. Prefirieron en muchas ocasiones las inversiones financieras pues ellas proporcionaban beneficios rápidos y, además, evitaban tener que lidiar con los trabajadores. Pero lo que era bueno para los empresarios y dirigentes no servía para la empresa, y los frigoríficos Swift y Armour, como otras empresas del sector, transitaron un sinuoso sendero que las condujo al cierre de muchos establecimientos.[15]

Frente a las empresas, la intervención de la Federación ayudaba a delimitar los campos de acción. Sobre la desocupación originada con los despidos, señalaban: "A diferencia de otras industrias donde existe demanda de brazos, la nuestra en los últimos años se caracteriza por el hecho de que las empresas disponen de lo que los economistas y sociólogos han llamado 'ejército industrial de reserva', es decir, de una mano de obra desocupada en forma permanente, que les permite mantener bajos los salarios, al presionar sobre la oferta". Para evitar la presión del "ejército industrial de reserva" propusieron la creación, por ley, de una caja de compensación que aminorara los efectos de la falta de trabajo.[16]

La preocupación gremial por la desocupación era una derivación lógica de los despidos. La situación de los desocupados era para los miembros del gremio no sólo un problema social "sino también un problema nacional, en cuanto hace a la patria misma [...] bajo la faz particular de la defensa nacional". Resumían la situación general del gremio de la carne en un esquema demostrativo donde incluían el número de trabajadores afectados, las fábricas cerradas y las medidas promovidas por el sector laboral. Entre diciembre de 1959 y octubre de 1960 se despidieron 10.814 trabajadores en la industria; casi una cuarta parte pertenecía a las fábricas de Berisso. La Federación de la Carne mantuvo reuniones con el ministro de Trabajo y con otros funcionarios de esa cartera y de la Presidencia de la Nación, con el presidente de la Cámara de Diputados, con representes de la Corporación Argentina de Productores de Carne (CAP); difundieron el problema en la prensa, adoptaron diversas medidas, como declarar el estado de alerta y realizaron huelgas generales en los meses de febrero, marzo y abril y paros de una hora en el mes de agosto. [17]

Los trabajadores de los frigoríficos de Berisso permanecieron activos durante toda la década del sesenta. Realizaron paros por turnos solicitando mejoras específicas para diferentes grupos de trabajadores; acompañaron los paros parciales y generales declarados por la Federación en apoyo de sus gestiones y demandas específicas, como aumento de salarios y cumplimiento de las normas acordadas por convenio; y respondieron a las apelaciones políticas de la Confederación General del Trabajo. Pero el gremio de

[15] Durante los conflictivos años sesenta cerraron sus puertas el Smithfield de Zárate, La Blanca de Avellaneda así como el frigorífico Wilson. Algunos de ellos se transformaron en cooperativas de trabajo que se mantuvieron con enormes dificultades a pesar de contar con la ayuda del Estado. El frigorífico Armour de Berisso fue desmantelado en 1969 y el Swift quebró y pasó a ser administrado por el Estado en 1970.

[16] Por iniciativa del Cuerpo Ejecutivo de la Federación fue aprobada en el V Congreso Ordinario, realizado entre los meses de julio a septiembre de 1960, la creación de una caja de compensación. Su establecimieno tenía que ser el producto de un proyecto de ley que se sancionaría en el Congreso Nacional.

[17] *El Trabajador de la Carne*, octubre de 1960.

Berisso no era homogéneo: sufría residualmente las presiones de los marginales militantes comunistas [18] y subsistían en la organización sindical las divisiones entre un sector más autónomo, que durante el segundo gobierno peronista había sido opacado, y otro más disciplinado bajo las banderas del peronismo[19]. Dentro del sindicalismo peronista, aún divididos, los trabajadores encontraban que ese movimiento político les permitía la intervención pública no sólo en los asuntos propios de su sector identificados con los de la industria sino también, y por esa identificación, en la vida política nacional.[20]

El tema de la inestabilidad laboral era crucial para las organizaciones gremiales y las presentaciones judiciales de las empresas son un dato elocuente de la magnitud del problema. En varias demandas judiciales por diferencias en la liquidación de los haberes o en la indemnización, los abogados de las firmas argumentaban que, como consecuencia de la disminución del trabajo que afectaba a toda la industria de la carne, la empresa se había visto ante la "imperiosa necesidad de despedir personal por estricto orden de antigüedad, con pago de indemnización y despido simple. Situación que alcanza su punto crítico durante los meses de julio, septiembre de 1958 y enero de 1959, despidiéndose un total de 1.731 obreros entre hombres y mujeres".[21] La presentación judicial de Armour es una prueba irrefutable de la magnitud de los despidos, en tres meses –julio y septiembre de 1958 y enero de 1959– la compañía se había desprendido de, aproximadamente, el 30% de su personal.

---

[18] El recuerdo de un militante político sobre una asamblea realizada por los trabajadores del frigorífico Armour luego del golpe militar de 1955 muestra las tensiones con la militancia comunista: "(Julio) es aquí un comunista, un muchacho de mi edad, gran activista comunista, personalmente buena persona, pero comunista... los compañeros estaban confundidos porque la dirección no estaba [...] entonces salta (Julio) y dice 'compañeros, ahora va a existir la verdadera democracia, se terminaron los burócratas', apañando la venida de los militares, la acción purificadora de Aramburu y Rojas, entonces yo salté en otra mesa y les digo 'compañeros, los que tenemos que purificar las organizaciones somos los trabajadores, porque nosotros no necesitamos montarnos en ningún tanque de ningún gorila para mejorar nuestras organizaciones", testimonio de O., entrevista realizada en Berisso en 1992.

[19] El 25 de julio de 1960 se realizó el V Congreso de la Federación de la Carne. La apertura fue realizada por el dirigente Eleuterio Cardoso. Ningún representante de Berisso fue elegido como autoridad en dicho congreso. El presidente fue el delegado de un frigorífico chico, el Santa Elena (Abel Arias). La hegemonía peronista se hizo visible en los rituales. En el Congreso de la Federación se homenajeó a la abanderada de los trabajadores y la Mesa Coordinadora de las 62 Organizaciones fue designada para la presidencia honoraria.

[20] Por ejemplo, el 15 de mayo de 1961 la Federación presentó un memorial al Presidente de la nación y envió copia al Poder Legislativo y a la CGT. Allí denunciaba la "reacción patronalista desatada en septiembre de 1955" y reclamaba que "es imperioso el deber de trabajar para romper las estructuras económicas coloniales, dar soluciones argentinas para todos los argentinos y promover el desarrollo. Siendo el desarrollo dependiente de las exportaciones y la industria de la carne su base, la solución de este problema contribuiría a todo el desarrollo nacional".

[21] Por ejemplo el Departamento Legal del Frigorífico Armour contestó, el 20 de abril de 1959, la demanda judicial por diferencia en la liquidación de haberes de Francisca Agustina Krimiski de Amandola, argentina, casada, nacida el 10 de abril de 1915 quien ingresó a la fábrica el 29 de abril de 1935. El despido se había producido el 25 de julio de 1958, pero su antigüedad indemnizable era de 2 años, 4 meses y 22 días debido a las sucesivas entradas y salidas, frente a los tres años de antigüedad que demandaba la trabajadora. La nota de la empresa estaba firmada por Luis Martorelli.

En este contexto de inestabilidad, la discusión sobre la renovación de los convenios colectivos debilitaba a la representación obrera. No obstante, los paros, que se efectuaron a partir de mayo de 1961, se declararon luego de seis meses de infructuosas negociaciones. Las empresas habían ofrecido, por intermedio del ministro de Trabajo, un aumento del 20% a partir del 1 de mayo y sólo el 16,31% sobre los salarios vigentes para el período existente entre la fecha de vencimiento del convenio anterior y la vigencia del nuevo. La propuesta fue rechazada y se puso en práctica un plan de lucha que incluía la paralización de las tareas por 24 horas, a realizarse el 30 de mayo de 1961.[22]

Durante la primera semana del mes de junio se realizaron paros por turnos, y las compañías decidieron cerrar las fábricas reanudándose las tareas el día 8.[23] Finalmente, acordaron un nuevo convenio, suscripto por representantes de la Federación Gremial y de las empresas frigoríficas que integraban el grupo denominado "industria grande", con vigencia desde el 1 de junio de 1961, hasta el 30 de junio de 1962. Establecía un aumento del 20 % sobre las tablas salariales vigentes y un adicional equivalente al 70% de un mes de sueldo para compensar el desfasaje en el período de aplicación, ya que el convenio anterior había vencido el 16 de diciembre de 1960 y ahora se renovaba a partir de 1 de junio de 1961.

El acuerdo eliminó momentáneamente la conflictividad asociada a la renovación y vigencia de los convenios. Cuando en 1962 se reunió la comisión paritaria encargada de revisar nuevamente el acuerdo, el eje de las discusiones fue la insuficiencia de los salarios. Dispuesta la convocatoria de paritaria, el sindicato denunció las reiteradas inasistencias del sector empresario y reclamó la aplicación de la conciliación obligatoria. Para facilitarla levantó los paros de quince minutos por turno, pero en ese plazo tampoco mejoró la situación.[24] Vencidos los términos de la conciliación, la Federación dispuso la "realización de paros progresivos y sorpresivos" en la "industria grande" a partir del 9 de agosto.

Desde ese momento las posiciones se endurecieron. El sector empresario (Swift de la Plata, La Blanca, Armour de La Plata, Anglo y CAP) comunicó que había resuelto "a partir de la cero hora de hoy suspender a todo el personal hasta tanto la Federación Gremial del Personal de la Industria de la Carne tome el compromiso formal ante el Ministerio de Trabajo y Seguridad Social, de normalizar las tareas y se avenga a discutir bases aceptables para incrementar los jornales y eliminar las trabas y abusos que afectan el normal y eficiente desarrollo de las operaciones industriales y de la productividad". [25] Como en otras oportunidades, las compañías declaraban que no deseaban que sus obreros y empleados perdieran sus jornales invitándolos a meditar "seriamente sobre las consecuencias de estas medidas de fuerza" y aclaraban que la decisión empresaria se adoptaba "ante la desorganización en la planificación del trabajo en las fábricas motivada por los paros sorpresivos y progresivos así como también el retiro de la mínima colaboración".

---

[22] *Servicio de Documentación e Información Laboral* (en adelante *DIL*), Informe N° 15, mayo de 1961.
[23] *DIL*, Informe N° 16, Junio de 1961.
[24] *DIL*., Informe N° 28, junio de 1962.
[25] *DIL*, Informe No. 30, agosto de 1962. Las declaraciones empresarias se produjeron el 11 de agosto de 1962 y fueron publicadas en todos los diarios.

Las posiciones llegaron a su punto máximo de enfrentamiento. Para la Federación, la patronal era "intransigente" e "insensible" porque llevaba más de tres meses de "negociaciones estériles". En ese punto la entidad gremial y los propios trabajadores tenían razones para suponer que no había disposición para el diálogo. De hecho la conciliación obligatoria había fracasado por la reticencia de las empresas. El gremio utilizaba todos los dispositivos a su alcance para sensibilizar a la opinión pública sobre el problema de las carnes y el creciente deterioro del salario.

En opinión del organismo gremial, la situación obligaba a la adopción de medidas de fuerza.[26] Las negociaciones sindicales empresarias daban el tono institucional al conflicto. Pero ¿cómo reaccionaron ante la prolongación del desacuerdo los trabajadores de las plantas cárnicas? Dado que el lock out patronal se prolongaba, los obreros de Swift y Armour se reunieron en la sede del Sindicato en la calle Montevideo. El objetivo era la conformación de una comisión de solidaridad que reuniera a los partidos políticos, las viejas asociaciones, los clubes sociales y deportivos.[27]

Durante los 100 días que duró la huelga el panorama no podía ser más complicado. En septiembre las empresas dispusieron la apertura de los establecimientos, un aumento de salarios y la reincorporación del personal de acuerdo con las necesidades de las compañías. Denunciaron, además, las normas de trabajo vigentes. La Federación rechazó esa decisión por unilateral.[28] Promediando septiembre se realizó la primera reunión concreta de paritaria y las empresas plantearon que todo aumento tenía que estar supeditado a cláusulas de productividad y por ello entendían "la anulación de normas de trabajo establecidas en la convención de 1946". Los sindicatos Wilson, La Blanca, el Smithfield de Zárate y Gualeguaychú acordaron la modificación del convenio de 1946. Las 62 organizaciones (organización política del gremialismo peronista) apoyaron a los trabajadores, y un decreto del Poder Ejecutivo anuló las elecciones realizada el 10 de octubre de 1961. En esas elecciones había triunfado la lista encabezada por Eleuterio Cardoso; el dirigente del frigorífico Wilson, Ernesto Escalada, las había impugnado.[29]

---

[26] Los empresarios publicaron solicitadas en los diarios. La Federación organizó una mesa redonda para analizar diversos aspectos sobre el problema de las carnes en su producción, comercialización e industrialización. El secretario general Eleuterio Cardoso señaló que las causas y objetivos del conflicto eran de carácter estrictamente económico pues el aumento de 4.000 $ respondía a la necesidad de nivelar parcialmente el desequilibrio vertiginoso por el alza del costo de vida. Que productividad no podía significar anulación de normas de trabajo alcanzadas en largos años de lucha obrera sino poner al servicio del trabajo los adelantos de la ciencia y la técnica para hacer menos penosa las labores. Que los altos costos locales de producción, si se comparaban con los costos de otros países, no derivaban del salario de los obreros sino que el estado de postración de la industria en general obedecía a deficiencias notorias de tecnificación. Según las cifras que presentaba el dirigente gremial, el costo de vida para el mes de julio y para una familia tipo era de m$n 9.783,22 mensuales; el salario nominal para un obrero que trabajara 180 horas mensuales era de $ 4.482, si, además, se calculaba la doceava parte del aguinaldo, se añadía el subsidio familiar y deducía el aporte jubilatorio podía obtener $ 5.021,40.

[27] *El Día*, 27 de agosto de 1962.

[28] *DIL*, Informe N° 31, septiembre de 1962.

[29] *DIL*, Informes N° 31, 32 y 33, septiembre, octubre y noviembre de 1962.

Al comenzar noviembre los trabajadores de Berisso planteaban discutir la vuelta al trabajo[30] Los obreros necesitaban la finalización del conflicto. El 8 de noviembre trabajadores de los gremios de la carne y de los astilleros navales de Ensenada marcharon a La Plata y se entrevistaron con el secretario privado del interventor federal. El clima de nerviosismo existente entre los participantes generó algunas fricciones.[31] El gremio y la localidad estaban inquietas.[32] El 25 de noviembre, en una asamblea agitada a la que concurrieron aproximadamente unas siete mil personas, decidieron levantar la medida de fuerza y retornar a la fábrica "bajo protesta", materializada con el envío de un telegrama a las autoridades. En la reunión algunos dirigentes explicaron que aún tenían esperanzas de llegar a un acuerdo con la intermediación de algunos militares de alto rango, y responsabilizaron a Cardoso por haber llegado a esa situación. Un dirigente del Armour planteó: "es necesario que pensemos en regresar si es que hemos de hacerlo, con la moral incólume, a fin de enfrentar con vigor las exigencias patronales". El ambiente de derrota se sentía y cuando un obrero mocionó por la "vuelta al trabajo para el lunes a la cero hora, bajo protesta" recibió amplio apoyo.[33] El 27 de noviembre la prensa platense señalaba que sólo el 50% de los operarios estaba trabajando porque las empresas habían rechazado a los restantes. Los que entraban lo hacían para "producir sobre nuevos esquemas". En tanto la comisión de ayuda seguía entregando víveres a los desocupados.[34]

[30] En realidad en los primeros días del mes de noviembre se consideraba muy próxima una resolución del sector gremial que propusiera la vuelta al trabajo. Se aseguraba que, en asambleas realizadas en Avellaneda y Berisso, los trabajadores decidirían ese temperamento. Sin embargo, no ocurrió así y en ambas asambleas la gran mayoría optó por la prosecución de la huelga. En tanto los establecimientos anunciaban la paulatina normalización de las tareas con personal nuevo y muchos reincorporados, pero el sector sindical negaba que ello ocurriera. El 7 de noviembre una nueva asamblea, que se realizó en Avellaneda, dispuso levantar el movimiento de fuerza en los frigoríficos de la zona a partir de la fecha y al mismo tiempo "saludar y expresar el más profundo aliento solidario a la combativa y heroica decisión de los trabajadores de Swift y Armour" que decidieron continuar con las medidas de fuerza. Mientras todo esto ocurría, el ministro de Economía Ing. Alvaro Alsogaray destacaba como un ejemplo el caso del frigorífico Wilson "donde cada obrero o empleado es allí su propio empresario".

[31] El Día informa que "por instigación de un grupo extremista de izquierda que se había infiltrado en la asamblea", un grupo comenzó a corear "Obreros argentinos Cuba es el camino" y apedrearon el frente de "La Prensa y el Jockey Club", 9 de noviembre de 1962.

[32] Un síntoma más de ese estado de inquietud generado por una huelga tan prolongada fue el hecho de que se ejerciera presión sobre los que realizaban algún tipo de tarea. Uno de esos incidentes fue registrado judicialmente, pero muchos ni siquiera deben haber tomado estado público. Véase Legajo Nº 272, año 1962, causa 16132, Juzgado en lo Penal Nº 6, Archivo de la Suprema Corte de Justicia. El 15 de noviembre de 1962 un supervisor del frigorífico hizo una denuncia en la seccional policial Berisso: su casa había sido baleada en la madrugada. Señalaba en su declaración que era supervisor del frigorífico desde hacía 27 años y que se encontraba totalmente afuera del convenio. Es decir que "no tiene nada que ver con los sindicatos que agrupan al personal de la industria de la carne"; por eso había concurrido normalmente a sus tareas.

[33] El Día, 25 de noviembre de 1962.

[34] El Día, 27 y 30 de noviembre de 1962.

En el desarrollo del conflicto se mezclaba la política de la empresa, las tensiones en el gremio y la situación política en el ámbito nacional; y ello abría un espacio para la confusión en la acción política de los dirigentes gremiales y de los nuevos militantes. Ese clima ha dejado sus huellas en algunas memorias:

No me acuerdo el problema cual era, si eran despidos, convenios, qué problema era. No me acuerdo el problema específico pero era una huelga que llevaba un mes, al mes o mes y medio viene la conducción nacional, Cardoso por el secretariado... todos en huelga, hacen la asamblea para recibir información de la dirigencia. Y en esa asamblea, nosotros estábamos en el Armour[...] copada la calle, copado el salón, la gente se venía a informar [...] la asamblea del frigorífico Swift levanta la huelga [...] y vienen los muchachos, entran al sindicato, la gente abre paso, aplauden algunos, otros shh, porque ya sabían que habían levantado la huelga, el clima de una asamblea; acá está Cardoso, acá está Negrete, que medía 1,80, pesaba 130 Kg era una montaña [...] allá un pasillo lleno de gente [...] entran los cuarenta, como hacen los dirigentes, Cardoso en el medio, se ponen acá, toma la palabra Negrete y dice: compañeros después de un mes de lucha, les va a dirigir la palabra el compañero Cardoso, bien, aplausos, dice Cardoso: 'compañeros, un buen dirigente sabe cuando dar un paso adelante y un paso atrás, es necesario que sepamos dar un paso atrás'. Venía a informar que la huelga se había levantado, entonces un compañero, Saravia, de sala de máquinas del Armour, que estaba ahí, que era un compañero que no tenía nada que ver con nadie, dice: 'pero compañero, después de un mes de huelga, cómo es la cosa', uno que estaba sacó un revólver y dijo: 'déjenlo hablar' [...] vi que se armaba un forcejeo [...] corro por el pasillo, pongo la mano en la mesa y pego el salto [...] empezaron a sonar los balazos, ¡para qué! Eso era la estampida [...] lo agarré a Cardoso y le digo "vos rengo hijo de puta sos el responsable", le mandé un zapallazo [...] después la gente no sabía por donde carajo salir, eso era un salón cerrado y de golpe me encuentro con Milewski, el negro Benitez, Schumacher (fonetica).[35]

El relato no sólo permite imaginar el clima existente entre los trabajadores. El conflicto descripto entre organización sindical local y la Federación es un indicio también de las características de la experiencia del sindicato y de la militancia. En los recuerdos cobra fuerza un mundo de hombres fuertes, corajudos y valerosos; el sindicato seguía siendo un espacio para la sociabilidad y la acción política masculina. Además, en la huelga de 1962 la crítica situación existente en las fábricas y los escasos resultados obtenidos por el sindicato comenzaron a minar, todavía débilmente, las esperanzas depositadas en la organización.

Las relaciones entre los sindicatos de Berisso y las autoridades de la Federación siguieron deteriorándose y el conflicto estalló en 1963 cuando una lista independiente del peronismo se presentó a elecciones. Como en otros momentos, mientras la Federación se definía por una línea política determinada, los sindicatos de Berisso militaban en la oposición.

---

[35] O. entrevista realizada en Berisso en 1992. También en Germán Petit, entrevista realizada en Berisso, junio de 1986.

En 1963 fue cerrado el frigorífico La Blanca y se produjeron despidos masivos en los establecimientos de Zárate y Berisso (Swift) y nuevamente se resolvieron paros de una hora por turno.[36] En 1964 nuevas denuncias se acumularon sobre las empresas. La Federación realizó gestiones ante el presidente de la nación Arturo Illía y se reunió con el ministro de Trabajo y Seguridad Social, Dr. Fernando Solá reclamando la discusión de los convenios laborales, el reconocimiento de las autoridades sindicales, un aumento masivo de salarios y el cumplimiento de las disposiciones colectivas por parte de las empresas.

El 9 de marzo de 1964 se firmó un nuevo convenio que establecía las remuneraciones y reconocía la garantía horaria.[37] El convenio admitía como prerrogativa empresarial la fijación y modificación de los horarios de trabajo; la decisión sobre préstamos y transferencias de personal a cualquiera lugar o tarea; y el control de las ausencias por enfermedad. Se fijaba que el personal debía estar en el lugar de trabajo a la hora de comenzar las labores en condiciones de realizarlas y que nadie podría abandonar una sección sin autorización del supervisor. El convenio establecía también que las reducciones de trabajadores por falta o disminución de trabajo se harían de acuerdo con la antigüedad de los obreros y que el personal masculino y femenino se consideraría por separado, salvo cuando se encontraban trabajando conjunta o indistintamente.[38]

En abril los sindicatos de Swift y Armour denunciaron que las empresas locales desconocían los términos del último convenio, despedían personal sin tener en cuenta un estricto orden de antigüedad y los médicos se negaban a reconocer a los trabajadores enfermos.[39] Los conflictos continuaron durante todo ese año y prosiguieron en 1965. Llegaron a su punto máximo el 1 de julio, cuando fueron despedidos más de 800 trabajadores y suspendidos por el término de noventa días otros 5.500.[40] A partir de aquí la pendiente se inclinaría cada vez más. En 1969 se produjo el cierre del frigorífico Armour. Parte de su personal fue absorbido por el Swift pero al año siguiente comenzaron

[36] Los acontecimientos fueron los siguientes: cierre del frigorífico La Blanca, despidos masivos en diferentes establecimientos frigoríficos y despidos arbitrarios en Zárate y Berisso (Swift). *DIL*, Informe N° 45, noviembre de 1963.

[37] Refrendaron el acta el ministro de Trabajo y Seguridad Social, Dr. Fernando Solá, el director general de Relaciones del Trabajo, Dr. Ruben San Sebastián, los representantes de las empresas y, por la "parte sindical", Manuel Reche, Constantino Zorila, Abel Arias, Juan Patik, Lauro Caraballo, José Carazo, Hector Prieto, Pedro Caruso, Roque Cáceres, Pedro Rodríguez, Orlando Lafitte y los asesores letrados de la Federación Oscar Valdovinos, R. Di Bastiano y Alberto Montaña.

[38] *El Trabajador de la Carne*, febrero y marzo de 1964. Las críticas al convenio aparecieron en un volante titulado: "A los compañeros Trabajadores del Gremio de la Carne", firmado por Movimiento Pro Unidad del Gremio de la Carne (Lista Marrón), febrero de 1965.

[39] *El Trabajador de la Carne*, abril de 1964.

[40] Demandas de reincorporación de los cesantes y vigencia de la garantía horaria. Paro de 24 horas y movilización a Plaza Once. Solidaridad con los trabajadores del Smithfield de Zárate. La Federación exige la creación de un fondo de desempleo y el respeto de las normas legales. Déficit en el Sindicato de la Carne de Berisso por los despidos. Piden moratoria a la caja de previsión por los aportes jubilatorios adeudados. A pesar de la crisis se planea la construcción de un policlínico y un barrio obrero (100 viviendas en las calles 126 y 66). *El Trabajador de la Carne*, junio, julio, agosto, noviembre y diciembre de 1964 y enero de 1965. Sobre la situación en Berisso véase el volante "Hector Guana contesta", abril de 1965.

otra vez las suspensiones masivas. Un año después la multinacional Deltec, que administraba los negocios de Swift, quebró y la compañía pasó a ser administrada por el Estado.[41] Diez años más tarde Swift, el único frigorífico tradicional que quedaba en Berisso, cerraba sus puertas.

Sindicatos y política

Los conflictos de los trabajadores de la carne que acompañaron la crisis en los frigoríficos, aunque originados en los despidos y el deterioro del salario, se relacionaban estrechamente con la vida política. Las divisiones del sindicalismo peronista; la presión de los grupos, ciertamente minoritarios de la izquierda, entendida esta como un vasto arco donde se expresaba el Partido Comunista, sus escisiones y hasta los más pequeños grupos trostkistas; la acción de los partidos políticos y las fuerzas armadas, cuyos representantes gobernaron la localidad durante los gobiernos de ese origen eran tanto la caja de resonancia de los problemas obreros como la fuente de las tensiones que surgían entre los trabajadores por motivos políticos e ideológicos.

Inicialmente los conflictos se relacionaban con la resistencia de los sindicatos peronistas a los asaltos de la oposición o a las intervenciones de los sucesivos gobiernos. Cuando en octubre de 1957 la CGT decretó un paro de 48 horas, la filial de La Plata adhirió al movimiento y los efectos de la huelga fueron sensiblemente visibles en la industria de Berisso. Los trabajadores resistían la ofensiva de las empresas y los nuevos dirigentes sindicales, que surgieron al calor de los conflictos, no tenían vínculos estrechos con los jefes sindicales que habían hecho su experiencia durante los gobiernos peronistas.

En Berisso muchos de esos dirigentes se nutrían con las nuevas camadas de migrantes y con los hijos de los inmigrantes que eran muy jóvenes en época de Perón. Las relaciones de las bases obreras con los dirigentes locales eran muy estrechas, y distantes los vínculos con los dirigentes de la Federación de la Carne, en la que ejercían su hegemonía los gremios conformados en las pequeñas empresas. Por otra parte, en no pocas ocasiones, los intereses personales de algunos dirigentes marcaban las líneas de la confrontación entre los sindicatos de Berisso y la entidad que los agrupaba nacionalmente.

Al mismo tiempo, la conformación, en 1957, de las 62 organizaciones fortaleció la identidad peronista de los gremios, incluido el de la carne, a partir de la cual presionaba a los gobiernos tanto en el plano sindical como en el político.[42] Esta identidad política peronista se expresaba en varios niveles y otorgó sentido a dos elementos importantes de la cultura política del peronismo. Daniel James resalta el repudio popular al gobierno militar y su política que encarnaba el término resistencia. La resistencia peronista abarcaba una amplia gama de actividades que incluía la protesta individual y la más o menos

---

[41] *El Trabajador de la Carne*, mayo de 1971. La consigna era "evitar el cierre y que quede en manos argentinas".

[42] Véase Santiago Senén González: *El sindicalismo después de Perón*, Galerna, Buenos Aires, 1971.

organizada.[43] La resistencia significaba heroísmo, abnegación, sufrimiento, camaradería y lealtad a un ideal, mitos que formaban parte de la tradición política y sindical de los movimientos radicales (anarquismo y comunismo) y que el peronismo retomó en el preciso momento en que se convirtió en un movimiento político proscripto. La actividad sindical y política adquirió formas épicas en los recuerdos militantes.[44]

Pero en la experiencia cotidiana del trabajo esos actos heroicos que resaltan en los recuerdos militantes eran probablemente excepcionales. En las fábricas, hombres y mujeres, habían aprendido a convivir con la incertidumbre y el fantasma del despido. Cuando a ello se sumó el sentimiento de pérdida asociado a la falta de protección que trajo el derrocamiento de Perón, los trabajadores comenzaron a vivir una situación de desazón y resignación que se realimentaba con las repuestas represivas o la inacción de los gobiernos.

En febrero de 1958 Berisso y Ensenada fueron declaradas "zona militar" y se estableció el "toque de queda" a raíz del conflicto petrolero. El toque de queda alteraba la vida cotidiana de la población pues implicaba su control. En esos años, la agitación de los trabajadores fue local y nacional; afectaba a gremios de larga tradición como los ferroviaros o involucraba a sindicatos más jóvenes surgidos con el apoyo del Estado en épocas de Perón.

La huelga fue uno de las formas de lucha utilizadas. Pero esta tradicional forma de protesta requería la condición de trabajador o productor y ya eran muchos los desocupados. El gremio organizó entonces una marcha de desocupados hacia La Plata, que recibió el apoyo del cura de la parroquia de San José Obrero, ubicada en el Barrio Obrero. El apoyo de la Iglesia Católica no era nuevo; a través de sus curas había tendido una red con el Sindicato Autónomo de la Industria de la Carne desde el momento mismo de su creación con Cipriano Reyes; y en los conflictivos años sesenta se reactualizó.

La policía disolvió la manifestación de los desocupados y el "cura obrero" decidió continuar solo la marcha custodiado por gendarmes. En La Plata la policía le impidió el ingreso a la CGT regional por lo que se dirigió a la Legislatura para entregar el memorial de la Comisión Popular de Berisso donde se expresaba que la clase trabajadora: "no reclama limosnas de ninguna naturaleza. Pide, sencillamente, cumplir con un derecho natural irrenunciable, como es el de subsistir y trabajar".[45]

El acontecimiento puede leerse como un síntoma del fenómeno de "peronización" del campo cristiano y de la presencia más sistemática de los curas en los conflictos sociales. Es un indicio también del fenómeno complejo de la extensión de la malla del catolicismo comprometido con la cuestión social, en sus versiones más moderadas, sin la impronta radical de algunos sectores del movimiento social católico que adquirió resonancia en el Movimiento de Sacerdotes para el Tercer Mundo.[46]

[43] Daniel James: *Resistencia e integración*, op. cit., pág. 113.

[44] Véase el testimonio correspondiente a la cita Nº 35.

[45] Alejandro Mayol, Norberto Habegger, Arturo Armada. *Los católicos posconciliares en la Argentina*, Galerna, Buenos Aires, 1970, págs. 140 y 141. *PV Pregonando Verdades*, Edición Extraordinaria dedicada a Eva Perón, Julio de 1970.

[46] La acción de los hombres de la iglesia fue visible en las situaciones críticas, véase por ejemplo "Los curas párrocos de Berisso y Ensenada dieron una declaración", *El Día*, 23 de diciembre de 1970.

Pero los acontecimientos de los años sesenta tenían una carga dramática adicional, implícita en el desarrollo de las huelgas y las asambleas, espacios donde los nuevos militantes se alimentaban del discurso clasista y retomaban y recreaban el pasado heroico y combatiente que una parte del peronismo soslayaba. Era un momento de la historia argentina complejo y conflictivo donde las nuevas generaciones recreaban también antiguos demonios.

La Revolución Argentina –que en 1966 protagonizaron las Fuerzas Armadas encabezadas por el general Onganía– atrajo las expectativas de buena parte de los dirigentes sindicales, entre los que se encontraban los gremialistas de la Federación de la Carne. La tradición política fundada por el peronismo, que impugnaba la política aunque se hiciera política, se traducía en el desdén por "el régimen comiteril". Para el peronismo proscripto por los gobiernos encabezados por un sector de las Fuerzas Armadas "todo el pasado del demoliberalismo se desploma al iniciarse el camino de la era atómica y nuevas y magníficas posibilidades se abren al futuro de los pueblos [...] El pasado decadente quedó atrás. El futuro promisorio es de todos los argentinos pero debemos forjarlo nosotros mismos, con nuestros propios esfuerzos, con nuestros propios ideales y con nuestros propios medios".[47] La Federación de la Carne respondía a la dirección de Augusto T. Vandor y sostenía, en 1966, a la CGT en un momento en que los sindicatos que aparecían como la representación política del peronismo eran cuestionados por los llamados sindicatos independientes.[48] El nacionalismo del sindicalismo peronista, su respeto por las tradiciones de la Iglesia y la admiración por las Fuerzas Armadas –desde que apoyaron a un coronel del ejército– los hacía confiar en éstas para defender la "integridad de la Patria, la libertad de sus hijos y la Soberanía Nacional". La retórica del nacionalismo los llevó a demostrar su apoyo al Operativo Cóndor, una acción destinada a reafirmar la soberanía argentina en las Islas Malvinas.[49] Las tensiones entre los cuadros sindicales alimentaban la desconfianza de los trabajadores y también su indiferencia. Cuando se conformó la CGT de los Argentinos y se formó la intersindical de La Plata, Berisso y Ensenada, el gremio de la carne no tuvo representación.

En tanto, la crítica situación en la industria no cedía y hacia el final de la década del sesenta ésta se complicó aún más con la suspensión de nuevos trabajadores a la que se sumaba los despedidos de la destilería a raíz del conflicto de 1968. Cinco mil parados en los frigoríficos y más de mil quinientos despedidos de la destilería, que permanecían subocupados, significaban un fuerte impacto económico y social en la localidad, lo que se extendía a la vecina Ensenada y a la propia capital provincial.

Con este contexto, el sector sindical comenzó a debatir, otra vez, cómo salir del atolladero. En el sindicato local y en la Federación se consideraba la posibilidad de aceptar alguna forma de participación sindical en la gestión empresaria para impedir el cierre.[50] El sindicato de Berisso publicó una solicitada, con un tono absolutamente conciliatorio, deman-

---

[47] *El Trabajador de la Carne*, agosto de 1966.
[48] *Primera Plana*, 5 de abril de 1966.
[49] *El Trabajador de la Carne*, octubre de 1966.
[50] *El Día*, 20 de diciembre de 1970. Es llamativo el editorial titulado: "Una tensa situación social", publicado en el mismo periódico el 13 de octubre de 1970.

dando "una solución integral del problema". [51] La prensa local señalaba que pese a la situación de crisis no se produjo ningún estallido social como el "cordobazo" o el "rosariazo" simplemente porque la gente no fue empujada en esa dirección.[52]

Entre el cierre y desmantelamiento del frigorífico Armour y la clausura definitiva del Swift, continuaron los despidos.[53] En la búsqueda de soluciones para los problemas derivados de la falta de trabajo se conformó una Comisión pro solución del grave problema socio-económico de Berisso y Ensenada. La Comisión definió también un objetivo inmediato: evitar los desalojos de viviendas y locales comerciales en alquiler y los embargos por deudas. Se realizaron numerosas asambleas populares y en ellas se mezclaron trabajadores, vecinos y dirigentes de diferentes orientaciones. Cada uno proporcionaba un matiz particular: el cura Pascual Ruberto de la parroquia del Barrio Obrero hablaba en nombre de la Iglesia Latino-americana de Medellín movilizada junto al pueblo; el dirigente local Alberto Proia fustigaba al Consejo de la Comunidad creado durante la administración militar; en nombre de la Juventud Peronista, el joven Aldo Fornari entroncaba la lucha de Berisso por mantener la fuente de trabajo con los sucesos de Córdoba, y otro orador, Juan Gutiérrez, criticaba duramente al dirigente local del gremio de la carne Héctor Guana, porque "representa junto con Rucci y otros dirigentes de la CGT a la burocracia sindical, la postura negociadora y quedantista".[54] En una asamblea popular se decidió organizar un comité de lucha, preparar comisiones de barrio y enviar una nota de adhesión a los gremios cordobeses.

La Federación Gremial de la Industria de la Carne y sus Derivados publicó una nueva solicitada donde reclamaba una industria frigorífica avanzada tecnológicamente, argentinizada y eficiente; condenaba las prácticas monopólicas y a los grupos financieros internacionales que perjudican al país, como el grupo Deltec; denunciaba a los sectores ganaderos tradicio-nales como responsables, junto con los grupos monopólicos extranjeros, del retroceso cons-tante de la ganadería argentina y de la participación nacional en el mercado internacional de carnes; demandaba la expropiación inmediata de todos los bienes de Swift, el descono-cimiento de los créditos de Deltec y la conversión de los créditos de los ganaderos y consignatarios en capital para posibilitar el funcionamiento de las fábricas así como la explotación con control obrero de las plantas controladas por el Estado.[55]

En el gremio local las críticas crecían y Héctor Guana respondió señalando que todos miraban ahora al sindicato pero que la situación era difícil pues debían actuar contra tres frentes: el monopolio, el Estado y los hacendados. El dirigente hacía público un reclamo realizado ante el ministro de Economía Aldo Ferrer para que interviniera contablemente la convocatoria de

---

[51] Sindicato de Obreros y Empleados de la Industria de la Carne Armour y Swift de Berisso. Solicitada, *El Día*, 3 de octubre de 1970. El secretario general era Héctor J. Guana y el de organización Abel Jaca.

[52] *Gaceta* (La Plata), 7 de febrero de 1971.

[53] *Gaceta*, 1 de marzo de 1971.

[54] *El Día*, 20 de marzo de 1971.

[55] *El Día*, 3 de octubre de 1971. La solicitada estaba firmada por Constantino Zorila, secretario general de la Federación; Abel Arias, secretario de organización; y por el sindicato Swift de Rosario, Gerardo Babrera y Armour–Swift de Berisso, Héctor Guana.

acreedores del frigorífico Swift y ocupara las plantas. Pero lo cierto es que en opinión de los dirigentes sindicales de ese momento "cada obrero debe buscar su propia orientación".[56]

Si la incertidumbre laboral había sido, en el largo plazo, el rasgo distintivo del trabajo en los frigoríficos, la rápida desaparición de las coyunturas críticas espantaba los fantasmas del paro forzoso. El cierre del frigorífico Armour en 1969 y los despidos recurrentes en el Swift dieron paso a la desesperanza y, con el tiempo, a una crítica mirada retrospectiva. Cuando las dos plantas procesadoras de carne cerraron, los trabajadores giraron el foco de las responsabilidades. Aunque los monopolios extranjeros quedaban en la escena como los agentes de su explotación eran los trabajadores los que, en definitiva, habían producido con sus abusos la caída del imperio económico de las catedrales del *corned beef*.

Pero el problema era estructural y había muchos desocupados. Las mujeres tomaron la iniciativa y pidieron alimentos en Caritas y en las parroquias. Palabras e imágenes se cruzaban para dar cuenta de la ya inevitable situación. Frente a los puntos de distribución de comida uno de los pocos hombres presentes señalaba: "esto parece una eternidad. No sabe lo terrible que es para uno que siempre ha llevado el pan a su casa y ahora, cuando la esposa le pide para el almuerzo, no tiene nada para darle. Qué tristeza cuando llega el mediodía y los chicos le piden fruta. Mire: a veces me voy a la pieza y me pongo a llorar".[57] Doble crisis: la del trabajo y la del hombre proveedor. Las mujeres tenían que encontrar la salida porque como madres debían asumir su rol de guardianas del hogar.

[56] *Gaceta*, 27 de enero de 1971.
[57] *El Día*, 3 de marzo de 1971.

Foto N° 19

Protesta en La Plata por el cierre del frigorífico Swift

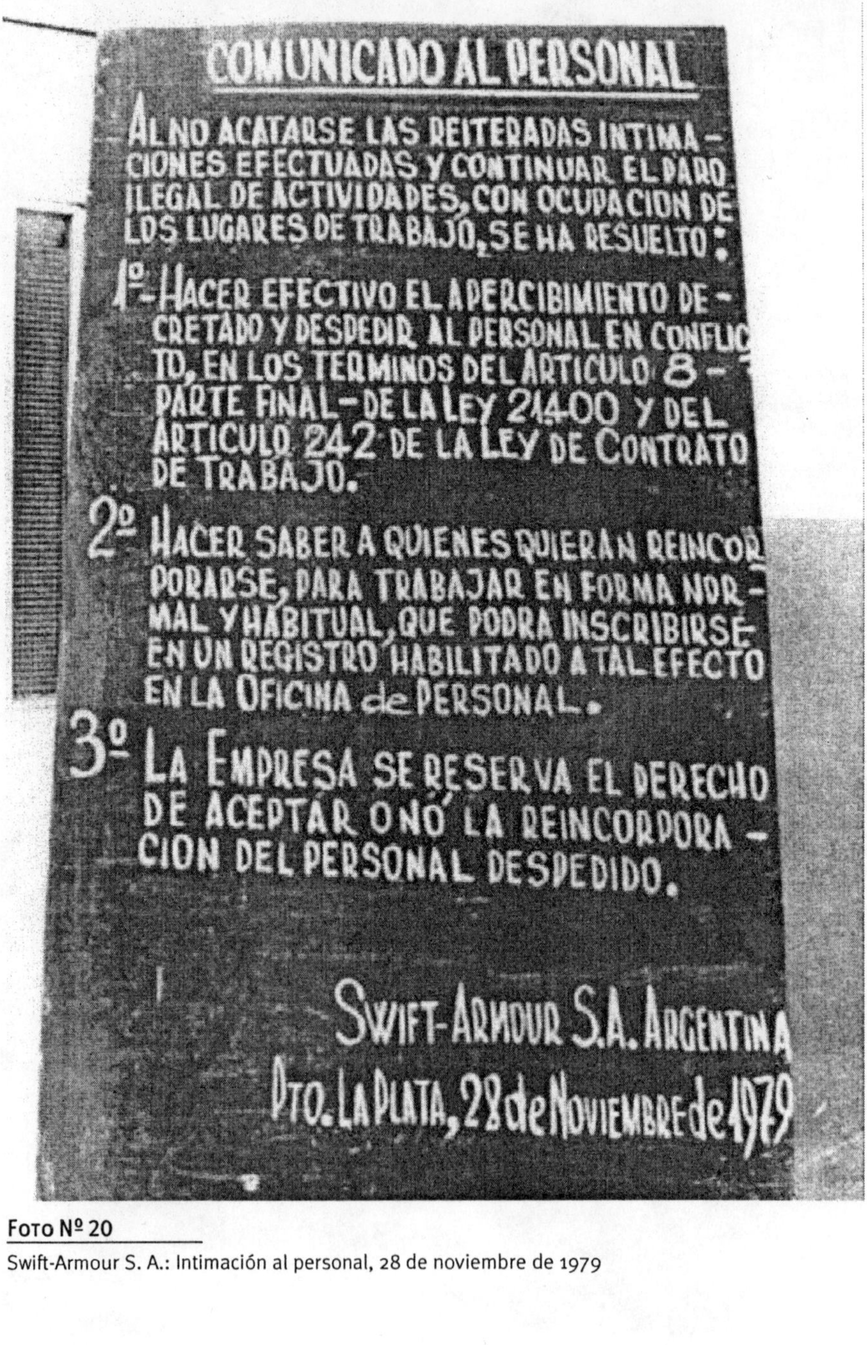

Foto Nº 20

Swift-Armour S. A.: Intimación al personal, 28 de noviembre de 1979

EPÍLOGO
De la sociedad del trabajo a la crisis del trabajo

"**H**oy todo Berisso comprende que vive o muere según lo imponga el capital. No será la pólvora solamente; serán los caprichos; mejor todavía, las conveniencias de esos señores capitalistas, lo que amenazará al pueblo o le borrará del mapa cuando la especulación así lo requiera"[1], así escribía Ismael Moreno en 1921. Por esa época, Berisso vivía del trabajo en los frigoríficos Swift y Armour y allí reinaba una relativa prosperidad. En ese contexto, el tono de denuncia que utilizaba Moreno en su novela parecía una exageración.

En 1971, la desocupación era la palabra más pronunciada en la localidad. Un obrero desocupado decía: "esto parece una eternidad. No sabe lo terrible que es para uno que siempre ha llevado el pan a su casa y ahora, [...] no tiene nada [...] Qué tristeza [...] a veces me voy a la pieza y me pongo a llorar".[2] No es sólo el sesgo melodramático de la pobreza la que aflora en sus palabras; ellas hacían realidad la sentencia de denuncia de Moreno "Berisso vive o muere [...] según lo imponga el capital [...] las conveniencias de esos señores capitalistas [...] amenazará al pueblo o le borrará del mapa".

Entre ambos momentos, la figura del trabajador adquirió fuerza e incidió de una manera poderosa en la historia de la localidad. A lo largo del breve siglo XX, como diría Hobsbawn, los trabajadores se constituyeron en los representantes de una nueva clase, en el producto de la economía industrial y en los portadores de una nueva sociedad. Al final del camino aparecen otra vez como los desheredados, los amenazados por la marginalidad y la desocupación; empujados a la exclusión social e inmersos en una crisis de identidad en su triple dimensión: la política, en particular la asociada al peronismo, sobre todo porque la comunidad obrera fue redefinida por Perón y la propia ideología peronista; la de género, vinculada a la noción del hombre *que gana el pan;* y la social, estrechamente relacionada con el trabajo como fundamental para la vida de la comunidad.

---

[1] Ismael Moreno: op. cit., pág. 159.
[2] *El Día*, 3 de marzo de 1971.

En esta historia, al volver la mirada hacia atrás, he construido una saga de la sociedad del trabajo y de su declinación en un espacio reducido como Berisso pero, probablemente, dado que en buena medida la localidad fue una caja de resonancia de los problemas que afectaban a toda la nación, la conformación y declinación de esa sociedad del trabajo es también la de una parte más amplia de la historia de los trabajadores en la Argentina.[3]

II

La vida laboral en los frigoríficos fue una experiencia singular. El trabajo en las empresas cárnicas se constituyó en una especie de enclave productivo basado en una organización que las propias empresas definieron como *modernas, eficientes y racionales*. Desde la perspectiva de las compañías de capital norteamericano, la organización del espacio industrial se realizó sobre una racionalidad difundida por el taylorismo y la Organización Científica del Trabajo. La fábrica se convirtió en un ámbito construido para una determinada producción; la especialización del espacio industrial asignó una función clara a máquinas, materiales y hombres y la experiencia laboral adquirió las formas de la modernidad y de la racionalidad científica. Era un mundo que se definía en oposición a otras racionalidades fabriles, más dependientes de los saberes obreros y basadas en relaciones directas, personales y estrechas entre patrones y trabajadores.

La racionalidad de las empresas en el plano de las relaciones laborales se basó en la noción de *flexibilidad* que colocó la *incertidumbre* como un elemento crucial de la experiencia obrera. La flexibilidad consistía en el poder para contratar y despedir trabajadores de acuerdo con las fluctuaciones existentes en la demanda de los bienes que producían y a la matanza de distintos tipos de animales en determinadas épocas del año. La flexibilidad se aplicó también en la interpretación de las leyes. Para las cuestiones impositivas y la obtención de subsidios las empresas estaban dentro de la jurisdicción nacional y para el cumplimiento de las leyes que protegían, aunque sea parcialmente, a los trabajadores se encontraban en la provincia de Buenos Aires. La clave para la interpretación de esta doble y ambivalente competencia estaba en la ubicación física de los establecimientos en la zona portuaria.

La incertidumbre, entonces, fue el componente central de la vida obrera, orientó la búsqueda de una mayor intervención estatal, -incluso en el período previo a la deidificación del Estado que se produjo durante el gobierno de Perón- y fue alimentada por la crisis posterior de la industria de la carne. La incertidumbre orientó también las estrategias de las familias y el doble empleo, tanto masculino como femenino, fue el camino escogido para amortiguar los ciclos de ocupación-desocupación. Pero esa estrategia, que permitió disminuir el umbral de la inseguridad en el período expansivo de las industrias de la carne

---

[3] Berisso es la contracara del San José de Gracia (México), caso estudiado por Luis González. Si los acontecimientos que marcaron los hitos de la historia nacional mexicana parecían haber estado ausentes en San José, en Berisso confluyeron buena parte de los sucesos que dieron cuerpo a la historia económica, política y social de la Argentina. Luis González: *Pueblo en vilo* ... op. cit.

(1907-1930), debilitó la capacidad de reacción cuando las actividades industriales entraron en una etapa recesiva y en la crisis final. Mientras fue posible mantener un trabajo fijo en otro lugar y el fluctuante en los frigoríficos; en tanto se podía trabajar en las empresas cárnicas y sostener una actividad por cuenta propia fue factible alejar las sombras de la desocupación. Cuando cerró el frigorífico Armour y la hilandería, cuando el frigorífico Swift y la petrolera comenzaron a despedir trabajadores, las viejas formas de adecuación a los ritmos fluctuantes de la demanda de mano de obra fueron insuficientes y, con el tiempo, sólo permanecieron como resabios marginales en el cuentapropismo.

A lo largo de toda esta historia, los trabajadores de los frigoríficos desarrollaron su vida laboral en un ambiente escasamente asimilable al existente en otras fábricas. La inseguridad era el rasgo peculiar del trabajo en los frigoríficos y contrastaba con las características laborales en otras actividades como en las de la fábrica textil, basadas en un paternalismo fabril desarrollado y alimentado por la compañía o las de la petrolera estatal YPF. El caso de la industria textil es particular: su producción estaba estrechamente relacionada con la producción de carnes y cuando las empresas cárnicas decidieron orientar el rumbo de sus negocios a la diversificación y a las especulaciones financieras -lo que les permitiría obtener rápidas ganancias-, la hilandería se encontró sumergida en serios problemas, en particular por la disminución de la demanda de telas para cubrir las reses vacunas. Aunque no fue el único motivo, la fábrica cerró sus puertas casi al mismo tiempo que el frigorífico Armour, y se constituyó como cooperativa de trabajo.

III

La demanda de trabajadores sin calificación fue crucial para la integración de los inmigrantes al trabajo industrial en el período expansivo de la producción de carnes. Inicialmente, el peso de la población obrera nativa fue menor; recién con la disminución de los flujos de mano de obra inmigrante y el aumento de las migraciones internas hacia la ciudad de Buenos Aires y el área suburbana, se produjo un proceso de nacionalización de la mano de obra empleada.

El trabajo descalificado de los frigoríficos fue un canal de integración de los inmigrantes en la nueva sociedad. La fábrica funcionó como una máquina dónde podían mezclarse las experiencias del pasado con las nuevas y, en ese sentido, fue un espacio de socialización que facilitó la identificación de los trabajadores de los problemas asociados a su nueva condición social.

Los obreros llegaban de diversas regiones, hablaban lenguas diversas y sus experiencias laborales fueron múltiples y disímiles. Las fábricas fueron el primer escalón de su integración al nuevo país y allí aprendieron, simultáneamente, el lenguaje de la solidaridad y la competencia. La solidaridad se ejercía cotidianamente cuando alguien requería la ayuda necesaria para romper con las dificultades del trabajo encadenado (salir de un empacho o atascamiento en la línea de trabajo), o en los momentos en que se comunicaban los secretos para encontrar trabajo o resistir el ritmo de la noria; la competencia era el recurso utilizado frente a los portones cuando se buscaba trabajo o en los momentos en que se solicitaba aumento de los salarios.

Los asalariados de las grandes corporaciones cárnicas estaban fragmentados y divididos por los efectos de la división del trabajo y por la dinámica con la que construyeron sus identidades políticas, étnicas y de género. Los trabajadores no constituían una unidad previa que había sido alterada por el trabajo industrial y tampoco tenían una meta claramente definida de antemano. Empujados por la necesidad, el interés o el estado de privación se reunieron dificultosamente en defensa de sus intereses. En ese proceso fueron recortando su identidad de clase (obrera, proletaria, trabajadora) como opuesta a la de los capitalistas. Pero esa identificación no era una condición suficiente para constituir un todo político unidireccional, tal como la imaginaban los militantes anarquistas, socialistas y comunistas. Ni siquiera estaba predeterminada porque, como dice E. P. Thompson, la clase no puede ser comprendida como una estructura, ni aun como una categoría sino como algo que está sucediendo en las relaciones humanas.[4]

En el *suceder* los trabajadores y sus problemas fueron colocando la sociedad del trabajo como un tema crucial en la sociedad moderna. Lo hicieron en el conflicto laboral; en las huelgas de 1915 y 1917 fue cuando convirtieron en público un problema que las empresas consideraban privado. Los obreros en huelga querían obtener una ganancia material pero, al mismo tiempo, ponían en duda la autoridad patronal en las fábricas. Obtener un aumento de salarios o mejorar las condiciones de trabajo era no sólo un beneficio sino también una victoria moral. En contraposición, la "vuelta al trabajo" sin haber conseguido las demandas, era vista como una derrota. Las empresas y sus gerentes, en cambio, no toleraban las huelgas; para ellos la protesta obrera era un acto de ingratitud, un síntoma de la mala disposición para el trabajo y, sobre todo, un acto de insubordinación.

En el período histórico en el que los radicales gobernaron en la nación y en la provincia de Buenos Aires, estas dos concepciones sobre el conflicto laboral chocaron respecto al papel del Estado. Durante la huelga de 1917, los frigoríficos se negaron sistemáticamente a la intervención de los poderes públicos; los obreros la aceptaron, a pesar del discurso hostil hacia el Estado que diseminaban las organizaciones de los trabajadores. La intervención estatal transformó en un problema de orden público una relación contractual que los empresarios querían mantener estrictamente en el campo privado. Una forma exacerbada de la visión antiintervencionista que tenían los gerentes de los frigoríficos fue la negación de la situación de conflicto existente en 1917, según las compañías porque los trabajadores estaban imposibilitados de concurrir al trabajo y no en huelga.

Los poderes públicos justificaban la intervención estatal en el conflicto de los trabajadores de la carne en particular, y en los conflictos del trabajo en general, expresando su preocupación por mantener el orden público. Durante las huelgas de 1915 y 1917 el Estado intervino en su doble faz represiva e integrativa. La huelga lo obligaba a proteger, mediante la acción de la policía y de la prefectura, el campo privado de las empresas. La intransigencia patronal impulsaba la protesta hacia los espacios públicos (calles, sitios baldíos, plazas); esas consecuencias públicas del conflicto, cuyo carácter privado el Estado no ponía en cuestión, justificaban su intervención arbitral y ayudaba a delinear lenguajes y acciones prácticas que, a veces, favorecían a los trabajadores.

[4] E. P. Thompson: op. cit., Prefacio, págs. XIII y XIV.

Cuando en la década del treinta se constituyó la Federación Obreros de la Carne bajo el liderazgo de los comunistas, ellos continuaron consolidando la idea de que los problemas del trabajo eran de *interés nacional* y requerían de la intervención de los poderes públicos. Por eso desplegaron una intensa actividad en el Congreso Nacional para lograr el cumplimiento de las leyes y la protección de los trabajadores. Plantearon, tímidamente en los años treinta, la nacionalización de las empresas (no su socialización) y promovieron acuerdos con las compañías, y negociaciones entre sindicatos, obreros y patrones que se tradujeron en convenios colectivos. Sin embargo, esta actividad no fue patrimonio exclusivo de los comunistas, aunque en el gremio de la carne tuvieron su cuota de influencia. En otras empresas de Berisso fueron los socialistas los que impulsaron la constitución de los problemas del trabajo como una cuestión pública; y, en otros gremios, la promovieron también los sindicalistas.

Paralelamente a este proceso, los sindicatos necesitaban una legitimidad basada en el reconocimiento de la representación. Querían que se aceptara su derecho de hablar en nombre de los obreros. Esta demanda se mantuvo prácticamente durante toda la primera mitad del siglo *XX*, más allá de las posturas dialoguistas e intervencionistas de los gobiernos radicales y conservadores en la provincia de Buenos Aires. Los trabajadores debían enfrentar mayores dificultades para obtener el reconocimiento de sus organizaciones representativas, lo que los diferenciaba notablemente de la legitimidad que se reconocía a los industriales reunidos en la Unión Industrial, a los ganaderos de la Sociedad Rural Argentina y a otros productores encolumnados detrás de la Federación Agraria Argentina.

En el campo obrero no todos los trabajadores y sus organizaciones pensaban lo mismo. El problema de la competencia discursiva sobre fines y medios, que dividía a los sindicatos y federaciones de trabajadores, fue considerado como un obstáculo para reforzar el poder de las organizaciones sindicales. Por eso se buscó la constitución de una central única que ejerciera la representación obrera. Cuando se constituyó la CGT y el Estado reconoció en el trabajo una fuente de poder político, el peronismo comenzó a delinearse como una ideología que unificaba los fragmentos dispersos en una poderosa unidad nacional.

La conformación de los trabajadores como una fuerza social insoslayable fue entonces el resultado de la constitución de asociaciones en las que discutían intereses comunes, áreas de incumbencia y medios de acción. Formaban lo que Nancy Fraser ha denominado los "contrapúblicos subalternos" que elaboraban estilos alternativos de comportamiento político y de discurso público y que "los públicos burgueses" y el Estado, en diferentes oportunidades, buscaban bloquear dando forma a expresiones conflictivas.[5]

En la etapa previa a la emergencia del peronismo como expresión política de los trabajadores de la carne se produjo una actividad competitiva entre "públicos subalternos".[6] Pero la conformación de un "público de clase obrera" no fue acompañada por la

---

[5] Nancy Fraser: "Reconsiderando la esfera pública: una contribución a la crítica de la democracia realmente existente", en *Entrepasados*, Revista de Historia, N° 7, 1994; Geoff Eley: "Edward Thompson: historia social y cultura política: la formación de la 'esfera pública' de la clase obrera, 1780-1850", en *Entrepasados*, Revista de historia, N° 6, 1994.

[6] La noción de "públicos subalternos" se define en oposición al público burgués.

construcción de una fuerza política que uniera las demandas de los trabajadores con el lenguaje político de la representación y de la democracia. Sólo el socialismo buscó unir ambos problemas en un momento donde amplias franjas de trabajadores estaban excluidos de la representación política formal por su condición de extranjeros. En la otra vereda, el anarquismo denunciaba la farsa de la representación y la ciudadanía; el sindicalismo sólo la entendía en los marcos de generar una cuota de poder para las organizaciones sindicales, y el comunismo la denunciaba porque a través de ella los partidos políticos, en particular el radicalismo, alejaba a los trabajadores de la senda de la revolución.

Por otra parte los partidos políticos, el radicalismo y los conservadores, compitieron, en las palabras y en los actos, para incorporar a los trabajadores como parte de un todo que se identificaba con la nación. Esa competencia se intensificó en la década del treinta cuando los grupos conservadores de la provincia de Buenos Aires diseñaron una política social donde se incluyó la necesidad de organizar y proteger a los obreros. Los conservadores vieron que los trabajadores de la carne, particularmente, estaban bajo la influencia de los comunistas; influencia que se agigantaba frente a sus ojos. Ilegitimaron el comunismo y se abroquelaron en un discurso nacionalista y antiobrero (porque era sinónimo de socialista, comunista e internacionalista); dialogaron con los trabajadores cuando fue prudente y necesario realizarlo.

En la década del treinta la nacionalización de los obreros y la diseminación de lenguajes nacionalistas de diverso origen (los que surgían en el país y los que definían las confrontaciones entre las naciones europeas) fueron dos procesos que se dieron en las fábricas. En el proceso de construcción de una identidad nacional, cuyo rasgo singular es su poder para incluir distintas clases sociales, la identidad social obrera fue erosionada.

La identidad nacional se hizo realidad en Berisso tras el período conflictivo de la década del treinta cuando el lenguaje del nacionalismo fue difundido por los trabajadores extranjeros pertenecientes a las asociaciones étnico nacionales que activamente dirimían sus nuevas fronteras de inclusiones y exclusiones; por los obreros nativos que encontraron motivos (nativismo, criollismo) en el lenguaje nacionalista, que les permitía recortar su identidad frente a la presencia de los extranjeros; por los partidos políticos y por las empresas que buscaban eliminar el estigma del "capital extranjero" difundido con las presiones anti-monopólicas y el estallido de la crisis económica en 1930.

La idea de "lo nacional" adquirió fuerza con el peronismo y continuó siendo una noción problemática pues se apoyaba en la pérdida o amputación de otras identidades, y era el resultado de fuertes oposiciones. Para dar forma a una identidad nacional una parte de la población fue obligada a olvidar. Ese olvido es un componente importante de las narrativas existentes en la comunidad en la actualidad. Con la palabra "obligada" no estoy hablando de acciones físicas violentas, aunque estas no faltaron. Me refiero a los sentidos que se creaban y recreaban con el poder que fueron tomando los sindicatos y la hegemonía adquirida por la representación política del movimiento peronista. Pero además, el nuevo lenguaje de la nación expresado en el nacionalismo necesitaba del "otro", ese "otro" era definido con el nombre genérico de *contrera* y más específico de *comunista*. El "otro" diferente tenía poco margen para subsistir.

Desde mediados de la década del treinta y durante el primer gobierno de Perón la fábrica y la comunidad fue una caldera de tensiones: se demarcaron distintas fronteras étnico-nacionales y se consolidó la noción de la Nación Argentina para los trabajadores; las mujeres obreras buscaron borrar ciertas formas de desigualdad en el trabajo y en la política, moviéndose dentro de márgenes muy estrechos; y aumentaron los niveles de conflictividad en las fábricas con la discusión permanente de las condiciones de trabajo. El peronismo amortiguó parcialmente las tensiones alrededor de la identidad nacional y dio un nuevo sentido a los fragmentos dispersos existentes en las fábricas y en la localidad.

La formación de una identidad de clase, de una identidad nacional y de una identidad política estuvo cruzada además por las diferencias de *género*. Las mujeres de clase obrera estaban sujetas a una, a veces, no muy sutil dominación. Dentro de los públicos subalternos tenían dificultades para encontrar las formas o palabras para expresar sus ideas porque en la fábrica, en el sindicato, en los partidos políticos y, en suma, en la sociedad sus voces eran escasamente escuchadas, y sus necesidades acalladas. Aunque sindicatos y partidos políticos podían hablar en su nombre; a pesar de que se discutían algunos de los problemas que las aquejaban; los mecanismos de deliberación y decisión estaban basados en el mantenimiento de la desigualdad y de su exclusión, aunque no existieran exclusiones formales. En este nivel, lo más significativo de las exploraciones realizadas en este trabajo está relacionado con la idea de que que los públicos subalternos tienen su cuota antidemocrática y antiigualitaria. Al mismo tiempo, y en un plano más general, las tensiones en las fábricas, en el sindicato y en la sociedad daban lugar a una competencia entre diversos públicos que ayudaba a diseminar lenguajes que cuestionaban los privilegios de unos pocos –en términos de clase– y también en el plano de las diferencias de género.

IV

Un elemento importante de la experiencia de la fábrica fue la clara diferenciación de la vida laboral de varones y mujeres. La especialización de los espacios laborales produjo cambios importantes en las relaciones entre los sexos, dentro y fuera de la fábrica; pero esos cambios no sucedieron de manera vertiginosa sino que insumieron varias décadas del siglo XX.

Las identidades laborales que se forjaban en las fábricas dejaron huellas profundas de acuerdo al género de los trabajadores. Varones y mujeres otorgaban significados diferentes al trabajo asalariado. La división sexual del trabajo comenzó a ser percibida como un estado de desigualdad y como una doble forma de sometimiento para las mujeres. El lenguaje laboral y de género se conformó en las fábricas en un cruce múltiple donde se enlazaban las experiencias de clase y de género, las visiones que tenían los patrones y las organizaciones gremiales sobre los roles productivos masculinos y femeninos, así como las imágenes que diseminaban las instituciones estatales creadas para atender las cuestiones de trabajo y proteger a la madre obrera.

Aunque la estructura de la producción se delineaba como masculina, las mujeres entraban en las fábricas y formaban, ellas también, sus propias identidades en un terreno que estaba cruzado por las tensiones derivadas de su ingreso al trabajo asalariado y sus obligaciones familiares. La experiencia de la fábrica arrinconaba la noción del lugar de la mujer en el plácido espacio del hogar que debía estar protegido de las tempestades del mundo moderno.

Las obreras fabriles de Berisso, como muchas otras, tenían que compaginar su relación con la producción (horarios, tareas, jerarquías) con las nociones sobre los roles productivos y sociales que se iban creando y afirmando en la sociedad. Una de esas ideas privilegiaba la imagen disruptiva de su presencia en las fábricas. El trabajo asalariado en espacios especializados era parte de un desorden que era necesario subsanar y las organizaciones gremiales buscaron ordenar y reglamentar el trabajo femenino en un movimiento que confluyó con las preocupaciones del Estado. Paralelamente, a las obreras de carne y hueso se les planteaba el desafío de conciliar el trabajo fabril con el *deber ser femenino* (el cuidado del hogar, hijos y esposo).

El concepto de *organismo femenino* fue central en las diferencias que emergían de la experiencia del trabajo. Los cuerpos (femenino-masculino) se definían por las posesiones y las carencias. Los hombres tenían la fuerza y la destreza que les permitían resistir las duras jornadas de trabajo para *proveer* el sustento de la familia. Las mujeres tenían la habilidad y la debilidad para el trabajo y la fuerza para la procreación. Calificaciones y salarios traducían esas diferencias; los salarios masculinos eran considerados principales y los femeninos suplementarios a partir del supuesto de las distintas necesidades de cada sexo y sin considerar el problema de la productividad. Esto representaba un punto de acuerdo entre los empleadores y las organizaciones gremiales dirigidas por los varones. Ese consenso de clases sobre las divisiones y jerarquías laborales, sobre las calificaciones y la definición del trabajo femenino en función de su *domesticidad* y de la noción de mujer como un cuerpo reproductivo fue un componente importante de la cultura del trabajo que se advierte más claramente en la larga duración. Ni siquiera cuando los trabajadores entraron finalmente en su *era* de la mano de Perón, y el Estado fue deidificado por su intervención y función protectora de los asalariados, las mujeres pudieron romper con el lugar al que habían sido confinadas, aunque en el terreno práctico la abstracta retórica de la igualdad a veces lo discutiera.

La *naturaleza de la mujer* [7] justificaba la discriminación salarial y ante la demanda de "igual salario por igual trabajo" la disparidad de los criterios usados para la calificación mantenían la desigualdad. Hasta el cierre de las empresas, los convenios colectivos de trabajo fijaron y mantuvieron ese estado de cosas.

Por otra parte, las mujeres podían ser encargadas y hasta capatazas, pero rara vez ejercieron las más altas funciones ni en su sección, ni en su departamento. En el mundo moderno las actividades técnicas y la supervisión estaban reservadas para el hombre, lo que de hecho significaba que el ejercicio de la autoridad era masculino.

[7] La identificación de las mujeres con una esfera "natural" da, como dice Olivia Harris, "un aire de finalidad o de eternidad a situaciones que suelen ser muy transitorias". En "La unidad doméstica como unidad natural", *Nueva Antropología*, vol. VIII, No. 30, México, 1986.

El poder masculino en los lugares de trabajo no desapareció ni se amortiguó cuando se formaron las organizaciones gremiales. El sindicato fue un lugar para la sociabilidad masculina y la demostración de su fuerza y valor. El tiempo de la militancia se construía para los hombres y estaba en contradicción con el tiempo familiar. En esa dicotomía sólo algunas mujeres pudieron abrir un espacio para su integración a las organizaciones sindicales. Pero su actividad en la estructura de poder diseñada en las organizaciones gremiales era marginal. Fue a partir de los bordes asignados a las comisiones de fiestas, a la acción de asistencia social que dieron forma a su intervención, marginal, en los sindicatos.

Bajo el peso del mandato reproductivo, ¿cuáles fueron los significados asignados al trabajo de las mujeres?, ¿cuáles eran los espacios para la negociación entre sus deseos y el orden social?, ¿cómo traspasaban las fronteras del mundo público de la masculinidad? No hay una única respuesta posible: en el lenguaje de las obreras y, en un plano más amplio, en las palabras pronunciadas desde distintos posicionamientos discursivos, sólo en caso de *absoluta necesidad* los obreros debían enviar a la mujer y a los hijos a las fábricas. La *necesidad* fue entonces el argumento central de quienes eran empujadas al *sacrificio* de abandonar el espacio de la familia y el hogar.

Si la experiencia del trabajo daba forma a situaciones de vida diferentes para los trabajadores masculinos y femeninos, las mujeres compartían el carácter físico del trabajo y ello derivó en la intención de los trabajadores varones de protegerse contra la feminización de las labores (evitando la contratación de mujeres para determinados horarios y tareas) y en el planteo de proteger los cuerpos femeninos para evitar los efectos sobre la salud y la moral de los hijos y salvar, de ese modo, las generaciones futuras y la nación.

Las políticas sociales empujadas por las organizaciones de trabajadores así como las diseñadas por el Estado confluyeron en la necesidad de reglamentar el trabajo femenino.[8] Así, en 1907 se aprobó el proyecto de ley presentado por Alfredo Palacios al Congreso Nacional donde se establecía la jornada de 8 horas, el descanso dominical, el resguardo de la moralidad y la salud de las mujeres, la prohibición de contratar personal femenino en las industrias peligrosas e insalubres, la prohibición del trabajo nocturno. Se establecía un tiempo para que la madre pudiera amamantar a sus hijos y un período de no trabajo pre y pos parto. La ley de 1907 fue modificada en 1924 cuando se estableció que en las empresas de más de 50 obreras debían instalarse salas-cunas y la prohibición del despido por embarazo. Recién con la ley sancionada, en 1934, y la creación de la Caja de Maternidad se logró resolver esa tensión entre empleo y maternidad.

---

[8] Mirta Zaida Lobato: "El estado en los años treinta y el avance desigual de los derechos y la ciudadanía" en *Estudios Sociales*, Revista universitaria semestral, N° 12, 1er. semestre de 1997 y "Entre la protección y la exclusión: discurso maternal y protección de la mujer obrera, 1890-1934", en Juan Suriano (compilador): *La cuestión social en Argentina, 1870-1943*, Buenos Aires, La Colmena, 2000. Véase también Matilde Alejandra Mercado: *La primera ley de trabajo femenino, "la mujer obrera" (1890-1910)*, Buenos Aires, Ceal, 1988; Marcela María Alejandra Nari: "El movimiento obrero y el trabajo femenino. Un análisis de los congresos obreros durante el período 1890-1921", en Lidia Knecher-Marta Panaia (compiladoras): *La mitad del país. La mujer en la sociedad argentina*, Buenos Aires, CEAL, 1994.

La ley era permanentemente violada: la jornada era impredecible, sólo parcialmente se establecieron jardines maternales en las fábricas y el descanso obligatorio implicaba la pérdida temporal del salario. Esto ocurrió hasta la extensión de la protección y el cumplimiento de las leyes laborales que acompañaron la política social del peronismo. Aunque el trabajo fabril en la industria frigorífica era temporario y facilitaba a las mujeres entrar y salir en diferentes oportunidades de acuerdo con las *necesidades* que ellas y sus familias establecían, las mujeres reclamaron el cumplimiento de la ley reapropiándose de la noción tutelar del Estado y las oganizaciones gremiales. La necesidad de protección fue el tema que les permitió intervenir públicamente de un modo legítimo y ello les abrió el camino para su parcial integración a las estructuras sindicales.

El proceso de reapropiación de la noción de *protección* fue en la misma dirección. La mayor parte de las mujeres entraban al trabajo antes de su ingreso real al mundo de la reproducción y su salida se producía, generalmente, con el nacimiento del primer hijo. La posibilidad de conciliar empleo y trabajo que abría la aplicación de la legislación posibilitaba la permanencia en las fábricas de las jóvenes que comenzaban a experimentar las posibilidades de renegociar espacios para las tomas de decisiones a partir de la posesión del dinero ganado con su propio esfuerzo.

La fábrica operaba como un espacio para las resistencias y los reacomodamientos que en el caso de la mujer atravesaban los límites entre trabajo asalariado y familia. Dicho de otro modo, no había una frontera firme entre la experiencia del trabajo y la vida familiar, por el contrario, las identidades se construían en la intersección del tiempo familiar y el tiempo industrial y las mujeres obreras tuvieron que acomodarse a cada situación.

Las condiciones existentes en el trabajo generaban una situación de "exclusión" social y política para las mujeres. [9] El trabajo afectaba su constitución como ciudadanas pues se les reconocía el derecho al bienestar implícito en la noción de ciudadanía social. Pero esa aceptación iba acompañada por su asimilación con la minoridad, pues no se les reconocieron los derechos civiles establecidos en la Constitución Nacional. Hasta que se produjo ese reconocimiento, en 1926, aunque algunas mujeres obtuvieran un salario estaban afectadas por algunas incapacidades; por ejemplo, no podían ser tutoras ni testigos en instrumentos públicos. Si la mujer estaba casada quedaba separada de la administración de bienes, fueran propios o adquiridos durante el matrimonio, y no podía celebrar actos de la vida civil sin la

---

[9] El concepto de exclusión sirve para designar a los grupos sociales que han sido o son selectivamente desplazados: "el concepto de exclusión alude directamente a los mecanismos o procesos sociales que se encuentran en la base misma, a los actores involucrados y a las políticas desplegadas en su relación con ella; y que en su interpretación se pone énfasis en el entramado de relaciones sociales que la hacen posible [...] El carácter relacional del enfoque reside en el hecho de que procura inteligir continuamente cuál es el tipo de vinculación entre individuo y estado, y entre éste y sociedad civil, que subyace a las diversas formas de exclusión social. Abarca en este sentido las implicaciones políticas y culturales que estas exclusiones encierran, sus conexiones con el ámbito de los derechos civiles y políticos que rigen la vida social" en Orlandina de Oliveira y Marina Ariza: "División sexual del trabajo y exclusión social" en *Revista Latinoamericana de Estudios del Trabajo*, Trabalho e Sociedades: Desafíos teóricos, año 3, N° 5, 1997, págs. 184-185.

autorización del esposo o en contra de su voluntad.[10] Obtenidos los derechos civiles, sus derechos políticos recién fueron sancionados en 1947 con la ampliación del sufragio y la ciudadanía que significó la extensión del voto a las mujeres.

La segregación ocupacional, la discriminación salarial y las dificultades para integrarse a las estructuras sindicales fueron las formas que a largo plazo consolidaron una situación de desventaja para las mujeres. El proceso histórico que he analizado en las fábricas de Berisso es un ejemplo del grado de permanencia de esta forma de exclusión que reproduce y mantiene la inequidad y la subordinación laboral de las mujeres o, como dice Martha Roldán, "tan pronto se desciende del nivel teórico más abstracto a fin de explorar los fenómenos sociales concretos, el proceso de trabajo pierde su aparente neutralidad de género".[11]

V

La fábrica entonces se convirtió en una arena donde se amalgamaron el proceso político y el social. Con la formación de organizaciones políticas y su competencia discursiva y práctica, el lenguaje político que los trabajadores utilizaron para establecer estrechas ligazones entre el ejercicio de la democracia y la representación política y para asignar importancia a la acción de los poderes públicos (legislativo y judicial) para la obtención del bienestar de los trabajadores fue ambivalente. Del mismo modo, la situación descentrada en la que estaban los obreros respecto al poder, los condujo a una noción ambigua frente a los problemas relacionados con la construcción de una democracia. Así, a pesar de que los obreros proclamaron relaciones más igualitarias y equitativas entre los trabajadores en las fábricas y en los sindicatos; aunque diseminaron nociones democráticas para la toma de decisiones fueron construyendo un lenguaje autoritario que buscó eliminar las disidencias, la confrontación y la competencia. Ese autoritarismo encontró en los vínculos establecidos con Perón una corriente realimentadora.

La cuestión fue compleja. Los trabajadores se integraron a la sociedad, a la política, a la cultura, a las instituciones vía la conformación de estructuras sindicales crecientemente vinculadas a los poderes estatales. Pero ello implicó una integración marginal y desigual dentro de ese homogéneo denominado "clase obrera". En una sociedad cosmopolita como Berisso, la integración de los obreros en las discusiones por el poder a través de los partidos políticos que privilegiaban el lenguaje de la representación (socialismo y radicalismo) era limitada. El trabajo y los sindicatos fueron el camino para la incorporación social de la clase obrera. Sin embargo, el problema político persistió durante mucho tiempo. Los extranjeros y su escasa integración a las estructuras formales

---

[10] Catalina Wainerman y Marysa Navarro: *El trabajo de la mujer en la Argentina: Un análisis preliminar de las ideas dominantes en las primeras décadas del siglo XX*, Cuaderno del Cenep, N° 7, Buenos Aires, febrero de 1979.

[11] Martha Roldán: "La 'generización' del debate sobre procesos de trabajo y reestructuración industrial en los 90. Hacia una nueva representación androcéntrica de las modalidades de acumulación contemporáneas?", en *Estudios del Trabajo*, N°. 3, 1992, pág. 103.

de la vida política mantuvieron ese problema residual en la localidad. La solución se produjo con la desaparición física natural, con la disminución de la inmigración y, en consecuencia, con la nacionalización de la población.

En el plano de la actividad sindical durante la época de Perón y en el período posterior en el que la organización sindical se convirtió en la expresión del partido peronista proscripto, los trabajadores protestaron ocupando las fábricas. En la crisis del trabajo que se produjo en los años sesenta cuando los frigoríficos (y también la hilandería) afrontaban complicadas situaciones económicas, la decisión política de tomar las fábricas tuvo varios sentidos. En las empresas estudiadas la *toma* fue protagonizada por los trabajadores mientras duraba la negociación con las empresas y el gobierno; fue una forma de presión para conservar beneficios o para apoyar las decisiones de Perón. En pocas ocasiones una ocupación fue seguida de la demanda de expropiación. La diferencia entre el proceso que terminó en el cierre de los frigoríficos y el que culminó con la cooperativización de la hilandería es notable. Los obreros de la carne ocuparon las fábricas sin negar el carácter privado de la propiedad, a veces, reclamando la nacionalización, y otras requiriendo información sobre la contabilidad de las empresas, pero nunca fueron explícitos en solicitar la autogestión de las compañías. En todo caso si hubo exigencias de este tipo ellas fueron pronunciadas de manera muy débil. En cambio en la hilandería, probablemente por la experiencia obrera de negociación y diálogo, no exentos de asperezas con los jefes de la compañía, los trabajadores afirmaron el carácter colectivo de la empresa y se mostraron dispuestos a ejercer su poder dentro de la fábrica. Los reclamos y las negociaciones sobre el traspaso de los bienes de los antiguos propietarios a la cooperativa de trabajo fueron una expresión precisa de los deseos de poder materializables en el espacio de la fábrica.

* * * * *

La vida en las fábricas de Berisso dio forma a una sociedad en la que el trabajo fue eje articulador. Este proceso que sentó las bases para que la utopía de la industrialización con la promesa de la liberación de las personas de la escasez y de la injusticia, que convertía al trabajo en la actividad directriz de la emancipación de toda la sociedad, se pulverizó con la desaparición de la sociedad del trabajo encarnada en las chimeneas fabriles. Las manifestaciones de esa crisis en Berisso y en la Argentina abrieron nuevas heridas, dieron paso a un debate más amplio sobre el papel de los trabajadores y de sus organizaciones gremiales, e impulsó una nueva orientación del Estado, que se profundizó con un nuevo gobierno peronista en 1989. Se revitalizaron así viejas formas de movilización y participación políticas en los marcos de una sociedad integrada al mundo global. Todas esas cuestiones forman parte de nuestro presente y, como decía E. P. Thompson en la *Formación de la clase obrera en Inglaterra,* de los "males del pasado que todavía tenemos que sanar".

FUENTES Y BIBLIOGRAFÍA

1. Diarios y periódicos

El Orden (Berisso), 1915-1917.

La Voz de Berisso (Berisso), 1938-1940, 1942-1943. Semanario independiente, Roberto M. Rantuchi, director y editor propietario.

El Mundo de Berisso, 1986.

El Ensenadense, 1930.

El Día (La Plata), 1904-1970.

El Argentino (La Plata), 1917-1946.

Gaceta (La Plata), 1971.

La Protesta (anarquista), 1904-1920, 1930-1940.

La Vanguardia (socialista), 1904-1925, 1930-1940.

La Nación, 1904-1970.

La Prensa, 1904-1910, 1915-1917, 1932, 1945.

La Opinión, 1971.

La Patria degli italiani, 1910-1917.

El Debate (Zárate), 1904-1945.

La Organización Obrera, 1915.

La Hora (comunista), 1943.

Orientación (comunista), 1945-1948.

Mujeres Argentinas (comunista), 1946-1947.

CGT, 1939.

El Trabajador de la Carne, órgano Oficial de la Federación del Personal de la Industria de la Carne Derivados y Afines, 1948-1966.

Conciencia Obrera, órgano Oficial del Sindicato de Obreros y Empleados de la Industria de la Carne Autónomo de Berisso, 1948-1949.

2. Revistas

Berisso, Magazine mensual ilustrado, director Carlos Víctor Bassani, administrador general Lorenzo Mc Govern, dirección y administración calle Lisboa y Barcelona, año 1, N° 1, octubre de 1926- abril de 1928.

La Res, Revista ilustrada de las carnes argentinas, 1933-1934.

3. Fuentes oficiales municipales

Honorable Concejo Deliberante de La Plata, Actas, 1907-1959.
Honorable Concejo Deliberante de Berisso, Actas, 1959-1983.
Archivo Municipal, División Catastro. Fichas catastrales
Plan Regulador, Municipalidad de Berisso, Arq. Jose M. F. Pastor e Ing. Jose Bonilla de Berisso, expertos en planeamiento, ordenanza municipal N° 54, 1959, 5 vols.
Municipalidad de Berisso, Pcia. de Buenos Aires, Dirección de Cultura, Excursiones por el delta berissense, Reseña informativa de las instalaciones del área, fauna y flora, sin fecha.

4. Fuentes sindicales

Sindicato Obreros y Empleados de la Industria de la Carne (Papeles Varios)

5. Archivos de asociaciones étnico/nacionales

Centro de Fomento Cultural y Deportivo Zona Nacional, Actas 1944-1945 y 1951.
Hogar Social Actas, 1944-1950.
Centro de Residentes Santiagueños, Actas, 1944-1985.

6. Fuentes empresarias

Archivo de Personal, frigorífico Armour
Archivo de Personal, frigorífco Swift
Cía. Swift de La Plata, Jurisdicción y soberanía El Puerto de La Plata, Folleto, Buenos Aires, 1925.
Cía Swift de La Plata Establecimiento Frigorífico, Folleto con ilustraciones de propaganda comercial, (s.f.).
Cía Swift de La Plata Establecimiento Frigorífico, Folletos con ilustraciones de propaganda, Buenos Aires, 1938.
Cía. Swift de La Plata, Estudios de Tiempo, Años 1948, 1950, 1951, 1974 y 1975.
Cía. Swift de La Plata S:A:F: Plan de emergencia para la planta del Puerto de La Plata, (s.f.).
Cía. Swift de La Plata S.A. Ganadería Argentina. Su desarrollo e industrialización, Buenos Aires, 1957.
Swift Company Year Book, USA, 1917-1935 y 1937-38.
Frigorífico Armour La Plata S.A.: Armour G. Ogden: Investigación sobre la industria frigorífica, La Plata, 1923.
Frigorífico Armour, Actas de Directorio, 1911-23.
The La Plata Cold Storage Co. Ltda. Buenos Aires, Minutes of the Local Board, 1904-1906.
Album del frigorífico "La Negra", Industria Argentina, Cía. Argentina de Carnes Congeladas, Buenos Aires, MCMXXV.
Cía. Sansinena de Carnes Congeladas "La Negra" (Album), Buenos Aires, 1918.
Cía. Sansinena S.A. (Carnes y Derivados) En sus 50 años, 1891 -1941.
Cámara Argentina de la Industria Frigorífica (Papeles varios 1972-1973 y 1977).

7. Fuentes Judiciales

Archivo del Juzgado de Paz de Ensenada
Archivo de la Suprema Corte de Justicia de la provincia de Buenos Aires.

8. Artículos, folletos y Libros (Berisso y La Plata)

Carlos Adams: "Berisso y el Ayer" en *Quirón*, vol. 14 No. 1, enero-marzo de 1983.
Centro Acción Agrupación Radical de Estudiantes y Obreros, *Nosotros y la Acción Política*, La Plata 1931.
Raúl Filgueira: *Desde Berisso cuento ...Cuentos Fantásticos*, Berisso, octubre de 1986.
Demetrio Glicas: *Berisso. Trabajos literarios*, Ediciones de la Municipalidad de Berisso en el Año Hernandiano y en el Año Internacional del Libro, Berisso, 1972.
Lía Sanucci: *Berisso. Un reflejo de la evolución argentina*, La Plata, Municipalidad de Berisso, provincia de Buenos Aires, 1983.
Universidad Nacional de La Plata-Facultad de Ciencias Económicas, Instituto de la Producción, Serie Informes N° 27: *Berisso y su zona de influencia*, por Ruben Oscar Zorzoli, s/f.

9. Publicaciones gubernamentales

Boletín del Departamento Nacional del Trabajo, 1907-1919.
Tercer Censo nacional, Levantado el 1 de junio de 1914, Tomo VII, Censo de las Industrias, Buenos Aires, 1917.
Congress International de Industries Frigorifiques, IIeme Congress, Vienne, 6-11 de octubre de 1910.
Congress International d'Agriculture: le probleme de la production mondiale des viandes et du lait, Roma, 1927
Congress International du Froid, París, 1908.
Comité Ejecutivo Nacional del VI Congreso Internacional del Frio, Buenos Aires, 1932.
V Congreso Internacional del Frio, Ministerio de Agricultura de la Nación Roma, 1928.
Cámara de Diputados de la Nación, Diario de sesiones, 1936 a 1939.
Cámara de Senadores de la Nación, Diario de Sesiones 1936 a 1939.
Congreso Nacional, Cámara de Diputados de la Nación, Diario de Sesiones, 14 de agosto de 1940, Aníbal P. Arbeletche y Otros: Proyecto de ley sobre creación de la caja nacional de jubilaciones, pensiones y subsidios para el personal de los frigoríficos y afines, págs. 46 a 63.
Congreso Nacional, Cámara de Diputados de la Nación, Diario de Sesiones, 16 de agosto de 1939, Juan A. Solari: proyecto de Ley sobre el regimen legal de los trabajadores de la carne.
República Argentina, Junta Nacional de Carnes, *Ley No. 11.747 Síntesis de la labor desarrollada, 1933-45*, Buenos Aires, 1945.
República Argentina, Junta Nacional de Carnes, *Informe de la labor realizada desde el 1 de enero de 1934 hasta el 30 de septiembre de 1935*, Buenos Aires, 1935.
República Argentina, Junta Nacional de Carnes, Luis Caldano - Miguel Ruiz Wilche: *Proceso de industrialización de los vacunos de un establecimiento frigorífico*, Buenos Aires, 1958.
República Argentina, Junta Nacional de Carnes: *Swift, Deltec y las carnes argentinas, Informe*

reservado de la Junta Nacional de Carnes con una introducción de Salvador María Lozada, Buenos Aires, El Coloquio, 1974.

República Argentina, Junta Nacional de Carnes, *Buenos Aires, Clasificación, tipificación y control de calidad. Disposiciones en vigencia,* Buenos Aires, 1980.

República Argentina, Ministerio de Agricultura de la Nación, Dirección General de ganadería, *Informe sobre la industria de la carne,* Buenos Aires, 1922.

República Argentina, Ministerio de Agricultura, Sección propaganda e informes, *Mensaje y proyecto de ley para la fundación de un Frigorífico Nacional de la Capital,* Buenos Aires, 1923.

República Argentina, Ministerio de Agricultura, *Los frigoríficos y el Ministerio de Agricultura: Informe de la Comisión Investigadora del Honorable Senado de la Nación, 1934,* Buenos Aires, 1934.

República Argentina, Ministerio de Agricultura de la Nación, *Comercio de Carnes. Informe preliminar de la Comisión Ministerial de distribución y venta de productos agrícolas,* Buenos Aires, 1923.

República Argentina, Ministerio de Agricultura de la Nación, *Carne, Industria y Comercio,* 1922.

República Argentina, Ministerio de Agricultura de la Nación, Junta Nacional de Carnes: *La carne: Congelazione e discongelazion,* Publicación Nº 8, Buenos Aires, 1938.

República Argentina, Ministerio de Agricultura de la Nación: *Recopilación de informaciones producidas por el personal de la oficina de carnes en 1912,* Buenos Aires, 1913

Ministerio de Hacienda, Comisión Nacional del Censo industrial, Censo industrial de 1935, Resultados generales, Buenos Aires, 1937.

República Argentina, Ministerio del Interior: *La desocupación de los obreros en la Argentina,* Buenos Aires, 1915.

República Argentina, Ministerio del Interior: *Memoria 1934-1935,* "Censo Patronal y Obrero".

República Argentina, Ministerio del Interior, Departamento Nacional del Trabajo, División Estadística, Serie B (Estadísticas y Censos Nº 9, *Organización sindical, Asociaciones Obreras y patronales,* Buenos Aires, 1941.

República Argentina, Ministerio del Interior, *Investigaciones Sociales,* 1943.

Intervención Nacional en la Provincia de Buenos Aires, 1917- 1918, Informe elevado por el interventor nacional Don José Luis Cantilo al Poder Ejecutivo de la Nación, La Plata, 1918.

Presidencia de la Nación, Consejo Nacional de Desarrollo, Junta Nacional de Carnes: *Análisis y factibilidad de desarrollo económico y técnico de las plantas faenadoras e industrializadoras y frigoríficas de carnes, subproductos y derivados en la República Argentina,* Buenos Aires, 1963.

Provincia de Buenos Aires, Ministerio de Obras Públicas, Dirección de Agricultura, Ganadería e Industrias, 3 años de labor, 1936-1938.

Provincia de Buenos Aires, Memoria del Ministerio de gobierno de la provincia de Buenos Aires, 1917-1918 a 1937-1938.

Provincia de Buenos Aires, Ministerio de Obras Públicas, La Plata ciudad industrial. Informe presentado al Sr. ministro de Obras Públicas, Dr. José Tomás Sajo, La Plata, 1912.

Frigorífico "Anglo Sudamericano", Informe de los técnicos del Gobierno de la Provincia al Excelentísimo señor Gobernador de la Provincia Don José Luis Cantilo, La Plata, Buenos Aires, 1924.

Documentos relativos a las propuestas de venta al estado de los frigoríficos Anglo Sudamericano y La Negra, elevados por el Poder Ejecutivo a la Honorable Legislatura el 23 de octubre de 1923, con mensaje y proyecto de ley correspondiente, La Plata, 1924.

Fresco Manuel A.: *Cómo encaré la política obrera durante mi gobierno. Directivas del Poder Ejecutivo. Nueva Legislación del Trabajo. Acción del Departamento del Ramo, 1936-1940,* 2 vols., La Plata, 1940.

10. Tesis doctorales

López Bancalari, Enrique: *La Higiene de la Clase Obrera*, Tesis Colección Candiotti, 1904.
Mellognio, Celestino: *Evolución moderna del seguro sobre accidentes de trabajo*, Tesis Coleccción Candiotti, 1917.
Montero, Rosa: *Calificación de personal*, Facultad de Ciencias Económicas, Marzo de 1973
Poy Costa, Antonio: *Los frigoríficos*, Tesis presentada para optar al título de Ingeniero Agrónomo, UBA, Facultad de agronomía y veterinaria, 1918.

11. Memorias escritas

Contreras, Miguel: *Memorias*, Testimonios, Buenos Aires, 1978.
Testimonio escrito de Miguel Mosso.
Monzalvo, Luis: *Testigo de la primera hora del peronismo. Memorias de un ferroviario*, Pleamar, Buenos Aires, 1974.
Peter, José: *Crónicas proletarias*, Esfera, Buenos Aires, 1968.
Pontieri, Silverio: *La Confederación General del Trabajo. La Revolución del 17 de octubre de 1945. EL gobierno Justicialista. La fundación social. EL Justicialismo*, Pirámide, Buenos Aires, 1972.
Reyes, Cipriano: *Yo hice el 17 de octubre*, GS, Buenos Aires, 1973.

12. Entrevistas

Taller de historia oral Club Eslovaco Argentino de Berisso, Industria 4599, Berisso.
Participantes

Agustin Luckas	Bartolomé Klena
Pedro Mutek	Angela Krascovina de Mutek
Teresa Blasko de Klena	Teresa Pavka de Kubanide
Rosa Mutek de Isvan	José Gabalec
María Brestovanska	Juan Kubika
Filomena de Biabek	José Istvan
Ludmila Krist de Bucko	Pablo Gula

Taller de historia oral Sociedad Búlgara Iván Vasov, Montevideo 1789, Berisso.
Participantes

Juan Mincheff	
Ivan Petcoff	Pedro Ivanoff Petroff
Violeta Minchova	Stana Petrova de Mincheff

Taller de historia oral Sociedad de Fomento Dardo Rocha, Calle 123 entre 67 y 68, Villa Progreso, Berisso.
Participantes
Roberto Montenegro
David Zárate

Taller de historia oral
Centro de Residentes Santiagueños, Berisso.
Participantes

Miguel Ignacio Aguirre
Lauro Coronel
Arsenio Herrera
Juan Herrera
Zacarías Santillán
Victorino Santillán
Florentino Villarreal

Rufino Filiberto Banegas
Raúl Coronel
José Martín Herrera
Oscar Paz
Jorge Serrano
Humberto Villafañe

Entrevistas personales

Eduardo Bello, La Plata 20 y 27 de febrero de 1987.

Heriberto Brovedani, Fotografía industrial, Berisso, 22 de octubre de 1987.

Eleuterio Cardoso, dirigente de la Federación de la Carne, 1985-1989.

Juan Daniloff, Berisso 2 y 28 de mayo de 1987.

Juan Dragowski (Unión Polaca), 1985-1986.

Raúl Filgueira, obrero, intendente municipal y escritor de Berisso, 1987-1990.

Ana de Filgueira, 24 de febrero y 30 de marzo de 1987.

José María Gómez de Saravia, 4 de diciembre de 1985.

Roque Iannone, 22 de diciembre de 1985.

Héctor Iturria, Berisso 1 de junio de 1987.

Jorge Kosturkoff, Berisso 22 de mayo de 1987.

José M. Lunnazzi, La Plata, 1987.

Juana de Medelinska (Unión Polaca), 1985-1986.

Galileo Mattoni, dirigente del gremio de la carne de Berisso, La Plata, 10 de julio de 1987.

Raúl Oscar Sarraillet, la Plata 12 de agosto de 1987.

Juan Petcoff, Berisso, 1987 a 1990.

María Roldán, Berisso, 1987.

Nueve de Julio Stagnaro, Berisso, 10 de diciembre de 1985.

Pablo, militante comunista, Berisso, 1990

Alberto Stecco, dirigente del gremio de la carne, Frigorífico Lisandro de la Torre, Buenos Aires, 12 de junio de 1985.

Jaime Teixido, Berisso, 1987-1990.

13. Obras literarias

Berisso. Trabajos literarios, Berisso, Ediciones de la Municipalidad en el Año Hernandiano y en el Año Internacional del Libro, 1972.

Filgueira, Raúl: Desde Berisso cuento .... Cuentos fantásticos, Berisso, octubre de 1986 (con ilustraciones de Oscar Merlano, José Ferenc, Oscar Adradas y Alfredo Yaber).

Fray Mocho: Cuentos, Buenos Aires, Librería del Colegio, 1966.

Gonzalez Arrilli, Bernardo: Buenos Aires, Los Charcos rojos, 1927.

Gálvez, Manuel: Historia de Arrabal, CEAL, Buenos Aires, 1980.

González Lanuza, Eduardo: Prismas, Buenos Aires, Samet, 1924.

Larra, Raúl: *Sin tregua*, Buenos Aires, Boedo, 1975.
Moreno, Ismael: *El matadero*, Buenos Aires, Selecta, 1921.
Velázquez, Luis Horacio: *Pobres habrá siempre*, Buenos Aires, Claridad, 1944.

14. Folletos, artículos y libros sobre la industria frigorífica

Reglamento para saladeros (Folletos), Buenos Aires, 1871.

Avellaneda, Nicolás: "Higiene pública de saladeros", en *Revista de Buenos Aires*, tomo XXIV.
"Controversia sobre los grandes frigoríficos", en *Análisis*, Buenos Aires, 11 de octubre de 1965.
Aster S.A. al servicio de la economía argentina. Breve historia de la refrigeración, Buenos Aires, 1960.
Franco, Osvaldo Aimar: *Contribución al estudio de los costos de las empresas industrializadoras de carne en la República Argentina*, Buenos Aires, 1959.
Caldano, Julio: "Cómo trabaja un frigorífico", en *Revista de la Cámara Argentina de Martilleros y Consignatarios*, Buenos Aires, XLV, 1915-1943, diciembre de 1967 XLV, 1919-1947, abril de 1968, XLV 1920-1948, mayo de 1968, XLVI, 1953-1954, octubre-noviembre de 1968.
Cía. Sansinena de Carnes Congeladas. Fábrica La Negra visitada por la Sociedad Científica Argentina, en *Anales de la Sociedad Científica Argentina*, 1892, Tomo XXXIV.
Buxedas, Martín: *La industria frigorífica en el Río de la Plata, 1959-1977*, Buenos Aires, Clacso, 1983.
Cárcano, Ramón: *Francisco Lecoq: su teoría y su obra. Conservación y transformación de carnes por el frío, 1865-1868*, Lib. Mendesky a Sabourin, Buenos Aires, (Folleto).
Cuccorese, Horacio Juan: "La conservación de carnes en la Argentina. Historia sobre los orígenes de la Industria Frigorífica", en *Trabajos y Comunicaciones*, N° 14, La Plata, 1965.
Drosdoff, Daniel: Buenos Aires, *El gobierno de las vacas (1933-1956). Tratado Roca - Runciman*, La Bastilla, 1973.
Fernández, Alberto: *El comercio mundial de carne vacuna*, Banco Nacional de Desarrollo, Departamento de Estudios Económicos Sectoriales, Buenos Aires, 1978.
Ferretti, Uberto: *L'Industria delle Carni in Argentina. Note ed Impressioni di un Viaggio di Studio dell' Plata*, Fano Tipográfica Sonciniano, 1930.
Frigerio, Rogelio: "El problema de la carne, los frigoríficos y la crisis general de la economía argentina", en *Revista de Economía*, N° 6, Buenos Aires, abril-junio de 1970.
Hanson, Simon G.: *Argentine Meat and the British Market. Chapters in the History of the Argentina Meat Industry*, Stanford, 1938.
Liceaga, Jose V.: *Las carnes en la economía argentina*, Buenos Aires, Raigal, 1952.
Mercado, Buenos Aires, octubre de 1982, (La crisis de la carne) y octubre de 1969, (La modernización de los frigoríficos).
Montoya, Alfredo: *Historia de los saladeros argentinos*, Buenos Aires, 1956.
Puiggrós, Rodolfo: *Libre empresa o nacionalización de la industria de la carne*, Buenos Aires, Argumentos, 1957.
Richelet, Juan E.: *La ganadería argentina y su comercio de carnes*, Buenos Aires, Layouane & Edit, 1928.
Fournier Ruano, Agustín: *Estudio económico de la producción de carnes del Río de Plata*, Montevideo, 1936.
Smith, Peter H.: *Carne y política en la Argentina*, Buenos Aires, Paidós, 1983.

Treviño, Pepe: *La carne podrida. El caso Swift-Deltec*, Buenos Aires, A. Peña Lillo Editor, 1972

Watson, David R.: *Los criollos y los gringos: escombros acumulados al levantar la estructura ganadera frigorífica, 1882-1940*, Buenos Aires, 1941.

PORQUE EL PUEBLO Argentino no puede comer carne a BUEN PRECIO, la opinión del Partido Comunista, Buenos Aires, 1943.

15. Folletos, artículos y libros sobre trabajadores en la Argentina

Abad de Santillán, Diego: *La FORA Ideología y Trayectoria del Movimiento Obrero Revolucionario en la Argentina*, Buenos Aires, Nervio, 1933.

Adelman, Jeremy (ed.): *Essays in Argentine Labour History*, St Anthonys/MacMillan Series, 1992.

Alsina, Juan: *El obrero en la República Argentina*, 2 vols. Buenos Aires, 1905.

Balvé, Beba y otros: *Lucha de calles. Lucha de clases*. Buenos Aires, La Rosa Blindada, 1973.

Belloni, Alberto: *Del anarquismo al peronismo. Historia del movimiento obrero argentino*, Buenos Aires, A. Peña Lillo, 1960.

Bergquist, Charles: *Los trabajadores en la historia latinoamericana. Estudios comparativos de Chile, Argentina, Venezuela y Colombia*, Colombia, Siglo XXI, 1988.

Bilsky, Edgardo: *La Semana Trágica*, Buenos Aires, CEAL, 1984.

——: *La FORA y el movimiento obrero 1900-1910*, Buenos Aires, CEAL, 1960.

——: *Esbozo de historia del movimiento obrero argentino: desde sus orígenes hasta el advenimiento del peronismo*, Cuadernos Simón Rodríguez, Buenos Aires, Biblos, 1987.

Bourde, Guy: *La Classe Ouvriere Argentina, 1929-1969*, 3 Tomos, Recherches & Documents, Amerique latine, París, Edition L'Harmathan, 1987.

Brennan, James: "El clasismo y los obreros. El contexto fabril del "sindicalismo de liberación" en la industria automotriz cordobesa, 1970-75", en *Desarrollo Económico*, 32, 125, abril-junio de 1992.

——: *El Cordobazo. las guerras obreras en Córdoba, 1955-76*, Buenos Aires, Sudamericana, 1996.

Cao, Guillermo: "La huelga de los obreros de la carne de 1932 (Un aporte para una mejor comprensión del movimiento obrero anterior al peronismo", en *Historia de la Argentina*, Premio Coca Cola en las Artes y las Ciencias 1989, Buenos Aires, 1990.

Cavarozzi, Marcelo: *Sindicatos y Política en Argentina, 1955-1958*, Cedes, Buenos Aires, 1979

Del Campo, Hugo: *Sindicalismo y peronismo. Los comienzos de un vínculo perdurable*, Buenos Aires, Clacso, 1983.

Di Tella, Torcuato y otros: *Sindicato y comunidad. Dos tipos de estructura sindical latinoamericana*, Buenos Aires, Editorial del Instituto, 1967.

——: *Estrucuturas sindicales*, Buenos Aires, Nueva Visión, 1969.

Durruty, Celia: *Clase obrera y peronismo*, Córdoba, Pasado y Presente, 1969.

Falcón, Ricardo: *Los orígenes del movimiento obrero 1857-1890*, Buenos Aires, CEAL, 1985.

——: *El mundo del trabajo urbano (1890-1914)*, Buenos Aires, CEAL, 1986.

——: "Izquierdas, Régimen Político, Cuestión Etnica y Cuestión Social en Argentina (1890-1912)", en *Anuario 12*, UNR, 1986-87, Rosario, 1987.

——: "La relación estado-sindicatos en la política laboral del primer gobierno de Hipólito Yrigoyen", en *Estudios Sociales*, Revista universitaria semestral, N° 10, 1er. semestre de 1996.

French, John-James Daniel (ed.): *The Gendered Worlds of Latin American Women Workers. From Household and factory to the Union Hall and Ballot Box*, Duke University Press, 1997.

Germani, Gino: "El surgimiento del peronismo: el rol de los obreros y de los migrantes internos", en *Desarrollo Económico*, 51, octubre-diciembre de 1973.

Godio, Julio: *El movimiento obrero y la cuestión nacional. Argentina: inmigrantes, asalariados y lucha de clases, 1880-1910*, Buenos Aires, Erasmo, 1972.

——: *La Semana Trágica de 1919*, Buenos Aires, Granica, 1972.

——: *El movimiento obrero argentino (1930-45). Socialismo, comunismo y nacionalismo argentino*, Buenos Aires, Legasas, 1989.

González, Ernesto (coordinador): *El trostkismo obrero e internacionalista en la Argentina*, Tomo I Del GOM a la federación Bonaerense del PSRN (1943-1955), Buenos Aires, Antídoto, 1955.

Gordillo, Mónica: "Los prolegómenos del cordobazo. Los sindicatos léderes de Córdoba dentro de la estructura del poder sindical", en *Desarrollo Económico*, 31, 122, Julio-septiembre de 1991.

——: *La Fraternidad en el movimiento obrero: un modelo especial de relación (1916-1922)*, Buenos Aires, CEAL, 1989.

Gould, Jeffrey: "Memorias del mestizaje en el movimiento campesino nicaragüense", en *Entrepasados*, Revista de historia, N° 9, 1995.

Gutiérrez, Leandro: "Vida material y experiencia de los sectores populares, Buenos Aires, 1880-1914", en *Revista de Indias*, N° 163-164, Sevilla, 1981.

Gutiérrez, Leandro y Romero, Luis Alberto: Los sectores populares y el movimiento obrero. Un estado de la cuestión:, en *Boletín No. 5*, Instituto de Historia Argentina y Americana Dr. Emilio Ravignani, 1er. semestre de 1991.

——: *Sectores populares. Cultura y Política. Buenos Aires en la entreguerra*. Buenos Aires, Sudamericana, 1995.

Horowitz Joel: *Argentine Unions, The State & the Rise of Perón, 1930-45*, Institute of International Studies, Berkeley, University of California, 1990.

Iscaro, Ruben: *Origen y desarrollo del movimiento sindical argentino*, Anteo, Buenos Aires, 1958.

——: *Preguntas y respuestas sobre problemas sindicales, políticos y sociales*, Buenos Aires, Anteo, 1965.

James, Daniel: *Resistencia e Integración. El peronismo y la clase trabajadora argentina, 1946-76*, Buenos Aires, Sudamericana, 1990.

——:"Historias contadas en los márgenes. La vida de Doña María: Historia oral y problemática de géneros", en *Entrepasados*, Revista de historia, N° 3, 1992.

Korzeniewics, Roberto P.: "Las vísperas del peronismo. Los conflictos laborales entre 1930 y 1943", en *Desarrollo Económico*, N° 131, vol. 33, octubre-diciembre de 1993.

Little, Walter: "La tendencia peronista en el sindicalismo argentino: el caso de los obreros de la carne", *Aportes*, N° 19, enero de 1971.

Lobato, Mirta Zaida: *El taylorismo en la gran industria exportadora argentina*, Buenos Aires, CEAL, 1988.

——: "Mujeres en la fábrica. El caso de las obreras del frigorífico Armour, 1915-1969", en *Anuario IEHS*, 5, Tandil, , 1990.

——: "Una visión del mundo del trabajo. Obreros inmigrantes en la industria frigorífica, 1900-30", en F. J. Devoto y E. J. Míguez (comp.): *Asociacionismo, Trabajo e Identidad Etnica. Los italianos en América Latina en una perspectiva comparada*, Buenos Aires,Cemla-CSER-IEHS, 1992.

——: *La vida en las fábricas. Trabajo, protesta y política en una comunidad obrera, Berisso, 1907-70*, Tesis de doctorado, Facultad de Filosofía y Letras, Universidad de Buenos Aires, 1998.

Lobato, Mirta Zaida-Suriano Juan: Historia del trabajo y de los trabajadores en la Argentina.

Aproximaciones a su historiografía", en Marta Panaia (comp.): *Trabajo y empleo. Un abordaje interdisciplinario*, Buenos Aires, Eudeba, 1996.

Lobato, Mirta Zaida (directora), Falcón, Ricardo, Mases, Enrique y Suriano, Juan: *Historia de los trabajadores (Argentina). Bibliografía*, CD-ROM, Grupo de trabajo "Movimiento obrero y sectores populares, Buenos Aires, UBA,UNCo,UNR, 2000.

Marotta, Sebastián: *El movimiento sindical argentino. Su génesis y desarrollo*, 3 tomos, Buenos Aires, Lacio, 1961.

Matheu, Pedro V.: "Introducción, desarrollo y actualidad del taylorismo en la República Argentina, *Diálogo laboral,* N° 2, año 1, cuarto trimestre de 1985, pág. 24 a 27.

Matsushita, Hiroshi: *Movimiento obrero argentino, 1930-1945. Sus proyecciones en los origenes del peronismo*, Siglo Veinte, Buenos Aires, 1983.

Murmis, M. y Portantiero, J. C.: *Estudios sobre los origenes del peronismo*, Buenos Aires, Siglo XXI, 1972.

Naum, Benjamín, Cocchi Angel, Frega Ana, Tronchon Ivette: *Historia Uruguaya, 1830-1958*, Montevideo, Ediciones de la Banda Oriental, 1991.

Oddone, Jacinto: *Gremialismo proletario argentino*, Buenos Aires, Libera, 1975.

——: *Horario y salarios. Proyecto de ley estableciendo la jornada máxima de 8 horas, el salario mínimo de 4 pesos y el pago en efectivo para los obreros ocupados en la provincia y en los municipios*, 1915 (Folleto).

Otero, Francisco: *Higiene del obrero en las fábricas*, Buenos Aires, Librería del Colegio, 1914.

Panaia, Marta (comp.): *Trabajo y Empleo. Un abordaje Interdisciplinario*, Eudeba, Buenos Aires, 1996.

Panettieri, José: *Trabajadores*, Buenos Aires, CEAL, 1982.

——: *Las primeras leyes obreras*, Buenos Aires, CEAL, 1984.

Palomino, Héctor: *Cambios ocupacionales y sociales en Argentina, 1947-1985*, Buenos Aires,Cisea, 1988.

Pianetto, Ofelia: "Mercado de trabajo y acción sindical en la Argentina (1890-1922)", en *Desarrollo Económico,* vol. 24, N° 94, julio-septiembre de 1984.

Rotondaro, Rubén: *Realidad y cambio en el sindicalismo,* Pleamar, Buenos Aires, 1971.

Sabato, Hilda y Romero, Luis Alberto: *Los trabajadores de Buenos Aires. la experiencia del mercado, 1850-1880,* Buenos Aires, Sudamericana, 1992.

Solomonoff, Jorge: *Ideologías del movimiento obrero y conflicto social*, Buenos Aires,Proyección, 1971.

Spalding, Hobart: *La clase trabajadora argentina (Documentos para su hisitoria 1890/1912),* Buenos Aires, Galerna, 19970.

Suriano, Juan: "Estado y conflicto social: el caso de la huelga de maquinistas ferroviarios de 1912", en *Boletín 4*, Instituto de Historia Argentina y Americana Dr. Emilio Ravignani, 2do. semestre de 1991.

Tamarín, David: *The Argentine Labor Movement, 1930-45. A Study in the Origins of Peronism,* Alburquerque, University of New Mexico Press, 1985.

Torre, Juan Carlos (comp.): *La formación del sindicalismo peronista*, Buenos Aires, Legasa, 1988.

——: *La vieja guardia sindical y Perón. Sobre los orígenes del peronismo,* Buenos Aires, Sudamericana, 1990.

——: "Acerca de los estudios sobre la historia de los trabajadores en la Argentina", en *Anuario 5*, IEHS, Tandil, 1990.

—— (comp.): *El 17 de octubre de 1945*, Ariel, Buenos Aires, 1995.

Zorrilla, Ruben: *Estructura y dinámica del sindicalismo argentino*, Buenos Aires, La Pléyade, 1974.

Índice de cuadros

Índice de gráficos

Índice de mapas, planos, croquis y fotografías

Este libro fue impreso por CaRol-Go en Julio de 2004
Av. Alicia M. de Justo 1930, 5º p. of. 505 | (C1107AFN) | Buenos Aires
Telefax: (54-11) 4307-2436 / 2595 | e-mail: carolgo@carolgo.com.ar